Y0-BSA-112

KLAUS BEYER

Semitische Syntax im Neuen Testament

BAND I

Satzlehre Teil 1

VANDENHOECK & RUPRECHT
IN GÖTTINGEN

Studien zur Umwelt des Neuen Testaments

Herausgegeben von Karl Georg Kuhn

Band 1

Gedruckt mit Unterstützung der Deutschen Forschungsgemeinschaft —

Gesamtherstellung: Hubert & Co., Göttingen
7831

VORWORT

Es sind jetzt gerade zehn Jahre her, daß mir Herr Prof. D. Dr. K. G. Kuhn das Problem der Semitismen im Neuen Testament zur Bearbeitung vorgeschlagen hat. Er hat auch das Fortschreiten der Arbeit durch guten Rat gefördert und sich sehr um die Drucklegung bemüht, wofür ich ihm zu großem Dank verpflichtet bin. Außerdem habe ich zu danken: Herrn Prof. D. Dr. G. Hölscher († 1955), der sich in meinen ersten Semestern sehr um mich bemüht und mein Studium entscheidend beeinflußt hat; der Studienstiftung des deutschen Volkes, der ich von 1950 bis 1954 angehört habe; dem Orientalischen Seminar der Universität Heidelberg, das mir seine Bücher in großzügiger Weise zur Verfügung gestellt hat; dem Verlag Vandenhoeck & Ruprecht, der das Werk übernommen hat; der Deutschen Forschungsgemeinschaft, die eine erhebliche Druckbeihilfe bewilligt hat; der Druckerei, die das komplizierte Manuskript ausgezeichnet bewältigt hat, und schließlich meinen Eltern.

Ein Teil dieses Bandes hat der Theologischen Fakultät der Universität Heidelberg als Dissertation vorgelegen. Für das volkstümliche Jüdisch-Palästinische Aramäisch, die Muttersprache Jesu, wurde Vollständigkeit der Belege angestrebt. Aus technischen Gründen wurden auch Zitate aus aramäischen Sprachen, die eine eigene Schrift besitzen (Samaritanisch, Christlich-Palästinisch, Syrisch, Mandäisch), in hebräischen Typen gesetzt. Es sei darauf hingewiesen, daß viele der zitierten älteren grammatischen u. ä. Werke durch Neudruck wieder zugänglich geworden sind. Der Inhalt der weiteren geplanten Bände ist S. 17 Anm. 2 aufgeführt.

Auf S. 13f. bzw. 15 hätte ich noch anmerken sollen, daß auch die unrezensierten und offiziell nicht anerkannten (palästinischen) Targume (darunter das palästinische Pentateuchtargum und Jeruschalmi I—III) eine (hebräisch und) reichsaramäisch beeinflußte, künstliche Sprache zeigen, wenn auch nicht in dem Maße wie das (in Babylonien maßgebend gewordene) Targum Onqelos. Der reichsaramäische Einschlag der Targume rührt ebenso wie der des Syrus Sinaiticus daher, daß ihre erste Fixierung noch in eine Zeit hinaufreicht, in der man als Schriftsprache allein das Reichsaramäische gebrauchte (natürlich je nach dem Bildungsgrad des Verfassers mehr oder weniger rein), während die gesprochenen aramäischen Dialekte noch nicht literaturfähig waren (was sie außer in Edessa frühestens gegen Ende des zweiten nachchristlichen Jahrhunderts zu werden begannen).

Heidelberg, im Dezember 1961

Klaus Beyer

Inhalt

EINLEITUNG

I. Die bisherige Forschung und der hier eingeschlagene Weg

Zur Zeit Jesu sprach das Volk in Palästina aramäisch[1]. Als Schriftsprache diente das vom gesprochenen Aramäisch verschiedene sogenannte Reichsaramäisch. Außerdem wurde das Hebräische, „die heilige Sprache", in der gelehrten theologischen und juristischen Diskussion und Literatur weiterverwandt. Jesus und seine Jünger haben also aramäisch gesprochen; daher muß alles, was im Neuen Testament auf sie zurückgeht, ursprünglich in der aramäischen Volkssprache formuliert gewesen sein. Bei den gelehrt-theologischen Partien des Neuen Testaments wird man dagegen eher mit einem hebräischen, kaum mit einem reichsaramäischen Original zu rechnen haben.

Daß die Wurzeln des Neuen Testaments in semitischem Boden liegen, war natürlich immer bekannt, und so begann man schon früh, im Neuen Testament Semitismen zu sammeln[2]. Dabei wurde gern alles, was von der klassisch-griechischen Norm abwich, für semitisch erklärt. Als es jedoch auf Grund der reichen ägyptischen Papyrusfunde möglich wurde, viele neutestamentliche Besonderheiten aus der gleichzeitigen griechischen Umgangssprache als echtes Koinegriechisch nachzuweisen, schlug die allgemeine Ansicht über die Sprache des Neuen Testaments in das Gegenteil um, und viele leugneten überhaupt jeden semitischen Einfluß. So standen sich am Anfang dieses Jahrhunderts zwei Lager gegenüber, die etwa durch die Namen W llhausen — Torrey — Burney auf der einen und Deissmann — Moulton — Radermacher auf der anderen Seite charakterisiert werden können. Und daran hat sich im wesentlichen bis heute nichts geändert. Ja,

[1] So fast alle neueren Forscher, vgl. Meyer, Jesu Muttersprache 35ff., 155ff., Dalman WJ 1ff., JJ 6ff., Rosenthal 106ff., Kahle, ThRs 17 (1949), 201ff., Black 13ff. Demgegenüber traten für Hebräisch ein: A. Resch, Franz Delitzsch, M. H. Segal, H. Birkeland; Griechisch: J. Vossius, D. Diodati, L. Hug, K. A. Credner, A. Roberts, E. Böhl; Lateinisch: M. Inchofer S. J., J. Harduin S.J.

[2] Einen Überblick über die bisherigen Bemühungen geben: Meyer, Jesu Muttersprache 7—35, 102—49, Dalman WJ 45—57, D. W. Riddle, JBL 54 (1935), 127—38, Black 1—104.

man muß sagen, daß Skepsis gegenüber allen Versuchen, eine neutestamentliche Stelle vom Semitischen her zu erklären, die Regel ist. Das ist jedoch nicht verwunderlich, wenn man bedenkt, wie schwer etwa Torrey durch seine meist ganz unwahrscheinlichen mistranslations und seine allen Ergebnissen der kritischen Forschung widersprechende Theorie, alle vier Evangelien und Act 1—15,35 seien Übersetzungen aus dem Aramäischen, solche Versuche diskreditiert hat; und auch anderen, die sich zu diesem Problem geäußert haben, kann man den Vorwurf oberflächlicher Arbeit nicht ersparen (am zuverlässigsten ist immer noch Dalman, der übrigens auch von einem aramäisch abgefaßten Urevangelium nichts wissen wollte). Diese Skepsis ist aber nicht berechtigt, denn es ist in der Tat möglich, neutestamentliche Probleme durch Zuhilfenahme der semitischen Sprachen zu lösen, ohne unbeweisbare Voraussetzungen machen zu müssen, allein von den allgemein anerkannten historischen Tatsachen aus. Allerdings sind dabei zwei große Schwierigkeiten zu überwinden: 1. Im Gegensatz zur hebräischen Gelehrtensprache und zur reichsaramäischen Schriftsprache ist von der aramäischen Volkssprache der Zeit Jesu so gut wie nichts überliefert. 2. Gegenstand der Erforschung sind rein griechische Texte. Diese sind auch nicht einmal als Ganzes schriftlich übersetzt wie LXX, sondern einzelne der verarbeiteten Traditionen haben irgendwo während ihrer meist mündlichen Weitergabe die semitisch-griechische Sprachgrenze überschritten, wobei alle Möglichkeiten zwischen wörtlicher Übersetzung (besonders bei Worten Jesu) und völliger Neuformung (besonders bei Geschichten) denkbar sind[1]. Falsche oder schiefe Übersetzungen, also krasse und daher leicht erkennbare Semitismen wie in LXX, sind mithin mindestens für die Synoptiker unwahrscheinlich, da man kaum annehmen kann, daß die zweisprachigen Übersetzer die gehörten Traditionen nicht verstanden haben. Um trotz dieser Schwierigkeiten zu gesicherten Ergebnissen zu kommen und Zufälligkeiten weitgehend auszuschalten, muß die Erörterung der Semitismen im Neuen Testament auf eine solide Basis gestellt werden. Das soll in folgender Weise geschehen:

1. Im Gegensatz zur bisherigen Forschung, die mehr einzelne Wörter und Begriffe untersuchte, wird nur die Syntax, zunächst sogar nur die Satzsyntax (der Syntax synthetischer Teil) behandelt,

---

[1] Vgl. M. Dibelius, Die Formgeschichte des Evangeliums, 2. Aufl., Tübingen 1933, 30ff., 234f.

da der Satzbau dem Redenden weniger bewußt ist, als die Wortwahl, auch widerstandsfähiger gegen Sprachmischungen oder Stilverbesserungen und deshalb für unsere Fragen beweiskräftiger, allerdings auch wesentlich schwieriger zu beschreiben.

2. Für jede Konstruktion wird der Nachweis versucht, daß sie gemeinsemitisch ist. Dann muß sie nämlich auch in dem uns nicht überlieferten Jüdisch-Palästinisch-Aramäischen der Zeit Jesu vorhanden gewesen sein. Wenn die einzelnen semitischen Sprachen jedoch in einem Punkt voneinander abweichen, so wird das nicht bekannte Jüdisch-Palästinische der Zeit Jesu aus den umliegenden aramäischen Sprachen rekonstruiert[1].

3. Für die jeweilige Konstruktion werden nicht nur aus allen semitischen Sprachen, in denen sie vorkommt, und, soweit vorhanden, auch aus dem Griechischen, und zwar vom klassischen Griechisch bis zum Neugriechischen, Belege angeführt, sondern diese werden auch entwicklungsgeschichtlich und sprachpsychologisch analysiert, damit der Leser auch das Typische, die Pointe der jeweiligen Konstruktion versteht und die Gründe, warum sie in der einen Sprache vorhanden ist und in der anderen nicht.

4. Wegen des schlechten Erhaltungszustandes der meisten der in Betracht kommenden semitischen Texte beweist ein einzelner Beleg wenig. Außerdem muß in den zweisprachigen jüdischen Schriften mit gegenseitiger Angleichung der neuhebräischen Teile einerseits und der jüdisch-palästinischen bzw. babylonisch-talmudischen Teile andrerseits im Laufe der Überlieferung gerechnet werden, was noch dadurch erleichtert wurde, daß häufig sogar mitten in einem Satz die Sprache wechselt oder eine Stelle sowohl neuhebräisch als auch aramäisch überliefert ist. Auch haben die späteren Abschreiber in geringem Maße Babylonisch-Talmudisches in die jüdisch-palästinischen Texte eingetragen. Deswegen werden für jede Konstruktion möglichst viele Beispiele gegeben, besonders wenn diese als sehr gebräuchlich erwiesen werden soll.

5. Falls eine Konstruktion im Semitischen und im Griechischen in gleicher Bedeutung üblich ist, wird ihre jeweilige Häufigkeit untersucht, ob sie gewöhnlich oder nur selten gebraucht wird. Wenn die

[1] Das wird auf S. 14f. näher ausgeführt. Es wird hier also zugleich eine ausführliche Vergleichende Syntax der sem. Sprachen geboten, wobei das Schwergewicht im Gegensatz zu Brockelmanns Grundriß auf dem Hebr. und Aram. und hier besonders auf dem Jüd.-Pal. liegt.

qualitative Methode versagt, kann so immer noch mit der quantitativen (Statistik) semitischer Einfluß nachgewiesen werden[1].

6. Es werden nicht einzelne neutestamentliche Verse herausgegriffen und für sich erklärt, sondern jeweils alle gleichartigen semitischen und griechischen Stellen zusammengenommen, die Arbeit also systematisch geordnet. Dadurch ist eine viel sicherere Einordnung der einzelnen Stelle möglich. Außerdem wird jeweils die entsprechende semitische Konstruktion als ganze vorgeführt, wenn auch im Neuen Testament nicht alles belegt ist, um dem Leser ein Gesamtbild und damit die Voraussetzung für eigene Urteilsbildung zu geben, sowie auch die Prüfung apokrypher, hier nicht behandelter Texte zu ermöglichen.

7. Es werden auch nicht einzelne neutestamentliche Schriften herausgegriffen, sondern die Untersuchung erstreckt sich ganz gleichmäßig und ohne irgendein Vorurteil über das ganze Neue Testament. Dadurch muß sich die Methode schon innerhalb des Neuen Testaments an Schriften und Schriftabschnitten verschiedenster Herkunft bewähren, deren Einordnung, nach der Stärke des semitischen Einflusses vorgenommen, z. T. auf literar- und formgeschichtlichem Wege nachgeprüft werden kann.

8. Natürlich werden die Handschriften und nicht irgendein Textus receptus zugrunde gelegt[2]; dabei werden auch Lesarten berücksichtigt, die wegen ihrer schlechten Bezeugung keinerlei Aussicht auf Ursprünglichkeit haben, weil sie zeigen, wie auch während der späteren Überlieferung des Neuen Testaments z. T. noch scheinbar semitische Bildungen entstehen und dadurch Vorsicht geboten wird. Besonders der unrezensierte, sogenannte „westliche“ Text (D, it, $sy^{sin.cur}$; W; Θλφ) wird genau beobachtet[3]. Nur von Seitenreferenten eingedrungene Lesarten bleiben unberücksichtigt.

---

[1] Vgl. die beigegebenen Tabellen auf S. 41, 59, 77, 230—32, 294f., 298.

[2] Dazu wurden außer den kritischen Gesamtausgaben des NT von Tischendorf-Gregory, Westcott-Hort, von Soden und Nestle-Aland noch herangezogen: S. C. E. Legg, Novum Testamentum Graece, Evangelium secundum Marcum, Oxford 1935, secundum Matthaeum, Oxford 1940, J. H. Ropes, The Text of Acts, The Beginnings of Christianity, Vol. III, London 1926, A. C. Clark, The Acts of the Apostles, A Critical Edition with Introduction and Notes on Selected Passages, Oxford 1933, R. H. Charles, The Text and Apparatus Criticus of the Revelation of St. John, A Critical and Exegetical Commentary on the Revelation of St. John, Vol. II, Edinburgh 1920, 227—385.

[3] Er wird von vielen Gelehrten (Lagarde, Nestle, Burkitt u. a.) dem ägyptischen vorgezogen. Er soll auch mehr Semitismen aufweisen als die anderen Text-

9. Um zu erkunden, wie sich etwa ein Übersetzer verhält, welche semitischen Konstruktionen er wörtlich, welche sinngemäß frei wiedergibt und welche er gar nicht versteht, wird LXX herangezogen. Dabei muß natürlich bedacht werden, daß LXX die Übersetzung eines schriftlichen Textes durch gelehrte Übersetzer darstellt.

10. Es werden unterschieden: A) Bei den ungriechischen Konstruktionen: a) Semitismen: sie sind allen semitischen Sprachen oder zumindest den kanaanäischen und aramäischen Sprachen gemeinsam; b) Hebraismen: sind im Aramäischen (u. U. mit Ausnahme des Reichsaramäischen) nicht zu belegen; c) Aramaismen: sind im Kanaanäischen nicht zu belegen; d) Septuagintismen: sind Konstruktionen, die wegen falscher Verwendung hebräischer Sprachmittel nicht Hebraismen sein können. Richtige Imitationen hebräischer Ausdrucksweise lassen sich dagegen von Hebraismen bzw. Semitismen nicht unterscheiden und werden deshalb dort eingeordnet. B) Unsemitische Konstruktionen: Gräzismen: sind griechische Konstruktionen, die in keiner semitischen Sprache oder mindestens in keiner kanaanäischen und aramäischen Sprache vorkommen[1].

11. Die Feststellung unabhängiger Parallelentwicklungen im Semitischen und Griechischen (Entstehung der Konditionalkonjunktionen aus hinweisenden Interjektionen, Konzentration auf Eine, alles umfassende Konjunktion: שֶׁ, דְּ, ἵνα u. a.) bewahrt vor falschen Schlüssen.

12. Um die Darstellung übersichtlich und gut benutzbar zu machen, wird nach logischen Gesichtspunkten gegliedert. Das hat aber mit logizistischer Sprachbetrachtung nichts zu tun! In den einzelnen Abschnitten wird streng nach den Methoden moderner Sprachwissenschaft vorgegangen.

13. Auf Polemik wird im allgemeinen verzichtet. Die meisten Vorschläge angeblicher Semitismen (besonders von Torrey und Burney) sind auch gar keiner Widerlegung wert. Nur einzelne Vermutungen dieser Art, die schon in die Kommentare eingedrungen sind, werden behandelt werden.

---

formen (Wellhausen, Wensinck, Black). Beides scheint mir nicht richtig zu sein. Er ist nur ein vulgarisierter, verwilderter Text. Ich stimme E. Haenchen, Die Apostelgeschichte, 12. Aufl., Göttingen 1959, 47—53, vollkommen zu.

[1] Eine genaue Aufgliederung aller besprochenen ntl. Stellen nach diesen Gesichtspunkten gibt das Register. Vgl. die Vorbemerkung zum Register auf S. 296ff.!

II. Die semitischen Sprachen

Zur Bezeugung und Verwandtschaft der einzelnen semitischen Sprachen sowie ihrer Bedeutung für unser Thema ist folgendes zu sagen[1]:

1. Die älteste uns bekannte semitische Sprache ist das Akkadische (bezeugt von 2500 vor bis einige Jahre nach Christi Geburt), im 2. Jahrtausend die Verkehrssprache des Vorderen Orients. Es hat Nebensätze noch nicht voll ausgebildet und gibt deshalb Einblick in die Entwicklung der Hypotaxe im Semitischen. Allerdings ist seine Verwendbarkeit zur semitischen Sprachvergleichung dadurch beschränkt, daß es in seiner Frühzeit unter stärkstem Einfluß der im 3. Jahrtausend in Babylonien herrschenden nichtsemitischen sumerischen Sprache stand, wodurch auch die Syntax in Mitleidenschaft gezogen wurde: So steht etwa das verbale Prädikat in der Regel am Satzende.

2. Die wichtigste Sprache der kanaanäischen Sprachgruppe ist das Hebräische (1000 v. Chr.—68 n. Chr.). Hauptzeugen sind das Alte Testament, Jesus Sirach und die Qumrantexte. Besonders das ältere Hebräisch und die Poesie gebrauchen noch verschiedene konjunktionslose hypotaktische Konstruktionen aus der Zeit vor Ausbildung der Konjunktionen. Für die kanaanäische Syntax können außerdem die beiden anderen umfangreicher belegten kanaanäischen Sprachen, das Ugaritische (14.—13. Jahrh. v. Chr.), die Sprache der Epen von Ras-Schamra, und das Phönizisch-Punische (10. Jahrh. v. Chr.—1. Jahrh. n. Chr.) herangezogen werden. Seit dem 7. Jahrh. v. Chr. wurde das Hebräische, ebenso wie das Akkadische, vom Aramäischen von Syrien aus immer stärker unterwandert. Nach dem Exil hat sich das Aramäische in Palästina, wie schon früher in Babylonien, als Volkssprache durchgesetzt, während das Hebräische, ebenso wie das Akkadische, nur noch als Literatursprache einige Jahrhunderte weitergepflegt wurde. Vom Volk wurde es schon bald nicht mehr verstanden und geriet langsam immer mehr unter aramäischen Einfluß. Doch hielten die Synagoge und die jüdische Schriftgelehrsamkeit auch weiterhin am Hebräischen fest, und zwar in der Gestalt, in der es sich im zweiten nachchristlichen Jahrhundert stabilisiert hatte, dem sogenannten Neuhebräischen, dessen ältester Beleg die Mischna ist (abgeschlossen um 200 n. Chr.), und in dem fast die gesamte rabbinische

[1] Vgl. das sachlich geordnete Literaturverzeichnis auf S. 19ff.!

Literatur verfaßt ist mit Ausnahme eines kleinen Teils der beiden Talmudim und der haggadischen Midraschim. Obwohl dieses Neuhebräische vom Althebräischen (einschließlich Qumran) deutlich abgesetzt ist, trägt es doch noch in vielen syntaktischen Eigenheiten unverkennbar hebräisches Gepräge in klarer Abgrenzung gegen das Aramäische, wenn auch manches typisch Hebräische unter dem starken Einfluß des gesprochenen Aramäisch abgeschliffen ist. Es kann also ohne weiteres als Zeugnis für gemeinsemitische Konstruktionen, doch nur mit Vorbehalt, d. h. zusammen mit dem Hebräischen oder dem Aramäischen, zum Erweis von Hebraismen oder zur Bekräftigung von Aramaismen herangezogen werden.

3. Über ein Jahrtausend steht der Orient nun im Zeichen des Aramäischen. Die ältesten aramäischen Zeugnisse, die sogenannten altaramäischen Inschriften aus Nordsyrien, stammen bereits aus dem 8. Jahrh. v.Chr. Aber zu häufen beginnen sich die Funde erst von der Zeit an, da das Aramäische, nachdem es schon im assyrischen Reich seit dem 7. Jahrh. v.Chr. im Verkehr mit anderssprachigen Untertanen benutzt worden war, unter den Achämeniden zur Amtssprache des gesamten westlichen Perserreiches erhoben wurde (um 550 v.Chr.). In diesem „Reichsaramäisch" — wahrscheinlich also ein Lokaldialekt von Mesopotamien oder Babylonien — wurden nicht nur die amtliche Korrespondenz, Rechtsurkunden und Inschriften abgefaßt, sondern auch literarische Werke, wie Aḥiqar und Daniel beweisen. Der gewaltigen Ausdehnung des persischen Reiches entsprechend finden sich Belege für dieses literarische Aramäisch im ganzen Orient: in Kleinasien (5.—3. Jahrh. v. Chr.), Assyrien und Mesopotamien (7.—3. Jahrh. v. Chr.), Indien (3. Jahrh. v. Chr.), das Ägyptisch-Aramäische der Nilinsel Elephantine (5. Jahrh. v.Chr.), deren jüdische Bewohner wahrscheinlich noch hebräisch (oder vielleicht schon ägyptisch) gesprochen haben, Esra (5. Jahrh. v.Chr.), Daniel (2. Jahrh. v.Chr.). Im Nabatäischen (100 v.Chr.—100 n.Chr.) und Palmyrenischen (33 v.Chr.—274 n.Chr.) verrät der arabische bzw. ostaramäische Einschlag deutlich die eigentliche Muttersprache der Landesbewohner. Auch die Juden benutzten das Reichsaramäische, wie die Grundlage des Targum Onqelos, das sogenannte Genesis-Apocryphon (1QGen Apoc) und die übrigen in Qumran und der Kairoer Geniza gefundenen Reste aramäischer Schriften (Tobit, Testament Levis, Gebet Nabonids u. a.), die Fastenrolle und andere Dokumente beweisen, wobei gleichfalls die (jüdisch-palästinische) Muttersprache ihrer Verfasser

durchschimmert; und noch der babylonische Talmud zeigt an verschiedenen Stellen das Bemühen um die reichsaramäische Schriftsprache (der sog. Nedarim-Dialekt; nicht zu verwechseln mit reichs- oder westaramäischen Zitaten!), womit daher auch (neben neuhebräischer Einwirkung) in jüdisch-palästinischen Texten, soweit sie von gelehrten Verfassern stammen, gerechnet werden muß. Das Reichsaramäische ist außerordentlich einheitlich, so daß eine Datierung oder Lokalisierung der Funde aus sprachlichen Indizien eigentlich unmöglich ist. Schon hier sind die für die aramäische Syntax typischen Kennzeichen, wie die geringere Strenge im Satzbau und die Entwicklung des Partizips zu einem dritten Tempus, deutlich ausgeprägt, wenn es auch dem Hebräischen in manchem noch näher steht als die *jüngeren aramäischen Sprachen*. Diese untereinander verschiedenen lokalen Einzelsprachen haben unter der Decke der reichsaramäischen Schriftsprache sicher schon lange existiert, doch werden sie uns erst sichtbar, als sie jede zum Träger einer besonderen religiösen Literatur werden. Sie zerfallen nach ihrer Formenbildung in zwei Gruppen: das Westaramäische (Palästinische) und das Ostaramäische (Mesopotamisch-Babylonische). Zum Westaramäischen gehören: das Jüdisch-Palästinische (3.—6. Jahrh. n. Chr.), Samaritanische (3.—6. Jahrh. n. Chr.) und Christlich-Palästinische 5.—9. Jahrh. n. Chr.), zum Ostaramäischen: das Syrische (ab 73 n. Chr., von 500 an gespalten in das stagnierende Nestorianisch-Ostsyrische und das sich weiterentwickelnde Jakobitisch-Westsyrische, nach 800 eine tote Sprache), Babylonisch-Talmudische (3.—9. Jahrh. n. Chr.) und Mandäische (6.—9. Jahrh. n. Chr.). Es ist wichtig, diese Volksdialekte, die sich aus dem Altaramäischen entwickelt haben, von der reichsaramäischen Schriftsprache (Dalman 41: „Schrift- und Gelehrtensprache", Baumgartner 23*: „Kunstsprache") scharf zu trennen, da sie sich von dieser außer im Wortschatz auch an verschiedenen Punkten der Syntax deutlich unterscheiden, so etwa: „außer, sondern" heißt reichsaramäisch להן, west- und ostaramäisch אלא; die Wortstellung ist im Reichsaramäischen ganz frei (jedoch nicht im Altaramäischen!), während in den unten erwähnten jüdisch-palästinischen Geschichten durchaus streng die Reihenfolge Verbum — Subjekt (Objekt) eingehalten wird; die absolute Negation כל — לא, die prohibitive אל, Jussiv und unbeschränkter Gebrauch des Personalpronomens als Copula kommen nur im (Hebräischen und) Reichsaramäischen vor. Den in Palästina im 1. Jahrh. n. Chr. üblichen Volksdialekt hat auch Jesus gesprochen. Da wir bei syntaktischen Untersuchungen von Übersetzungsliteratur (also den Targumen, und zwar auch in ihren freien Zusätzen) absehen müssen, stehen wir diesem Idiom in den unliterarischen, volkstümlichen, sowohl vom Hebräischen und Reichsaramäischen als auch vom Griechischen unbeeinflußten, ursprünglich selbständigen jüdisch-palästinisch-aramäischen Geschichten und Sprichwörtern aus dem palästinischen Talmud und den haggadischen Midraschim (besonders GenR, LevR, HhldR—EsthR) sprachlich und literarisch am nächsten. Danach sind die übrigen, gleichfalls nicht sehr umfangreichen, jüdisch-palästinischen Stücke der genannten Schriften heranzuziehen[1]. Wir haben Grund anzunehmen, daß sich das volkstümliche Palästinisch-Aramäisch vom 1. Jahrh. n. Chr. bis zum 4. Jahrh. n. Chr., wo es bezeugt ist, syntaktisch kaum gewandelt hat (vgl. etwa die noch klare Unterscheidung zwischen Status absolutus und emphaticus in den genannten jüdisch-palästinischen Geschichten und in den westaramäischen Zitaten des babylonischen Talmuds sowie auch im Samaritanischen und Christlich-Palästinischen), was durch den neutestamentlichen Befund bestätigt wird. Außerdem wäre auch die samaritanische und die christlich-palästinische Literatur brauchbar, wenn nicht die christlich-palästinische ausschließlich aus Übersetzungen aus dem Griechischen bestände, und die samaritanische auch abgesehen vom Pentateuchtargum unter stärkstem alttestamentlichen Einfluß stände. Die ostaramäischen Dialekte zeigen in ihrer freieren Wortstellung mehr Ähnlichkeit mit dem Reichsaramäischen. Besonders das Syrische läßt eigentlich jede Wortstellung zu, doch scheint mir in diesem Punkt wie auch sonst griechischer Einfluß nicht ausgeschlossen, weshalb das Syrische, das überhaupt am meisten aus der Reihe der aramäischen Sprachen herausfällt, nur mit Vorsicht für unser Thema herangezogen werden darf. Dagegen ist die Syntax des Babylonisch-Talmudischen und des Mandäischen von griechischem Einfluß frei und kann deshalb eher benutzt werden, wenn auch nicht uneingeschränkt, da die ostaramäischen Dialekte öfters auch syntaktisch von den westaramäischen abweichen. Besonders das Babylonisch-Talmudische hat, zu konzentrierter Aussage gedrängt, die Möglichkeiten der aramäischen Syntax bis zum Äußersten ausgenutzt und damit sichtbar gemacht. In dieser Aufgliederung herrschen die

[1] Die Unterschiede zwischen dem aram. Dialekt des pal. Talmuds und dem (etwas jüngeren) der haggad. Midraschim sind unerheblich; vgl. etwa S. 34 Anm. 6.

aramäischen Sprachen, bis sie nach der Überflutung ihres Landes durch die islamischen Araber allmählich vom Arabischen verdrängt werden. Dieser Prozeß wird um 800 n. Chr. beendet gewesen sein. Bis heute hat sich aber noch in einigen entlegenen Dörfern nordöstlich von Damaskus (besonders Ma'lula) ein westaramäischer und am Urmiasee ein ostaramäischer Dialekt gehalten.

4. Obwohl das (Nord-)Arabische als letzte (seit dem 6. Jahrh. n. Chr.) der semitischen Sprachgruppen an die Öffentlichkeit getreten ist, steht es dem Ursemitischen in vielem näher als das Hebräische und das Aramäische. Es zeichnet sich durch eine reich ausgebildete Syntax aus, die wegen seiner Vielfalt an Formen (besonders Verbalformen) viel eindeutiger und klarer ausgestaltet werden konnte als die der anderen semitischen Sprachen und deshalb zu deren Erhellung unentbehrlich ist. Dazu besitzt es eine unerschöpfliche Literatur. Man muß sich jedoch davor hüten, das arabische Vorbild einfach auf die anderen semitischen Sprachen zu übertragen, da die Unterschiede im einzelnen oft doch recht erheblich sind. Das Arabische beherrscht noch heute als einheitliche Schriftsprache und in vielen gesprochenen Lokaldialekten den vorderen Orient und Nordafrika.

5. Die Hauptzeugen der südarabisch-äthiopischen Sprachgruppe sind das aus verschiedenen Dialekten bestehende, aus zahlreichen Inschriften bekannte Altsüdarabische (8. Jahrh. v. Chr. bis 6. Jahrh. n. Chr.) und die Sprache der in Abessinien eingewanderten Semiten, das Äthiopische (300—1600 n. Chr.), das in alten Inschriften und zahlreichen späteren Handschriften überliefert ist.

Für die meisten semitischen Sprachen gibt es teilweise ausgezeichnete Darstellungen der Syntax. Leider sind die für unsere Arbeit wichtigsten Sprachen am wenigsten bearbeitet. Für das Reichsaramäische existiert eigentlich nur die Grammatik des Biblisch-Aramäischen von Bauer-Leander und für die westaramäischen Dialekte gibt es nur kurze Zusammenfassungen. Auch die hebräische Syntax (übrigens die schwierigste von allen semitischen Sprachen) hat noch keine befriedigende Bearbeitung gefunden, trotz der vielen Mühe, die schon auf sie verwandt wurde. Nur Teilgebiete sind von Kropat, Kuhr und Bergsträßer vorbildlich behandelt worden. Die Hebräische Syntax von Brockelmann ist im wesentlichen nur eine Zusammenstellung der das Hebräische betreffenden Teile aus seiner Vergleichenden Grammatik und viel zu knapp. Das vorliegende

Werk will zur weiteren Erhellung der hebräischen und aramäischen Syntax beitragen[1].

III. Ergebnisse für das Neue Testament

Obwohl hier nur ein kleiner Teil der Syntax behandelt wurde[2], zeichnen sich schon deutlich einige große Linien ab: Zunächst fällt auf, daß sich eindeutige Semitismen nur in den Synoptikern, in den johannäischen Schriften (Joh, 1—3Joh, Apc) und bei Jakobus finden. Die gleichen Schriften zeigen auch nach der Statistik semitischen Einfluß. Das bedeutsamste Ergebnis ist jedoch, daß sich im Johev und in 1—3Joh mehr eindeutige Hebraismen als Aramaismen (soweit ich sehe, sind solche nur das hier noch nicht behandelte in der aramäischen Volkssprache, besonders in der Erzählung, übliche Asyndeton und der gemeinaramäische Gebrauch des Partizips von „sagen" an Stelle der dritten Person des erzählenden Perfekts) nachweisen lassen. Das bedeutet, daß Johev und 1—3Joh überwiegend (wie ausschließlich die Apc) unter hebräischem Einfluß stehen. Damit ist die bisher allgemein vertretene Theorie, das Johev gehe, ganz oder teilweise, ausschließlich auf aramäische Quellen zurück, unhaltbar geworden; und zwar kommt für diesen, das Johev und 1—3Joh überwiegend und besonders außerhalb der Erzählung bestimmenden

[1] Bei syntaktischen Untersuchungen muß natürlich zwischen Prosa und Poesie unterschieden werden, da die Poesie in allen Sprachen viel größere Freiheiten hat. Doch wurde auf eine Kennzeichnung der poetischen Stellen meist verzichtet, da die sem. (bes. Teile des AT, Sir, 1QH, Aḥiqar, Mand.) und griech. (bes. Homer, Hesiod, Tragiker) poetische Literatur bekannt ist. Außerdem enthält ja auch das NT teilweise Poesie.

[2] In dem vorliegenden Band wird nur ein Teil der synthetischen Syntax behandelt. Er macht meiner Schätzung nach etwa ein Fünftel der gesamten Syntax aus. Im Rahmen der synthetischen Syntax müssen zunächst noch, nach demselben Schema wie die Konditionalsätze, behandelt werden: Die Konzessivsätze, Temporalsätze, Subjekt- und Objektsätze, Finalsätze, Konsekutivsätze, Kausalsätze, Vergleichssätze, Relativsätze; außerdem Syndese und Asyndese, adversative Anreihung sowie unter der Zusammenfassung „Der einfache Satz": Nominalsatz, Zusammengesetzter Nominalsatz, Verbalsatz, Kongruenz, Inneres Objekt und Paronomasie, Fragesatz, Wunschsatz, Schwursatz. In einer zweiten Abteilung wird sodann die analytische Syntax zu behandeln sein, die sich in folgende vier Abschnitte gliedert: Nomen, Pronomen; Verbum, Partikel. Außerdem müssen noch bestimmte Stileigentümlichkeiten der sem. Erzählung besprochen werden (Stilistik).

Spracheinfluß nicht etwa nur die zur Zeit Jesu in Palästina gesprochene aramäische Volkssprache nicht in Frage, sondern auch die reichsaramäische Schriftsprache (oder wie Burney nach Dalman fälschlich sagt: das judäische Aramäisch) nicht, obwohl sich letzteres nicht so eindeutig nachweisen läßt, da manche sonst typisch hebräische Konstruktionen auch im Reichsaramäischen vorkommen. Diese Entdeckung stimmt ausgezeichnet zu der Tatsache, daß die dem Johev theologisch eng verwandten Qumrantexte fast ausschließlich in hebräischer Sprache abgefaßt sind. Allerdings ist es ganz unwahrscheinlich, daß das gesamte Johev oder auch nur größere Teile direkte Übersetzungen semitischer Originale sind, da das Johev und ebenso 1—3Joh und Apc auch viele Gräzismen aufweisen und sich darin etwa von den Synoptikern erheblich unterscheiden. Man wird also bei allen johannäischen Schriften im großen ganzen nur von stark semitisierendem Griechisch reden dürfen, wobei allerdings die Einfügung einzelner, aus dem Semitischen übersetzter Quellenstücke (wie sicher hebräischer in der Apc) nicht ausgeschlossen ist.

DIE WICHTIGSTE LITERATUR

I. Semitistische Literatur

A) Vergleichende Grammatik der semitischen Sprachen

Carl Brockelmann, Grundriß der vergleichenden Grammatik der semitischen Sprachen, Band II: Syntax, Berlin 1913 (VglGr, §)

Handbuch der Orientalistik, hrsg. von Bertold Spuler, Leiden 1952ff. Darin Band III: Semitistik, mit Beiträgen von A. Baumstark, C. Brockelmann, E. L. Dietrich, J. Fück, M. Höfner, E. Littmann, A. Rücker und B. Spuler, Leiden 1954 (HdO, Band und S.)

B) Das Akkadische (Babylonisch-Assyrische)

Wolfram von Soden, Grundriß der akkadischen Grammatik (Analecta Orientalia 33), Rom 1952 (vSoden, §)

C) Die kanaanäischen Sprachen

1. Das Ugaritische

Cyrus H. Gordon, Ugaritic Manual, Newly revised Grammar (Analecta Orientalia 35), Rom 1955 (Gordon, §)

2. Das Hebräische

Wilhelm Gesenius-Emil Kautzsch, Hebräische Grammatik, 28. Aufl., Leipzig 1909 (GKa, §)

Wilhelm Gesenius-Gotthelf Bergsträßer, Hebräische Grammatik, 29. Aufl., 2. Teil: Verbum, Leipzig 1929 (GBe, §)

Eduard König, Historisch-comparative Syntax der hebräischen Sprache, Schlußteil (III) des historisch-kritischen Lehrgebäudes des Hebräischen, Leipzig 1897 (Kö, §)

Samuel Rolles Driver, A Treatise on the Use of the Tenses in Hebrew and some other Syntactical Questions, 3. Aufl., Oxford 1892 (Driver, §)

Paul Joüon, Grammaire de l'Hébreu biblique, 2. Aufl., Rom 1947 (Joüon, §)

J. Wash Watts, A Survey of Syntax in the Hebrew Old Testament, Nashville, Tennessee 1951 (Watts, §)

Henrik Samuel Nyberg, Hebreisk Grammatik, Uppsala 1952 (Nyberg, §)

Georg Beer-Rudolf Meyer, Hebräische Grammatik (Sammlung Göschen, Band 763. 764), 2. Aufl., Berlin 1952. 1955 (Beer-Meyer, §)

Carl Brockelmann, Hebräische Syntax, Neukirchen 1956 (Brockelmann, §)

Arno Kropat, Die Syntax des Autors der Chronik verglichen mit der seiner Quellen, Ein Beitrag zur historischen Syntax des Hebräischen (Beiheft ZAW 16), Gießen 1909 (Kropat, S.)

Ludwig Köhler, Deuterojesaja stilkritisch untersucht (Beiheft ZAW 37), Gießen 1923 (Köhler Deuterojes, S.)

Ewald Kuhr, Die Ausdrucksmittel der konjunktionslosen Hypotaxe in der ältesten hebräischen Prosa, Ein Beitrag zur historischen Syntax des Hebräischen (Beiträge zur semitischen Philologie und Linguistik, Heft 7), Leipzig 1929 (Kuhr, S.)

Frank R. Blake, A Resurvey of Hebrew Tenses, mit einem Anhang: Hebrew Influence on Biblical Aramaic (Scripta Pontificii Instituti Biblici 103), Rom 1951 (Blake, §)

Diethelm Michel, Tempora und Satzstellung [gemeint ist: Wortstellung] in den Psalmen (Abhandlungen zur evangelischen Theologie, Band 1), Bonn 1960 (Michel, S.)

Wilhelm Gesenius - Frants Buhl, Hebräisches und Aramäisches Handwörterbuch über das Alte Testament, 16. Aufl., Leipzig 1915 (GBu)

Ludwig Köhler und Walter Baumgartner, Lexicon in Veteris Testamenti Libros, Leiden 1953, Supplementum, Leiden 1958 (Köhler, Baumgartner)

Solomon Mandelkern, Veteris Testamenti Concordantiae Hebraicae atque Chaldaicae ... Editio altera locupletissime aucta et emendata, Berlin 1925 (Mandelkern)

Karl Georg Kuhn (Herausgeber), Konkordanz zu den Qumrantexten, Göttingen 1960 (Qumrankonkordanz)

3. *Das Neuhebräische*

Karl Albrecht, Neuhebräische Grammatik auf Grund der Mischna (Clavis Linguarum Semiticarum 5), München 1913 (Albrecht, §)

Moses Hirsch Segal, A Grammar of Mishnaic Hebrew, Oxford 1927 (Segal, §)

Chaim Josua Kasowski, Thesaurus Mishnae. Concordantiae verborum, quae in sex Mishnae ordinibus reperiuntur, Editio emendata, Jerusalem 1956ff.

Ders., Thesaurus Thosephthae. Concordantiae verborum, quae in sex Thosephthae ordinibus reperiuntur, Jerusalem 1932ff.

Wilhelm Bacher, Die exegetische Terminologie der jüdischen Traditionsliteratur, I: Die bibelexegetische Terminologie der Tannaiten, Leipzig 1899, II: Die bibel- und traditionsexegetische Terminologie der Amoräer, Leipzig 1905 (Bacher I. II, S.)

Aruch, Levy, Jastrow und Dalman Lex siehe beim Jüdisch-Palästinischen!

4. *Das Phönizisch-Punische*

Paul Schröder, Die phönizische Sprache, Halle 1869 (Schröder, §)

Johannes Friedrich, Phönizisch-Punische Grammatik (Analecta Orientalia 32), Rom 1951 (Friedrich, §)

Jean-Hoftijzer siehe bei den aramäischen Sprachen!

D) Die aramäischen Sprachen

Mark Lidzbarski, Handbuch der nordsemitischen Epigraphik, Weimar 1898 (NE, S.)

Ders., Ephemeris für semitische Epigraphik, Gießen, I: 1900—02, II: 1903—07, III: 1909—15 (Ephemeris, Band und S.)

Charles F. Jean-Jacob Hoftijzer, Dictionnaire des inscriptions sémitiques de l'Ouest, Leiden 1960ff. (Jean-Hoftijzer)

Franz Rosenthal, Die aramaistische Forschung seit Th. Nöldekes Veröffentlichungen, Leiden 1939 (Rosenthal, S.)

1. Das Reichsaramäische

Hans Bauer und Pontus Leander, Grammatik des Biblisch-Aramäischen, Halle 1927 (BLA, §)

Pontus Leander, Laut- und Formenlehre des Ägyptisch-Aramäischen, Göteborg 1928 (LÄ, §)

Jean Cantineau, Le Nabatéen, I: Paris 1930, II: 1932 (Cantineau Nab, S.)

Ders., Grammaire du Palmyrénien épigraphique, Kairo 1935 (Cantineau Palm, S.)

Arthur Ernest Cowley, Aramaic Papyri of the Fifth Century B.C. [einschließlich Aḥiqar und Behistuninschrift], Oxford 1923 (Cowley, Nummer und Zeile des Papyrus)

Emil Gottlieb Heinrich Kraeling, The Brooklyn Museum Aramaic Papyri, New Haven 1953 (Kraeling, Nummer und Zeile des Papyrus)

Godfrey Rolles Driver, Aramaic Documents of the Fifth Century B.C. [Lederurkunden], Oxford 1954, 2. Aufl. 1957 (Pell, Nummer und Zeile des Papyrus)

Franz Altheim und Ruth Stiehl, Die aramäische Sprache unter den Achaimeniden, Frankfurt 1959ff. (Altheim-Stiehl, S.)

Gesenius-Buhl und Köhler-Baumgartner siehe beim Hebräischen!

2. Das Westaramäische

a) Das Jüdisch-Palästinische

Gustaf Dalman, Grammatik des Jüdisch-Palästinischen Aramäisch, 2. Aufl., Leipzig 1905 (Dalman, S.)

William Barron Stevenson, Grammar of Palestinian Jewish Aramaic, Oxford 1924 (Stevenson, §)

J. T. Marshall, Manual of the Aramaic Language of the Palestinian Talmud, Grammar, Vocalized Text, Translation and Vocabulary, edited from the Author's Manuscript by J. B. Turner, Leiden 1929

Hugo Odeberg, The Aramaic Portions of Bereshit Rabba, I: Text with Transcription [nach der kritischen Ausgabe von J. Theodor-C. Albeck, Bereschit Rabba mit kritischem Apparate und Kommentare, Bojanowo-Berlin 1903—29, deren Text meistens dem Codex Addit. 27169 des Britischen Museums folgt] (Lunds Universitets Årsskrift N. F. Avd. 1, Bd. 36, Nr. 3), Lund-

Leipzig 1939 (GenR-Odeberg, Parasche und meist von Warschau 1877 abweichender Unterabschnitt)

Ders., The Aramaic Portions of Bereshit Rabba, II: Short Grammar of Galilaean Aramaic (LUÅ N. F. Avd. 1, Bd. 36, Nr. 4), Lund-Leipzig 1939 (Odeberg, §)

Nathan ben J^{e}ḥiël, ספר הערוך [Neuhebräisches und aramäisches Wörterbuch zu Targum, Talmud und Midrasch. Vollendet 1101. Erster Druck vor 1480; seitdem oft, meist mit Zusätzen, herausgegeben, vgl. Dalman 20f., H. L. Strack, Einleitung in Talmud und Midraš, 5. Aufl., München 1921, 168]. Letzte Neubearbeitung: Alexander Kohut, Aruch Completum, 8 Bände und 1 Supplementheft, Wien-NewYork 1878—92 (Ar)

Jacob Levy, Neuhebräisches und Chaldäisches Wörterbuch über die Talmudim und Midraschim, nebst Beiträgen von H. L. Fleischer, 4 Bände, Leipzig 1876—89, 2. Aufl. mit einem Nachtrag und Berichtigungen von L. Goldschmidt, Berlin-Wien 1924 (Levy)

Ders., Chaldäisches Wörterbuch über die Targumim und einen großen Teil des rabbinischen Schrifttums, mit Nachträgen von H. L. Fleischer, 2 Bände, Leipzig 1867—68 (Levy TW)

Marcus Jastrow, A Dictionary of the Targumim, the Talmud Babli and Yerushalmi and the Midrashic Literature, 2 Bände, London-New York 1886—1903 (Jastrow)

Gustaf Dalman, Aramäisch-Neuhebräisches Handwörterbuch zu Targum, Talmud und Midrasch, mit Lexikon der Abbreviaturen von G. H. Händler, 2. Aufl., Frankfurt 1922 (Dalman Lex)

Ders., Aramäische Dialektproben, zumeist nach Handschriften des Britischen Museums [Alte reichsaramäische Dokumente, Stücke aus den Targumen, jüdisch-palästinische Geschichten aus KlglR, GenR, LevR und jerusalem. Talmud u. a.], 2. Aufl., Leipzig 1927 (AD, Seite und Zeile des aramäischen Textes ohne die deutschen Zwischenüberschriften)

b) Das Samaritanische

Arthur Ernest Cowley, The Samaritan Liturgy, 2 Bände, Oxford 1909 (Cowley Sam, S.)

c) Das Christlich-Palästinische

Friedrich Schulthess, Grammatik des Christlich-Palästinischen Aramäisch, hrsg. von Enno Littmann, Tübingen 1924 (Schulthess, §)

Ders., Lexicon Syropalaestinum, Berlin 1903 (Schulthess Lex)

3. *Das Ostaramäische*

a) Das Syrische

Theodor Nöldeke, Kurzgefaßte Syrische Grammatik, 2. Aufl., Leipzig 1898 (Nöld Syr, §)

Rubens Duval, Traité de Grammaire Syriaque, Paris 1881 (Duval, §)

Robert Payne Smith, Thesaurus Syriacus, 2 Bände und ein Supplementband, Oxford 1879, 1901, 1927 (Payne Smith, Band und Spalte)

Carl Brockelmann, Lexicon Syriacum, 2. Aufl., Halle 1928 (Brockelmann Lex)

Theodor Nöldeke, Grammatik der Neusyrischen Sprache am Urmia-See und in Kurdistan, Leipzig 1868 (Nöld Neusyr, S.)

b) Das Babylonisch-Talmudische

Max Leopold Margolis, Lehrbuch der aramäischen Sprache des babylonischen Talmuds (Clavis Linguarum Semiticarum 3), München 1910 (Margolis, §)

Michael Schlesinger, Satzlehre der aramäischen Sprache des babylonischen Talmuds, Leipzig 1928 (Schles, §)

Aruch, Levy, Jastrow und Dalman Lex siehe beim Jüdisch-Palästinischen!

c) Das Mandäische

Theodor Nöldeke, Mandäische Grammatik, Halle 1875 (Nöld Mand, S.)

E) Das Nordarabische

W. Wright, A Grammar of the Arabic Language, translated from the German of Caspari and edited, with numerous additions and corrections, 4. Aufl., Reissue by A. A. Bevan, 3. Teil (II. Band): Syntax, London 1933 (Wright, §)

Hermann Reckendorf, Die syntaktischen Verhältnisse des Arabischen, Leiden 1898 (Synt Verh, S.)

Ders., Arabische Syntax, Heidelberg 1921 (Syntax, S.)

F) Das Südarabisch-Äthiopische

Maria Höfner, Altsüdarabische Grammatik (Porta Linguarum Orientalium 24), Leipzig 1943 (Höfner, S.)

August Dillmann, Grammatik der Äthiopischen Sprache, 2. Aufl., bearb. von Carl Bezold, Leipzig 1899, verbessert und ins Englische übersetzt London 1907 (Dillmann, §)

Ewald Wagner, Syntax der Mehri-Sprache, unter Berücksichtigung auch der anderen neusüdarabischen Sprachen (Veröffentlichungen des Instituts für Orientforschung der Deutschen Akademie der Wissenschaften zu Berlin 13), Berlin 1953 (Wagner, §)

II. Gräzistische Literatur

Raphael Kühner-Bernhard Gerth, Ausführliche Grammatik der griechischen Sprache, 3. Aufl., 2. Teil (2 Bände): Satzlehre, Hannover-Leipzig 1898—1904 (K-G, §)

Eduard Schwyzer, Griechische Grammatik auf der Grundlage von Karl Brugmanns griechischer Grammatik, Band II: Syntax und syntaktische Stilistik, vervollständigt und hrsg. von Albert Debrunner (Handbuch der Altertumswissenschaft II 1), München 1950 (Schwyzer, S.)

Edwin Mayser, Grammatik der griechischen Papyri aus der Ptolemäerzeit mit Einschluß der gleichzeitigen Ostraka und der in Ägypten verfaßten Inschriften, Band II: Satzlehre, 1: Berlin 1926, 2: 1934, 3: 1934 (Mayser 1, 2, 3, S.)

Herman Ljungvik, Beiträge zur Syntax der spätgriechischen Volkssprache, Uppsala 1932 (Ljungvik, S.)

Albert Thumb, Die griechische Sprache im Zeitalter des Hellenismus, Straßburg 1901 (Thumb Hell, S.)

Ders., Handbuch der neugriechischen Volkssprache, 2. Aufl., Straßburg 1910 (Thumb Handbuch, §)

Henry Saint John Thackeray, A Grammar of the Old Testament in Greek according to the Septuagint. I: Introduction, Orthography and Accidence, Cambridge 1909 (Thackeray, S.)

Friedrich Blass-Albert Debrunner, Grammatik des neutestamentlichen Griechisch, 7. Aufl., Göttingen 1943 (Bl-Debr, §)

Ludwig Radermacher, Neutestamentliche Grammatik (Das Griechische des Neuen Testaments im Zusammenhang mit der Volkssprache), 2. Aufl., Tübingen 1925 (Raderm, S.)

James Hope Moulton, Einleitung in die Sprache des Neuen Testaments, auf Grund der 3. englischen Auflage übersetzt (Indogermanische Bibliothek I 1, 9), Heidelberg 1911 (Moulton, S.)

C. F. D. Moule, An Idiom Book of the New Testament Greek, Cambridge 1953 (Moule, S.)

Edwin A. Abbott, Johannine Grammar, London 1906 (Abbott, S.)

Rudolf Bultmann, Der Stil der paulinischen Predigt und die kynisch-stoische Diatribe (FRLANT 13), Göttingen 1910 (Bultmann Diatribe, S.)

Ernest Cadman Colwell, The Greek of the Fourth Gospel, a Study of its Aramaisms in the Light of Hellenistic Greek, Chicago 1931 (Colwell, S.)

Henry George Liddell und Robert Scott, A Greek-English Lexicon, 2. Aufl., Oxford 1925—40 (Liddell-Scott)

Walter Bauer, Griechisch-Deutsches Wörterbuch zu den Schriften des Neuen Testaments und der übrigen urchristlichen Literatur, 5. Aufl., Berlin 1958 (Bauer)

James Hope Moulton und George Milligan, The Vocabulary of the Greek Testament illustrated from the Papyri and other nonliterary Sources, London 1914—29 (Moulton-Milligan)

Gerhard Kittel-Gerhard Friedrich (Herausgeber), Theologisches Wörterbuch zum Neuen Testament, Band Iff., Stuttgart 1933ff. (ThWNT, Band und Seite)

Edwin Hatch und Henry A. Redpath, A Concordance to the Septuagint and the other Greek Versions of the Old Testament (3 Bände), Oxford 1897—1906

William F. Moulton und Alfred S. Geden, A Concordance to the Greek Testament according to the Texts of Westcott-Hort, Tischendorf and the English Revisers, 3. Aufl., Edinburgh 1926

Ausführliche Literaturangaben sind zu jedem Abschnitt besonders bei Mayser und Bl-Debr zu finden.

III. Sekundärliteratur

Harris Birkeland, The Language of Jesus, Oslo 1954

Matthew Black, An Aramaic Approach to the Gospels and Acts, 2. Aufl., Oxford 1954 (Black, S.)

Ders., Die Erforschung der Muttersprache Jesu, ThLZ 82 (1957), 653—68

Karl Bornhäuser, Die Bergpredigt, Gütersloh 1923

Wilhelm Bousset, Die Offenbarung Johannis (MeyerK), 6. Aufl. [Sprachgebrauch: 159—79], Göttingen 1906 (Bousset, S.)

Charles Fox Burney, The Aramaic Origin of the Fourth Gospel, Oxford 1922 (Burney Joh, S.)

Ders., The Poetry of Our Lord, Oxford 1925 (Burney Poetry, S.)

Millar Burrows, The Johannine Prologue as Aramaic Verses, JBL 45 (1926), 57—69

Ders., The Original Language of the Gospel of John, JBL 49 (1930), 95—139

Ders., Principles of Testing the Translation Hypothesis in the Gospels, JBL 53 (1934), 13—30

Robert Henry Charles, A Critical and Exegetical Commentary on the Revelation of St. John (2 Bände [Short Grammar: I 117*—59*], The International Critical Commentary) Edinburgh 1920 (Charles, Band und S.)

W. K. L. Clarke, The Use of the Septuagint in Acts, The Beginnings of Christianity, Vol. II, London 1922, 66—105 (Clarke, S.)

Gustaf Dalman, Die Worte Jesu, 2. Aufl., Leipzig 1930 (Dalman WJ, S.)

Ders., Jesus-Jeschua, Leipzig 1922 (Dalman JJ, S.)

Adolf Deissmann, Licht vom Osten, 4. Aufl., Tübingen 1923 (Deissmann LvO, S.)

Paul Fiebig, Altjüdische Gleichnisse und die Gleichnisse Jesu, Tübingen-Leipzig 1904 (Fiebig Altjüd Gleichn, S.)

Ders., Die Gleichnisreden Jesu im Lichte der rabbinischen Gleichnisse des neutestamentlichen Zeitalters, Tübingen 1912 (Fiebig Gleichn, S.)

Ders., Jesu Bergpredigt, Rabbinische Texte zu ihrem Verständnis (FRLANT NF 20), Göttingen 1924 (Fiebig Nr)

Ders., Der Erzählungsstil der Evangelien im Lichte des rabbinischen Erzählungsstiles untersucht (UNT 11), Leipzig 1925 (Fiebig Erz)

Frederick C. Grant, The Earliest Gospel, New York 1943 (Grant, S.)

Joachim Jeremias, Die Gleichnisse Jesu, 4. Aufl., Göttingen 1956 (Jeremias Gleichnisse, S.)

Ders., Die Abendmahlsworte Jesu, 3. Aufl., Göttingen 1960 (Jeremias Abendm, S.)

Ders., Die aramäische Vorgeschichte unserer Evangelien, ThLZ 74 (1949), 527—32

Paul Joüon, Quelques aramaismes sous-jacents au grec des évangiles, Recherches de science religieuse 17 (1927), 210—29 (Joüon Aramaismes)

Ders., Notes philologiques sur les évangiles, RScR 17 (1927), 537—40; 18 (1928), 345—59, 499—502 (Joüon Notes)

Ders., L'Évangile de Notre-Seigneur Jésus-Christ, traduction et commentaire du texte original grec, compte tenu du súbstrat sémitique (Verbum Salutis V), Paris 1930 (Joüon L'Évangile, S.)

Paul Kahle, Masoreten des Westens II, Stuttgart 1930

Ders., The Cairo Geniza (The Schweich Lectures of the British Academy 1941), 2. Aufl., Oxford 1959

Ders., Das zur Zeit Jesu in Palästina gesprochene Aramäisch, ThRs 17 (1949), 201—16 = Opera Minora, Leiden 1956, 79—95

Karl Georg Kuhn, Der tannaitische Midrasch Sifre zu Numeri übersetzt und erklärt (Rabbinische Texte II. Reihe 3. Band), Stuttgart 1959 (Kuhn Sifre Num, S.)

Arnold Meyer, Jesu Muttersprache, Leipzig 1896

Eberhard Nestle, Philologica Sacra, Berlin 1896

Henrik Samuel Nyberg, Zum grammatischen Verständnis von Mt 12,44f., Conjectanea Neotestamentica 2 (1936), 22—35 = 13 (1949), 1—11

Harald Sahlin, Zwei Lukasstellen, Lk 6, 43—45; 18, 7, Symbolae Biblicae Upsalienses 4, Uppsala 1945, 9—20

Adolf Schlatter, Sprache und Heimat des vierten Evangelisten (BFchTh 6,4), Gütersloh 1902 (Schlatter Sprache)

Ders., Der Evangelist Matthäus, Stuttgart 1929 (Schlatter Mt)

Ders., Das Evangelium des Lukas, Stuttgart 1931 (Schlatter Lk)

Ders., Der Evangelist Johannes, 2. Aufl., Stuttgart 1948 (Schlatter Joh)

Friedrich Schulthess, Das Problem der Sprache Jesu, Zürich 1917

Ders., Zur Sprache der Evangelien, ZNW 21 (1922), 216—36, 241—58

H. F. D. Sparks, The Semitisms of Acts, JThSt NS 1 (1950), 16—28

Hermann Leberecht Strack und Paul Billerbeck, Kommentar zum Neuen Testament aus Talmud und Midrasch, 4 Bände und 2 Registerbände, München 1922—28, 1956, 1961 (Bill, Band und S.)

Charles Cutler Torrey, The Composition and Date of Acts, Cambridge (Mass.) 1916

Ders., The Aramaic Origin of the Gospel of John, Harvard Theological Review 16 (1923), 305—44

Ders., The Four Gospels. A New Translation, New York - London 1933

Ders., Our Translated Gospels. Some of the Evidence, New York - London 1936

Ders., Documents of the Primitive Church, New York 1942

Julius Wellhausen, Einleitung in die drei ersten Evangelien, Berlin (1. Aufl. 1905) 2. Aufl. 1911 (Wellh Einl, S.)

Ders., Evangelium Marci, 2. Aufl., Berlin 1909 (Wellh Mk)

Ders., Evangelium Matthaei, 2. Aufl., Berlin 1914 (Wellh Mt)

Ders., Evangelium Lucae, Berlin 1904 (Wellh Lk)

Ders., Das Evangelium Johannis, Berlin 1908 (Wellh Joh)

Arent Jan Wensinck, Un groupe d'aramaismes dans le texte grec des évangiles, Mededeelingen der koninklijke Akademie van Wetenschappen, Afdeeling Letterkunde, Deel 81, Seria A, Nr. 5, S. 169—80, Amsterdam 1936

Ders., The Semitisms of Codex Bezae and their Relation to the non-Western Text of the Gospel of Saint Luke, Bulletin of the Bezan Club 12, Leiden 1937

Johannes de Zwaan, The Use of the Greek Language in Acts, The Beginnings of Christianity, Vol. II, London 1922, 30—65

Ders., John wrote in Aramaic, JBL 57 (1938), 155—71

Abkürzungen der Fundstellen

Für die Handschriften, Handschriftengruppen und Übersetzungen des Neuen Testaments sowie alle den Text betreffenden Bemerkungen werden die von E. Nestle—K. Aland, Novum Testamentum Graece, 23. Aufl., Stuttgart 1957, angewandten Sigel benutzt (par. = und Parallele). Dieser Ausgabe folgen auch Verseinteilung und griechische Rechtschreibung. Der hebräische bzw. aramäische Text des Alten Testaments (M) wird nach Biblia Hebraica, ed. R. Kittel, 7. Aufl., Stuttgart 1951, zitiert, dessen griechische Übersetzungen Septuaginta (LXX) und Theodotion (Theod) nach Septuaginta, id est Vetus Testamentum Graece iuxta LXX interpretes, ed. A. Rahlfs, Stuttgart 1935, und zwar immer nach der Fundstelle des hebr. bzw. aram. Originals. Für die Qumrantexte werden die von D. Barthélemy-J. T. Milik, Discoveries in the Judaean Desert I, Qumran Cave I, Oxford 1955, 46f. vorgeschlagenen Sigel benutzt: 1QS = Sektenschrift, 1QH = Hodajot, 1QM = Kriegsrolle, 1QGen Apoc = Genesisapocryphon, CD = Damaskusschrift (ed. C. Rabin, The Zadokite Documents, 2. Aufl., Oxford 1958). Die Traktate von Mischna, Talmud und Tosefta werden nach Billerbeck I S. VII bzw. der Gießener Mischna (Die Mischna, Text, Übersetzung und ausführliche Erklärung, hrsg. von G. Beer, O. Holtzmann, S. Krauß, K. H. Rengstorf, L. Rost, Gießen/Berlin 1912ff.) abgekürzt. Die Tosefta (ed. M. S. Zuckermandel, Pasewalk 1880) wird dabei durch ein vorgesetztes Tos gekennzeichnet und wie die Mischna nach Kapitel und Vers zitiert; der babylonische Talmud (ed. L. Goldschmidt, Berlin/Leipzig/Haag 1897—1935, darin: M = Codex München 96) durch ein vorgesetztes b und nach Blatt und Seite (a. b), der palästinische (jerusalemische) Talmud (ed H. Grätz, Krotoschin 1866) durch ein vorgesetztes j und nach Blatt und Spalte (a—d). Die haggadischen Midraschim zum Pentateuch (GenR—DtR) werden nach Paraschen und Unterabschnitten, die zu den Megillot (HhldR—

EsthR) nach Kapitel und Vers des dazugehörigen alttestamentlichen Textes zitiert (nach der fünfbändigen Ed. Warschau 1877 = Jerusalem 1957). Die halachischen Midraschim Mekhilta zu Ex (ed. M. Friedmann, Wien 1870) Sifra zu Lev (Warschau 1866), Sifre zu Num (ed. H. S. Horovitz, Leipzig 1917) und Dt (ed. M. Friedmann, Wilna 1864) werden nach Kapitel und Vers des atl. Textes zitiert (Var. = Variante). Das Targum Jeruschalmi I (TrgJer I) wird nach M. Ginsburger, Berlin 1903, Jeruschalmi II und III nach M. Ginsburger, Berlin 1899, das palästinische Pentateuchtargum (PalTrg) nach P. Kahle, Masoreten des Westens II, Stuttgart 1930, 1—65 zitiert. Alle übrigen semitischen und griechischen Texte werden nach den üblichen Ausgaben und in üblicher Weise zitiert (vgl. ThWNT I 1*—24*, Bauer IX—XVI und die jeweiligen Grammatiken). Außerdem kommen folgende Zeitschriftenabkürzungen vor:

JBL	Journal of Biblical Literature
JQR	Jewish Quarterly Review
JThSt	The Journal of Theological Studies
KZ	Zeitschrift für vergleichende Sprachforschung (Kuhns Zeitschrift)
RA	Revue d'Assyriologie
RB	Revue Biblique
RScR	Recherches de science religieuse
ThLZ	Theologische Literaturzeitung
ThRs	Theologische Rundschau
ThZ	Theologische Zeitschrift
VT	Vetus Testamentum
ZA	Zeitschrift für Assyriologie
ZAW	Zeitschrift für die alttestamentliche Wissenschaft
ZDMG	Zeitschrift der deutschen morgenländischen Gesellschaft
ZDPV	Zeitschrift des deutschen Palästinavereins
ZNW	Zeitschrift für die neutestamentliche Wissenschaft

Zur Textherstellung wurden bei der jüdischen Literatur neben den Parallelstellen und den Lesarten der verschiedenen Handschriften und Ausgaben auch die Emendationen von Levy, Dalman u. a. herangezogen. Kleinere Versehen, wie besonders die häufige Verwechslung ähnlicher Buchstaben, wurden stillschweigend verbessert (vgl. dazu: Friedrich Delitzsch, Die Lese- und Schreibfehler im Alten Testament, Berlin/Leipzig 1920; M. Lidzbarski NE 128f.).

[...] Ergänzte Textlücke

⟨...⟩ Konjektur

(...) Überflüssiges Wort oder verdeutlichender Zusatz

§ 1

SATZEINLEITENDES καὶ ἐγένετο MIT ZEITBESTIMMUNG

VglGr 274b, E. König ZAW 19 (1899), 263—72, GKa 111fg. 116uw, Kö 370ab, Kropat 22 Anm., 73f., Driver 78, Brockelmann 123h; K-G 473.4, 475.4, Schwyzer 366.377, Mayser 1, S. 307; Thackeray 50ff., Bl-Debr 393.5, 409.4, 442.5, 472.3, Moulton 22—24, Moule 174, M. Johannessohn, Das biblische καὶ ἐγένετο und seine Geschichte, Zeitschrift für vergl. Sprachforschung 53 (1925), 161—212, dazu: M. Dibelius, Gnomon 3 (1927), 646—50, Dalman WJ 25f., Burney Joh 11—13, F. Büchsel, ThWNT I, 681, Black 31.247.

Im hebräischen Verbalsatz steht grundsätzlich das Verbum an erster Stelle[1]. Diese Regel gilt natürlich ausnahmslos für das in der Erzählung so beliebte Imperfektum consecutivum (·וַ + Kurzimperfekt), bei dem sich die hier zu besprechende Konstruktion wahrscheinlich entwickelt hat: Wenn nämlich der hebräische Erzähler eine allgemeine Zeit- bzw. Situationsangabe machen oder begleitende Nebenumstände mitteilen möchte, bevor er die Haupthandlung einsetzen läßt, so entnimmt er dem Impf. cons., mit dem die Handlung beginnt, einen allgemeinen Ausdruck des Geschehens in gleicher grammatischer Form (das Hebräische bietet ihm dafür das kurze und prägnante וַיְהִי) und setzt diesen zusammen mit der Zeitbestimmung voran (z.B. וַיְהִי הַיּוֹם וַיֵּלֶךְ): Die konkrete Handlung wird also durch ein Verb allgemeinen Inhalts vorweggenommen (eben durch וַיְהִי)[2] und dadurch vor dem Hauptverbum ein syntaktischer Raum für die Zeitbestimmung geschaffen. Es ist deutlich, daß die Existenz des Impf. cons. für unsere Konstruktion konstitutiv ist. Dazu bewirkt es eine besonders enge Verknüpfung zweier Verben und gibt dadurch unserer Konstruktion Spannung und Eleganz. So verwundert es nicht, daß diese Konstruktion in anderen semitischen Sprachen nicht vor-

[1] VglGr 92. 95; vgl. Brockelmann 122.

[2] Daß Vorwegnahme und eigentliche Handlung durch ו verknüpft werden, birgt für sem. Sprachgefühl keine Schwierigkeit (vgl. die folgende Anm.).

handen ist[1]. Einige Beispiele in syrischen Originalschriften[2] und im freien Aramäisch des palästinischen Pentateuchtargums[3] haben als Hebraismen zu gelten[4].

וַיְהִי + Zeitbestimmung findet sich am häufigsten in den älteren Schriften des Alten Testaments (es fehlt bei vorangestellter Zeitbestimmung nur sehr selten); im jüngeren Hebräisch geht es unter aramäischem Einfluß zurück (zugleich mit der Bevorzugung von ו copulativum statt ו consecutivum, welches aber in den Qumrantexten durchaus üblich ist); im Neuhebräischen (Mischna) ist es ganz verschwunden (ebenso wie ו consecutivum)[5].

Von den fast 400 Beispielen im AT entfallen u. a. auf Gen: 62, Ri: 28, 1.2Sam: 61, 1.2Kön: 91, 1.2Chr: 12 selbständige (außerdem 18 aus der Vorlage), Esr: —[6].

Originale griechische Belege für das einführende ἐγένετο gibt es nicht[7]. Es verträgt sich ja auch gar nicht mit griechischem Satzbau.

---

[1] אף הוה ohne folgendes ו in Cowley 30,9 (einziger reichsaram. Beleg) ist ad hoc gebildet, um den folgenden Satz herauszuheben, ebenso והוה in jSanh 25d (zit. S. 153f.). Der Anfang der aram. Hasmonäerrolle והוה ביומי ist (wahrscheinlich nach Esth 1,1) zugesetzt und zu streichen, vgl. Dalman WJ 26. In Dan 3,7 Theod ist καὶ ἐγένετο dem aram. Urtext gegenüber zugesetzt. Das neuhebr. מעשה (היה) ו (Albrecht 16b), das bab.-talmud. הוה עובדא ו (bBer 36b; bKet 60b; bBM 40a; bNid 44b; Schles 114) und das syr. גדש ו „es trug sich zu, daß" (VglGr 305a, Nöld Syr 335) gehören mit der gemeinsem. Übung zusammen, eine logisch abhängige Aussage statt im Inf. in gleicher Form durch ו anzuhängen. Diese weite Anwendung der Parataxe ist natürlich auch die Voraussetzung für die hebr. וַיְהִי-Konstruktion.

[2] Vgl. Nöld Syr 338 C, Schulthess 188.4 Anm. Peš gibt in AT und NT die hebr. Konstruktion oft freier wieder, vgl. etwa Gen 6,1; Mt 7,28 והוא ד כד „und es geschah, daß, als" oder läßt וַיְהִי auch unübersetzt, wie noch öfter sy[s.c].

[3] Black 247.

[4] Als Hebraismus (der ihnen dann aus den aram. Targumen bekannt gewesen sein müßte) könnten es natürlich auch Jesus und andere aram. Sprechende unter besonderen Umständen verwendet haben. Im Munde Jesu erscheint es allerdings nur Mk 4,4; Lk 16,22; 19,15. Das spricht nicht dafür.

[5] Vgl. Kropat 22. 73f., Albrecht 104, Segal 156f.

[6] Im AT steht es fast doppelt so häufig innerhalb einer Erzählung, wie am Anfang. Im NT ist das Verhältnis gerade umgekehrt. Während es also im AT sprachliches Mittel ist, scheint es im NT stilistisches Mittel zu sein.

[7] Unter den atl. Apokryphen findet es sich nur in den Büchern, die nach allgemeiner Ansicht aus dem Hebr. übersetzt sind (vgl. O. Eißfeldt, Einleitung in das AT, 2. Aufl., Tübingen 1956, 707ff.): 4Esra, Henoch, Baruch-Apc, Jubiläen, Judit, 1Makk, Bel und Drachen, Susanna-Theod, während es in Tobit und 2—4Makk fehlt (vgl. Johannessohn a.a.O. 191—93); vgl. S. 56 Anm. 2.

Deshalb wird es von LXX nicht selten ausgelassen (z. B. Gen: 11 mal, Ex: 9 mal, Jos: 11 mal)[1] oder modifiziert. Auch das Neue Testament zeigt mancherlei Angleichung an griechischen Ausdruck.

Im folgenden wird an Hand von AT und LXX der Gebrauch unserer Konstruktion im NT dargestellt, getrennt nach ihren drei Elementen: Eingangsformel, Zeitbestimmung und Anschlußsatz[2].

1. Die Eingangsformel

Das einleitende ו übersetzt LXX gewöhnlich durch καί, jedoch in ca. 50 Fällen, besonders in Gen und Ex, durch δέ. Für יְהִי steht meistens ἐγένετο, daneben findet sich seltener (ca. 70 mal) ἐγενήθη und je einmal γίνεται und ἐγίνετο[3].

Im NT lautet die Eingangsformel außer Mk 2,15 Bא[4] (καὶ γίνεται) immer καὶ ἐγένετο (32 + $4^{1}/_{2}$ mal) bzw. ἐγένετο δέ (33 + $4^{1}/_{2}$ mal)[5], und zwar verteilt sie sich folgendermaßen[6]:

	Summe	καί	δέ[7]
Mt	6	6	—
Mk	3	3	—
Lk	38	22	16
Act	18	1	14 Dazu nach Konjunktionen: 2 mal ὡς δέ, einmal ὅτε δέ

[1] Der Übersetzer des Ex behält יְהִי nur nach kurzer Zeitbest. bei (6 mal; Ex 2,23 fehlt es auch hier).

[2] Ich benutze diesen vom Griechischen her geprägten Ausdruck von Johannessohn (a. a. O. 184), obwohl er dem hebr. Tatbestande nicht gerecht wird. Denn im Hebr. liegt kein neuer Satz vor, sondern nur das Einsetzen der eigentlichen Handlung.

[3] Durch dieselben Ausdrücke gibt LXX auch hebr. וְהָיָה (Perf. cons.) wieder, soweit damit Iterativ der Vergangenheit bezeichnet ist. Doch hat das NT kein Beispiel dieser Art.

[4] Dieser Vers ist auch sonst stark gräzisiert.

[5] Diese 66 sicher bezeugten Belege sind: Mt 7,28; 9,10, 11,1; 13,53; 19,1; 26,1; Mk 1,9; 2,15.23; 4,4; Lk 1,8.23.41.59; 2,1.6.15.46; 3,21; 5,1.12.17; 6,1. 6.12; 7,11; 8,1.22; 9,18.28.33.37.51; 11,1.14.27; 14,1; 16,22; 17,11.14; 18,35; 19,15.29; 20,1; 24,4.15.30.51; Act 4,5; 5,7; 9,3.32.37.43; 10,25; 11,26; 14,1; 16,16; 19,1; 21,1.5; 22,6.17; 27,44; 28,8.17.

[6] Die Handschriften schwanken natürlich in LXX und NT (δέ statt καί: Mk 1,9 W; Lk 11,1 A; 17,14 D; 20,1 D; 24,4 C; καί statt δέ: Lk 6,1 D; 8,22 EF).

[7] Das δέ ist wie in LXX Gräzisierung.

Außerdem kommen in einigen Handschriften vor[1]:

Lk	6	3	3 Lk 9,57 D καί, A δέ
Act	2	1	1

Dagegen wird ἐγένετο ausgelassen[2]: Mt 9,10 א; 26,1 **1010.1293**; Mk 1,9 Θ; 4,4 DFW (= Mt, Lk); Lk 2,6 D; 6,6 D; 7,11 D; 11,14 D; Act 10,25 D; 11,26 D; 19,1 D; 21,1 D; 22,6 D.

2. Die Zeitbestimmung

Die auf וַיְהִי folgende Zeitbestimmung kann im Hebräischen auf vierfache Weise gegeben werden: a) durch ein Zeitadverb bzw. Präposition + Substantiv, b) durch Präposition + Infinitiv, c) durch Konjunktionalsatz, oder d) durch Nominalsatz[3].

a) Zeitadverb oder Präposition + Substantiv[4] findet sich als Zeitbestimmung im AT am häufigsten, meist in der Form בְּ (LXX meist ἐν) + Substantiv.

Absolute Datierungen (בְּ = ἐν + Dativ) fehlen im NT.

Relative Datierungen:

Lk 1,59 ἐν (om. D) τῇ ἡμέρᾳ τῇ ὀγδόῃ; Hebr.: Gen 34,25 בַּיּוֹם הַשְּׁלִישִׁי, LXX ἐν τῇ ἡμέρᾳ τῇ τρίτῃ, vgl. auch Gen 40,20; Ex 16,27; Ri 14,15.17 u. ö. LXX hat nur Dativ: Ex 16,22; 19,16; Lev 9,1 u. ö.

Lk 2,46; Act 28,17: μετὰ ἡμέρας τρεῖς; Hebr.: Jos 3,2 מִקְצֵה שְׁלֹשֶׁת יָמִים, LXX μετὰ τρεῖς ἡμέρας, ebenso: Jos 9,16; vgl. Gen 8,6; 41,1; Ex 12,41 u. ö.

---

[1] Lk 7,12 Dit; 8,40 א ℜD. 42 CD; 9,29 Dit. 57 AD; 10,38 ℜD; 19,5 Dit; Act 2,1 D; 13,43 DE.

[2] Das Fehlen von ἐγένετο braucht nicht weniger hebr. zu sein, wird doch im jüngeren Hebr. öfters וַיְהִי ausgelassen, ohne daß sich die Konstruktion sonst ändert (vgl. Kropat 22 Anm.). Aram. wird es dadurch allerdings noch nicht immer, denn das Aram. kennt z.B. auch keinen Inf. + ב = „während" (Mk 4,4 DF). D beseitigt jedoch z.T. auch diesen (Lk 2,6; Act 19,1), ebenso W in Mk 4,4.

[3] In Klammern stehende ntl. Stellen haben daneben noch eine andere Zeitbest.

[4] Die Belege für diese Zeitbest. im NT sind: Mk 1,9; 2,23 BD. (23 472); Lk 1,59; 2,1.46; (5,17); 6,1.6.12; 7,11; 8,1.22; 9,28.(37); (14,1); (20,1); Act 2,1 D; 4,5; 5,7; 9,37; 22,6 Bא; 28,17.

Act 4,5 ἐπὶ τὴν αὔριον[1] (D + ἡμέραν); Hebr.: Gen 19,34 מִמָּחֳרָת, LXX τῇ ἐπαύριον, ebenso Num 17,23; Ri 9,42; 21,4 u. ö. LXX Ex 32,30 und 1Sam 11,11a μετὰ τὴν αὔριον, vgl. Esth 5,12 לְמָחָר, LXX εἰς τὴν αὔριον.

Lk 7,11 ἐν (om. D) τῷ ἑξῆς; 8,1 ἐν τῷ καθεξῆς, (9,37 Bא) (AC + ἐν) τῇ ἑξῆς ἡμέρᾳ[2]; vgl. Hebr.: 1Chr 10,8 מִמָּחֳרָת, LXX τῇ ἐχομένῃ[3].

Act 5,7 ὡς ὡρῶν τριῶν διάστημα[4]; neuhebr. שָׁעָה „Stunde" ist im AT nicht belegt, vgl. 1Sam 25,38 כַּעֲשֶׂרֶת הַיָּמִים, LXX ὡσεὶ δέκα ἡμέραι „nach ungefähr 10 Tagen", vgl. Gen 38,24; Dt 9,11.

Lk (9,28) μετὰ τοὺς λόγους τούτους[5]; Hebr.: Gen 22,1 אַחַר הַדְּבָרִים הָאֵלֶּה, LXX μετὰ τὰ ῥήματα ταῦτα „danach", ebenso Gen 39,7; 40,1 u. ö.; jedoch übersetzt LXX Esth 1,1 (om. M); 2,1; 2Chr 32,1 (beide ohne וַיְהִי) καὶ μετὰ τοὺς λόγους τούτους[6].

Lk (9,28) ὡσεὶ ἡμέραι ὀκτώ steht hier nur ergänzend auf die Frage: „wie lange?". Hebr. und LXX ist es selbständig im Sinne: „nach ungefähr 8 Tagen". μετὰ τοὺς λόγους τούτους ist also daneben überflüssig; Hebr.: 1Sam 25,38 כַּעֲשֶׂרֶת הַיָּמִים, LXX ὡσεὶ δέκα ἡμέραι.

Allgemeine Zeitangaben:

Mk 1,9 D; Lk 2,1; 6,12 D; Act 2,1 D; 9,37: ἐν ταῖς ἡμέραις ἐκείναις; Lk 6,12 Bא ἐ. τ. ἡ. ταύταις; Mk 1,9 Bא ἐν ἐκείναις ταῖς ἡμέραις; Hebr.: Ri 19,1 בַּיָּמִים הָהֵם, LXX ἐν ταῖς ἡμέραις ἐκείναις; ebenso Ex 2,11 (LXX + πολλαῖς), 1Sam 28,1; vgl. (sing.) Gen 26,32, 1Sam 3,2.

---

[1] Lukanisch, vgl. Lk 10,35. [2] Lukanisch, vgl. Act 21,1; 25,17; 27,18.

[3] Zum Fehlen der Präposition vgl. oben zu Lk 1,59.

[4] Lukanisch, vgl. Lk 22,59. Hier wie in Lk 9,28 handelt es sich natürlich um Zeitnominative auf die Frage „wann", „wie lange" (Bl-Debr 144). Die Nominative sind nicht Subjekt zu ἐγένετο (so Johannessohn a.a.O. 203) wie öfters in LXX. Diese Art der Gräzisierung des hebr. וַיְהִי + Zeitbest. könnte aber vielleicht vorliegen: Mk 15,25 ἦν δὲ ὥρα τρίτη καὶ ἐσταύρωσαν αὐτόν und Lk 23,44 καὶ ἦν ἤδη ὡσεὶ ὥρα ἕκτη καὶ σκότος ἐγένετο, vgl. Ex 16,13 וַיְהִי בָעֶרֶב וַתַּעַל, LXX ἐγένετο δὲ ἑσπέρα καὶ ἀνέβη (ähnlich: 1Kön 18,27; 1Makk 5,30); 1Sam 14,1 וַיְהִי הַיּוֹם וַיֹּאמֶר, LXX καὶ γίνεται ἡμέρα καὶ εἶπεν (ähnlich: 1Sam 1,4; 2Kön 4,8 + 11); Hi 1,13 וַיְהִי הַיּוֹם ו, LXX καὶ ἦν ὡς ἡ ἡμέρα αὕτη, vgl. Gen 26,8; 1Kön 18,7 וַיְהִי עֹבַדְיָהוּ בַּדֶּרֶךְ וְהִנֵּה, LXX καὶ ἦν Αβδιου ἐν τῇ ὁδῷ μόνος καί (ähnlich: 2Sam 6,13; 15,32; 19,10). Allerdings ist Mk 15,25 nachgestellte Zeitangabe, nicht Erzählung.

[5] Bei Lk im wörtlichen Sinn?

[6] Die synonyme hebr. Formel אַחֲרֵי־כֵן (LXX μετὰ ταῦτα) kommt im NT nach καὶ ἐγένετο nicht vor (sonst oft).

Lk 8,22; (5,17; 20,1): ἐν μιᾷ τῶν ἡμερῶν (Lk 20,1 ACR + ἐκείνων); Hebr.: הַיּוֹם, LXX hat הַיּוֹם immer als Subjekt zu ἐγένετο gezogen: καὶ ἐγένετο ἡμέρα o. ä.: 1Sam 1,4[1]; 14,1; 2Kön 4,8.11; Hi 1,6 u. ö., wenn sie nicht ganz frei übersetzt (z.B. 2Kön 4,18); vgl. 1Sam 27,1 יוֹם אֶחָד, LXX ἐν ἡμέρᾳ μιᾷ.

Lk 6,1 ἐν σαββάτῳ (ℜD + δευτεροπρώτῳ). 6 Bℵ ἐν ἑτέρῳ σαββάτῳ[2]; Mk 2,23 BD. (23 472) τοῖς σάββασιν[3]; Hebr. und LXX neben וַיְהִי nicht belegt; vgl. Neh 13,15 בַּשַּׁבָּת, LXX ἐν τῷ σαββάτῳ „am Sabbat"; Ex 35,3 u. ö. בְּיוֹם הַשַּׁבָּת, LXX τῇ ἡμέρᾳ τῶν σαββάτων.

Tageszeiten:

Act 22,6 Bℵ περὶ μεσημβρίαν (D μεσημβρίας); vgl. Hebr.: 1Kön 18,27 בַּצָּהֳרַיִם, LXX καὶ ἐγένετο μεσημβρία, sonst ohne וַיְהִי (Gen 43,25 u. ö.) μεσημβρίας o. ä.

Lk (9,37 D it) διὰ τῆς ἡμέρας (διά om. P[45]) „(noch) während des Tages" (Bauer); kein atl. Beleg nach וַיְהִי, man erwartet בַּיּוֹם (Gen 1,18 u. ö.), יוֹמָם (Ex 13,21 u. ö.), LXX τῆς ἡμέρας, ἡμέρας.

Alle eben besprochenen Zeitbestimmungen sind einzeln nach וַיְהִי hebräisch möglich, viele haben Entsprechungen im AT, mehrere auch in LXX. Daneben gibt es aber noch einige Fälle im NT, die nur falsche Nachahmung der hebräischen Konstruktion sein können: Act 14,1 folgt auf ἐγένετο ein Ortsnamen[4]; Act 13,43 DE eine Ortsbestimmung (καθ' ὅλης τῆς πόλεως bzw. κατὰ πᾶσαν πόλιν); Act 9,43 und 11,26 Bℵ Zeitbestimmungen auf die Frage: „wie lange?" (ἡμέρας ἱκανάς bzw. ἐνιαυτὸν ὅλον)[5].

b) Wenn die Zeitbestimmung durch einen Verbalbegriff gegeben werden soll, benutzt das Hebräische dafür am häufigsten den präpositionalen Infinitiv[6]. Als Präpositionen kommen dabei vor: כְּ „wie,

[1] Rahlfs sicher falsch ἡμέρᾳ.

[2] Σάββατον als Zeitbestimmung findet sich im NT oft.

[3] Das Subjekt des Inf. αὐτόν ist vor die Zeitbest. gerückt.

[4] Nur ähnlich ist Ex 4,24 בַּדֶּרֶךְ, LXX ἐν τῇ ὁδῷ „unterwegs".

[5] Bei den drei letzten Beispielen ist die Nachahmung nur ganz äußerlich: Die ursprüngliche Dreigliedrigkeit der וַיְהִי-Konstruktion wird dadurch gewahrt, daß die zum Inf. gehörige adverbiale Best. vorgerückt wird an ἐγένετο heran (Johannessohn a.a.O. 209).

[6] Im Aram. ist temporaler präpositionaler Infinitiv (vgl. zum Hebr.: GKa 114de. 164g, Kö 401, Kropat 68.73, Brockelmann 47; Kanaan.: André

gemäß“, בְּ „in“, seltener אַחַר „nach“ (LXX μετά mit Akk.) und einige andere.

Finet, RA 46 (1952), 19ff.; Gordon 9.22, 13.55, vSoden 150g; nicht im Neuhebr.: Segal 344) nicht üblich (nur einmal reichsaram.: Dan 6,21, vgl. 1QGen Apoc 19,14; 22,30 [zitiert S. 246]; und sehr selten bab.-talmud.: Schles S. 64; vgl. zum mand. temp. Inf. ohne Präp.: Nöld 388f.), ebenso konditionaler (VglGr 273 Anm. 2, Kö 404, Kropat 69), konzessiver (GKa 119aa Anm. 2, Kö 405), kausaler (GKa 114d, 158c, GBe 11k, Kö 403, Kropat 68; GenR 19,4 כמה דלא דמיכת במקרביה כן לא במיכליה „Wie du nicht gestorben bist, dadurch daß du den Paradiesesbaum berührt hast, wirst du auch nicht sterben, wenn du von ihm ißt“ ist sicher Hebraismus) und konsekutiver (GKa 119xy, GBe 11k, Kö 406). Nur finaler Infinitiv (meistens mit ל) ist auch im Aram. üblich: VglGr 223cd, vSoden 150hi, GKa 114gps. 165c, GBe 11k, Kö 407, Kropat 70; Brockelmann 47, Friedrich 268.1, Segal 514, BLA 85a, Dalman 237, Stevenson 20.8, Odeberg 423. 451. 452, Margolis 60, Schles S. 197ff., Nöld Syr 286, Mand 386f., so etwa im Jüd.-Pal. (in den Midraschim fast immer mit ל): jHor 47a שלח גותיין למיתפש ית רבי שמעון „Er schickte Goten, um R. Š. gefangenzunehmen“; GenR 79,8 אתון להדין תגרא דערביא למלפיניה מן תמן „Sie gingen zu einem arabischen Kaufmann, um es von dort wieder zu erlernen“; 81,3 סלק למצלייה בירושלם „Er ging hinauf, um in Jerusalem zu beten“; LevR 6,3 עובדא הוה בחדא איתתא דעלת למילש גבי מגירתא „Einst ging eine Frau zu ihrer Nachbarin, um Teig zu kneten“; 28,2 למיגס אתיתי „Um zu essen, bin ich gekommen“; 30,6 חד זמן עבר עליה חד לגיון למגבי דמוסיא דההיא מדינתא „Eines Tages zog ein Feldherr an ihm vorbei, um die Steuern jener Stadt einzutreiben“; HhldR zu 8,10 נפק ליה לשוקא למזבן מקומא „Er ging auf den Markt, um etwas zu kaufen“; AD passim; — jBer 2d אית בני אינש יהבין פריטין מחכים פלטין „Manche Menschen geben Geld aus, um einen Palast sehen zu können“; jPea 21b = jŠeq 49b ידיה דלא פשטן מיתן לך יתקטען רגליא דלא רהטן מיתן לך יתברן „Die Hände, die sich nicht ausstrecken, um dir etwas zu geben, sollen abgehackt werden; die Füße, die nicht herbeieilen, um dir etwas zu geben, sollen zerbrochen werden!“; jPea 21b עלון מיסחי „Sie gingen baden“; jDam 23b אין אתי כל בר נש ובר נש מיעבד כן הא אזיל סייגא דגוברא „Wenn jeder kommt, um so zu tun (vom Gartenzaun einen Zahnstocher zu holen), so wird sein Zaun verschwinden“; jŠab 8c נפק מקטוע קיסין „Er ging, um Bäume abzuhacken“; jChag 76c שלח בריה מזכי בטיבריה „Er schickte seinen Sohn, damit der sich in Tiberias vervollkommne“; 78a ומה אתיתא הכא מיעבד אמר מילף ומילפה „Und um was zu tun, bist du hierher gekommen? Er sagte: Um zu lernen und zu lehren“, vgl. dass. PredR zu 9,10 (zit. S. 71 Anm.); jSot 23a גייסא אתי מגייסתיה והוא מגייס ליה „Eine Räuberbande kommt, um ihn zu verderben, aber er verdirbt sie“ (= GenR 98,21 למגייס יתהון); jQid 64a חד בר נש הוה אזיל מקדשא חדא איתא „Jemand ging, um eine Frau zu heiraten“; jSanh 18a אזיל מידון „Er ging, um zu richten“; AD 19,14 (zit. S. 118); 29,19 יתב מיכול „Er setzte sich, um zu essen (jTaan 64b)“, dagegen 29,29 dass. mit ל; jBik 65c בגין מיחמי סבין ומיקם ליה מן קומיהון „Um Gelehrte zu sehen und vor ihnen aufzustehen“; בגין מיחמיניה ומיקם ליה מן קומוי. Ebenso ist hebr. und aram.: Infinitiv als Subjekt, Prädikativ oder Objekt

בְּ mit Infinitiv drückt die reine Gleichzeitigkeit aus, LXX gibt es gewöhnlich durch ἐν τῷ + Infinitiv wieder, ei-

---

(meistens mit ל): VglGr 25g. 45g. 62, vSoden 150j, GKa 114lm, GBe 11mn, Kö 397. 399, Kropat 65, Friedrich 268.4, Segal 345; BLA 85ac. 107j, Dalman 219f. 244f., Stevenson 20,8.9, Odeberg 426—28. 453—55. 477. 497. 501, Margolis 60, Schles 126, Nöld Syr 286 (immer mit ל), Mand 386f., so etwa im Jüd.-Pal. (in den Midraschim fast immer mit ל): jBer 10b.c (zit. S. 150); jŠeq 47a מהו למיעבר קמי דארורא צילמא „Ist es erlaubt, vor dem Götzenbild vorüber zu gehen?“; jAZ 41a אסיר למיתן פריטין גו פומא „Es ist verboten, Münzen in den Mund zu nehmen“; GenR 38,4 לא הוה להון למילף מן קמאי „Hätten sie nicht von den vorher Lebenden lernen können?“; LevR 22,2 טוב למגנז הדין עשבא דלא יילפון גנבייא למעבד כן „Es ist besser, dieses Kraut zu verbergen, damit nicht die Diebe lernen, es so zu machen“; 34,16 אית בך מחמי לה לי „Kannst du es mir zeigen?“; AD 16,4 אית לך למתן לי „Kannst du mir geben?“; 19,15 (zit. S. 271); 20,11 (zit. S. 88);—jKil 32c = GenR 100,3 ריגלוי דבר נשא ערבתיה למיקמתיה כל הן דהוא מתבעי „Die Füße des Menschen verbürgen sich ihm, ihn überall hin zu bringen, wo er verlangt wird“; jAZ 41a (zit. S. 70 Anm.); AD 16,10 מטא זמניה למימת „Es kam seine Zeit zu sterben“; PredR zu 7,7 זכי למארכה שנין סגין „Er war würdig, lange zu leben“, dagegen dass. ohne ל: jTaan 68a זכית מארכה יומין „Du warst würdig, lange zu leben“; — jSanh 21c חד בר נש אשגח למיגוס „Jemand wollte essen“; GenR 78,1 אית דידע למיחרוז סברת למחנקני „Meinst du, mich zu erwürgen?“; HhldR zu 1,10 אית דידע למיחרוז ולא ידע למקדח „Mancher versteht es, (Perlen) aneinanderzureihen, aber nicht, (sie) zu durchbohren“; KlglR zu 2,2 = 4,18 (vgl. S. 284f.) בעית לאיעבדא ארכונטוס „Willst du Archont werden?“, dagegen dass. ohne ל: jTaan 69a את בעי מתעבדה ארכונטס; AD 20,1 (zit. S. 108). 5.8f.19ff. (z.T. zit. S. 277); 24,8ff. (zit. S. 282ff.); 25,18 הוה אליף למשתי „Er war gewohnt, zu trinken“; — jKil 32d מהו מיתן פריטין גו גולתה ומיקטרינון בחוט דכתן „Ist es erlaubt, Geld in eine Hülle zu legen und es mit einer leinernen Schnur zuzubinden?“ u. ebd. ö.ä.; jŠebi 35a שרי לכון מירדי „Ist es euch erlaubt, zu pflügen?“; jChal 57b אין חמי ליה מילף מילף הוא „Wenn sich (Lust zum) Lernen zeigt, lernen sie (auch ohne Schule)“; jŠab 8a לאו אורחיה דבר נשא מיהוי ליה תרין סנדלין „Ist es nicht die Art eines Menschen, zwei Paar Sandalen zu besitzen?“; jNed 40d לית אורחיה דבר נשא מימר לחבריה ברומשא (בצפרא) „Ist es nicht die Art eines Menschen, am Abend (Morgen) zu seinem Genossen zu sagen?“ u. ebd. ö.ä.; jQid 64d מהו מיגזור ברה דארמייתא בשבתא „Ist es erlaubt, den Sohn einer Nichtjüdin am Sabbat zu beschneiden?“; jBM 10c הוה ליה כיתן אתו חמרייא מיזבנה מיניה אמר לון לית בדעתי מזבנתה כדון אלא בפוריא „Er hatte Flachs; die Eseltreiber kamen, um ihn von ihm zu kaufen; er sagte zu ihnen: Ich will ihn erst am Purimfest verkaufen“; — AD 29,3 u.ö. (jTaan 64b) כדי את מצליא ומתעניא „Du bist würdig, zu beten und einen Fastengottesdienst zu leiten“; jJom 45c (zit. S. 97 Anm. 2); — jBer 5a בעייא אנא מחנקיניה „Ich will ihn erwürgen“; jPea 15c אנא בעיא משזגה ריגלוי ומשתי מהון „Ich will seine Füße waschen und das Waschwasser trinken“; jBer 10b לא אנא חכים מברכא עליה „Ich verstehe darüber nicht den Segen zu sprechen“; jDam 22a (vgl. jTaan 66c) מישגח רבי מיכול עימן ציבחד פטל יומא דין „Möchte Rabbi heute ein wenig mit uns essen?“; jSanh 28c (3mal) לא בעית מקימה לך

nige Male jedoch auch durch Konjunktionalsätze, eingeleitet durch ὡς (Jos 4,18; 5,13), ὅτε (Jer 35,11; Esth 2,8), ἡνίκα

בנין „Du wolltest keine Kinder zeugen“; 29a מאן דחכים דידע מקימתיה ולא מקים ליה ייא סופיה מתחנקא „Wenn jemand ihn zum Stehen zu bringen versteht und es nicht tut, so soll sein Ende sein, erwürgt zu werden“; 29b מה אזל בעי מיעבד תמן „Was dort tun wollend kam er?“; jChag 77d בעא מיעבד סימנא „Er wollte das Wunder tun“; AD 19,11 אין אתי אנא טעין לתמן אנא משכח מתן כן „Wenn ich dort beladen hinkomme, werde ich dann finden, daß man (mir) so (-viel) gibt?“; 20,4; 21,3; 24,6; (jer. Talmud:) 27,2.6.8; 29,7 = 15 אנא בעיא מחמי מה מעבד „Ich will sehen, was getan werden muß“; jPea 15c לא יכילית מיתיתיה לכון „Ich konnte es euch nicht bringen“; jKil 32c ואמרית מאן יהיב לי אילין להן דאישתלחית מיסבינון ויהב בליבך למיעבד כן בגין דנעביד שליחותי „Ich dachte: Wer wird mir jene dahin bringen, wohin ich gesandt wurde, um sie zu holen? Und er (Gott) gab in dein Herz, es zu tun, damit ich meinen Auftrag ausführen kann“; jTer 45c יהבת קומי מיכל יהבת קומי בעלה דייכול „Sie gab ihm (ihrem Gatten) zu essen“; jBeṣ 60c רבי ירמיה הורי לבר גירנטי אסיא מיטענה בסדינא מיעול מבקרא בישייא בשובתא „R. J. lehrte den Arzt B.G., (wie) sich mit einem leinernen Gewand zu bekleiden, um hineinzugehen (und) zu besuchen Kranke am Sabbat“; jBQ 5c (2mal) יכלין מימר לון „Sie können ihnen sagen“; jBB 13b דו יכיל מימר ליה „Denn er kann zu ihm sagen“. Der sem. präp. Inf. kann noch abhängige Satzteile bei sich (außer reichsaram. meist nach sich) haben (hebr. auch das Subjekt). Verneint wird er durch Voranstellung einer Negation. Im Neuhebr. (שלא, Segal 514), Jüd.-Pal. (דלא, Dalman 237. 240) und selten im Bab.-Talmud. (Schles 131) wird die Negation dabei mit dem Relativpron. verbunden, so etwa im Jüd.-Pal.: jŠebi 39a הפך אפוי דלא מיחמיניה „Er wandte sein Gesicht ab, um ihn nicht zu sehen“; jRŠ 58b יתיב ליה דלא מיעבור קומוי „Er setzte sich hin, um nicht an ihm vorbeigehen zu müssen“; jTaan 66c ונדר על גרמיה דלא למיעבד כן תובן „Er gelobte, das nicht noch einmal zu tun“; jNed 39b חד בר נש נדר דלא מרווחא „Jemand gelobte, nichts zu verdienen“; jPes 30c.d (2mal: zit. S. 186); jSot 23c (zit. S. 251); jBeṣ 63a רבע ליה על סולמא בגין דלא מקשה על תרעא בשובתא „Er legte sich auf die Stufe, um nicht am Sabbat an die Tür klopfen zu müssen“; jChag 77d ולא אמר ליה כלום בגין דלא מסמקא אפוי „Er sagte ihm aber nichts, um ihn nicht zu beschämen“; jSanh 21c לא אמרית אלא בגין דלא מיערבב מגוסתך „Ich habe es nur gesagt, um dein Mahl nicht zu stören“; eine Ausnahme ist jPea 20b בגין לא מטעיא לכון הוון ידעין „Um euch nicht zu täuschen, sollt ihr wissen“. LXX behält den präp. Inf. oft bei. Dieser präp. Inf. wird im Hebr. fast immer durch synd. Verbum finitum (und nicht durch einen weiteren Inf.! [vgl. aber S. 41 Anm. 8]) fortgesetzt: GKa 111v. 112iv. 114r, GBe 8f. 9f, Kö 413a—i, Driver 117f, Brockelmann 140, doch im Aram. nur selten: Esr 4,21, Cowley 30,25; 32,8f.; BLA 106g, Odeberg 441, Schles 129 (alle nach Inf. mit ל); vgl. Jüd.-Pal.: jNed 39d (2mal) לית אורחיה דבר נשא מימר לחבריה זבון לי נון והוא זבין ליה כלכיד „Ist es nicht die Art eines Menschen, zu seinem Genossen zu sagen: Kaufe mir einen Fisch!, und der kauft ihm einen kleinen Fisch?“ = „Ist es nicht so, daß, wenn jemand zu einem anderen sagt: Kaufe mir einen Fisch!, der ihm (u. U. auch) einen

(Gen 35,22; Ri 3,27) oder durch Genitivus absolutus (1Sam 30,1; Ex 19,16)[1].

כְּ mit Infinitiv hat einen weiteren Bedeutungskreis: Neben der Gleichzeitigkeit bezeichnet es oft Aufeinanderfolge zweier Handlungen („sobald", „nachdem"). Da das Griechische keine genau entsprechende Präposition hat, benutzt LXX meist einen durch ὡς (seltener ἡνίκα, ὅτε) eingeleiteten Nebensatz, manchmal auch einen Genitivus absolutus (2Kön 3,20; Jer 26,8; 36,23; 41,7); jedoch versucht sie einige Male, die hebräische Ausdrucksweise durch ἐν τῷ + Infinitiv nachzuahmen (1Kön 14,5 „während"; 2Kön 2,9 „nachdem"; Jes 37,1 „als"; Ez 9,8; 11,13; 37,7 „während")[2].

---

sehr kleinen Fisch kauft?"; 40c לית אורחיה דבר נשא מיחמי חבריה בפומא בעי מימר בטיבריה חמתיה „Ist es nicht die Art eines Menschen, seinen Genossen (nur) am Eingang (von Tiberias) zu sehen (und) er möchte sagen: In Tiberias habe ich ihn gesehen?" (dagegen zwei synd. Inff. in jNed 40a: zit. S. 261; AD 19,15: zit. S. 271). LXX übersetzt oft ganz wörtlich (Gen 1,14; 27,45; 28,6; Lev 16,1; Jos 23,16; Ri 6,18; 1Sam 10,8; 1Kön 2,37; 18,18; Esr 4,21 u.ö.; sogar gegen das Hebr.: Gen 29,8). Im Griechischen wurde ausgehend von der attischen Prosa der von einer Präposition regierte Inf. mit Artikel besonders in der höheren Koine immer beliebter, so daß es zeitweilig den Anschein hatte, „als ob in der früheren Koine die konjunktionale Form der Satzsubordination geradezu ersetzt werden sollte durch die nominal-präpositionale mit substantivierten Infinitiven" (Mayser 3 S. 59). Alle derartigen ntl. Konstruktionen (etwa 200, dazu etwa 70mal finaler Inf. ohne Präp. und Artikel) sind also gut griechisch; immerhin ist bei temp., kond., konzess., kausalen und konsek. Inf. hebr., bei finalen sowie Inf. als Subj., Prädikativ oder Obj. hebr. oder aram. Einfluß möglich. Nur ἐν τῷ mit Inf. ist im NT im Vergleich zur übrigen Koine so häufig, daß hier hebr. bzw. LXX-Einfluß vorliegen muß (wenigstens bei temp. Sinn, die anderen Stellen stehen in Klammern!): Es findet sich außer nach ἐγένετο (S. 39 Anm. 2): Mt 13,4.25; 27,12; (Mk 6,48 Bא); Lk (1,21); 2,27. 43; 8,5.40.42; 9,29.34.36; 10,35.38; 11,37; (12,15); Act 2,1; (3,26); 4,30; 8,6; 11,15; Röm 3,4 (LXX); 15,13 Bא; (1Kor 11,21); Gal 4,18; (Hebr 2,8; 3,12.15; 8,13). Vgl. dazu Mayser 1 S. 320ff., 3 S. 59ff., Bl-Debr 398—404, Raderm 185ff., Dalman WJ 26f., Wellh Einl 16, Joh 140. Ein finaler Inf. wird durch καί + Verb. fin. fortgesetzt in Mt 10,35f. und Röm 16,17, ein Subjektsinf. (beide auch aram. nicht unmöglich) Apc 13,15 δοῦναι καὶ ποιήσῃ (vgl. Charles I 146*, II 420 Anm. 5). In diesem Fall beginnt jedoch für griech. und z.T. auch für aram. Empfinden mit dem Verb. fin. ein Hauptsatz, der nur noch logisch, aber nicht mehr grammatisch von dem dem Inf. übergeordneten Verbum abhängt.

[1] Umgekehrt werden hebr. Konjunktionalsätze in LXX nur ganz selten durch präp. Inf. wiedergegeben: Gen 24,52 ἐν τῷ für כַּאֲשֶׁר; 27,30 μετὰ τό für כַּאֲשֶׁר; 27,1 für כִּי; ebenso 2Chr 24,25 (ohne וַיְהִי).

[2] Einmal übersetzt sie auch μετά + Inf. (2Kön 3,5), ὥστε + Inf. (1Sam 10,9).

Gegenüber dem Hebräischen und noch mehr gegenüber LXX[1] fällt die Häufigkeit des präpositionalen Infinitivs nach ἐγένετο im NT auf[2]: Er erscheint hier nur mit der Präposition ἐν und bezeichnet entsprechend dem hebräischen בְּ + Infinitiv in den meisten Fällen eine gleichzeitig mit der Haupthandlung andauernde Handlung („während"), jedoch einige Male eine vorzeitige Handlung („nachdem"): Lk 8,40 א𝔎D; 9,18; (14,1); 19,15 Bא; 24,30[3]. Das ist hebräisch ungewöhnlich, aber immerhin belegt: Infinitiv + בְּ: Gen 11,2 (LXX ἐν τῷ κινῆσαι); Ex 13,17 (LXX ὡς + Verbum finitum); 34,29 (LXX ὡς); Jos 4,18 (LXX ὡς); 1Sam 25,37 (LXX ὡς + Verbum finitum); 2Sam 1,2 (LXX ἐν τῷ εἰσελθεῖν); Esth 2,8 (LXX ὅτε + Aor.); vgl. 2Chr 24,25 (LXX μετά + Inf.); Infinitiv + כְּ: oft, aber nur einmal hat LXX ἐν τῷ: 2Kön 2,9 (ἐν τῷ διαβῆναι). בִּהְיוֹת (LXX ἐν τῷ εἶναι) kann jedoch im Hebräischen nur gleichzeitig sein (anders Lk 9,18 א𝔎).

Im Hebräischen folgt dem präpositionalen Infinitiv regelmäßig ein Subjekt[4], und zwar in Form eines Suffixes oder eines Substantivs. LXX läßt dem Infinitiv dementsprechend ein Personalpronomen bzw. Substantiv im Akkusativ folgen[5]. Nur sehr selten steht im Gegensatz zum Hebräischen das Pronomen voran: 1Sam 16,6 (בְּבוֹאָם, LXX ἐν τῷ αὐτοὺς εἰσιέναι); Ez 37,7 (כְּהִנָּבְאִי, LXX ἐν τῷ ἐμὲ προφητεῦσαι). Das

---

[1] LXX gibt ja, wie oben bemerkt, einen großen Teil der hebr. präp. Inff. durch Konjunktionalsätze oder abs. Genitive wieder; vgl. auch M. Johannessohn ZAW 59 (1943), 147—49.

[2] Diese finden sich: Mk 2,15 AC.579. 23 472; 4,4 Bא; Lk 1,8; 2,6 Bא; 3,21; 5,1.12; 8,40א 𝔎D. 42CD; 9,18.29Dit. 33.51; 10,38 𝔎D; 11,1.27; 14,1; 17,11.14; 18,35; 19,5Dit.15 Bא; 24,4.15.30.51; Act 9,3; 19,1 Bא. Auch Lk 9,29 Bא (ebenso wie Act 8,1; 19,23) könnte man für diese Konstruktion als freie Übersetzung in Anspruch nehmen. Vgl. 2Sam 21,18 וַיְהִי אַחֲרֵי־כֵן וַתְּהִי־עוֹד הַמִּלְחָמָה „Und danach kam es nochmals zum Kampf", LXX καὶ ἐγενήθη μετὰ ταῦτα ἔτι πόλεμος und besonders Jes 2,2 (ähnlich Mi 4,1) וְהָיָה בְּאַחֲרִית הַיָּמִים נָכוֹן יִהְיֶה הַר בֵּית־יהוה, LXX ἔσται ἐν ταῖς ἐσχάταις ἡμέραις ἐμφανὲς τὸ ὄρος κυρίου.

[3] Lk schreibt dann immer Inf. Aor. (ebenso Act 11,15). Dieser findet sich nach ἐγένετο außerdem nur Lk 3,21; 8,40 𝔎D; 9,33 D. LXX hat Inf. Aor. öfters; vgl. Bl-Debr 404.2.

[4] Ausnahmen sind ganz selten: Gen 24,30; 1Kön 20,12; Jer 4,16.

[5] Ganz selten läßt LXX das Suffix unübersetzt: 1Sam 10,9 (nach וְהָיָה); 1Kön 13,23.31; 2Chr 25,16.

NT folgt fast durchgängig atl. Sprachgebrauch. Ausnahmen sind: Mk 4,4 Bא; Lk 10,38 D; (17,11 Bא) und Act 9,3 fehlt das Subjekt; Mk (2,23 472), Lk (5,1) und Act 19,1 Bא steht das Subjekt vor dem Infinitiv; Act 9,3 steht der Infinitiv sogar vor ἐγένετο. Dem Infinitiv können natürlich im Hebräischen noch weitere abhängige Satzteile folgen, wie Objekt, Ortsbestimmung oder präpositionaler Ausdruck. Das NT stimmt hierin im großen und ganzen mit hebräischem Sprachgebrauch überein. Es folgt z.B. ein Objekt: Gen 19,17.29; 28,13; 39,13 u. ö. — Lk 11,27; 24,51; eine Ortsbestimmung: Gen 11,2; 12,44; 35,22; Ex 34,29 u. ö. — Mk (2,15 AC).15 579.(23 472); Lk (14,1); 18,35; Act 19,1 Bא; ein präpositionaler Ausdruck: Gen 39,10; Ex 16,10 u. ö. — Lk 9,33; 24,4.30 Bא; ein finaler Infinitiv: Jos 3,14; 1Sam 10,9; 1Kön 11,15; vgl. Jos 5,1; 1Sam 18,6; 2Chr 25,14 — Lk (5,1 CD); (14,1); noch eine Reihe von Wörtern: Gen 24,30; Dt 31,24; Jos 5,1; 8,24 u. ö. — Lk 1,8. Dagegen sind Lk 9,18 Bא; (11,1)[1] und 19,15 Bא[2] höchstens als sehr freie Übersetzungen aus dem Hebräischen möglich.

Der präpositionale Infinitiv wird im allgemeinen noch dadurch mit dem Anschlußsatz verknüpft, daß in beiden dieselben Personen auftreten. So sind im AT (Gen bis 2Sam) und NT identisch:

---

[1] Das hinzugefügte προσευχόμενον wäre hebr. wohl nur durch einen Zustandssatz ausdrückbar (vgl. 1Sam 19,9; 1Kön 16,9), da בִּהְיוֹת nur Eine Näherbestimmung verträgt (Partizip oder präp. Ausdruck). Es sei denn, Lk umschreibt einfach προσεύχεσθαι, vgl. Lk 9,29 ἐν τῷ προσεύχεσθαι αὐτόν (vielleicht in Anlehnung an LXX 1Kön 8,54 συνετέλεσεν προσευχόμενος u.ä.ö.).

[2] Λαβών wäre nur als sehr freie Übersetzung verständlich, etwa eines Nominalsatzes mit בְּיַד oder eines בְּ concomitantiae (vgl. GBu s.v. בְּ B 2α; 1QGen Apoc 20,33 ואזלת אנה אברם בנכסין שגיאין לחדא ואף בכסף ודהב „Und ich, Abraham, zog davon mit sehr vielen Reichtümern und auch mit Silber und Gold“; GenR 44,28 חזירתא רעיא בעשרה ואימרתא לא בחד „Die Sau weidet mit zehn [Jungen] aber das Lamm nicht einmal mit einem“; LevR 5,6 איקטטא בחדא עינא „Ein Arzt mit nur einem Auge“; 25,8 [zu Ps 68,22] יזיל ההוא גברא בחובוי „Er gehe hin in seinen Sünden“; LevR 27,1 = AD 26,8 קדמוניה בחזורין דדהב וברמונין דדהב ובלחם דדהב „Sie gingen ihm entgegen mit goldenen Äpfeln, goldenen Granatäpfeln und goldenem Brot“; jSanh 20c נפק לגביה בחלוקא דכיתנא „Er ging zu ihm mit einem leinernen Unterhemd [bekleidet]“; 25d עד דאסק חדא איתא בקלעיתא דשערה „Schließlich ließ er [durch Zauber] eine Frau mit einem Haargeflecht aufsteigen“; vgl. בלא „ohne“). Act 21,1 Bא könnte das Partz. conj. nur durch Konjunktion + Parataxe übersetzt werden.

im Infinitiv	im Anschlußsatz	AT	NT
Subjekt	Subjekt	36	7[1]
Subjekt	Objekt	2	2[2]
Subjekt	Präpos. Best.; Suffix	12	11[3]
Objekt	Subjekt	1	1[4]
Objekt	Objekt	2	
Präpos. Best.	Subjekt	7	1[5]
Präpos. Best.	Präpos. Bestimmung	2	1[6]
keine Beziehung		11	5[7]
Summe		73	28

Zur Bedeutung der im Infinitiv stehenden Verben ist zu sagen: Naturgemäß finden sich bei der allgemeinen Zeitbestimmung besonders oft Verben der Bewegung: Gen 11,2; 12,14; 19,17 u. ö. — πορεύεσθαι: Mk 2,23 472; Lk 8,42 D; 10,38; (17,11); Act 9,3; ὑπάγειν: Lk 8,42 CP; 17,14; ἐλθεῖν: Lk 14,1; 19,15 Bא; ἔρχεσθαι: Lk 19,5 D it; ἐγγίζειν: Lk 18,35; ὑποστρέφειν: Lk 8,40; διαχωρίζεσθαι: Lk 9,33. Oft ist auch Sehen und Hören: Gen 24,30; 29,13; 39,12.15 u. ö. — Lk (5,1) ἀκούειν[8]; sowie Sprechen: Gen 39,10; Ex 16,10; vgl. Dan 10,11.15.19 LXX — Lk 11,27; 24,15; zu Tische Sitzen: 1Kön 13,20 — Mk (2,15 AC); Lk 24,30. Gut hebräisch ist „Sein" + Ortsbestimmung: Gen 4,8 בִּהְיוֹתָם בַּשָּׂדֶה, LXX ἐν τῷ εἶναι αὐτοὺς ἐν τῷ πεδίῳ, vgl. Jos 5,13; Gen 34,25; 2Sam 3,6 — Lk 2,6 Bא; 5,12; 9,18; (11,1); Act 19,1 Bא. Außer ἐν τῷ εἶναι hat keines dieser ntl. Verben eine genaue Parallele

[1] Lk 1,8; 10,38 ℜ; 17,14; 19,5 Dit.15 Bא; 24,30.51.

[2] Lk 8,40אℜD. 42CD.

[3] Mk 2,15AC.23 472; Lk 2,6; 9,18.29 Dit; 11,1.27; 14,1; 17,11f. ℜ; 24,4.15 (die Häufigkeit dieser Verknüpfung hat einen sachlichen Grund: Die anderen geben den Anstoß zu einem Handeln Jesu).

[4] Lk 5,1.

[5] Lk 9,51.

[6] Lk 9,33.

[7] Mk 4,4; Lk 3,21; 5,12; 18,35; Act 19,1 Bא.

[8] Zwei parallele präp. Inff. mit demselben Subjekt kommen auch hebr. vor, doch muß die Präp. wiederholt werden (anders S. 37 Anm.), vgl. Gen 24,30; 35,17; 1Kön 13,23; 16,11; bei Nominalsatz: 1Sam 25,20; 2Sam 1,1. Ebenso Lk 20,1; Act 22,6 Bא. Zu präp. Inff. mit verschiedenem Subjekt vgl. S. 47, Nr. 7.

in LXX, und ungefähr ein Viertel hat eine Bedeutung, die im AT als Zeitbestimmung nicht vorkommt[1].

Daß durch diesen Infinitiv nach ἐγένετο bereits Erzähltes wieder-aufgenommen wird, kommt auch im AT vor: 1Sam 5,9; 2Kön 2,9; 2Chr 13,15 — Mk 4,4 Bא; Lk 24,15.51; dazu Lk 11,14 Bא (Gen. abs.).

c) Sehr viel seltener als die beiden schon genannten Zeitbestimmungen erscheint im Hebräischen nach וַיְהִי ein Konjunktionalsatz[2]. Dieser wird meistens (ca. 35mal) durch כַּאֲשֶׁר „als", „nachdem"[3] eingeleitet; LXX übersetzt dies durch ἡνίκα (13mal), ὡς[4] (9mal), καθώς (2mal), ἐπεί (2mal), ὅτε[5] (einmal), ὅταν (einmal), ἐν + Infinitiv (einmal), μετά + Infinitiv (einmal). Daneben kommt auch כִּי vor (16mal) „als", „nachdem" (Ex 1,21 „weil"); LXX übersetzt ὅτε (4 mal), ἡνίκα (3mal), ἐπεί (2mal), μετά + Inf. (einmal). Öfters steht auch ein konditionales Partizip bzw. ein konditionaler Relativsatz, die LXX wörtlich wiedergibt, vgl. S. 52 Anm. 2.

Im NT findet sich ὅτε nur in den 5 Redeschlüssen des Mt[6]: 7,28; 11,1; 13,53; 19,1; 26,1: καὶ ἐγένετο ὅτε ἐτέλεσεν ὁ Ἰησοῦς. Diese Redensart ist im AT recht häufig, doch mit einigen kleinen Unterschieden: 1. Nach hebräisch כִּלָּה (Hilfsverb) muß immer noch ein Infinitiv stehen, der die eigentliche Handlung bezeichnet[7]; das ist nur Mt 11,1 der Fall. 2. LXX hat in diesem Fall immer ἡνίκα, ὡς; Mt immer ὅτε. 3. Statt LXX συντελέσαι braucht Mt immer das Simplex; vgl. 1Sam 18,1 כְּכַלֹּתוֹ לְדַבֵּר, LXX ὡς συνετέλεσεν λαλῶν; 24,17 כְּכַלּוֹת דָּוִד לְדַבֵּר, LXX ὡς συνετέλεσεν Δαυιδ λαλῶν; Gen 43,2 כַּאֲשֶׁר כִּלּוּ לֶאֱכֹל, LXX

---

[1] Diese stehen: Mk 4,4 Bא; Lk 1,8 (vgl. aber 1Sam 7,10); 3,21; (5,1); 9,29. 51 (für hebr. Empfinden eine viel zu allgemeine Zeitbest.); 24,4.51. Das besagt natürlich nicht viel.

[2] Besonders der Chronist setzt statt Konjunktionalsätzen fast stets präp. Inff., vgl. Kropat 68—70. 73.

[3] Außer Gen 41,13 „wie" (LXX καθώς); Ri 6,27 „weil" (ὡς).

[4] Außerdem übersetzt LXX noch durch ὡς: עַד „bis" (1Sam 14,19); בְּעֵת „zur Zeit" (2Chr 24,11), Nominalsatz (Gen 27,30); בְּ + Inf.: Jos 4,18; 5,13 (vgl. Lk 2,6 D); כְּ + Inf.: fast immer. Es kommt auch viermal in 1Makk und viermal in Judit vor.

[5] Außerdem übersetzt LXX noch durch ὅτε: בְּ + Inf.: Jer 35,11; Esth 2,8; כְּ + Inf.: Ri 14,11; 1Kön 20,12; Jer 41,13. Es kommt auch einmal in 1Makk vor.

[6] Ὅτε ist bei Mt überhaupt die einzige rein temp. Konjunktion.

[7] LXX gibt diesen Inf. z.T. durch Inf., meist aber durch Partz. wieder.

ἡνίκα συνετέλεσαν καταφαγεῖν u. ö. כִּלָּה + Inf. nach וַיְהִי (כַּאֲשֶׁר oder כְּ + Inf.): Jos 4,11; Ri 3,18; 2Sam 13,36; 1Kön 8,54; 2Kön 10,25.

ὡς findet sich nur bei Lk[1]: 1,23.41; 2,15; 7,12 D it; (11,1); 19,29; und zwar wie im Hebräischen vor Verben der Bewegung: 2,15 ἔρχεσθαι (vgl. Gen 37,23; Ri 3,27 u. ö. בּוֹא); 7,12 D it; 19,29 ἐγγίζειν (vgl. Gen 12,11 הִקְרִיב לָבוֹא); des Hörens: 1,41 (vgl. Gen 29,13 u. ö.); des Aufhörens: (11,1) παύεσθαι (vgl. Gen 24,22; 27,30 כִּלָּה); Lk 1,23 ὡς ἐπλήσθησαν αἱ ἡμέραι hat nach וַיְהִי keine Entsprechung im AT[2].

d) Einige Male wird im Hebräischen die Zeitbestimmung nach וַיְהִי durch einen Nominalsatz gegeben (sogenannter temporaler Vordersatz)[3]. Dieser kann entweder die Form eines einfachen Nominalsatzes haben, dessen Prädikat ein Substantiv, eine präpositionale Bestimmung oder ein Partizip ist; er drückt dann das noch Andauern einer ersten Handlung beim Eintritt einer zweiten aus („während", „während noch", „als gerade"). Oder er kann ein zusammengesetzter Nominalsatz sein, dessen Prädikat ein Perfekt ist; er bezeichnet dann Nebenhandlungen, die beim Eintritt der Haupthandlung bereits abgeschlossen vorliegen („nachdem", „als gerade hatte . . ."); z. B. 2Kön 8,5 וַיְהִי הוּא מְסַפֵּר לַמֶּלֶךְ ... וְהִנֵּה „Und als er gerade dem König erzählte . . ., da . . ."; Gen 15,17 וַיְהִי הַשֶּׁמֶשׁ בָּאָה וְ „Und als die Sonne untergegangen war, da . . ."; LXX hat mit dieser Konstruktion Schwierigkeiten. Meist setzt sie Genitivus absolutus (2Sam 6,16 [lies וַיְהִי wie 1Chr 15,29]; 13,30; 1Kön 13,20; 2Kön 2,11; 8,5.21 [zusammengesetzter Nominalsatz]; 13,21; 19,37; aber nie in Gen außer an Stellen ohne וַיְהִי wie Gen 44,4, wo sie den Sinn genau erfaßt hat, während sie dasselbe in V. 3 nicht erkannt hat), daneben Konjunktionalsatz (1Kön 20,39) oder präpositionalen Infinitiv (Gen 24,15; 42,35); öfters zieht sie den Nominalsatz zu וַיְהִי[4], das sie mit

---

[1] Ὡς ist bei Lk als temp. Konj. weitaus am häufigsten (in Act noch vielmehr als in Lk; ὡς : ὅτε = Lk 12:7, Act 27:7), vgl. Johannessohn a.a.O. 201 Anm. 1.

[2] Vgl. sonst Gen 25,24; 29,21; Lev 8,33 u. ö. מָלְאוּ יָמִים. LXX, Mk, Act: nur πληροῦσθαι, Lk (außer Lk 9,51) nur πλησθῆναι (vgl. Johannessohn a.a.O. 201 Anm. 2).

[3] Bei dieser Konstruktion fehlt וַיְהִי oft, vgl. bes. Kuhr § 6. 7. 21. 27.

[4] Dadurch wird natürlich der Sinn der hebr. Konstruktion aufgegeben: Nominalsatz und Anschlußsatz laufen jetzt einfach nacheinander ab.

καὶ ἦν (1Sam 7,10; 23,26; 2Sam 15,32; 19,10; 1Kön 13,20; 18,7; 2Kön 2,11; 6,26; 20,4) oder ähnlich (ἐγενήθησαν 1Sam 10,11 [M ist corrupt]; 11,11b; ἔσονται Jes 22,7) übersetzt; einmal zieht sie auch umgekehrt ἐγένετο in den Nebensatz, den sie durch eine Konjunktion einleitet: Gen 15,17 ἐπεὶ δὲ ἐγίνετο ὁ ἥλιος πρὸς δυσμαῖς, vgl. Hi 1,6 וַיְהִי הַיּוֹם, LXX καὶ ὡς ἐγένετο ἡ ἡμέρα αὕτη; Jos 2,5 ὡς δὲ ἡ πύλη ἐκλείετο[1]. Hebräisches absolutes Partizip wird genau nachgebildet (durch Nominativus absolutus) 2Sam 2,23b; 15,2b; 2Kön 6,5. Daneben gibt es aber noch einige atl. Belege, bei denen LXX den temporalen Vordersatz nach וַיְהִי wörtlicher übersetzt. Diese finden sich allerdings nur an Stellen, wo, genau wie bei den ntl. Stellen, bereits eine andere Zeitbestimmung (meist ein präpositionaler Infinitiv) vorweggegangen ist. Wir stellen einfach die atl.[2] und ntl.[3] Beispiele gegenüber: Lk 5,1 Bא καὶ αὐτὸς ἦν ἑστώς (D gräzisiert ἑστῶτος αὐτοῦ); 5,17 Bא καὶ αὐτὸς ἦν διδάσκων (D αὐτοῦ διδάσκοντος); 14,1f. καὶ αὐτοὶ ἦσαν παρατηρούμενοι αὐτόν; 5,17 B καὶ ἦσαν καθήμενοι Φαρισαῖοι καὶ νομοδιδάσκαλοι, οἳ ἦσαν . . .[4]; 5,17 Bא καὶ δύναμις κυρίου ἦν εἰς τὸ ἰᾶσθαι αὐτόν[5] — 2Chr 10,2 וְהוּא בְמִצְרַיִם, LXX καὶ αὐτὸς ἐν Αἰγύπτῳ; 1Kön 20,12 וְהוּא שֹׁתֶה, LXX πίνων ἦν αὐτός[6]; Neh 1,1 וַאֲנִי הָיִיתִי בְּשׁוּשַׁן, LXX καὶ ἐγὼ ἤμην ἐν Σουσαν; 2Sam 3,6 וְאַבְנֵר הָיָה מִתְחַזֵּק בְּבֵית שָׁאוּל, καὶ Αβεννηρ ἦν κρατῶν τοῦ οἴκου Σαουλ; Ri 19,1 וּמֶלֶךְ אֵין בְּיִשְׂרָאֵל, LXX καὶ βασιλεὺς οὐκ ἦν ἐν Ισραηλ. Mk 2,15 AC καὶ πολλοὶ τελῶναι καὶ ἁμαρτωλοὶ συνανέκειντο und

---

[1] Dasselbe in Act 10,25 Bא; 21,1 Bא. 5. Ob hier wie in LXX freiere Übersetzung oder einfach Umschreibung des Verb. fin. durch ἐγένετο + Inf. vorliegt, läßt sich nicht entscheiden.

[2] Die atl. Beispiele sind aus den 20 vorkommenden Belegen ausgewählt, die unter „doppelte Zeitbestimmung“ alle zitiert sind.

[3] Im NT findet sich nur einfacher Nominalsatz (Gleichzeitigkeit). Man könnte allerdings Lk 9,51 καὶ αὐτὸς τὸ πρόσωπον ἐστήρισεν verstehen als: „Er hatte aber gerichtet“. Vgl. Jos 10,20 (LXX ὡς); 2Sam 1,1f. (LXX καὶ Δαυιδ ἀνέστρεψεν), aber das ist wohl nicht gemeint; ebenso Lk 8,22 B; 10,38 ℜD.

[4] Längerer Relativsatz nach Nominalsatz auch 1Kön 12,2; vgl. 1Sam 3,3; Dt 1,4.

[5] Vgl. hebr. הָיָה לְ 1. „bereit, willig sein zu“ (2Chr 26,5), 2. „dabei, in Begriff sein, etwas zu tun“ (Jos 2,5). Eine solche abstrakte Zeitbest. ist allerdings nicht atl.

[6] Hier und bei allen folgenden atl. Beispielen außer Dt 5,23 versteht aber LXX diesen Zwischensatz offensichtlich schon als Nachsatz. In 1Kön 14,5 ist der Nachsatz weggebrochen, vgl. Driver 121 Anm. 3.

ebenso asyndetisch: Mt 9,10 700; Mk 2,15 D — 1Kön 14,5 וְהִיא מִתְנַכֵּרָה, LXX καὶ αὐτὴ ἀπεξενοῦτο; Dt 5,23 וְהָהָר בֹּעֵר בָּאֵשׁ, LXX καὶ τὸ ὄρος ἐκαίετο πυρί; Ez 8,1 ... אֲנִי יוֹשֵׁב בְּבֵיתִי, LXX ἐγὼ ἐκαθήμην ἐν τῷ οἴκῳ ...; 1Sam 3,2ff. וְעֵלִי שֹׁכֵב, LXX καὶ Ηλι ἐκάθευδεν — Lk 17,11.

Der Vergleich zeigt, daß die ntl. Nominalsätze sowohl vom Hebräischen als auch von LXX aus verstanden werden können. Es fällt allerdings auf, wie selten LXX die Konstruktion so erhalten hat, daß die Form der hebräischen Konstruktion noch deutlich ist[1].

Der im NT öfters auftretende Genitivus absolutus hat im Hebräischen keine Entsprechung. LXX übersetzt damit verschiedene hebräische Konstruktionen, meistens einen temporalen Vordersatz[2] (2Sam 6,16; 13,30; 1Kön 13,20; 2Kön 2,11; 8,5.21; 13,21; 19,37), daneben auch בְּ + Infinitiv (Ex 34,29; 1Sam 30,1) und כְּ + Infinitiv (2Kön 3,20; Jer 26,8; 36,23; 41,7)[3]. Wie im NT kommt Partizipium Präsentis und Aoristi vor. Es ist unmöglich, jeweils die hebräische

---

[1] An zweiter Stelle stehende Nominalsätze werden von LXX meist als Hauptsätze behandelt (vgl. auch 2Sam 15,2) oder unter die Konjunktion des ersten Zwischensatzes subsumiert (Jos 3,15; 10,20). Nur Dt 5,23; Jos 23,1; 1Kön 12,2 hat LXX die Nominalsätze so nachgebildet, daß ihr parenthetischer Charakter noch deutlich ist (Dan 8,2 LXX ist umgekehrt der Anschlußsatz noch als Zwischensatz behandelt [Gen. abs.]. Daß hier der Nominalsatz schon Anschlußsatz ist, ergibt sich allerdings nur aus dem Sinn). Danach ist es nicht wahrscheinlich — falls man hier LXXismus annimmt —, daß Lk seine Nominalsätze nach ἐγένετο in Anlehnung an die entsprechenden LXX-Vorbilder geformt hat, vielmehr scheint er solche Satzfügungen von den Zustandssätzen (nachgestellten Nominalsätzen) her zu kennen, die LXX oft so übersetzt; vgl. die Vorliebe des Lk für καὶ αὐτός am Satzanfang.

[2] Dieser hat nämlich, ebenso wie der Zustandssatz, kein griech. Äquivalent — wie umgekehrt der Gen. abs. Dazu gibt die griech. Partizipialkonstruktion den Sinn genau wieder. Auch D ersetzt zweimal einen temp. Vordersatz durch Gen. abs.: Lk 5,1.17.

[3] LXX bemüht sich, die hebr. Wortstellung beizubehalten; vgl. 2Sam 6,16; 1Kön 13,20; 2Kön 2,11; 8,5.21; 13,21: Subjekt—Verbum = hebr. הֵם יוֹשְׁבִים (αὐτῶν καθημένων) o.ä.; Ex 34,29; 1Sam 30,1; 2Kön 3,20; Jer 36,23; 41,7: Verbum—Subjekt = hebr. בְּבוֹא דָוִד (εἰσελθόντος Δαυειδ) o.ä. Im NT kommen beide Stellungen vor (Subjekt voran: Mt 9,10; Lk 5,17 D; 11,14 Bא). Da das aber auch klassisch-griech. so ist, darf man darauf keine Hypothesen über zugrunde liegende hebr. Konstruktionen aufbauen. Vgl. Lk 11,14: Wiederaufnehmende Zeitbest. wäre im Hebr. ein präp. Inf. (vgl. oben, S. 42), dann aber würde man nach LXX die Wortstellung ἐξελθόντος τοῦ δαιμονίου erwarten!

Konstruktion anzugeben, die zugrunde liegt bzw. an die gedacht ist[1]. Deshalb seien hier die ntl. Belege einfach aufgezählt: Genitivus absolutus haben: Mt 9,10; Mk 2,15 DΘ; Lk (3,21); (5,1 D). (17 D); 9,(37 Bא).57 AD[2]; 11,14 Bא; (17,12); 20,1[3]; Act 16,16; (22,17). Partizipium conjunctum[4] haben: Mit dem Anschlußsatz verbunden: Lk (9,37 D); Act 9,32; mit ἐγένετο verbunden[5]: Act (22,6 Bא). (17). Wie bei den schon besprochenen Zeitbestimmungen finden sich auch hier, ganz wie im AT, besonders oft Verben der Bewegung: Lk 9,37.57 AD; 11,14 Bא; (17,12); Act 9,32; 22,6.17; des Redens: Lk 5,17 D; 20,1; zu Tische Liegens: Mt 9,10; Mk 2,15 DΘ.

Nach וַיְהִי können im Hebräischen auch zwei oder mehrere Zeitbestimmungen stehen[6], und zwar sind folgende Kombinationen zu belegen:

Doppelte Zeitbestimmung:

1. Kurze Zeitbestimmung[7] + kurze Zeitbestimmung: Gen 40,20; Ri 15,1; 2Sam 11,1 (LXX Gen. abs., εἰς); Jer 28,1; 1Chr 20,1; 2Chr 21,19.

2. Kurze Zeitbest. + präpositionaler Infinitiv: Gen 34,25 („Während", LXX ὅτε)[8]; Ex 19,16 („während", LXX Gen. abs.); 1Sam 25,37 („nachdem", LXX ὡς); 2Kön 3,20 („während", LXX Gen. abs.); vgl. Esth 2,1 („nachdem", LXX Hauptsatz).

3. Kurze Zeitbest. + Konjunktionalsatz: Jos 9,16; 23,1 (beidemal „nachdem", LXX μετά + Inf.).

4. Kurze Zeitbest. + Nominalsatz: Ri 19,1; Ez 1,1; 8,1; Neh 1,1; 2,1; Hi 1,13 (alle: „während sich befand . . .", außer Hi 1,13 „während aßen . . ."; LXX hat Hauptsätze, die sie offenbar überall bereits als Anschlußsatz versteht).

---

[1] Wenn man nicht einfach LXXismus annimmt.

[2] Ἐν τῇ ὁδῷ würde im Hebr. allein genügen, vgl. Ex 4,24 (S. 34 Anm. 4).

[3] Vgl. S. 41 Anm. 8.

[4] In LXX habe ich nichts Ähnliches gefunden.

[5] Γίγνεταί μοι ist schon klassisch, vgl. K-G 473.4.

[6] Mehrere Zeitbestimmungen finden sich im AT bei ca. 50 von 400 Stellen (= 1/8), im NT bei 12 von 73 (= 1/6). Im folgenden sind alle Belege angeführt.

[7] Der Kürze halber nenne ich hier so die unter a) behandelten Zeitbestimmungen: Zeitadverb oder präp. Ausdruck.

[8] Hier und 1Sam 25,37; Esth 2,1 hat der Inf. ein persönliches Subj.; in Ex 19,16; 2Kön 3,20 umschreibt er nur eine Tageszeit.

5. Kurze Zeitbest. + zusammengesetzter Nominalsatz: 2Sam 1,1f.; Jer 41,4 (beide: „nachdem“, LXX Hauptsätze).

6. Präpositionaler Infinitiv + kurze Zeitbest.: 1Sam 30,1 („während“, LXX Gen. abs.).

7. Zwei präpositionale Infinitive mit verschiedenem Subjekt: 1Sam 18,6 („während—während“, LXX zweimal ἐν τῷ + Inf.); 1Kön 11,15 (text. emend. „nachdem—während“, LXX zweimal ἐν τῷ + Inf.); 2Chr 12,1 („nachdem—nachdem“, LXX ὡς—ὡς).

8. Präpositionaler Infinitiv + Nominalsatz (alle „während—während“)[1]: Dt 5,23 (LXX ὡς, parenthetischer Hauptsatz mit verschiedenem Subjekt); Jos 3,14 (LXX zwei Hauptsätze mit verschiedenem Subjekt); 10,11 (LXX ἐν τῷ φεύγειν αὐτούς ... ἐπὶ τῆς καταβάσεως Ωρωνιν, gleiches Subjekt); 2Sam 3,6 (LXX ἐν τῷ εἶναι τὸν πόλεμον ... καὶ A. ἦν κρατῶν, verschiedenes Subjekt); 1Kön 12,2 (LXX ὡς ἤκουσεν I. ... καὶ αὐτοῦ ἔτι ὄντος ἐν Αἰγύπτῳ; dasselbe in 2Chr 10,2 übersetzt LXX: ὡς ἤκουσεν I. ... —καὶ αὐτὸς ἐν Αἰγύπτῳ ...— καὶ ἀπέστρεψεν I., gleiches Subjekt); 14,5 (text. emend., LXX ἐν τῷ εἰσέρχεσθαι αὐτήν, καὶ αὐτὴ ἀπεξενοῦτο, gleiches Subjekt); 20,12 (LXX ὅτε, πίνων ἦν αὐτός, gleiches Subjekt).

9. Präpositionaler Infinitiv + zusammengesetzter Nominalsatz: Jos 3,15 („während, als gerade ... — ihre Füße aber waren eben in das Wasser eingetaucht —“, LXX ὡς εἰσεπορεύοντο ... καὶ ἐβάφισαν); 4,18 („nachdem—nachdem“, LXX ὡς ἐξέβησαν ... καὶ ἔθηκαν ...); 10,20 („nachdem—nachdem“, LXX ὡς κατέπαυσεν ... καὶ ... διεσώθησαν)[2]; 1Kön 22,32 = 2Chr 18,31 („nachdem—nachdem“, LXX ὡς εἶδον ... καὶ αὐτοὶ εἶπον [εἶπαν]).

10. Konjunktionalsatz + zusammengesetzter Nominalsatz: 2Sam 7,1 (כִּי „während—nachdem“, LXX ὅτε, Hauptsatz [?]); Neh 6,1 (כַּאֲשֶׁר „nachdem ... — nur die Torflügel hatte ich noch nicht angemacht [Stellung Objekt—Verbum!] —“, LXX καθώς, [parenthetischer?] Hauptsatz).

11. Nominalsatz + kurze Zeitbest.: Jos 2,5 („während“, LXX ὡς δὲ ἡ πύλη ἐκλείετο, vgl. Gen 15,12: Infinitiv statt Partizip).

12. Nominalsatz + Nominalsatz: 1Sam 23,26b („während—während“, LXX: 2 Hauptsätze mit καὶ ἦν, verschiedenes Subjekt).

---

[1] „Nachdem-während“ ist sicher nur zufällig im AT nicht belegt.

[2] In Jer 38,28f. (Konj.satz + kurze Zeitbest.) und 2Chr 24,11 (Konj.-satz + präp. Inf.) ist der Text nicht in Ordnung.

Drei- und mehrfache Zeitbestimmung:

13. Kurze Zeitbest. + präpositionaler Infinitiv + kurze Zeitbest.: Esth 1,2 („während", LXX ὅτε).

14. Kurze Zeitbest. + Konjunktionalsatz + zusammengesetzter Nominalsatz: Jos 23,1 („nachdem—nachdem", LXX μετά + Inf., parenthetischer Partizipialsatz ohne Copula); auch in 1Sam 30,1b—2 kann der zusammengesetzte Nominalsatz als Zwischensatz gemeint sein: „inzwischen waren nämlich eingefallen ...". Nachsatz wäre dann 3aβ; 3aα nimmt 1a wieder auf.

15. Kurze Zeitbest. + drei Nominalsätze: 1Sam 3,2—4 בַּיּוֹם הַהוּא + a) וְעֵלִי שֹׁכֵב (dazu ein parenthetischer zusammengesetzter Nominalsatz „dessen Augen trübe geworden waren, so daß ..."); b) וְנֵר אֱלֹהִים טֶרֶם יִכְבֶּה[1]; c) וּשְׁמוּאֵל שֹׁכֵב (LXX hat lauter Hauptsätze).

16. Präpositionaler Infinitiv + parenthetischer Nominalsatz + präpositionaler Infinitiv + zusammengesetzter Nominalsatz (+ erläuternde Bemerkung)[2]: Jos 3,14—16 („während, [während], während, nachdem", LXX [ohne [וַ]יְהִי] Hauptsatz, Hauptsatz, ὡς + 2 Nebensätze, Zwischenbemerkung); Ex 34,29f. („nachdem[3], wobei + während?, nachdem [Mose hatte aber nicht gemerkt ...]", LXX [ohne [וַ]יְהִי] ὡς, Nominalsatz, Gen. abs., Hauptsatz).

17. Konjunktionalsatz + Nominalsatz + Nominalsatz (+ 2 Nominalsätze): 1Sam 1,12f. (lies [וַ]יְהִי! „während, während, während, [wobei]"; LXX ὅτε, Hauptsätze)[4].

18. Außerdem finden sich öfters z.T. sehr lange Parenthesen: Nach einer Zeitbestimmung: 2Sam 13,1; 1Kön 9,10f.; 21,1f.; Esth 1,1[5]; nach präpositionalem Infinitiv: Gen 35,18; 2Chr 5,11—13; nach präpositionalem Infinitiv + Nominalsatz: Jos 3,15; 2Sam 3,6.

---

[1] Vgl. Kuhr § 27.

[2] Hier werden an beiden Stellen verschiedene Quellen oder Hände beteiligt sein.

[3] Zum hebr. vorzeitigen Inf. + ב vgl. S. 39.

[4] An zweiter Stelle stehende Nominalsätze und zusammenges. Nominalsätze sind meist synd. angeschlossen. Von den in diesem Abschnitt zitierten haben asynd. Anschluß nur: Jos 4,18 (+ אַךְ?); 10,11; 1Sam 1,13; Neh 6,1; Ez 8,1. Auch Parenthesen sind oft synd. angeschlossen, vgl. Jos 3,15; 2Sam 3,6 u.ö.

[5] Nach der Parenthese wird die Zeitbestimmung wiederaufgenommen.

Von den neutestamentlichen Beispielen für gehäufte Zeitbestimmungen[1] haben vier direkte Entsprechungen im Hebräischen:

Mk 2,23 472 ἐν τῷ αὐτὸν ἐν τοῖς σάββασιν παραπορεύεσθαι... „während". Das kann man zu Nr. 2 oder 6 stellen. Die kurze Zeitbestimmung zwischen ἐν τῷ und den Infinitiv zu setzen, ist allerdings hebräisch unmöglich; auch in LXX ist es nicht belegt.

Lk 5,1 Bא ἐν τῷ τὸν ὄχλον ἐπικεῖσθαι αὐτῷ καὶ ἀκούειν τὸν λόγον τοῦ θεοῦ, καὶ αὐτὸς ἦν ἑστώς... „während—während". Dem entspricht genau Nr. 8. Allerdings wäre der Sinn klarer, wenn καὶ αὐτός direkt auf αὐτῷ folgte[2], denn nach unseren hebräischen Parallelen (וְהוּא nur bei gleichem Subjekt von Infinitiv und Nominalsatz!) müßte ὁ ὄχλος Subjekt des Nominalsatzes sein. Doch gibt es auch im AT Beispiele dafür, daß das Subjekt des Nominalsatzes vorher nur durch ein Suffix eingeführt war: Gen 18,1; Ri 3,27; 1Kön 16,9. Wie in Lk 5,1 Bא ist nur in Jos 23,1f. (Nr. 14) das gemeinsame Subjekt von Nominalsatz und Anschlußsatz nicht gleich dem Subjekt der vorhergehenden verbalen Zeitbestimmung. Sonst ist das Subjekt des Nominalsatzes immer mit dem des Infinitivs identisch oder ganz fremd (so Nr. 8, 9, vgl. auch 10).

Lk 5,17 Bא ἐν μιᾷ τῶν ἡμερῶν, καὶ αὐτὸς ἦν διδάσκων, καὶ ἦσαν καθήμενοι Φαρισαῖοι καὶ νομοδιδάσκαλοι, οἳ ἦσαν ...[3], καὶ δύναμις κυρίου ἦν εἰς τὸ ἰᾶσθαι αὐτόν „während — während — während", drei verschiedene Subjekte, davon wieder verschieden das Subjekt des Anschlußsatzes[4]. Das entspricht Nr. 15, vgl. auch Nr. 4 und 18. Allerdings wird, entgegen allen hebräischen Beispielen in Nr. 4 und 15, das Subjekt des ersten Nominalsatzes nicht expressis verbis genannt, obwohl es im selben Satz noch nicht vorkam. Das ist ganz ungewöhnlich: Ich kenne im AT nur zwei Beispiele: 2Sam 4,7 und 1Kön 20,39, und die stehen nicht am Anfang einer Geschichte! Den dritten Nominalsatz faßt man am besten als Parenthese.

---

[1] Vgl. S. 32 Anm. 3.

[2] Wie in Gen 44,14; Ri 3,20; 13,9; 1Sam 10,5; 19,9; 2Sam 4,5; 11,4; 13,8; 18,14 u.ö. (In der Regel bezieht sich das Personalpron. der 3. Person als Subj. eines Zustandssatzes auf das Subj. des vorangehenden Satzes); dem käme man näher, wenn man καὶ ἀκούειν dem ersten Inf. unterordnete, wie D es tut.

[3] Οἵ om. א*. 33 und machen dadurch aus νομοδιδάσκαλοι ἦσαν ἐληλυθότες... einen zusammenges. Nominalsatz.

[4] Lk 8,1—4 gehört nicht hierher, da die Zwischensätze keine Situationsangabe, sondern selbständige Mitteilungen enthalten.

Lk 9,28 μετὰ τοὺς λόγους τούτους ὡσεὶ ἡμέραι ὀκτώ vgl. Nr. 1. Allerdings steht אַחַר הַדְּבָרִים הָאֵלֶּה im Hebräischen in der Regel allein. Sehr selten findet sich eine zweite Zeitbestimmung (Esr 7,1; Esth 2,1; 1,1s LXX; 2Chr 32,1), niemals aber eine auf die Frage „wie lange?". Ebenso ist die Angabe der Tagedifferenz im AT selbständig.

Ohne direkte Parallele, aber hebräisch durchaus möglich, ist Lk 14,1 ἐν τῷ ἐλθεῖν αὐτὸν εἰς οἶκόν τινος τῶν ἀρχόντων τῶν Φαρισαίων σαββάτῳ φαγεῖν ἄρτον, καὶ αὐτοὶ ἦσαν παρατηρούμενοι αὐτόν „nachdem — während", Subjekt immer verschieden, auch im Anschlußsatz, wie Jos 3,15; 2Sam 3,6f. σαββάτῳ würde hebräisch nicht innerhalb einer anderen Zeitbestimmung stehen, am besten stände es vor dem Infinitiv (vgl. Nr. 2), da Infinitiv und Nominalsatz sich direkt folgen sollten[1]. Im übrigen vgl. Nr. 8, auch Nr. 9, 14, 16.

Mk 2,15f. AC ἐν τῷ κατακεῖσθαι αὐτὸν ἐν τῇ οἰκίᾳ αὐτοῦ, καὶ πολλοὶ τελῶναι καὶ ἁμαρτωλοὶ συνανέκειντο τῷ Ἰησοῦ καὶ τοῖς μαθηταῖς αὐτοῦ — ἦσαν γὰρ πολλοὶ καὶ ἠκολούθουν αὐτῷ — „während — während" — Parenthese —; einschließlich Anschlußsatz drei verschiedene Subjekte: vgl. Nr. 8, 18.

In allen übrigen ntl. Beispielen[2] kommen Partizipien als Zeitbestimmungen vor, so daß eine klare Einordnung nicht möglich ist. Immerhin kann man mit Hilfe von LXX folgende Zuordnungen erwägen:

Lk 5,17 D ἐν μιᾷ τῶν ἡμερῶν αὐτοῦ διδάσκοντος; 9,37 Bℵ τῇ ἑξῆς ἡμέρᾳ κατελθόντων αὐτῶν...; 9,37 D διὰ τῆς ἡμέρας κατελθόντα αὐτόν...; 20,1 ἐν μιᾷ τῶν ἡμερῶν (ACR + ἐκείνων) διδάσκοντος αὐτοῦ ... καὶ εὐαγγελιζομένου (alle: „während"): Alle haben verschiedenes Subjekt in Zeitbestimmung und Anschlußsatz, wie überall in Nr. 2 und 4; vgl. Nr. 2 (besonders Anm. 8), auch Nr. 4 ist möglich.

Lk 5,1 D ἐν τῷ τὸν ὄχλον ἐπικεῖσθαι αὐτῷ τοῦ ἀκούειν τὸν λόγον τοῦ θεοῦ ἑστῶτος αὐτοῦ ... „während"[3], vgl. Nr. 8, auch Nr. 7.

Mk 2,15 D(W)Θ κατακειμένων αὐτῶν ἐν τῇ οἰκίᾳ αὐτοῦ, πολλοὶ τελῶναι καὶ ἁμαρτωλοὶ συνανέκειντο τῷ Ἰησοῦ ... — ἦσαν γὰρ πολλοί ... — „während — während", und ganz ähnlich Mt 9,10 700 αὐτοῦ ἀνακειμένου ἐν τῇ οἰκίᾳ, πολλοὶ τελῶναι ...: Nach S. 48 Anm. 4 wäre Mk 2,16 als An-

---

[1] Zum Anschluß des καὶ αὐτός vgl. S. 49 Anm. 2.

[2] Außer Lk 11,1, vgl. S. 51.

[3] Zum gleichen Subj. in Gen. abs. und Anschlußsatz vgl. zu Lk 5,1 Bℵ (S. 49). In 1Kön 11,15; 2Chr 12,1 (Nr. 7) fänden sich allerdings Parallelen.

schlußsatz möglich, aber die Auslassung von καί in V. 15 soll diesen Satz doch wohl als Hauptsatz kennzeichnen, vgl. Nr. 8, 18.

Lk 3,21 ἐν τῷ βαπτισθῆναι ἅπαντα τὸν λαὸν καὶ Ἰησοῦ βαπτισθέντος καὶ προσευχομένου „während — nachdem — während“, ist hebräisch schwierig wegen des Wechsels der Zeitstufe bei gleichem Subjekt im zweiten und dritten Glied; vgl. Nr. 9, 16, 14.

Lk 17,11f. ἐν τῷ πορεύεσθαι (𝔎D + αὐτόν) εἰς Ἰερουσαλήμ, καὶ αὐτὸς διήρχετο διὰ μέσον Σαμαρείας καὶ Γαλιλαίας, καὶ εἰσερχομένου αὐτοῦ εἴς τινα κώμην „während — während — während“ ist hebräisch schwierig wegen der Häufung ähnlicher Verben und starker Parallelität des zweiten und dritten Gliedes bei gleichem Subjekt (vgl. dagegen 1Sam 19,9; 1Kön 19,19). Gleiches Subjekt im ersten und zweiten Glied ist gut hebräisch, vgl. Nr. 8, auch Nr. 17.

Act 22,6 Bא μοὶ πορευομένῳ καὶ ἐγγίζοντι τῇ Δαμασκῷ περὶ μεσημβρίαν „während“, vgl. Nr. 6, 11.

Act 22,17 μοὶ ὑποστρέψαντι εἰς Ἰερουσαλὴμ καὶ προσευχομένου μου ἐν τῷ ἱερῷ „nachdem — während“, vgl. Nr. 8.

Lk 11,1 ἐν τῷ εἶναι αὐτὸν ἐν τόπῳ τινὶ προσευχόμενον (D + καί) ὡς ἐπαύσατο „während — nachdem“ ist, so wie es dasteht, hebräisch unmöglich, da die zweite Zeitangabe die erste aufhebt. Wenn man προσεύχεσθαι zu ἐπαύσατο zieht, könnte man an Nr. 9 denken; vgl. auch Nr. 2.

An einigen ntl. Stellen findet sich nach ἐγένετο überhaupt keine Zeitbestimmung[1], d. h. es fehlt gerade das Element, um dessentwillen die Konstruktion überhaupt gebraucht wurde; diese ist damit sinnlos geworden und nur noch rhetorische Floskel des griechisch schreibenden Schriftstellers[2]: Mk 2,15 Bא; Lk 16,22; 19,15 DΔ; Act 9,43; 10,25 Bא; 11,26 Bא; 13,43 DE; 14,1; 21,1 Bא. 5; 27,44; 28,8. Immerhin kann

---

[1] Zweimal folgt auch in LXX direkt auf ἐγένετο der Anschlußsatz, weil sie den Zwischensatz nicht als solchen erkannte: 1Kön 20,40 (M: Nominalsatz „während“), LXX καὶ ἐγενήθη περιεβλέψατο ὁ δοῦλός σου. 2Chr 21,9 (וַיְהִי קָם לַיְלָה, besser: 2Kön 8,21 וַיְהִי־הוּא קָם לַיְלָה „Nachdem er noch in der Nacht aufgestanden war“, zusammenges. Nominalsatz), LXX καὶ ἐγενήθη καὶ ἠγέρθη, vgl. Gen 47,24 (nach וְהָיָה).

[2] In dieser Form ohne Zeitbest. könnte allerdings eine aram. bzw. syr. Ausdrucksweise zugrunde liegen (vgl. S. 30 Anm. 1). Dagegen spricht jedoch, daß aus dem Aram. nur ganz wenige solche Belege bekannt sind, und daß das Syr. sich erst seit dem 2. Jahrh. n. Chr. ausgebreitet hat. Außerdem entwickelt sich unsere Konstruktion im NT so stetig über Zeitbest. + Inf. zu bloßem Inf., daß man sicher nur von immer mehr gräzisierender Fortentwicklung

man bei mehreren von ihnen erwägen, ob nicht in dem von ἐγένετο abhängigen Infinitiv die ursprüngliche Zeitbestimmung steckt, die hebräische Konstruktion also, obschon sehr stark gräzisiert, noch erhalten ist[1]. Es kämen dafür in Frage: Mk 2,15f. Bא (Anschlußsatz dann 2,16!); Act 10,25 Bא; 21,1 Bא.5. Man kann dazu auf einige ähnliche Fälle in LXX verweisen, wo auch die Zeitbestimmung als Subjekt zu ἐγένετο gezogen wurde: Ri 12,5 וְהָיָה כִּי „so oft", LXX A καὶ ἐγενήθη ὅτι εἶπαν; vgl. weiter S. 33 Anm. 4 und S. 44 Anm. 1. Bei den vier zuletzt genannten ntl. Stellen kann also eine hebräische Grundlage nicht mit Sicherheit bestritten werden.

3. Der Anschlußsatz

Auf satzeinleitendes וַיְהִי + Zeitbestimmung folgt im Hebräischen regelmäßig[2] eine einmalige Handlung in der Vergangenheit[3]. Diese

der atl. Konstruktion im griech. Sprachbereich reden darf (LXXismus). Natürlich hätte auch das Hebr. eine solche (emphatische) Konstruktion ohne Zeitbest. ausbilden können — parallel dem syr. גדש ו —, aber sie wurde offenbar neben וַיְהִי + Zeitbest. nicht als nötig empfunden. Ein Ansatz findet sich in 2Kön 17,7 (falls der Text in Ordnung ist) וַיְהִי כִּי־חָטְאוּ „Denn es war geschehen, daß sie sich versündigt hatten", LXX καὶ ἐγένετο ὅτι ἥμαρτον. Vgl. S. 54 Anm. 1.

[1] Vgl. Johannessohn a.a.O. 197.

[2] Die wenigen Ausnahmen beruhen auf fehlerhaftem Text: Gen 7,10 (Dauer) ist durch die Quellenkompilation gestört: Der Nachsatz zu V. 10a ist V. 12! Dazwischen schiebt sich ein Stück aus einer anderen Quelle; Gen 39,10 (iterativ): וְלֹא שָׁמַע gehört noch zur Zeitbestimmung; der Nachsatz ist durch die Quellenkompilation weggebrochen; Ex 34,29f. (Dauer) beginnt der Nachsatz erst mit V. 30, doch ist der Text überladen; 1Sam 7,2 (Dauer): Der Nachsatz ist V. 2b, die Zeitbest. ist durch redaktionellen Eingriff versehrt. Daher darf auch 1Sam 13,22 (Dauer) nicht וַיְהִי gelesen werden, vielmehr ist der Text corrupt. Bei den folgenden Beispielen, die alle iterative Bedeutung haben, ist וְהָיָה zu lesen: Num 10,35 (lies später ו cop. וַיֹּאמֶר; vgl. V. 36); 1Sam 18,30 (+ asynd. Perf.); 1Kön 14,28 (+ asynd. Impf.); 2Kön 4,8b (+ asynd. Impf.); Jer 36,23 (+ asynd. Impf.); Sach 7,13 (+ asynd. fut. Impf.); 2Chr 12,11 (+ asynd. Perf.); 24,11 (+ Perf. cons., vgl. S. 47 Anm. 2). Umgekehrt ist וַיְהִי in וְהָיָה verschrieben: 1Sam 1,12; 10,9; 17,48; 25,20 u.ö. כָּל־הַבָּא o.ä. kann jedoch, obwohl es sich logisch um einen Iterativ handelt, mit וַיְהִי + Impf. cons. verbunden werden: 1Sam 10,11; 2Sam 2,23b; 15,2b (mit וְהָיָה: Gen 4,14; Ex 33,7; Ri 19,30): Bei diesem כל „irgendein" mit präteritalem kond. Partz. handelt es sich gleichfalls um generelle Spezialisiertheit („als" statt „sooft"; vgl. S. 285).

[3] Das ist natürlich kein Zufall, denn dieser Anschlußsatz wurde ja durch ein Kurz-Impf. vorweggenommen, d. h. durch den alten sem. Ausdruck für die

kann auf zweifache Weise ausgedrückt sein: a) durch einen Verbalsatz, b) durch einen Nominalsatz.

a) In 75% aller Fälle steht Imperfektum consecutivum, d. h. ein syndetischer Verbalsatz mit dem Verbum an der Spitze. Allerdings ist Impf. cons. in bestimmten Fällen nicht möglich: Wenn nämlich die Zeitbestimmung aus einem Nominalsatz besteht (temporaler Vordersatz), pflegt das Hebräische den Beginn des Hauptsatzes dadurch zu kennzeichnen, daß das Subjekt an die Spitze des Satzes gestellt wird, bzw., wenn kein selbständiges Subjekt vorhanden ist, ein Personalpronomen dem Verbum vorangestellt wird (Inversion)[1], vgl. 2Sam 13,30 וַיְהִי הֵמָּה בַדֶּרֶךְ וְהַשְּׁמֻעָה בָאָה אֶל־דָּוִד „Während sie noch unterwegs waren, gelangte schon das Gerücht zu David“; 1Kön 20,39 וַיְהִי הַמֶּלֶךְ עֹבֵר וְהוּא צָעַק „Als der König vorbeiging, rief er“;

---

punktuale (momentane) Aktion, der schon früh im besonderen für die einmalige Handlung in der Vergangenheit gebraucht wurde.

[1] Vgl. Kuhr 18.34. Das bedeutet, daß Impf. cons. den Nebensatz (plusquamperfektisch) fortgesetzt hätte! So nach einfachem Nominalsatz: Gen 26,27 מַדּוּעַ בָּאתֶם אֵלָי וְאַתֶּם שְׂנֵאתֶם אֹתִי וַתְּשַׁלְּחוּנִי מֵאִתְּכֶם „Warum kommt ihr zu mir, obwohl ihr mich haßt und mich von euch fortgejagt habt?“; Num 11,26 וְהֵמָּה בַּכְּתֻבִים וְלֹא יָצְאוּ הָאֹהֱלָה „Sie gehörten nämlich zu den Aufgeschriebenen, waren aber nicht zum Zelt hinausgegangen“; ferner Gen 20,12 „Sie ist ..., und war (deshalb) geworden ...“; 1Sam 1,2 „Ihm waren ..., und ihr waren geworden ...“; nach zusammenges. Nominalsatz: 2Sam 1,1 וַיְהִי אַחֲרֵי מוֹת שָׁאוּל וְדָוִד שָׁב מֵהַכּוֹת אֶת־הָעֲמָלֵק⟨י⟩ וַיֵּשֶׁב דָּוִד בְּצִקְלָג יָמִים שְׁנָיִם „Nach dem Tode Sauls aber, nachdem David vom Sieg über die ʿA. zurückgekehrt war und sich in Ṣ. niedergelassen hatte, (und dort gerade erst) zwei Tage (zugebracht hatte)“. Man würde also, wenn eine zweifache Zeitbest. gemeint wäre, z.B. in Gen 15,17 וַתְּהִי עֲלָטָה bzw. in Gen 15,12 וַתִּפֹּל תַּרְדֵּמָה, erwarten: „und völlige Finsternis eingetreten war“; „und nachdem auf A. ein Tiefschlaf gefallen war“. (Aber in Gen 15,17 ist der Text corrupt [fem. Subst. + mask. Verb.] und entweder als עלטה היתה Variante zu השמש באה „als Finsternis eingetreten war“ oder als ולהט היה [LXX] Variante zu V. 17b „da erschien eine Flamme“. In 15,12 ist V. 12aβ Variante zu 12b „da fiel ein Tiefschlaf auf A.“. Der parallele Aufbau von V. 12 und V. 17 spricht in V. 17 für die Ursprünglichkeit der LXX-Lesart. Dann wäre in beiden Fällen der Nachsatz [aus einer anderen Quelle?] verdoppelt worden.) Die Inversion ist jedoch zur Kennzeichnung des Hauptsatzes im Hebr. nicht glücklich gewählt, denn ein invertierter Hauptsatz läßt sich von einem zusammenges. Nominalsatz formal nicht unterscheiden, es kann also z.B. in unserem Falle unklar sein, ob man schon den Hauptsatz oder aber noch einen Zwischensatz in Form eines zusammenges. Nominalsatzes vor sich hat, vgl. Jos 10,11; Gen 22,1 u.ö. Das hat auch in der Forschung viel Verwirrung gestiftet (so etwa GKa 142e).

vgl. weiter Jos 2,5; 2Kön 6,26 u.ö.[1]. Die Inversion wird jedoch nicht gebraucht, wenn dem Nominalsatz schon eine andere Zeitbestimmung (kurze Zeitbestimmung, präpositionaler Infinitiv oder Konjunktionalsatz) vorangegangen ist, vielmehr wird diese dann als eigentliche Zeitbestimmung verstanden und der Nominalsatz nur als Parenthese, die außerhalb der Konstruktion steht, vgl. 1Kön 20,12 וַיְהִי כִּשְׁמֹעַ אֶת־הַדָּבָר הַזֶּה וְהוּא שֹׁתֶה . . . וַיֹּאמֶר אֶל־עֲבָדָיו „Und als er das hörte — er zechte gerade . . . —, befahl er seinen Knechten“ und die auf S. 46—48 angegebenen Stellen. Nur Jos 10,11 ist umgekehrt der Nominalsatz als eigentliche Zeitbestimmung verstanden: „Während sie auf ihrer Flucht am Abhang von B. waren“[2,3].

Ein knappes Siebtel (60mal) aller Belege hat asyndetischen Verbalsatz (asyndetisches Perfekt) als Anschlußsatz. Die Belege entstammen zumeist jüngeren Schichten des AT (P, D, Jer, Ez, Chronik) und finden sich fast nur nach kurzer Zeitbestimmung[4].

LXX behält den syndetischen Anschluß der hebräischen Vorlage meistens bei, nicht selten jedoch übersetzt sie auch asyndetisch, so besonders in Gen (die Hälfte aller Stellen) und in Ex, Jos (je ein Drittel)[5]. Dabei wird die Wortstellung des hebräischen Textes genau beibehalten. Für vorangestelltes Personalpronomen (Inversion) gibt

---

[1] Weitere Beispiele bei Kuhr § 6. 7. 21. 27. Die Inversion ist (nach וַיְהִי) unterblieben: 1Kön 13,20 (Text in Ordnung?) und 2Kön 8,21 = 2Chr 21,9. In 1Sam 11,11b steht an Stelle eines Zwischensatzes das partizipiale Subjekt (ohne folgende Inversion), wie es sonst nur bei וְהָיָה üblich ist, dessen hervorhebenden Sinn וַיְהִי hier auch hat.

[2] Diese syntaktischen Tatbestände müssen natürlich in der Übersetzung zum Ausdruck kommen!

[3] Einige Male steht im AT Inversion, wo sie nicht hingehört — offenbar durch Analogie: Gen 22,1; Ex 12,29; 1Sam 18,19; 1Kön 8,10; 11,4 (asynd.); 18,1 (corrupt); 2Kön 2,9; 4,40; Ez 11,13; 2Chr 13,15. Dagegen wird es sich um zusammenges. Nominalsatz als Anschlußsatz handeln in 1Sam 18,1 „da hatte schon liebgewonnen“; 30,1 „da waren die A. eingebrochen“ (oder noch Zwischensatz, vgl. S. 48, 58); 2Sam 17,27 (text. emend.) „da hatten gebracht“.

[4] Nur 1Sam 18,30 (vgl. S. 52 Anm. 2); 23,6 (corrupt); 2Chr 12,1.11 (vgl. S. 52 Anm. 2) haben präp. Inf.

[5] Das sind dieselben Bücher, die am häufigsten das einleitende וַיְהִי unübersetzt lassen (Johannessohn a.a.O. 185), vgl. S. 31. Es handelt sich also bei beidem sicher um Anpassung an griech. Sprachgebrauch. LXX zeigt an rund einem Drittel aller Stellen Asyndese.

es z.B. folgende Belege[1]: 1Sam 18,19 καὶ ἐγενήθη ἐν τῷ καιρῷ τοῦ δοθῆναι τὴν Μεροβ θυγατέρα Σαουλ τῷ Δαυιδ, καὶ αὐτὴ ἐδόθη τῷ Εσριηλ. 1Kön 20,39 (Nominalsatz) καὶ ἐγένετο ὡς ὁ βασιλεὺς παρεπορεύετο, καὶ οὗτος ἐβόα, vgl. ohne וַיְהִי 1Sam 9,11 (Nominalsatz) αὐτῶν ἀναβαινόντων τὴν ἀνάβασιν τῆς πόλεως καὶ αὐτοὶ εὑρίσκουσιν τὰ κοράσια ... 1Sam 20,36 (Nominalsatz) καὶ τὸ παιδάριον ἔδραμε, καὶ αὐτὸς ἠκόντιζε τῇ σχίζῃ. 2Sam 2,24 (zusammengesetzter Nominalsatz) καὶ ὁ ἥλιος ἔδυνεν, καὶ αὐτοὶ εἰσῆλθον. Das hebräische Asyndeton wird natürlich von LXX belassen (mit Ausnahme von 7 Stellen, wo LXX seltsamerweise καί zusetzt: 1Kön 8,54; [14,28]; 15,29; 16,11; 17,17; Ez 1,1; 2Chr 24,4).

Im NT wird verbaler Anschlußsatz nur selten durch καί eingeleitet: Ein syndetischer Verbalsatz mit dem Verbum an der Spitze findet sich: Mk 1,9 W; 2,23 472; Lk 5,1f.; 9,28 𝔎D; 17,11f. D; 19,15 Bא; zu Lk 1,23 D τότε vgl. 1Kön 9,10f. אָז + Impf.[2] (LXX τότε). Ein invertierter Verbalsatz mit καὶ αὐτός an der Spitze steht: Lk 8,1 ἐν τῷ καθεξῆς καὶ αὐτὸς διώδευεν (Dauer!); 8,22 B ἐν μιᾷ τῶν ἡμερῶν καὶ αὐτὸς ἐνέβη; 9,51 ἐν τῷ συμπληροῦσθαι τὰς ἡμέρας τῆς ἀναλήμψεως αὐτοῦ καὶ αὐτὸς τὸ πρόσωπον ἐστήρισεν (hebräisch stände das Objekt nach!). 10,38 𝔎 ἐν τῷ πορεύεσθαι αὐτοὺς καὶ αὐτὸς εἰσῆλθεν. Mit einem Substantiv an der Spitze: Mk 2,15f. AC ἐν τῷ κατακεῖσθαι αὐτὸν (DΘ κατακειμένων αὐτῶν) ἐν τῇ οἰκίᾳ αὐτοῦ, καὶ πολλοὶ τελῶναι καὶ ἁμαρτωλοὶ συνανέκειντο τῷ Ἰησοῦ ... — ἦσαν γὰρ πολλοὶ καὶ (Θ οἳ) ἠκολούθουν αὐτῷ —, καὶ οἱ γραμματεῖς ... ἰδόντες ... ἔλεγον. Lk 24,15 D ἐν τῷ ὁμιλεῖν αὐτοὺς καὶ συζητεῖν καὶ ὁ Ἰησοῦς ἐγγίσας συνεπορεύετο αὐτοῖς. Act 5,7 ὡς ὁρῶν τριῶν διάστημα καὶ ἡ γυνὴ αὐτοῦ ... εἰσῆλθεν. Lk 24,15 א𝔎 lautet der Nachsatz καὶ αὐτὸς ὁ Ἰησοῦς ἐγγίσας συνεπορεύετο αὐτοῖς[3]. Man möchte

---

[1] Ein innerhalb einer וַיְהִי-Konstruktion (in Zwischen- oder Anschlußsatz) vorkommendes Personalpron. übersetzt LXX durch αὐτός, wenn das Subj. der vorhergehenden Zeitbest. dasselbe ist (1Kön 12,2; 20,12.39), dagegen mit οὗτος, wenn es verschieden ist (1Kön 20,39.40). Beim Femininum (1Sam 18,19; 1Kön 14,5) läßt sich leider nichts feststellen, da Spiritus und Akzente nicht berücksichtigt werden dürfen (vgl. Johannessohn a.a.O. 190). Außerhalb unserer Konstruktion aber (in invertierten Nachsätzen oder Zustandssätzen) wird αὐτός meist auch bei verschiedenem Subj. gebraucht (vgl. 1Sam 19,9; 20,36; 2Sam 2,24; 4,5; 1Kön 16,9 u.ö. gegen 1Sam 28,14 u.ö.; z.T. bleibt das hebr. Personalpron. unübersetzt: 2Sam 24,13 u.ö.). Lk braucht bei gleichem und verschiedenem Subj. καὶ αὐτός!

[2] Vgl. dazu GBe 7g.

[3] הוּא ist im Hebr. neben einem Subst. bzw. Eigennamen zur Kennzeichnung der Inversion überflüssig. Zur Hervorhebung des Eigennamens steht es im AT

bei diesen Stellen an die hebräische Inversion denken, aber nur Mk 2,15 DΘ wäre ein Nominalsatz wahrscheinlich, der die Voraussetzung für diese Inversion wäre. Unbegründete Inversion ist aber im Hebräischen nur ganz selten. Deshalb kann wörtliche Übersetzung aus dem Hebräischen nicht vorliegen.

Dagegen ist asyndetischer Verbalsatz im NT die häufigste Art des Anschlusses[1]. Dieser findet sich mit dem Verbum an der Spitze: Mt 7,28 (Dauer!); 11,1; 13,53; 19,1; 26,1; Mk 1,9 BD; Lk 1,23.41.59; 2,1.6 Bא.46; 6,12 EK; 7,11 Bא.12 D; 8,22 א.40 א𝔎; 9,18 B.28 Bא.33. 37 Bא.57 AD; 11,1.14 Bא.27; 17,11f. Bא.14; 19,5 Dit.15 **11.57**.29; 20,1; 24,30.51; Act 4,5 D; mit Inversion: Mk 4,4 Bא; Lk 2,15 Bא (𝔎D + „auch die Menschen"); 8,42 CD (Dauer!); 9,29 Dit; 24,15 B*. Außer Lk 2,15 (ὡς) geht überall präpositionaler Infinitiv voran. Die Inversion wäre also im Hebräischen nicht gebraucht worden. Lk 1,8f. steht in unhebräischer Weise eine präpositionale Bestimmung voran.

Daneben finden sich eine Reihe von Stellen, in denen der Anschlußsatz in Form eines A.c.I. zum Subjekt des einleitenden ἐγένετο gemacht wurde[2]; und zwar mit vorangehender Zeitbestimmung: Mk 1,9 **892**; 2,23 BD (Dauer!); Lk 3,21; 5,17 D; 6,1 (Dauer!). 6 Bא. 12 BD; 8,22 D.40 D; 9,37 D; 10,38 D; Act 2,1 D; 4,5 Bא; 9,3 (Dauer!).

---

nur Esr 7,6; 2Chr 32,12.30 „dieser Esra" u.ä. (LXX καὶ αὐτὸς Εσδρας); 2Chr 28,22 wird das Subj. so nachgetragen הוּא הַמֶּלֶךְ אָחָז (LXX anders) „er, der König A." (vgl. Kö 340l). Im Syr. dient jedoch das Personalpron. der 3. Person vorangestellt oft zur Hervorhebung eines Substantivs bzw. Namens, vgl. Nöld Syr 277 und die syr. Evangelienübersetzungen z. St.; Bl-Debr 277.3. Der häufige unsemitische (vgl. S. 55 Anm. 1 und S. 70 Anm. 2) Gebrauch von (καὶ) αὐτός scheint eine Manier des Lk zu sein.

[1] Dabei ist an einigen Stellen das erste Verb. fin. in ein Partz. conj. verwandelt worden: Lk 9,28; 11,27; 24,15.30; und vor Inf.: Act 9,37; 19,1 Bא; (21,1 Bא. 5). Auf dieselbe Weise gliedert auch LXX die gleichförmige Parataxe des AT, vgl. Gen 26,32 ἐγένετο δὲ ἐν τῇ ἡμέρᾳ ἐκείνῃ καὶ παραγενόμενοι οἱ παῖδες Ισαακ ἀπήγγειλαν αὐτῷ. 29,10 ἐγένετο δὲ ὡς εἶδεν Ιακωβ τὴν Ραχηλ..., καὶ προσελθὼν Ιακωβ ἀπεκύλισεν. 29,23 καὶ ἐγένετο ἑσπέρα καὶ λαβὼν Λαβαν Λειαν... εἰσήγαγεν αὐτήν (= Lk 24,30); Num 22,41 καὶ ἐγενήθη πρωὶ καὶ παραλαβὼν Βαλακ τὸν Βαλααμ ἀνεβίβασεν (= Lk 9,28), vgl. Johannessohn a.a.O. 185—87.

[2] Damit soll die Konstruktion griech. Sprachgefühl nähergebracht werden. Schon klassisch und auch bei Josefus und in den Papyri findet sich nämlich öfters γίνεται, γένηται oder γίνοιτο + Inf. „es kommt vor, es passiert, daß" (vgl. K-G 473.4, 475.4, Schwyzer 366, Mayser 1 S. 307, Bl-Debr 393.1.5, Moulton 24, Bauer s. v. γίνομαι I 3e) wie auch im NT: Mt 18,13; Act 20,16 Bא; Gal 6,14 und einmal nach ἐγένετο in LXX: 1Kön 11,43 B.

32.37; 16,16; 19,1 Bא; 22,6 Bא.17; 28,17[1]; ohne Zeitbestimmung: Mk 2,15 Bא (Dauer!); Lk 16,22; 19,15 DΔ; Act 9,43 (Dauer!); 10,25 Bא; 11,26 Bא (Dauer!); 13,43 DE; 14,1; 21,1 Bא.5 (Dauer!); 27,44; 28,8 (Dauer!).

b) Diese einmalige Handlung der Vergangenheit kann aber im Hebräischen auch durch einen Nominalsatz ausgedrückt werden. Dieser bezeichnet dann einen plötzlich eintretenden oder sichtbar werdenden Zustand und wird meistens durch die die Aufmerksamkeit auf etwas lenkende Interjektion וְהִנֵּה eingeleitet, die LXX meist durch καὶ ἰδού (12mal) wiedergibt[2]; daneben auch durch καὶ εὐθύς (Gen 38,29), ἦν (Gen 42,35), τῇδε (Gen 38,27), τόδε (Gen 43,21) oder gar nicht (1Sam 13,10; 1Kön 18,7). Dieser Nominalsatz kann im einzelnen folgendermaßen aussehen[3]:

1. וְהִנֵּה + Substantiv + Partizip[4]: Gen 24,15 וְהִנֵּה רִבְקָה יֹצֵאת; 15,12b; 1 Sam 13,10; (25,20); 2Sam 1,2; 2Kön 3,20; 8,5; Dan 8,15 (Partizip-Substantiv), u. ö. ohne vorangestelltes וַיְהִי. LXX übersetzt 2Kön 8,5 wörtlich durch Partizip καὶ ἰδοὺ ἡ γυνὴ . . . βοῶσα, sonst durch Verb. fin. im Präsens, Imperfekt oder Aorist, vgl. Gen 24,15 καὶ ἰδοὺ Ρεβεκκα ἐξεπορεύετο; so natürlich auch Gen 38,29; 2Kön 13,21 — immer unter Beibehaltung der hebräischen Wortstellung.

2. וְהִנֵּה + Substantiv + präpositionaler Ausdruck: 1Kön 18,7 וְהִנֵּה אֵלִיָּהוּ לִקְרָאתוֹ; Gen 38,27; 43,21; 2Sam 15,32 (Präpositionaler Ausdruck — Substantiv), u. ö. ohne vorangestelltes וַיְהִי. LXX übersetzt Gen 43,21; 2Sam 15,32 (καὶ ἰδοὺ εἰς ἀπαντὴν αὐτῷ Χουσι) wörtlich (ohne Copula), sonst fügt sie ein Verbum ein: ἦν (Gen 38,27), ἦλθεν (1Kön 18,7).

3. וְהִנֵּה + zusammengesetzter Nominalsatz: Gen 42,35 (Subjekt + Nominalsatz) וְהִנֵּה־אִישׁ צְרוֹר־כַּסְפּוֹ בְּשַׂקּוֹ; 2Sam 13,36 (Subjekt + Verbal-

---

[1] Von diesen steht nur Mk 2,23 BD; Lk 10,38 D; Act 9,3; 16,16; 19,1 Bא; 22,6 Bא das Verbum nicht am Anfang, wie man es bei wörtlicher Übersetzung erwartet.

[2] Vgl. dazu noch Johannessohn KZ 66 (1939), 178—82, und unten S. 69 Anm. 8.

[3] Es folgen alle Belege für nominalen Anschlußsatz nach וַיְהִי. Mit וְהִנֵּה eingeleitete Zwischensätze gibt es im Hebr. nicht. 1Kön 1,14.22 wird die ganze Periode durch וְהִנֵּה eingeleitet.

[4] Zweimal steht nach וְהִנֵּה Verbalsatz (Perf.): 2Kön 13,21; Gen 38,29 (+ Substantiv).

satz) „waren auch schon da". LXX übersetzt 2Sam 13,36 ganz wörtlich, Gen 42,35 setzt sie für וְהִנֵּה καὶ ἦν ein.

4. וְהִנֵּה + Substantiv: 2Kön 2,11 וְהִנֵּה רֶכֶב־אֵשׁ „Da war auf einmal ein feuriger Wagen da", LXX καὶ ἰδοὺ ἅρμα πυρός. Ez 37,7 וְהִנֵּה־רַעַשׁ, LXX καὶ ἰδοὺ σεισμός. Gen 15,17b (vgl. S. 53 Anm. 1).

5. וְהִנֵּה + Partizip + zusammengesetzter Nominalsatz (Subjekt + Verbalsatz): 1Sam 30,3aβb (wenn nicht schon V. 1b als Anschlußsatz gemeint ist, vgl. S. 54 Anm. 3) „Da war sie (die Stadt) verbrannt und ihre Angehörigen waren weggeschleppt worden", LXX καὶ ἰδοὺ ἐμπεπύρισται ἐν πυρί, αἱ δὲ γυναῖκες αὐτῶν . . . ᾐχμαλωτευμένοι.

6. Gen 29,25 וְהִנֵּה־הִוא לֵאָה, LXX καὶ ἰδοὺ ἦν Λεια.

Im NT findet sich eine genaue Entsprechung zu Nr. 1: Lk 5,17f. Bא καὶ ἰδοὺ ἄνδρες φέροντες ἐπὶ κλίνης ἄνθρωπον „Da tragen Männer einen Menschen auf einer Bahre herbei"; Nr. 2: Lk 14,1f. καὶ ἰδοὺ ἄνθρωπός τις ἦν ὑδρωπικὸς ἔμπροσθεν αὐτοῦ und Nr. 4: Lk 5,12 καὶ ἰδοὺ ἀνὴρ πλήρης λέπρας. Dagegen kann man Lk 24,4 καὶ (om. D) ἰδοὺ ἄνδρες δύο ἐπέστησαν αὐταῖς[1] zu Nr. 1, 2 oder 3 stellen. Mt 9,10 καὶ (om. אD) ἰδοὺ πολλοὶ τελῶναι καὶ ἁμαρτωλοὶ ἐλθόντες συνανέκειντο[1] und Mk 2,15 579 (ebenso) wären ihrer Form nach zu Nr. 1 zu stellen. Aber sie meinen kein plötzliches Dasein, sondern eine Dauer, sind also unhebräische Nachsätze.

Einige Male findet sich im AT auch Nominalsatz ohne הִנֵּה: Gen 41,1 וּפַרְעֹה חֹלֵם (וְהִנֵּה עֹמֵד ist Objekt zu חֹלֵם), LXX Φαραω εἶδεν ἐνύπνιον. 1Kön 20,40 וְהוּא אֵינֶנּוּ „War auf einmal nicht mehr da", LXX καὶ οὗτος οὐκ ἦν. Dan 8,2 וַאֲנִי בְּשׁוּשַׁן „Da befand ich mich auf einmal in Susa", LXX ἐμοῦ ὄντος ἐν Σούσοις, Theod. καὶ ἤμην ἐν Σούσοις. Zusammengesetzter Nominalsatz steht, wenn der Text in Ordnung ist, in 1Sam 18,1; 30,1 (?); 2Sam 17,27 (vgl. S. 48 und S. 54 Anm. 3). LXX behält die hebräische Wortstellung bei, versteht aber den zusammengesetzten Nominalsatz offensichtlich immer nur als einfache Erzählung.

Im NT kann man damit vergleichen Lk 18,35 τυφλός τις ἐκάθητο παρὰ τὴν ὁδόν. Dagegen hat Lk 9,18 א𝔎D συνῆσαν αὐτῷ οἱ μαθηταί (Dauer!)

[1] Innerhalb eines Satzgefüges und in der Erzählung steht im Hebr. fast immer וְהִנֵּה, sehr selten asynd. הִנֵּה (vgl. GBe 13e, Kuhr § 6—10. 21, Kropat 31). Ausnahme ist z. B. Ex 9,17f. Nach וַיְהִי findet sich im Nachsatz immer וְהִנֵּה. Die asynd. Lesarten im NT sind also Gräzisierungen.

nur formale Ähnlichkeit[1]. Das Fehlen des καί vor nominalem Nachsatz ist unhebräisch.

Ein Vergleich der vor dem nominalen Anschlußsatz stehenden Zeitbestimmungen in AT und NT ergibt folgende Zahlen[2]:

	AT	NT
Kurze Zeitbestimmung	4	
Kurze Zeitbest. + Infinitiv	1 (+ 1)	
Kurze Zeitbest. + 3 Nominalsätze		1
Präpositionaler Infinitiv	5 (+ 2)	5!
Präposit. Inf. + Nominalsatz		1
Konjunktionalsatz	1	
Nominalsatz	8!	
(Genitivus absolutus)		1
Summe	19 (+ 3)	8

Einige der genannten Anschlußsätze drücken eine dauernde Handlung aus: Mt 7,28; 9,10; Mk 2,15 Bא 579. 23 BD; Lk 6,1; 8,1.42 CD; 9,18 אℜD; Act 9,3.43; 11,26 Bא; 21,5; 28,8. Das aber ist ganz unhebräisch[3]. Immerhin kann man auch hier[4] an einigen Stellen erwägen, ob nicht diese dauernde Handlung ursprünglich noch als Zwischensatz gemeint war, eine hebräische Grundlage also noch möglich wäre; der Anschlußsatz hätte dann mit der ersten einmaligen Handlung der Vergangenheit zu beginnen. Es kämen dafür in Frage: (Mt 9,10 **700**); Mk (2,15 DWΘ). 23 BD (also wie **472**!); Lk 6,1f. (Nachsatz 6,2!); 9,18 אℜD (Nachsatz: καὶ ἐπηρώτησεν); Act 9,3 (Nachsatz: ἐξαίφνης wie in Act 22,6). Man könnte dazu auf LXX verweisen, wo fast regelmäßig ein Nominalsatz, dem schon eine andere Zeitbestimmung vorangegangen ist, als Anschlußsatz mißverstanden wird (vgl. S. 45 Anm. 1).

---

[1] Vgl. Mt 9,10 **700**; Mk 2,15 DΘ πολλοὶ τελῶναι... συνανέκειντο (Dauer!).

[2] Die Werte für die drei zusammenges. Nominalsätze ohne וְהִנֵּה stehen in Klammern.

[3] Die beiden einzigen atl. Beispiele sind durch unglücklichen redaktionellen Eingriff entstanden; vgl. S. 52 Anm. 2.

[4] Vgl. S. 51f.

Zusammenfassung

Fassen wir die Ergebnisse dieses Paragraphen zusammen, so können wir die neutestamentlichen Beispiele von satzeinleitendem καὶ ἐγένετο + Zeitbestimmung in 5 Gruppen einteilen:

1. Beispiele, die der hebräischen Konstruktion ganz und gar entsprechen und sich deshalb mühelos als Übersetzungen aus einer hebräischen Vorlage verstehen lassen (hierzu sind auch alle Beispiele mit folgendem A.c.I. gerechnet, soweit der Infinitiv voransteht und sie nicht eine Dauer ausdrücken oder die Zeitbestimmung fehlt): Mt 11,1; 13,53; 19,1; 26,1; Mk 1,9; Lk 1,23.41.59; 2,1.6Bא.46; 5,12. 17D.17f.Bא; 6,6Bא.12BD.EK; 7,11Bא.12D it; 8,22אD.40א𝔎D; 9, 33.37Bא.D.57AD; 11,14Bא.27; 17,14; 19,5D it.29; 20,1; 24,4Bא. 30.51; Act 2,1 D; 4,5Bא.D; 9,32.37; 22,17; 28,17.

2. Beispiele, die dem Hebräischen gegenüber kleine Abweichungen oder Eigenheiten zeigen (veränderte Wortstellung, Zusatz oder Auslassung einzelner Wörter), wie sie einem Übersetzer zugestanden werden müssen: Mt 9,10 **700**; Mk 2,15 AC.DWΘ. 23 **472**; 4,4 Bא; Lk 1,8f.; 2,15; 5,1f.; 8,22 B; 9,28.29 D it.51; 10,38 𝔎.D; 14,1f.; 18,35; 24,4 D. 15; Act 5,7; 16,16; 19,1 Bא; 22,6 Bא.

3. Beispiele, die noch als sehr freie Übersetzung aus dem Hebräischen verstanden werden können: Lk 3,21; 9,18 B; 11,1; 17,11f.; 19,15 Bא.

4. Beispiele, die nur bei Annahme von falscher Übersetzung (wie sie aber auch in LXX vorkommt) noch auf eine hebräische Vorlage zurückgeführt werden können: Mk 2,15Bא.23BD; Lk 6,1f.; 9,29 Bא; Act 9,3; 10,25 Bא; 21,1Bא.5.

5. Unhebräische Beispiele, die nur als falsche Nachahmungen der hebräischen Konstruktion im Griechischen verstanden werden können und nicht ins Hebräische zurückübersetzbar sind (eindeutige Septuagintismen): Mt 7,28; 9,10 BD; Mk 2,15 **579**; Lk 8,1.42 CD; 9,18 א𝔎D; 16,22; 19,15 DΔ; Act 9,43; 11,26 Bא; 13,43 DE; 14,1; 27,44; 28,8.

In der eben gegebenen Zusammenfassung wurden auf eine erste Zeitbestimmung folgende zuständliche Sätze dem Hebräischen entsprechend als Zwischensätze verstanden, soweit es der griechische Text möglich machte. Nun zwingt aber der griechische Text nicht zu dieser Auffassung (die allerdings vom Hebräischen her allein möglich ist), und es ist zu fragen, ob der jeweilige Verfasser diese Sätze wirklich so gemeint hat (er hätte sich doch mit Hilfe eines Genitivus absolutus

o. ä. unzweideutig ausdrücken können!). Bei Lk 5,17f. Bא ἐν μιᾷ τῶν ἡμερῶν καὶ αὐτὸς ἦν διδάσκων scheint die Parallele Lk 20,1 ἐν μιᾷ τῶν ἡμερῶν διδάσκοντος αὐτοῦ, wenigstens, was den ersten Nominalsatz anbelangt, dafür zu sprechen. Auch versteht Codex D den Text in Lk 5,1.17 so (D: Gen. abs.; D nimmt jedoch in Lk 5,17 den zweiten zuständlichen Satz schon als Anschlußsatz). Da aber 1. Lk auch sonst durch καὶ αὐτός einen Anschlußsatz einleitet (und zwar keinmal vom Hebräischen her gerechtfertigt, vgl. S. 55f.), und 2. Lk wie Mt und Mk in unhebräischer Weise eine zuständliche Aussage zum Anschlußsatz machen, ist das hier ebenso möglich. Die Frage nach dem Beginn des Anschlußsatzes läßt sich also in diesen Fällen mit philologischen Mitteln nicht entscheiden[1]. Nur wenn man irgendwo Übersetzung aus dem Hebräischen annimmt, kann man dort den Anschlußsatz mit Sicherheit festlegen[2].

Zum Schluß muß noch eine Bemerkung zur Übersetzung des einleitenden καὶ ἐγένετο gemacht werden: Hebräisches וַיְהִי darf bei einer Übersetzung aus dem AT nicht mitübersetzt werden (so richtig: E. Kautzsch, Die Heilige Schrift des Alten Testaments, 4. Aufl., Tübingen 1922!), denn dieses für den hebräischen Erzähler notwendige syntaktische Mittel ist für uns überflüssig und gäbe unserer Wiedergabe eine dem hebräischen Original ganz fremde Unbeholfenheit[3]. Dasselbe gilt bei Übersetzung eines griechischen (aramäischen, syrischen o. a.) Textes, in dem durch zu wörtliche Übersetzung aus dem Hebräischen ein Äquivalent für וַיְהִי stehengeblieben ist (also LXX, Targume u. ä.), es sei denn, man will gerade den Klang der Übersetzung bewahren ohne Rücksicht auf das Original. Dagegen muß dieses Äquivalent (καὶ ἐγένετο, והוה o. a.) mitübersetzt werden, wenn es bewußtes Stilmittel des griechisch (bzw. aramäisch, syrisch o. a.) schreibenden Schriftstellers ist, wenn es also der Sprache einen

[1] Immerhin würde ich die korrekt hebr. Deutung in Lk 5,1 für wahrscheinlich halten. In Lk 5,17f. Bא könnte schon καὶ ἦσαν καθήμενοι als Anschlußsatz gemeint sein.

[2] Trotzdem empfiehlt sich die korrekt hebr. Übersetzung aus stilistischen Gründen, da dann die (plötzlich) neu eingreifende und die jeweilige Erzählung in Bewegung setzende Handlung auch grammatisch den ihr zukommenden dominierenden Platz am Anfang des Hauptsatzes erhält. Wellh übersetzt an allen Stellen gemäß dem Hebr. Er erreicht dadurch zugleich eine straffe und stilistisch glückliche Einleitung der jeweiligen Geschichte.

[3] Genau dasselbe gilt für die Übersetzung von (וְ)הִנֵּה, (καὶ) ἰδού.

feierlich-sakralen Klang geben soll, wie man ihn aus den hebraisierenden Übersetzungen des AT kennt. Die Antwort auf die Frage, wie es nun im NT zu halten sei, hängt davon ab, wie die jeweilige Stelle literarisch beurteilt wird. Liegt Septuagintismus vor, und das ist sicher bei den in der Zusammenfassung unter Nr. 5 zusammengestellten Belegen der Fall[1], so muß καὶ ἐγένετο mitübersetzt werden[2].

[1] Mit hoher Wahrscheinlichkeit liegen LXXismen aber auch bei Nr. 4 und Nr. 3 vor. Jedoch auch bei den übrigen Beispielen fällt auf, daß die Häufigkeit bestimmter Einzelzüge im NT vom atl. Gebrauch abweicht. Vgl. die Tabellen auf S. 41 und S. 59, und S. 30 Anm. 6, S. 51 Anm. 2 und S. 39. Außerdem macht die Tatsache nachdenklich, daß in Joh, 1—3Joh, Apc, den einzigen Büchern, wo sicher hebr. Quellen verarbeitet sind, weder καὶ ἐγένετο noch καὶ ἔσται mit Zeitbest. vorkommt.

[2] Wellh läßt καὶ ἐγένετο meistens unübersetzt. C. Weizsäcker übersetzt es immer.

§ 2

SATZEINLEITENDES καὶ ἔσται MIT ZEITBESTIMMUNG

VglGr 274b, E. König ZAW 19 (1899), 274—78, GKa 112y.bb.ee, GBe 9g[1].i[b] i*[f], Driver 121, Brockelmann 123h, Thackeray 52, Bl-Debr 442.5 A, M. Johannessohn, Die biblische Einführungsformel καὶ ἔσται, ZAW 59 (1943) 129—84.

Ebenso wie sich das Hebräische zum Imperfektum consecutivum eine polare[1] Entsprechung im Perfektum consecutivum geschaffen hat[2], wurde auch zu וַיְהִי + Zeitbestimmung[3] eine entsprechende Konstruktion in וְהָיָה + Zeitbestimmung[4] gebildet. Diese erscheint im AT nur etwa halb so oft wie וַיְהִי + Zeitbestimmung und hat die Bedeutungen: Futurum, Iterativ der Vergangenheit und Jussiv. Es treten dieselben Zeitbestimmungen wie nach וַיְהִי auf[5], vermehrt um Konjunktionalsätze, die eine logische Beziehung ausdrücken (besonders Konditional- und Vergleichssätze)[6]. Den Anschlußsatz führt meist Perfekt consecutivum ein, daneben auch Impf. copulativum, asyndetisches Impf., Kurzimpf. (Jussiv) oder Imperativ und syndetisch oder asyndetisch angeschlossene andere Satzteile. Ist also schon der Anwendungsbereich von satzeinleitendem וְהָיָה viel umfassender und unbestimmter als der von satzeinleitendem וַיְהִי, so hat dies וְהָיָה im

[1] Zum Begriff der Polarität vgl. GBe 1i.

[2] Vgl. GBe 3.

[3] Vgl. S. 29ff.

[4] Auch in Qumran belegt: 1QS 2,12f. והיה בשומעו ... יתברך. Judit, 1Makk. Selten וִיהִי: 1Sam 10,5; 2Sam 5,24 = 1Chr 14,15 (+ אָז, τότε); Rt 3,4. Außerdem ist וְהָיָה dem Plural des folgenden Substantivs und Verbums assimiliert in Jer 42,17 (LXX καὶ ἔσονται) bzw. deren Femininum in Num 5,27; Jer 42,16 wie z.B. auch Act 3,23 Peš (vgl. Johannessohn a.a.O. 137).

[5] Nominalsatz aber nur selten: 1Kön 18,12 (zusammenges. Nominalsatz = Fut. exactum), vgl. 1,14 (וְהִנֵּה statt וְהָיָה); Jes 65,24 (טֶרֶם „noch nicht", LXX πρίν).

[6] Gen 47,24 steht nur בְּ + Subst. (vor Perf. cons.) = „was anbetrifft"; Ex 4,16 (Lev 27,10.33) nur הוּא (und ein weiteres Subst.) „er" (vorangestelltes Subjekt, + Impf.).

Gegensatz zum ursprünglicheren וַיְהִי auch oft nur noch die Aufgabe, den dadurch eingeleiteten Satz hervorzuheben oder feierlich zu betonen. LXX übersetzt das einleitende וְהָיָה durch καὶ ἔσται[1], wenn es futurischen oder jussivischen, und durch καὶ ἐγίνετο, ἐγένετο, ἐγενήθη, wenn es präteritalen Sinn hat. Öfters wird וְהָיָה auch gar nicht wiedergegeben. Syndetischer Anschluß des Nachsatzes wird oft nicht beibehalten.

Im NT finden sich vier Belege, die aber alle in atl. Zitaten stehen: Act 2,17 καὶ ἔσται ἐν ταῖς ἐσχάταις ἡμέραις ἐκχεῶ ἀπὸ τοῦ πνεύματός μου ἐπὶ πᾶσαν σάρκα stammt aus Joel 3,1 וְהָיָה אַחֲרֵי־כֵן אֶשְׁפּוֹךְ אֶת־רוּחִי עַל־כָּל־בָּשָׂר, LXX καὶ ἔσται μετὰ ταῦτα καὶ[2] (om. A) ἐκχεῶ ἀπὸ τοῦ πνεύματός μου ἐπὶ πᾶσαν σάρκα (relatives Zeitadverb[3], das Lk durch ein absolutes [aus Jes 2,2 nach Clarke 94] ersetzt + asynd. Impf. mit futurischem Sinn).

Bei den übrigen Beispielen enthält der Nebensatz eine logische Bestimmung:

Act 2,21 καὶ ἔσται πᾶς ὃς ἐὰν ἐπικαλέσηται τὸ ὄνομα κυρίου σωθήσεται entspricht genau Joel 3,5 LXX, hebr. וְהָיָה כֹּל אֲשֶׁר־יִקְרָא בְּשֵׁם יהוה יִמָּלֵט (konditionaler Relativsatz + asynd. Impf. mit futur. Bedeutung).

Act 3,23 ἔσται δὲ πᾶσα ψυχὴ ἥτις ἐὰν μὴ ἀκούσῃ τοῦ προφήτου ἐκείνου ἐξολεθρευθήσεται ἐκ τοῦ λαοῦ ist aus Lev 23,29 (כָּל־הַנֶּפֶשׁ אֲשֶׁר לֹא־תְעֻנֶּה בְּעֶצֶם הַיּוֹם הַזֶּה וְנִכְרְתָה מֵעַמֶּיהָ, LXX πᾶσα ψυχή, ἥτις μὴ ταπεινωθήσεται ἐν αὐτῇ τῇ ἡμέρᾳ ταύτῃ, ἐξολεθρευθήσεται ἐκ τοῦ λαοῦ αὐτῆς) und Dt 18,19 (וְהָיָה הָאִישׁ אֲשֶׁר לֹא־יִשְׁמַע אֶל־דְּבָרַי אֲשֶׁר יְדַבֵּר בִּשְׁמִי אָנֹכִי אֶדְרשׁ מעמו, LXX καὶ ὁ ἄνθρωπος, ὃς ἐὰν μὴ ἀκούσῃ ὅσα ἐὰν λαλήσῃ ὁ προφήτης ἐπὶ τῷ ὀνόματί μου, ἐγὼ ἐκδικήσω ἐξ αὐτοῦ) zusammengesetzt. Das Lev 23,29 fehlende וְהָיָה ist sonst in ähnlichen Formulierungen belegt, vgl. Gen 4,14 (LXX καὶ ἔσται); Ex 33,7; Ri 19,30 (LXX beide Male καὶ ἐγένετο), stammt aber hier vielleicht aus Dt 18,19 (LXX om.). (Konditionaler Relativsatz „wenn aber jemand" + Perf. cons. bzw. asynd. Impf. mit jussivischer bzw. futur. Bedeutung).

---

[1] Καὶ ἔσται (+ Inf.) hat in originalem Griech. immer die Bedeutung: „es wird möglich sein" (vgl. für ἔστιν K-G 473.3, Schwyzer 366, Mayser 1, S. 163—65); vgl. Bl-Debr 442.5 A, Mayser 1 S. 165.

[2] LXX hat auch 1Kön 14,28 καί zugesetzt!

[3] Vgl. S. 33 Anm. 6.

Röm 9,26 = Hos 2,1b LXX (hebr. וְהָיָה בִּמְקוֹם אֲשֶׁר־יֵאָמֵר לָהֶם לֹא־עַמִּי אַתֶּם יֵאָמֵר לָהֶם בְּנֵי אֵל־חָי) καὶ ἔσται ἐν τῷ τόπῳ οὗ ἐρρέθη αὐτοῖς· οὐ λαός μου ὑμεῖς, ἐκεῖ κληθήσονται υἱοὶ θεοῦ ζῶντος („statt daß man sagen wird" + asynd. futur. Impf.).

Auch in Röm 15,12 (= LXX) ἔσται ἡ ῥίζα τοῦ Ἰεσσαί, καὶ ὁ ἀνιστάμενος ἄρχειν ἐθνῶν· ἐπ' αὐτῷ ἔθνη ἐλπιοῦσιν geht ἔσται auf dieses hebräische וְהָיָה zurück (Jes 11,10). Paulus hat allerdings die Zeitbestimmung בַּיּוֹם הַהוּא = ἐν τῇ ἡμέρᾳ ἐκείνῃ ausgelassen und ἔσται mit ῥίζα verbunden; dadurch wurde das Prädikat zu ῥίζα, nämlich ἐπ' αὐτῷ ἔθνη ἐλπιοῦσιν (das ganze war im Hebräischen und wohl auch in LXX ein zusammengesetzter Nominalsatz) zu einem selbständigen Satz.

Als freie Wiedergabe der hebräischen Konstruktion könnte man Mt 18,13 erwägen καὶ ἐὰν γένηται εὑρεῖν αὐτό, χαίρει (vgl. S. 44 Anm. 1 und S. 56 Anm. 2), vgl. hebr. (כִּי) וְהָיָה אִם, LXX καὶ ἔσται ἐάν in Ex 4,9; Num 15,24; Dt 21,14; (26,1).

§ 3

Καί ZUR EINLEITUNG DES NACHSATZES

VglGr 273.391.432.452.464.465, GKa 111bh. 112ff—oo. 143d. 159o—bb. 164c, GBe 9bdg, Kö 341m—r. 366p—s. 367α—ε. 415s—ε, Driver 136—38, Kropat 70f., Kuhr 18ff., Brockelmann 157.176a, André Finet, Sur trois points de syntaxe de la langue des Archives de Mari, 3. Le Waw de l'Apodose, RA 46 (1952), 23f., Schröder 130, Friedrich 319, J. Hoftijzer, VT 9 (1959), 316, Jean-Hoftijzer s.v. ו 4, Schles S. 287, Nöld Syr 339, dazu: ZDMG 65 (1911), 579 Anm. 2, Mand 446, Schulthess 198a, Höfner 166. 171, Wagner 175. 333, Dillmann 200. 205; K-G 524 Anm. 2, Schwyzer 568, Bl-Debr 442.7, Raderm 218, Bauer s. v. καί 2d, Torrey, Our Translated Gospels, 51, 70—73, Bousset 160, Charles I 148*, Black 48 Anm. 5, BLA 96i und Anm. 3.

Ein voranstehender Konjunktionalsatz kann im Semitischen mit seinem darauffolgenden Hauptsatz durch ו „und" verbunden werden. Dieses Wau Apodoseos ist besonders in den kanaanäischen Sprachen üblich: Es findet sich bereits einige Male unter der Wirkung des kanaanäischen Substrates in den akkadischen Mari- und den Amarnabriefen, außerdem auch im Phönizisch-Punischen. Am häufigsten begegnet es jedoch im Hebräischen (einschließlich Qumran), und zwar meistens als Wau consecutivum: Hier lassen sich folgende Gebrauchsweisen unterscheiden[1]: 1. Es kann voranstehen: a) Ein Konditionalsatz: Gen 18,26; 24,8.41; 32,9; Num 30,15; Ri 13,17; 2Kön 7,4; Sir 4,19; 1QS 5,20; 6,25; 7,1—21; 8,24; CD 9,17.21; 12,5; 13,3f.4f.; 15,3 u. ö. b) Ein Temporalsatz: Gen 31,8; Ex 1,19; 1Sam 2,15 u. ö. c) Ein konditionaler Relativsatz bzw. Partizip: Gen 44,9; Ex 9,19.21; 21,13 u. ö.; Ex 12,15; 31,14; Lev 7,25 u. ö., vgl. S. 143f. d) Ein temporaler Nominalsatz (danach immer Wau Apodoseos): Gen 19,4; 29,9; Num 11,33; Ri 6,13; 1Sam 9,14.27; 1Kön 1,22; 2Kön 2,23 u.ö. e) Ein Kausalsatz: Num 14,24; 1Sam 15,23; 1Kön 20,28; Jes 3,16f. u.ö. f) Ein temporaler präpositionaler Infinitiv: Ri 11,16; 1Sam 17,57; 21,6; u.ö.; ein kausaler präpositionaler Infinitiv: Num 14,16; Jes 37,29; 48,4; 60,15 („anstatt") u.ö. g) Eine kurze Zeit-

---

[1] Dabei wird oft auch וַיְהִי = καὶ ἐγένετο oder וְהָיָה = καὶ ἔσται vorangestellt, vgl. S. 29ff., 63ff.

bestimmung: Gen 3,5; 22,4; Ex 16,6; 32,34; Ri 16,2; 2Sam 15,34 u.ö. h) Das substantivische Subjekt: Gen 22,24; 1Sam 14,19; 17,24; 2Sam 4,10; 19,41 u.ö.; das Subjekt eines zusammengesetzten Nominalsatzes: 1Kön 9,21; 12,17; 2Kön 25,22; CD 14,12f. u.ö. i) Ein Objekt (+ אֶת): 1Kön 15,13; 2Kön 16,14 u.ö. 2. Am Anfang des Hauptsatzes steht meistens a) Perfekt oder Imperfekt consecutivum (soweit das Verb nicht negiert ist), daneben aber auch b) ו + Substantiv (so ausschließlich beim Chronisten), oder c) ו + Personalpronomen (bei verbalem Nachsatz nur nach Nominalsatz: Gen 38,25; Ri 18,3; 1Sam 9,11; 20,36; 1Kön 1,14; 2Kön 10,12bf. [text. emend.] u.ö.), oder d) וְהִנֵּה = καὶ ἰδού + Nominalsatz (1Kön 1,42; 2Kön 6,33 u.ö.). LXX behält das Wau Apodoseos fast an der Hälfte aller atl. Stellen bei; dazu setzt sie es noch öfters von sich aus zu[1]. Oft ist es auch dadurch entstanden, daß bei Verwandlung von hebräischer Parataxe in Hypotaxe das Wau beibehalten wurde (Gen 44,29; 1Sam 14,52; 17,34f.35; Jes 55,10; Rt 2,9 u.ö.).

Im Neuhebräischen und in den aramäischen Sprachen ist demgegenüber Wau Apodoseos selten. Es findet sich fast nur nach Konditional- oder Temporalsätzen und kommt etwa vor im Neuhebräischen: TosBQ IX,30 כל זמן שאתה רחמן ורחמן ירחם עליך „Jedesmal, wenn du barmherzig bist, wird sich der Barmherzige deiner erbarmen"; PredR zu 11,9 אלו היו לי שדות וכרמים ולא הייתי מפריש תרומה ומעשרות „Wenn ich noch Felder und Weinberge hätte, würde ich nicht Hebe und Zehnten davon entrichten?". Altaramäisch: Sfire III 9ff. (8. Jahrh. v. Chr.: ed. M. A. Dupont-Sommer, Paris 1958, 128) והן מן חד אחי או מן חד בית אבי ומן חד בני . . . או מן חד שנאי ויבעה ראשי להמתתי ולהמתת ברי ועקרי הן איתי יקתלן „Und wenn jemand, der einer meiner Brüder ist, oder jemand, der einer aus dem Hause meines Vaters ist, oder einer meiner Söhne . . . oder einer meiner Feinde meinen Kopf fordert, um mich zu töten und um meinen Sohn und meine Nachkommenschaft zu töten, wenn sie mich (also) töten, . . .", doch ließe sich die Stelle auch erklären: „Und wenn vorhanden ist jemand, der einer meiner Brüder ist . . . und meinen Kopf fordert . . .". Reichsaramäisch: Pell 12,9 כעת אנת וגרדא זילי עבידא לא איתי לך „Jetzt aber du: mein Personal ist keine Angelegenheit für dich (= geht dich nichts an)!"; Dan 7,20b; Kilikische Jagdinschrift (5. Jahrh. v. Chr.: NE 446,4—6) וכזי צידא עבד אנה תנה ובאתרא זנה משתרה אנה „So oft ich hier die Jagd ausübe, pflege ich

[1] Vgl. S. 55.

an dieser Stelle zu frühstücken". Jüdisch-Palästinisch: jKet 35a אין אתי משיחא ואנא מעתד „Wenn der Messias kommt, bin ich bereit" (jKil 32b oben dasselbe ohne Wau Apod.); jŠab 8d (2mal) אילין תרין מי נפקין ולא חזרין „Nachdem diese beiden (aus der Stadt) herausgegangen sind, werden sie nicht mehr zurückkehren"; jSanh 18a כיון דאינון חמו לי יתיב דיין לגרמי ואתון לגביי „Als sie mich allein dasitzen (und) richten sahen, kamen sie zu mir"; GenR 35,2 כן אמר רבי שמעון בן יוחי אין בעי אברהם מקרבה מגביה ועד גבי ואנא מקרב מגבי עד מלכא משיחא ואין לא בעי יצטרף אחייה השילוני עימי ואנן מקרבין מן אברהם עד מלכא משיחא „So hat Rabbi Šim^con ben Joḥai gesagt: Wenn Abraham bereit ist, zu versöhnen von seiner Zeit bis zu meiner Zeit, so werde ich versöhnen von meiner Zeit bis zum (Kommen des) König Messias; wenn er aber nicht bereit ist, soll sich Aḥijja Haššiloni mit mir verbinden, und wir werden (zusammen) versöhnen von Abraham bis zum König Messias!"; HhldR zu 7,2 והוון אמרין אימת אילין יהודאין סלקין למצלייה בירושלים ואנן עלין מקפחין די בביתיהון מחרבין להון „Die bösen Nachbarn der Juden sagten: Sobald diese Juden heraufgehen werden, um in Jerusalem zu beten, werden wir kommen und rauben, was in ihren Häusern ist, und sie zerstören!" (jPea 17d dasselbe ohne אימת und ו); dagegen gleich danach in der Form: אינון גבריא סבירין אימת יסקון אילין יהודאין למצלייה בירושלים דאינון עלין ומקפחין לביתיהון ומחרבין להון „Jene Männer gedenken, sobald die Juden heraufgehen, um in Jerusalem zu beten, daß sie (dann) kommen und in ihre Häuser einbrechen und sie zerstören!"; bBB 91b (westaramäisch) נהירנא כד הוה בצע ינוקא חרובא והוה נגיד חוטא דדובשא על תרין דרעוהי „Ich erinnere mich: Wenn ein Knabe einen Johannisbrotbaum anschnitt, so ergoß sich ein Honigstrahl über seine beiden Arme". Häufiger ist Wau Apodoseos in vulgären (unliterarischen) syrischen Schriften, so auch in sy$^{sin.cur}$ (vgl. F. C. Burkitt, Evangelion Da-Mepharreshe II, Cambridge 1904, 69ff.) und im Christlich-Palästinischen, außerdem im Alt- und Neusüdarabischen, Äthiopischen und Vulgärarabischen (klassisch-arabisch: fa = τότε).

Im klassischen Griechisch ist es außer vor Fragesätzen („denn")[1] ganz selten, kommt jedoch in lässig stilisierten vulgärgriechischen Schriften öfters vor.

Aus dem Gesagten ergibt sich für die neutestamentlichen Belege: καί des Nachsatzes nach Konditional- und Temporalsatz könnte

[1] So Mk 9,12 D; 2Kor 2,2; Phil 1,22?; vgl. K-G 521.3, Bl-Debr 442.8, Bauer s. v. καί 2h.

auf aramäischen Einfluß zurückgehen, wahrscheinlicher ist aber hebräischer bzw. LXX-Einfluß, wenn es sich nicht überhaupt nur um nachlässige griechische Stilisierung handelt. Nach konditionalem Relativsatz bzw. Partizip, präpositionalem Infinitiv und kurzer Zeitbestimmung kann nur im Hebräischen (bzw. LXX) und im Griechischen καί des Nachsatzes stehen, während καί nach einem Vergleichssatz, wie vielleicht Mk 1,4 ℵW, ganz unsemitisch ist.

Im NT steht καί des Nachsatzes:

a) Nach einem Konditionalsatz: Mt 18,21 **2145** (ἐὰν ἁμαρτήσει); 21,21 **566.2145** (καὶ γενήσεται); 22,24φ (καὶ ἐπιγαμβρεύσει aus Gen 38,8 LXX?); Mk 9,12 D (εἰ Ἠλείας); 11,3 C (καὶ εἴπατε); 2Kor 2,2; Phil 1,22; Jak 4,15 „Wenn der Herr will, daß wir noch am Leben sind, werden wir dieses oder jenes tun"; Apc 3,20 ℵℜ; 14,9f.[1].

b) Nach einem Temporalsatz[2]: Mk 11,1 **149.1251** (καὶ ὅτε ἤγγιζεν ὁ Ἰησοῦς εἰς Ἱεροσόλυμα, καὶ ἦλθεν εἰς Βηθφαγή . . . καὶ ἀποστέλλει δύο); Lk 2,21 Bℵ; 7,12 Bℵ; 13,25; Joh 1,19f. (?); 11,41 D („auch"?); Act 1,10; 10,17 Cℜ; 17,13 D; und nach ἐγένετο[3]: Mt 9,10 B; Mk 2,15f. DΘ (beide Gen. abs.).

c) Nach einem konditionalen Relativsatz: Mk 11,23 Δ (καὶ ἔσται); Act 11,2 D[4], vgl. Apc 14,9f. (εἴ τις).

d) Nach einem temporalen präpositionalen Infinitiv[5]: Lk 2,27f.; und nach ἐγένετο[6]: Mk 2,15f. AC**579. 23 472**; Lk 5,1f.12; 9,51; 10,38 ℜ; 14,1f.; 17,11f. D; 19,15 Bℵ; 24,4 Bℵ.15.

e) Nach einer kurzen Zeitbestimmung[7]: Apc 10,7; und nach ἐγένετο (vgl. S. 55f., 58): Mk 1,9 W; Lk 5,17f.; 8,1.22 B; 9,28 ℜD; Act 5,7.

Am Anfang des Hauptsatzes steht im NT meistens das Verb. fin.; das substantivische Subjekt nur Joh 11,41 D; sowie nach ἐγένετο (vgl. S. 55f., 58): Mk 2,15f. AC; Lk 24,15 D; Act 5,7; das besonders hebräische (und LXX), aber auch in einigen aramäischen Sprachen (aber so wohl nicht im Jüdisch-Palästinischen der Zeit Jesu) vorkommende καὶ ἰδού[8] leitet den Hauptsatz ein: Lk 7,12 Bℵ;

---

[1] Vgl. Charles II 423 Anm. 2.
[2] Vgl. S. 42f.
[3] Vgl. S. 55f., 58.
[4] Vgl. S. 176f.
[5] Vgl. S. 34ff.
[6] Vgl. S. 55f., 58.
[7] Vgl. S. 32ff.
[8] Vgl. S. 58 Anm. 1 und S. 61 Anm. 3; BLA 71, 1QGen Apoc 19,14; Dalman 241 (2mal); Odeberg 320; Schulthess 198a. Im Neuhebr., Jüd.-Pal.

Act 1,10; 10,17 C𝔎; und nach ἐγένετο[1]: Mt 9,10 B; Mk 2,15 579; Lk 5,12.17f.; 14,1f.; 24,4 Bא; καὶ αὐτός steht gegen hebräischen Sprachgebrauch (im Hebräischen ist Inversion nur nach vorangehendem Nominalsatz üblich, vgl. S. 53f. und 67) vor verbalem Hauptsatz[2]:

---

und Bab.-Talmud. heißt והא immer „aber doch“ oder „und hier ist“, vgl. Jüdisch-Palästinisch: jBer 7c והא אמר „Er hat aber doch gesagt!“; jTer 44c u.ö. והא תנינן „Wir haben aber doch gelernt!“; jMŠ 56b u.ö. והא כתיב „Es steht aber doch geschrieben!“; jJom 39a = jChag 78c u.ö. והא מתניתא פליגא „Das Recht ist aber doch geteilt!“; jChag 77d אמר אין אנא מתעביד נשייא אנא מקטל חרשייא והא איתעביד נשייא ולא קטל חרשייא „Er sagte: ‚Wenn ich Nasi werde, werde ich die Zauberer töten‘. Er ist nun aber Nasi geworden und hat die Zauberer nicht getötet!“; jChag 77d = jSanh 23c והא אית תומנין נשין במערת אשקלון (Chag + חרשיין יהיבן) „Es gibt aber doch noch 80 (Zauber-) Weiber in der Höhle von Askalon!“; jSot 22a והא תמן מייבלין אורייתא גבי ריש גלותא „Aber dort bringt man die Gesetzesrolle doch zum Exiloberhaupt!“; jSanh 27d (= LevR 36,3 הא, טול; RtR Einl 2 אכול) כאינש דאמר הא שקא והא סלעא והא סאתא קום כול „Wie wenn jemand sagt: Hier ist der Sack, und hier ist das Sela, und hier ist das Sea, miß ein!“; jAZ 41a הא מרה דשמועתא והא מרה דעיבדא מישאליניה „Hier ist ein Meister der Lehre, und hier ist ein Meister des Tuns, den man fragen könnte“; GenR 17,3 = LevR 34,14 לא אמרת אלא פרפריין והא אשכחנן בגוה פרגיין „Du sprachst nur von Gemüse, aber wir fanden doch Hühnchen im Topf!“. Babylonisch-Talmudisch: bBer 43b והא רבי חייא נפיק „Aber R. Ḥ. ging doch so aus!“; bErub 100b והא קא נתרי קינסי „Aber Sträucher fallen doch davon ab!“; bPes 65a והא לא סגיא דלאו הכי „Aber es geht doch nicht, daß es nicht so ist!“; 104a והא מר לא תלת אמר ולא שבע אמר „Aber der Meister hat doch weder drei noch sieben (Formeln) aufgesagt!“; bJom 27b והא אנן לא תנן הכי „Aber wir haben nicht so gelernt!“; bSuk 53b (zit. S. 263); bNed 6a והא אביי הוא דאמר „Gerade A. hat aber doch gesagt!“; 27a=b והא מינם איתנים „Er befindet sich aber doch in einer Zwangslage!“; bBM 30a (zit. S. 276); bSanh 32b והא חסמינן להו „Aber wir binden den Zeugen ja den Mund zu!“; bAZ 55a (zit. S. 264); bMeil 19a והא דהבא דכלתיה דנון להיכא אזל „Wo ist denn aber das Gold der Schwiegertochter des Nun hingekommen?“. Eine bemerkenswerte Ausnahme ist LevR 12,1 = EsthR zu 1,22 = AD 25,15 אשכחוניה והא זיקא יהיב בפומיה „Sie fanden ihn, und siehe der Weinschlauch steckte in seinem Mund (wobei der W. steckte)“. Dagegen kann einfaches הא auch „siehe“ heißen, doch ist dies nicht häufig, vielmehr bedeutet es meist „hier ist“, „dies ist“. Im NT findet sich καὶ ἰδού (καὶ ἰδού, ἰδού + ἴδε): Mt 17 (62 + 4)!; Mk 0 (8 + 8); Lk 17 (56 + 0)!; Joh 1mal καὶ ἴδε (4 + 15); Act 6 (23 + 0); Briefe 1 (21 + 1); Apc 11 (26 + 0); vgl. M. Johannessohn KZ 64, 179—250; 66, 145—195; 67, 30—84; Bauer s. v.

[1] Vgl. S. 55f. 58.

[2] Abgesehen von der Inversion (nur hebr.) und gleich- oder vorzeitigen Zustandssätzen kann וְהוּא im Hebr. und Aram. am Anfang eines Hauptsatzes natürlich immer stehen, wenn dieser ein Nominalsatz ist, der ein Subj. braucht (das Partz. kann jedoch im Jüd.-Pal. auch allein stehen wie ein Verb. fin.); wenn

Lk 2,27f.; Apc 14,9f.; und nach ἐγένετο (vgl. S. 55f., 58): Lk 8,1.22 B; 9,51; 10,38 ℜ; 24,15 אℜ, ist hier also eine überflüssige, wohl LXX entnommene Floskel.

---

er ein Verbalsatz ist, dagegen nur bei Subjektwechsel innerhalb einer Reihe beigeordneter Sätze: Gen 3,16; 16,12; 49,19.20; Lev 5,3.4; Num 21,26; Dt 29,12; Hi 21,31.32; Rt 3,4; 1QS 10,18 u.ö.; jPea 21a הוון זכין ליה במאן דחסף והוא אכל ומותיב „Man gab ihm (Speise) als Almosen in einem Tongefäß, und er aß und übergab sich"; jMŠ 56a חד בר נש הוה קאים רדי פסקת תורתיה קומוי הוות פריא והוה פרי פריא והוא פרי עד דאשתכח יהיב בבבל „Jemand pflügte in P., während sich seine Kuh vor ihm befand; da lief sie weg und er lief ihr nach, sie lief weiter, und er lief ihr weiter nach, bis er sich in Babel befand"; jChag 78d הוה תמן חד כיף דשייש והוה כל חד וחד נסיב חד מסמר וקבע ליה בגויה והוא נחת ושקע כהדין לייש עד כדון מתקרי כיפא מסמרא „Dort gab es einen Marmorfelsen; und jeder nahm einen Nagel und schlug ihn hinein; und der drang in ihn hinein, bis er schließlich versank wie (im) Teig. Bis jetzt wird er der mit Nägeln beschlagene Fels genannt"; jSanh 25b (= jMQ 83b) רבי שמעון בן לקיש הוה מהלך באיסרטא פגע ביה חד כותיי והוה מגדף והוא קרע „Es begegnete ihm ein Kuthäer, der lästerte, darauf zerriß er (der Rabbi sein Kleid)"; GenR 38,15 הוה חד מנהון אמר לחבריה אייתי לי קולב והוא הוה יהיב ליה מגרופי הוה מחי ליה ופצע מוחיה „Einer von ihnen sagte zu einem anderen: Bring mir eine Axt! aber der gab ihm eine Hacke; er (der erstere) schlug ihn und spaltete ihm das Gehirn"; 89,10 את ילדת בר דכר והוא חיי „Du wirst einen Sohn gebären, und der wird am Leben bleiben"; LevR 30,6 תהוי ידע דאת עליל למחר קדם מלכא לדינא והוא שאיל ואמר לך אית לך בר נש מליף עלך זכו ואת אמר ליה אית לגיון פלן מליף עלי זכו והוא משלח וקרי לי ואנא אתי למילף עלך זכו קדמוי „Wisse, daß du morgen vor den König treten wirst zum Gericht, und der dich fragen wird: Hast du einen Verteidiger? und du ihm sagen wirst: Der und der Feldherr wird mich verteidigen! und er senden und mich rufen lassen wird, und ich kommen werde, um dich vor ihm zu verteidigen!"; AD 16,5; 20,15.23.25; 24,20.21; weitere Beispiele unter den S. 261ff. und 274ff. zitierten; sowie bei starker Betonung: Gen 33,3 „und er selbst"; 44,5 „und selbst sogar weissagt"; Dt 3,28; 1QS 3,17.25; Dan 7,7; jKil 32b את הויתה גלי מילף והוא הוה גלי מלפה = PredR zu 9,10 את הוית גלי למילף והוא גלי לאלפא „Du bist ausgewandert, um zu lernen, er aber um zu lehren"; AD 15,6; jBer 12b לא מיסתך דאת רביע והוא קאים משמש ועוד דהוא כהן „Genügt es dir nicht, daß du daliegst, während er steht und bedient? Und dazu ist er noch Priester!"; jQid 64a חד בר נש קם עם חבריה בשוקא אמר ליה הב לי קיתונא דאית לי גבך אמר ליה הב לי דינרא דאית לי גבך אמר ליה הב לי קיתונא וסב דינרא אתא עובדא קומי רבי מנא אמר ליה את אודית ליה בדינרא והוא לא הודי לך בקיתונא איזיל והב ליה דינרא „Jemand geriet mit einem anderen auf der Straße in Streit. Er sagte zu ihm: Gib mir den Pokal, den du von mir hast! Er sagte zu ihm: Gib mir den Denar, den du mir schuldest! Er sagte zu ihm: Gib mir den Pokal, so wirst du den Denar erhalten! Die Sache kam vor R.M. Er sagte zu ihm: Du hast ihm den Denar gestanden, aber er hat dir den Pokal nicht gestanden. Geh und gib ihm den Denar!". Dasselbe gilt bei griech. Verbalsatz, vgl. Bl-Debr 277.3.

Während das Wau Apodoseos in gesprochener Rede durch die Satzmodulation eindeutig als solches gekennzeichnet war, ist es in einem geschriebenen Text weder im Semitischen noch im Griechischen von einem gewöhnlichen verbindenden „und“ formal zu unterscheiden, so daß der Beginn des Hauptsatzes manchmal unklar ist[1]: Gen 9,14f.; 39,13.15; Ex 9,19; 21,18f.; Ri 11,16f.; 12,5f.; 2Sam 13,28 u.ö.; im NT: Mt 20,28 sy^c; 22,24 φ; Mk 11,1 **149.1251**; Lk 13,25; Jak 4,15; Apc 3,20 א𝔎.

Dagegen ist καί durch „auch“[2] zu übersetzen: Lk 11,22 D (om. νικήσῃ αὐτόν). 34; Joh 8,19; 13,14; 15,20; Act 3,24 (V. 22 und V. 24 sind durch μέν — δέ verklammert!); Röm 11,16; 1Kor 11,6; Jak 3,3; 1Joh 2,24.

---

[1] Vgl. S. 60f.

[2] ו „auch“ ist in originalem Sem. ganz selten, vgl. Kö 371a. 375g, Nöld Syr 339, Mand 207 Anm. 3; anders (= „und zwar“) in bŠab 53a אי הכי אמר אבא לא ידע במילי דשבתא ולא כלום „Wenn Abba das gesagt hat, verstand er von den Sabbatlehren überhaupt nichts!“; bBM 46a גברא ערטילאי דלית ליה ולא כלום „Ein nackter Mann, der auch gar nichts besitzt“; bChul 45b u.ö. (zur Verstärkung wird die Negation vor dem Objekt bzw. Subjekt syndetisch wiederholt), vgl. Margolis 67b, Schles 95; ebenso ולא מידי, vgl. Levy III 31, 98f.

AUS HAUPT- UND NEBENSATZ ZUSAMMENGESETZTE SÄTZE

Die semitischen Sprachen können die logische Unterordnung eines Satzes unter einen anderen grammatisch auf dreierlei Weise zum Ausdruck bringen:

A Konjunktionale Hypotaxe

Der Nebensatz wird durch eine Konjunktion eingeleitet (diese Konjunktionen sind entweder ursprüngliche Interjektionen oder Präpositionen, z.T. gefolgt vom Relativpronomen, oder, und zwar besonders häufig, das jeweilige Relativpronomen[1]) und ist dadurch eindeutig als solcher gekennzeichnet; meist ist dadurch auch die Art der logischen Abhängigkeit festgelegt, soweit nicht das Relativpronomen allein gebraucht wird, da dieses im Hebräischen und Aramäischen für alle denkbaren logischen Beziehungen benutzt werden kann.

B Konjunktionslose Hypotaxe[2]

Haupt- und Nebensatz sind asyndetisch oder syndetisch miteinander verbunden, ohne daß der Nebensatz durch eine Konjunktion bezeichnet ist (wobei die asyndetische Verbindung als die engere anzusehen ist). Eine solche Kennzeichnung des Nebensatzes ist nämlich in gesprochener Rede gar nicht unbedingt nötig, da die sogenannte Satzmodulation (Satzmelodie, Betonung, Pausen, Tempo) keinen Zweifel darüber läßt, ob und in welcher Weise zwei Sätze voneinander abhängig sind. Da es aber diese Untersuchung nur mit schriftlich überlieferten Sprachen zu tun hat, entfällt dieser einzige *sichere* Anhalt. Doch gibt es außer der Satzmodulation noch andere sprachliche Kennzeichen der Hypotaxe, die *nicht* an das gesprochene Wort gebunden sind, wie Verbindung von Verbalsatz und Nominalsatz, Änderung der Wortstellung, Zusammenstellung bestimmter Verbal-

---

[1] Ebenso im Indogermanischen: Schwyzer 637.

[2] Vgl. VglGr 329a. 394, vSoden 158, Kuhr 4ff.

formen, Gebrauch von hinweisenden Interjektionen, Verknüpfung durch gemeinsame oder wiederholte Satzteile u. a. Allerdings können alle diese Momente (zufällig) auch in ganz unabhängigen Sätzen vorkommen, so daß sie immer nur nahelegen, aber nie beweisen können, daß an der betreffenden Stelle Hypotaxe vorliegt. Doch kann diese durch das Fehlen der Satzmodulation entstehende Unsicherheit durch Feststellung des nach dem Zusammenhang zu erwartenden Sinnes vermindert werden. Von konjunktionsloser Hypotaxe darf mithin nur gesprochen werden, wo grammatische Hinweise dafür vorhanden sind, daß zwei Sätze als einander untergeordnet empfunden wurden[1]. Die Stellung des konjunktionslosen Nebensatzes zum Hauptsatz ist bei ursächlicher Verknüpfung von Haupt- und Nebensatz im Gegensatz zum konjunktionalen Nebensatz unveränderlich[2] und entspricht dem natürlichen Gedankenablauf von der Voraussetzung zur Folge (Konditionalsätze stehen voran, Final- und Konsekutivsätze nach); in der Erzählung richtet sie sich danach, ob die Nebenumstände oder die Haupthandlung zuerst berichtet werden sollen (temporaler Vordersatz steht voran, Zustandssatz nach).

C Grammatische Parataxe für logische Hypotaxe

In semitischer Rede wird sehr oft, und zwar besonders, um doppelte Unterordnung zu vermeiden, eine logisch zweifellos vorliegende Unterordnung sprachlich überhaupt nicht zum Ausdruck gebracht, sondern die Ereignisse werden lediglich in ihrer zeitlichen Abfolge berichtet, ohne daß auf die zugleich vorliegende ursächliche Verknüpfung hingewiesen wird. Der eigentliche Sinn kann in diesem Fall nur aus dem Zusammenhang erschlossen werden. Dazu kommt die in allen Sprachen der Welt mögliche primitive Aneinanderreihung von Aussagen, die (nur) logisch irgendwie zueinander in Beziehung stehen. In beiden Fällen darf also von Hypotaxe nicht gesprochen werden, doch ist die Abgrenzung gegen die konjunktionslose Hypotaxe wegen der durch das Fehlen der Satzmodulation verursachten Unsicherheit z.T. sehr schwierig.

---

[1] Dieses grundlegende Gebot wird bis in die neuesten hebr. Grammatiken hinein überhaupt nicht oder doch nicht genügend beachtet. Nur so kann aber die logizistische Sprachbetrachtung überwunden werden. In den aram. Sprachen sind diese Dinge weitgehend noch gar nicht untersucht.

[2] Vgl. Kuhr 11f.

§ 4

KONDITIONALSÄTZE

A Konjunktionale Hypotaxe

1. Durch eine Konjunktion eingeleitete Konditionalsätze

VglGr 419—45, vSoden 161. 162, SyntVerh 680—730, Syntax 483—516, GKa 159l—ff, Kö 176. 390, Driver 136—45, Brockelmann 164—70, Gordon 13. 71, Friedrich 324, Kropat 31.4, Blake 57—59, Michel 188—94, Segal 485—92, Albrecht 19, Jean-Hoftijzer s. v. הן I,BLA 111, LÄ 63m, Cantineau Nab I 104. 112, Dalman 237—39, Stevenson 17,8, 18.9.(5), 22.2f, Odeberg 326. 540—45, Margolis 73, Schles 166—80, Duval S. 387—91, NöldSyr 258. 265. 271. 374—77, Neusyr 371—73, Mand 473—79, Höfner 164f. 185, Dillmann 205; K-G 570—77, Schwyzer 682—88, Mayser 1 S. 227f. 275—93, 3 S. 84—92, Bl-Debr 371—76. 454, Bauer s. v. εἰ, ἐάν, ὅταν, ἀλλά.

Alle semitischen Sprachen reihten ursprünglich zwei Sätze, von denen der eine den anderen bedingen sollte, einfach aneinander. Dabei stand der bedingende Satz immer voran entsprechend der natürlichen Denkrichtung, die sich von der Bedingung zur Folge bewegt. Später entwickelten sich die konditionalen Konjunktionen; diese waren zunächst nur demonstrative Adverbien, die die Aufmerksamkeit auf den bedingenden Satz lenken sollten[1].

a) Die Satzstellung

Synt Verh 688f. 694f. 729. 769f., Syntax 484. 536 (doch im Arabischen oft im Konzessivsatz: Synt Verh 726f., Syntax 513f.), GKa 159n Anm. 1, Albrecht S. 39f., Schles 180, Nöld Syr S. 295. 300, Mand 477; Schwyzer 696.

Im semitischen konjunktionalen Bedingungssatz wurde die ursprüngliche Satzstellung beibehalten. Nur sehr selten wird die Protasis nachgestellt. In diesem Fall ist die vorangestellte Apodosis fast immer entweder stark betont oder ein Wunsch, ein Schwur oder ein Befehl. Hebräisch: Gen 18,28.30; Dt 11,26f.; 32,26f.; Jos 2,19; Ri 11,10; Jes 4,4; Hab 1,5; Ps 49,17; 63,6f.; 127,5; 137,6; Spr 6,35; 30,4; 1Chr 22,13; Sir 16,11; CD 16,5. Neuhebräisch: jPea 15c יבא עלי אם שמעתיה מרבי יוחנן „Es komme auf mich, wenn ich es von R. J.

[1] Vgl. VglGr 419. 423, ebenso im Griech.: K-G 395.3 Anm. 2, Schwyzer 557. 683.

gehört habe“ u.ä.ö.; jJom 39a תמיה אני אם יאריך אותו האיש ימים בעולם „Ich würde mich wundern, wenn dieser Mann lange lebte“; EsthR zu 5,3 אם מזרע היהודים הוא לא תוכל לו אם לא תבא עליו בחכמה „Wenn er ein Jude ist, kannst du ihn nicht überwältigen, wenn du es nicht mit Klugheit tust“; Naz 2,7 הרני נזיר כשיהיה לי בן „Ich will ein Nasiräer sein, wenn ich einen Sohn bekomme“. Reichsaramäisch: Cowley 30,27; 31,26; 37,8; Aḥiqar 81. Jüdisch-Palästinisch: GenR 91,8 כן תהא ההיא אתתא מנכשא מבשרא דדין ואכלה אם ידעה ביה „So wahr möge dieses Weib (= ich) von dem Fleisch dieses Menschen abbeißen und essen, wenn sie (= ich) davon etwas weiß!“; LevR 6,3 (3mal) תקבור ההיא איתתא ברה תליתאה אי היא ידעה בהון „Ich will meinen dritten Sohn begraben, wenn ich davon etwas weiß!“. Nicht selten wäre Voranstellung der Apodosis durchaus passender: jQid 64a חד בר נש הוה חייב לחבריה מאה דינרין בקרטיס שלח חמשין גבי שליחא אמר ליה אין לא יהב לך קרטיסה לא תתן ליה כלום „Jemand war einem anderen 100 Denare laut Urkunde schuldig; er sandte ihm 50 durch einen Boten; dem sagte er: Wenn er dir nicht die Urkunde gibt, gib ihm nichts!“; bKet 62b אי מיקדשנא לך אזלת לבי רב „Wenn ich mich dir antrauen ließe, würdest du dann in das Studienhaus gehen?“. Auch im Griechischen geht, dem Gedankenablauf entsprechend, der bedingende Teil des Konditionalsatzes in der Regel voran, obwohl die Satzstellung grundsätzlich frei ist.

Im NT stehen voran- und nachgestellte Protasis aller vollständigen echten Konditional- (und Konzessiv-)sätze in folgendem Verhältnis zueinander[1]:

[1] Nachgestellte Protasis findet sich: Bei εἰ: Mt 18,28 (εἴ τι); 24,24 (εἰ δύνατον); 26,24 (καλὸν εἰ); 27,43 (Ps 22,9, wo hebr. כִּי = „denn“, LXX ὅτι); Mk 9,42 (καλὸν εἰ); 11,25 (εἴ τι); 13,22 (εἰ δύνατον); 14,21 (καλὸν εἰ); Lk 9,13; 17,2 (λυσιτελεῖ εἰ); 23,35; Joh 1,25; 19,11; Act 24,19 (εἴ τι); 26,32; 27,39; Röm 7,7a.b; 11,14; 1Kor 9,11; 14,5.10; 15,2a.b.37; 2Kor 2,10b BA (εἴ τι); 11,15 (μέγα εἰ); 11,20 (εἴ τις); 12,11; 13,5b; 1Tim 1,10 (εἴ τι); 5,10; Tit 1,6 (εἴ τις); Hebr 6,9; 7,15; 1Petr 1,6; 2,3.19(εἴ τις).20; 3,17; Apc 14,11 (εἴ τις); εἴπερ: Röm 3,30; 8,9.17; 1Kor 15,15; εἴ γε: Röm 5,6; Eph 4,21; Kol 1,23; (ἐ)άν: Mt 4,9; 16,26; 18,35; Joh 5,19 (ἄν μή τι); 13,17.20(ἄν τινα).35; 15,14; Act 13,41 (ἐάν τις = Hab 1,5 LXX; hebr. כִּי יְסֻפַּר „Wenn es erzählt wird“); 26,5; Röm 2,25; 7,3; 11,22; 15,24; 1Kor 4,19; 5,11 (ἐάν τις); 7,8.36.40; 9,16; 16,7; Kol 3,13 (ἐάν τις); 1Thess 3,8; 1Tim 1,8 (ἐάν τις); 2,15; Hebr 3,6.14; 6,3; Jak 2,14 (ἐάν τις); 1Petr 3,13; 1Joh 2,3; Apc 2,5(nach Charles I 51 zu tilgen).22. Nachgestellte negierte Protasis nach neg. Apodosis (als Ausnahmesätze verstanden und auf S. 114, 118ff., 138ff. besprochen) findet sich im NT: Mt 12,29; 26,42; Mk 3,27; 6,5; 10,29f.; Joh 3,2.27; 6,44.65; 7,51; 15,4b.c; Act 8,31; Röm 10,15; 14,14; 1Kor 14,6; 15,36; Gal 1,7; 2Tim 2,5.

	εἰ	ἐάν	Summe	davon Protasis nach	%	davon Ausnahmesätze	Protasis nach + Ausnahmesätze	%
Mt	36	42	78	7	9,0	2	9	11,5
Mk	15	23	38	4	10,5	3	7	18,4
Lk	30	25	55	3	5,5		3	5,5
Joh	37	66	103	7	6,8	7	14	13,6
Act	16	7	23	5	21,7	1	6	26,1
Röm	42	19	61	10	16,4	2	12	19,7
1Kor	54	43	97	14	14,4	2	16	16,5
2Kor	26	5	31	5	16,1		5	16,1
Gal	17	3	20			1	1	5,0
Eph	2	1	3	1	33,3		1	33,3
Phil + Phlm	8		8					
Kol	4	2	6	2	33,3		2	33,3
1.2Thess	3	2	5	1	20,0		1	20,0
Pastor	16	6	22	5	22,7	1	6	27,3
Hebr	11	9	20	5	25,0		5	25,0
Jak	10	7	17	1	5,9		1	5,9
1Petr	15	1	16	6	37,5		6	37,5
2Petr	2		2					
1—3Joh	4	19	23	1	4,3		1	4,3
Apc	8	6	14	3	21,4		3	21,4
alle Briefe	214	117	331	51	15,4	6	57	17,2
alle Briefe außer Jak, 1—3Joh	200	91	291	49	16,8	6	55	18,9
Summe	356	286	642	80	12,5	19	99	15,4

Die Übersicht zeigt, daß die Evangelien Jak und 1—3Joh die strengste, d. h. dem semitischen Gebrauch nächste, Satzstellung haben[1].

---

[1] Die synoptischen Belege lassen sich noch vermindern: An einigen Stellen entspricht nämlich der nachgestellte Konditionalsatz semitischer Ausdrucksweise, bzw. ersetzt er einen anderen nachgestellten Nebensatz:

1. Nach „es ist besser" (neuhebr. מוטב, נוח, selten רתוי, aram. ניח, טב [an fast allen ntl. Stellen entspricht καλός sem. טוב, טב = „gut, nützlich"; vgl. W. Grundmann, ThWNT III, 545ff.]: alle mit oder ohne ל + Suffix) steht im Neuhebr. und Aram. als Subjekt öfters ein nachgestellter irrealer Konditionalsatz (mit Perf. als Irreal der Vergangenheit [aram. z.T. auch הוה + Partz.], sonst Irreal der Gegenwart), wenn die ganze Aussage irrealen Sinn hat = „es wäre (für ihn) besser (am besten) gewesen, daß (wenn)": jBer 3b נוח לו אילו נהפכה; Chag 2,1 רתוי לו כאלו לא בא לעולם; bŠab 31a מוטב אם לא העליתה „Dann wäre es besser gewesen, du hättest es gar nicht heraufgebracht"; PredR zu 9,10 (zit. S. 158) נוח ליה אם לא נברא; jŠab 14d ניח הוה ליה אילו הוה מיית ולא כן = jAZ 40d ⟨ניח⟩ הוה לו אילו מית ולא שמע הדא מילתא „Es wäre ihm besser, er wäre gestorben, als daß er das gehört hat"; Afraat 169,12 פקח הוא להון אלו לא קימין הוו „Es wäre ihnen besser, wenn sie nicht aufstünden"; Peš übersetzt Mk 9,42 (Lk 17,2); 14,21 (Mt 26,24) פקח הוא לה אלו. Mindestens ebensooft steht in diesem Fall ein „daß"-Satz: bBer 17a וכל העושה שלא לשמה נוח לו שלא נברא יותר משנברא „Jeder die Gottesfurcht nicht um ihrer selbst willen Ausübende: es wäre ihm besser gewesen, wenn er nicht erschaffen worden wäre, als daß er erschaffen wurde"; bErub 13b נוח לו לאדם שלא נברא u. ebd. ö.ä.; LevR 35,6 הלמד שלא לעשות נוח לו שנהפכה שליתו על פניו ולא יצא לאור העולם „Wenn jemand lernt, ohne es zu tun, wäre es besser gewesen, wenn sich seine Nachgeburt auf sein Gesicht gewendet hätte, als daß er zur Welt gekommen ist"; jKet 34b לא הוה טב דייה צערה לבר מן גופא ולא לגו גופא „Wäre es nicht besser gewesen, außen am Körper zu leiden, statt inwendig?"; KlglR zu 5,16 והא ניחא ליה דאיתרים רישיה ולא עבד כן „Aber es wäre ihm besser, wenn er enthauptet worden wäre, als daß er dies getan hat"; PredR zu 10,5 נייח הוה דייתרים רישיה ולא עבד כן „Es wäre besser gewesen, er wäre enthauptet worden, als daß er das getan hat"; והוה נייח ליה דקבריה ולא הוה אמר עלוי הדין פסוקא „Es wäre ihm eine größere Beruhigung gewesen, wenn er ihn begraben hätte, als daß dieser diesen Bibelvers über ihn (zur Heilung) ausgesprochen hat"; wie er bei nicht-irrealen Aussagen üblich ist: Hebr. טוֹב כִּי + Impf. (LXX ἀγαθὸν ὅτι) „es ist besser, daß": 2Sam 18,3; Rt 2,22; טוֹב אֲשֶׁר + Impf. (LXX ἀγαθόν + det. Inf.): Pred 5,4; 7,18 (vgl. Kö 382ef); Neuhebr.: bBer 43b נוח לו לאדם שיפיל עצמו לתוך כבשן האש ואל ילבין פני חבירו „Es ist besser für jemanden, wenn er sich in einen Feuerofen wirft, als daß er seinen Nächsten öffentlich beschämt"; bQid 21b. 22a מוטב שיאכלו... ואל יאכלו...; GenR 93,8 מוטב שאתודע להם ואל יחריבו את מצרים „Es ist besser, daß ich mich ihnen zu erkennen gebe, als daß sie Ägypten vernichten"; LevR 1,5 מוטב שיאמרו לך עלה ולא יאמרו לד רד רד „Es ist besser, daß man zu dir sagt: Rücke herauf! als daß man zu dir sagt: Rücke herunter!"; ExR 46,1 מוטב שתהא נדונית כפנויה ולא

b) Die Stellung der Konjunktion

VglGr 459—61, SyntVerh 729, Syntax 533f., Kö 341n, Albrecht 19a, Schles 182, NöldSyr 374 G und S. 299, Duval 410d, Dillmann 205; K-G 356.6, 606.6.7, Schwyzer 696, Mayser 3 S. 197, Bl-Debr 466.1 A, 475.1.

כאשת איש „Es ist besser, daß sie als frei, denn als verheiratet gerichtet werde"; u. ähnlich LevR 7,1; Mek zu Ex 16,10 (Friedmann S. 48a) מוטב שילקה עמוד הענן ואל יסקל משה „Es ist besser, die Wolkensäule wird getroffen, als daß Mose gesteinigt wird"; 19,4 (62b) מוטב שיכנס בו ולא בבנו „Besser, er (der Pfeil) trifft ihn als sein Junges"; Sifre Dt 218 מוטב שימות זכאי ולא ימות חייב u.ö. vgl. Schlatter Mt 529; Bill I 775. 779f. 989f., Fiebig Nr 119 (alle + Impf.); Aram.: GenR 94,9 מוטב דלקטול ההוא גברא ולא ליענשו ציבורא על ידיה „Es ist besser, daß dieser Mann getötet werde, als daß die Gemeinde seinetwegen bestraft werde"; 78,11 טב דיגע בי ולא בהון „Es ist besser, daß er mich schlägt als sie"; bBer 28a מוטב דאקום ואיזיל אנא לגבייהו „Es ist besser, daß ich selbst zu ihnen gehe"; bSanh 7a מוטב דליעבדו לעגל „Es ist besser, daß sie das goldene Kalb anbeten"; b Qid 81a M (Schles S. 228); vgl. auch Peš Mk 7,27; 9,5 parr. 43 par. 45. 47 par; Joh 18,14: ד (טב, שפיר) פקח + Impf. für griech. Inf. Daneben steht für nicht-irreale Aussagen auch: Asynd. Verb. fin.: Neuhebr.: bSanh 95a מוטב אמסר ביד אויב ולא יכלה זרעי „Es ist besser, ich falle in die Hand des Feindes, als daß meine Nachkommen untergehen"; bNid 13b (Fiebig Nr 149); RtR zu 1,16 מוטב על ידך ולא על ידי אחרת „Es ist besser, (es geschieht) durch dich als durch eine andere"; Dereḵ 'ereṣ zoṭa (ed. A. Tawrogi) 2 מוטב תבוש מעצמך ואל תתביש מידי אחרים „Es ist besser, du empfindest Scham aus dir selbst, als daß du durch andere beschämt wirst"; Aram.: jPea 15c אין מטת מבזייא טב לי אנא ולא את אין מטת מילקי טב לי אנא ולא את „Wenn es (uns) zustößt verachtet zu werden, ist es besser, ich (erleide es) als du; wenn es (uns) zustößt geschlagen zu werden, ist es besser, ich (erleide es) als du"; jTaan 68d טב לי מלכא קטל יתי ולא את „Es ist besser, der König tötet mich, als du"; GenR 81,3 (vgl. 32,16 = HhldR zu 4,4) ולא טב לך מצלי בהדא טורא בריכא ולא בההיא קלקלתא (תיסוק ותצלי) „Wäre es denn nicht besser, daß du auf diesem gesegneten Berg betetest als auf jenem Schutthaufen?"; LevR 22,2 טב לי נסב מן הדין עשבא ואחייה ביה מיתין „Es ist gut, wenn ich etwas von diesem Kraut nehme, um damit Tote aufzuerwecken"; KlglR zu 2,2 מוטב ליקטליה ההוא גברא לגרמיה ולא תתפרסין מיסטירין דמלכותא „Es ist besser, ich töte mich selbst, als daß die Geheimnisse des Reiches bekannt werden"; PredR zu 5,13 לא טב לך לעי ואכיל „Wäre es nicht besser, du würdest arbeiten, so daß du zu essen hättest?"; TrgJer I Gen 38,25 (übersetzt Bill I 780) טב לי בהית בעלמא הדין דהוא עלם עביר ולא נבהית באנפי אבהתיי צדיקייא בעלמא דאתי טב לי יקיד בעלמא הדין באישא טפיא ולא ניקד בעלמא דאתי באישא אכלא; b Qid 81a מוטב תיכספו בי עמרם בעלמא הדין ולא תיכספו מיניה לעלמא דאתי „Es ist besser, wenn ihr euch des ʿA. in dieser Welt schämt, als daß ihr euch seinetwegen in der zukünftigen Welt schämt"; oder Inf., dessen Subjekt durch ל „für" an „besser" attrahiert ist: Eduj 5,6 מוטב לי להקרא שוטה כל ימי ולא ליעשות שעה אחת רשע לפני המקום „Es ist besser für mich, Narr genannt zu werden alle meine Tage, als nur eine Stunde zum Bösewicht vor Gott gemacht zu werden"; Tanch בהעלתך

Die konditionale Konjunktion steht im Semitischen für gewöhnlich am Anfang des bedingenden Satzes, doch kann ein (oft betonter)

23,58 (Schlatter Mt 178); mit Attraktion durch של: Mek zu Ex 13,19 (Schlatter Sprache 31); Aram: LevR 22,2 טב לי מנסייא בהדין תעלא (אריא) „Es ist besser, wenn ich bei diesem Fuchs (Löwen) erst noch eine Probe mache“; bPes 4b ניחא ליה לאינש לקיומי מצוה בגופיה (בממוניה) „Es ist dem Menschen lieb, mit seinem Körper (mit seinem Geld) ein Gebot zu erfüllen“; bBM 27b (zit. S. 263); bMeg 28a (Schles S. 202); vgl. aber Hebr.: Gen 29,19 טוֹב תִּתִּי אֹתָהּ לָךְ מִתִּתִּי אֹתָהּ לְאִישׁ אַחֵר (LXX βέλτιον δοῦναί με αὐτὴν σοὶ ἢ δοῦναί με αὐτὴν ἀνδρὶ ἑτέρῳ) Inf. + Suffix!

Im NT ist wie gut griech. das Subj. zu καλόν (ἐστιν, ἦν) o.ä. ein Inf. (nach καλόν: Mt 18,8.9; Mk 7,27 [Mt 15,26 Bא]; Röm 14,21; 1Kor 7,1.[26]; 9,15; Gal 4,18; nach κρεῖττον: 1Kor 7,9; [Phil 1,23]; 1Petr 3,17; 2Petr 2,21; nach συμφέρει: Mt 19,10), ein A.c.I. (nach καλόν: Mk 9,5 [Mt 17,4; Lk 9,33b].43.45. 47; nach συμφέρει: Joh 18,14) oder ein εἰ (ἐάν)-Satz (vgl. griech. δεινὸν, μέγα εἰ: K-G 511.4bγ; und λυσιτελεῖ + ἐάν: Mayser 3 S. 110); ἵνα steht außerdem öfters nach συμφέρει (Mt 5,29.30; 18,6; Joh 11,50, 16,7a) und nach λυσιτελεῖ (Lk 17,2b: sem. würde es im zweiten Glied eher ולא = καὶ μή heißen!). Alle diese können wörtliche Übersetzungen aus dem Aram. bzw. Neuhebr. sein mit Ausnahme des A.c.I.: Im Gegensatz zum Hebr. (vgl. Gen 29,19) wird nämlich im Neuhebr. und Aram. das Subj. des Inf. an „besser“ attrahiert, wie es in Mt 18,8.9 καλόν σοί ἐστιν der Fall ist gegen Mk 9,43.47 σέ, ferner 1Kor 7,26; 9,15 (ebenso wie an aram. ניחא „es ist, wäre lieb, angenehm, am liebsten“; bTaan 25a ניחא לך דמיכל אכלי כולי עלמא אפתורא דמשלם ואנן אפתורא דמחסר „Ist es dir recht, daß, während alle Welt an einem vollständigen Tisch ißt, wir an einem unvollständigen essen?“; bMeg 28b ניחא לי דאשמעיה למר „Es ist mir lieb, daß ich den Herrn bediene“; bNed 50a לא ניחא לי דאיתהני בהאי עלמא „Es ist mir nicht lieb, daß ich in dieser Welt etwas genieße“; bSanh 46b ניחא להו לצדיקיא דמייקרי בהו אינשי „Es ist den Frommen lieb, daß die Menschen durch sie geehrt werden“ u. ebd. ö.ä.; vgl. noch bBM 10a, 27b [Schles S. 226]). Der nachgestellte irreale Konditionalsatz in Mk 9,42 (Lk 17,2) καλόν ἐστιν αὐτῷ μᾶλλον (λυσιτελεῖ αὐτῷ), εἰ περίκειται μύλος ὀνικὸς περὶ τὸν τράχηλον αὐτοῦ und Mk 14,21 (Mt 26,24) καλὸν (ἦν) αὐτῷ εἰ οὐκ ἐγεννήθη ὁ ἄνθρωπος ἐκεῖνος (die Hinzusetzung des mit αὐτῷ identischen und überflüssigen ὁ ἄνθρωπος ἐκεῖνος ist sem. ebenso ungewöhnlich wie griech.: Peš attrahiert es an Stelle von αὐτῷ an καλόν!), gibt also entweder genau die sem. Konstruktion wieder (nicht dagegen der nicht-irreale Konditionalsatz 1Kor 7,8 [vgl. V. 40] καλὸν αὐτοῖς ἐὰν μείνωσιν ὡς κἀγώ!) oder ist griech. Umschreibung für sem. „daß“. Entsprechendes (wörtliche Übersetzung von „daß“ oder Gräzisierung von „wenn“) gilt von Mt 18,6 (Mk 9,42 und Lk 17,2 εἰ) συμφέρει αὐτῷ ἵνα κρεμασθῇ μύλος ὀνικὸς περὶ τὸν τράχηλον αὐτοῦ (von Mt geändert, da συμφέρει nur bei Mt und Joh vorkommt?), wo „daß“ mit irrealem Sinn begegnet. Höchstwahrscheinlich liegt Mt 16,26 τί ὠφεληθήσεται ἄνθρωπος, ἐάν eine Gräzisierung vor für „welchen Nutzen hat der Mensch davon, daß“, ebenso wie in Jak 2,14 (vgl. V. 15f.); vgl. Hi 21,15 כִּי; PredR zu 1,3 אשר (relativ); Peš Lk 9,25 ד (zum

Satzteil (Subjekt, Objekt oder adverbiale Bestimmung) vorangestellt werden. Dieser vorangestellte Satzteil gehört entweder nur zur Protasis oder zu Protasis und Apodosis: Hebräisch vor אִם: Ps 66,18; 95,7; und oft vor כִּי in Gesetzen vgl. Lev 1,2; 2,1; 4,2; 5,1.4.15.21; 7,21; 13,9 u.ö.; z.T. auch zwei Substantive: Lev 15,2; Num 5,12 u.ö. אִישׁ אִישׁ; Lev 13,29.38; 20,27 u.ö. אִישׁ אוֹ אִשָּׁה; z.T. auch als „Casus pendens": Lev 13,2.18.24.29.38.40; Ez 33,2 u.ö. Neuhebräisch: Sehr oft. Reichsaramäisch: Aḥiqar 103; Kraeling 5,13; Dan 5,16. Jüdisch-Palästinisch: jŠab 10c הדא איתתא כד משתייא בקוביה משום מיסכת „Wenn eine Frau (am Sabbat) mit der Q. webt, ist sie schuldig wegen Webens" u.ö.ä.; LevR 18,1 (= PredR zu 12,4) הדין סבא כד שמע ציפרין

Ausdruck vgl. Bill I 74). εἰ = „daß" nach θαυμάζειν (Mk 15,44; 1Joh 3,13) ist sicher ein Gräzismus, vgl. K-G 511.4bγ, 551.8, Schwyzer 687f., Mayser 2 S. 552, 3 S. 48, Bauer s. v.

Die oben gegebenen Beispiele zeigen außerdem, daß im Neuhebr. und Aram. (seltener im Hebr., vgl. Spr 17,12; Sir 25,13 mit Gen 29,19; Pred 5,4!) statt „es ist besser, daß... als daß..." meist ungenau „es ist gut, daß... und nicht..." gesagt wird, wie auch sonst gern Entgegensetzung an Stelle von Steigerung gebraucht wird: Neuhebr.: jKet 29b אנשי הגליל חסו על כבודן ולא חסו על ממונן אנשי יהודה חסו על ממונן ולא חסו על כבודן „Die Galiläer waren auf ihre Ehre mehr bedacht, als auf ihr Geld; die Judäer umgekehrt"; bSanh 72a ימות זכאי ואל ימות חייב „Er soll lieber unschuldig als schuldig sterben"; bŠab 11a oben; Jüd.-Pal.: jŠab 14d = jAZ 40d ימות ולא כן „Besser er stirbt, als daß das geschieht"; KlglR zu 2,2 = 4,18 (zit. S. 284f.); Bab.-Talmud.: bPes 113a קבא מארעא ולא כורא מאיגרא „Besser ein Qab vom Erdboden als ein Kor vom Dach"; bQid 20a ניזבין איניש ברתיה ולא ניזיף בריביתא „Man soll lieber seine Tochter verkaufen, als sich Geld auf Zinsen leihen"; bBM 104b אמרי אינשי תכחוש ארעא ולא ליכחוש מרה „Das Sprichwort sagt: Besser, der Boden magert ab als dessen Besitzer"; bSanh 49a אמרי אינשי תהא לוטא ולא תהא לאטא „Das Sprichwort sagt: Sei lieber verflucht als fluchend!"; 74a u.ö. לקטלוך ולא תקטול „Besser, sie töten dich, als daß du tötest"; bJeb 63a זבין ולא תיזיל „Verkaufe lieber, als daß du stirbst!". Diese sem. Redeweise findet sich im NT: Mt 5,29.30; Joh 11,50, Ev Petri 11,48 (Huck zu Mt 28,11ff.).

2. In Mt 18,28 ἀπόδος εἴ τι ὀφείλεις. Mk 11,25 ἀφίετε εἴ τι ἔχετε κατά τινος. Lk 19,8 εἴ τινός τι ἐσυκοφάντησα, ἀποδίδωμι τετραπλοῦν. Röm 13,9; 2Kor 7,14; 1Tim 1,10 ist εἴ τις (statt ὅστις) in der Bedeutung „wer auch immer" ein Gräzismus; vgl. K-G 511.4bγ, 599.2, Bl-Debr 376A, 475.2, Raderm 199 Anm. 1. Im Sem. würde hier ein Relativsatz stehen, vgl. jSanh 21c הב לי מה דאת חייב לי „Gib mir, was du mir schuldest". Dasselbe gilt von ἄν τις = ὅστις (anscheinend eine Manier des Joh): Joh 5,19a (überhaupt nur als Relativsatz verständlich, vgl. auch den im Parallelismus Membrorum stehenden V. 19b und V. 20!); 13,20; 16,23b (vgl. Joh 14,13 ὅτι ἄν); 20,23a.b (vgl. Mt 16,19 ὃ ἐάν; 18,18 ὅσα ἐάν); vgl. dazu S. 144f., 226ff.

מצייצין אמר בליביה ליסטין אתאן למקפחא יתי „Wenn ein Greis Vögel zwitschern hört, denkt er bei sich: Räuber kommen, um mich zu schlagen"; EsthR zu 1,4 אתון אורייתכון מוקרה לכון ברם אנן אי לית לן ממונא לית בר נש דמוקר לן „Euch verschafft eure Gelehrsamkeit Ehre, aber uns ehrt niemand, wenn wir kein Geld haben". Babylonisch-Talmudisch: bBek 8b מילחא כי סריא במאי מלחי לה „Wenn das Salz verdirbt, womit macht man es wieder salzig?"; bBer 8a במערבא כי נסיב איניש אתתא אמרי ליה הכי מצא או מוצא „Wenn in Palästina jemand heiratet, sagt man so zu ihm: מָצָא (Spr 18,22) oder מוֹצֶא (Pred 7,26)?". Dies alles ist natürlich auch im Griechischen möglich.

Im NT ist einem εἰ (ἐάν)-Satz vorangestellt:

α) Nur zur Protasis gehörig: αα) Das Subjekt: Lk 4,7 σὺ οὖν ἐὰν προσκυνήσῃς ἐνώπιον ἐμοῦ, ἔσται σοῦ πᾶσα; Mt 18,19 D; Mk 9,47 D; 1Kor 11,14.15 (im Semitischen gehörte bei diesen vier Stellen das Subjekt als Subjekt eines zusammengesetzten Nominalsatzes auch zum Nachsatz, vgl. bHor 10b אטו צדיקי אי אכלי תרי עלמי מי סני להו „Ist es etwa den Frommen unlieb, wenn sie beide Welten genießen?"); 1Kor 14,7, vgl. 15,36; dazu nach ὅταν: Joh 7,27; Apc 9,5. ββ) Das Objekt: 1Kor 6,4. γγ) Eine präpositionale Bestimmung: Mt 21,21 DS; Joh 10,9, vgl. Ber 6,2 על כולם אם אמר . . . יצא „Wenn er über alle . . . gesprochen hat, so ist er frei". Zwei verschiedene Satzteile können dagegen im Semitischen der Konditionalkonjunktion kaum vorangestellt werden: Mt 15,14 Bא τυφλὸς δὲ τυφλὸν ἐὰν ὁδηγῇ (Subjekt + Objekt) und 1Kor 14,9a (Subjekt + präpositionale Bestimmung) sind also griechische Formulierungen (trotz PredR zu 5,8: zit. S. 235).

β) Protasis und Apodosis gemeinsam: αα) Das Subjekt: Mk 7,3.4; 10,12 Θφ; Lk 7,39 οὗτος εἰ ἦν ὁ προφήτης, ἐγίνωσκεν ἄν. Joh 12,32; Röm 11,23; 14,23a; Gal 5,11; Eph 6,8 Bא; Jak 2,17; dazu nach ὅταν: Mt 6,6; Joh 7,31; 16,21. ββ) Eine Zeitbestimmung: Hebr 3,7.15; 4,7 (alle gleich Ps 95,7 M.LXX), vgl. Lk 17,31.

c) Die Einschaltung eines Konditionalsatzes in den Hauptsatz

Synt Verh 683. 687. 694. 729f. 771. 776f. 780—82, Syntax 514. 530. 535, Kö 414a, Nöld Mand 477f., Wagner 343; K-G 606.8.

Nur sehr selten wird im Semitischen mit Ausnahme des Arabischen ein auch nur kurzer Konditionalsatz in den Hauptsatz eingeschaltet. Aramäische Beispiele sind etwa: bBB 47b כל דמזבין איניש אי לאו

דאניס לא הוה מזבין ,,Was auch immer jemand verkauft, hätte er, wenn er nicht gezwungen gewesen wäre, nicht verkauft“; bTem 4b כל מילתא דאמר רחמנא לא תעביד אם עביד מהני ,,Jede Sache, die Gott verboten hat, hat, wenn man sie tut, eine Wirkung“; RGinza 87,18 מן שפיתון דהאנאתון מיא עו צאהית ניהויא למישיתיאך ,,Etwas von jenem Wasser soll dir, wenn dich dürstet, zum Tranke dienen“. Im Griechischen ist dies jedoch beliebt. Im NT handelt es sich bei den folgenden Belegen also wohl um griechische Bildungen: Mt 24,24 = Mk 13,22 (εἰ δύνατον); Act 27,39 (εἰ δύναιντο); 1Kor 14,10 und 15,37 (εἰ τύχοι); 1Petr 1,6 (εἰ δέον); längere Bedingungssätze sind eingeschaltet: (Act 25,5 [εἴ τι]); 1Petr 3,17 (εἰ).

d) Die Aufeinanderfolge zweier Protasen

Synt Verh 684. 776, Nöld Syr 345. 378, Mand 466. 477; K-G 577.9.

Im Semitischen können auch wie im Griechischen zwei bedingende Sätze unmittelbar hintereinander stehen, doch ist eine solche Verschachtelung nicht beliebt (vgl. S. 259ff.). Hebräisch: Ex 21,18f.; CD 15,3f. Neuhebräisch: bSanh 108b (zitiert S. 85); LevR 34,15 (halb neuhebr., halb jüd.-pal). Jüdisch-Palästinisch: jBer 9a מה עיסקיה דהדין חברברא כד הו⟨ה⟩ נכית לבר נשא אין בר נשא קדים למיא חברברא מיית ואין חברברא קדים למיא בר נשא מיית ,,Wie verhält es sich mit dem Chabarbar (einer Art Eidechse)? Wenn er einen Menschen gebissen hat: wenn der Mensch zuerst das Wasser erreicht, stirbt der Chabarbar, wenn aber der Chabarbar zuerst das Wasser erreicht, stirbt der Mensch“; PredR zu 10,2 רבי כד הוה סליק בר נש לדינא קדמוהי אין הוה שמע לדינא הוה טבאות ואי לא הוה אמר לבר ביתיה אשמאיל ליה ,,Rabbi: wenn jemand vor ihm zum Gericht erschien: wenn er dem Gerichtsspruch gehorchte, war es gut, wenn aber nicht, sagte er zu einem Hausgenossen: Führe ihn nach links!“; AD 16,11 אי אתי ברי לגבך ובעי הדין מדלי מנך אי לא עביד תלת מלין דחכמתא לא תתן ליה הדין מדלי ,,Wenn mein Sohn zu dir kommt und meinen Besitz von dir haben will: wenn er nicht drei kluge Dinge tut, gib ihm meinen Besitz nicht!“ (dasselbe in KlglR zu 1,1 als ,,konditionale Parataxe im Nebensatz“: אין אתי ברי מן ירושלים ויעביד לך תלת מילין דחכמתה הב ליה מה דלי ואין לא לא תהיב ליה מה דלי); vgl. auch jAZ 41d הוה משלם ליה איקרין דאין אתא דין דיתם או דין דארמלא ישכח אפין מפייסא ,,Er pflegte ihm ein Ehrengeschenk zu geben, damit, wenn ein Prozeß einer Waise oder Witwe vor ihn käme, er ein wohlwollendes Gesicht fände“. Babylonisch-Talmudisch: bJeb 45a אי הוה כיהושע בן נון אי מר לא יהיב ליה אחריני יהבי ליה

„Wenn er wie J.b.N. wäre: wenn ihm der Herr nicht (seine Tochter) gäbe, würden ihm andre (die ihrige) geben“.

Im NT ist dies belegt: Lk 16,31 (die Negation würde im Semitischen wahrscheinlich beim Hauptverbum πεισθήσονται stehen, vgl. Nöld Mand 429 Anm. 3); Joh 10,38; 1Kor 7,36.

e) Konditionalsätze mit Verschiebung

VglGr 430. 464a, Synt Verh 703—7, Syntax 500—2, Schles S. 278; K-G 577.4b, Bultmann Diatribe 17.

Im Semitischen kommen auch Konditionalsätze vor, bei denen aus dem Inhalt der Protasis nicht der Inhalt der Apodosis folgt, sondern nur die Tatsache, daß die Apodosis erwähnt wird. Hebräisch: Dt 18,21f.; 2Kön 18,22; Ps 8,4f., 37,10b; 75,4; Spr 22,29. Neuhebräisch: KlglR zu 2,1 ואם תאמר שקרובה לים והלא רחוקה מן הים ארבעה מילין „Wenn du aber meinen solltest, daß die Stadt Bitther nahe am Meere lag(, so wisse): sie war doch vier Mil vom Meer entfernt!“; PredR zu 3,17 אם אתה הורגנו מוטב ואם לאו הרבה אריות ודובים ונחשים ועקרבים יש למקום שבני אדם נהרגין על ידיהם ואם אתה הורגנו אינך חשיב אלא כאחד מהם אלא שהקדוש ברוך הוא עתיד לתבוע דמינו מידך „Wenn du uns tötest, ist es gut, wenn nicht: Gott hat viele Löwen, Bären, Schlangen und Skorpione, durch welche die Menschen getötet werden können. Wenn du uns tötest, wirst du wie eines von diesen angesehen, aber Gott wird (im Unterschied zu ihnen) von dir unser Blut fordern“; EsthR zu 5,3 אם תפילו לכבשן האש כבר הוצלו חנניה וחביריו ואם לגוב אריות כבר עלה דניאל מתוכו ואם תאסרהו בבית האסורים כבר יצא יוסף מתוכו „Wenn du ihn in den Feuerofen wirfst: schon Chananja und seine Genossen wurden aus dem gerettet; wenn in die Löwengrube: schon Daniel kam da wieder heraus; wenn du ihn in das Gefängnis sperrst: schon Josef kam da wieder heraus usw.“; bBer 5b (neuhebr. und bab.-talm. gemischt) אמאי קא בכית אי משום תורה דלא אפשת שנינו אחד המרבה ואחד הממעיט ובלבד שיכוין לבו לשמים ואי משום מזוני לא כל אדם זוכה לשתי שלחנות אי משום בני דין גרמא דעשיראה ביר „Warum weinst du? Wenn deswegen, weil du dich nicht viel mit der Tora beschäftigt hast: wir haben ja gelernt: Es ist gleich, ob man sich viel oder wenig mit der Tora befaßt, wenn man nur seine Gedanken auf Gott richtet; wenn wegen der Nahrung: nicht jeder erlangt zwei Tische; wenn wegen Kinder(losigkeit): hier ist ein Knochen von meinem zehnten Sohn“; bRŠ 22b; bTaan 18b; bQid 71b אם ראית שתי משפחות המתגרות זו בזו שמץ פסול יש באחת מהן „Wenn du zwei Familien siehst, die miteinander streiten: ein übler Ruf hängt an einer von ihnen“; bSanh 108b אם מבול של אש יש לנו דבר אחד ועליתה שמה ואם של מים הוא מביא אם מן הארץ הוא מביא יש לנו עששיות של ברזל שאנו מחפין בהם את הארץ ואם מן השמים הוא מביא יש לנו דבר ועקב שמו „Wenn es eine Feuersflut ist: wir haben etwas (als Schutzmittel), das ‘Aliṯa heißt; wenn er aber eine Wasserflut bringt: wenn er sie aus der Erde hervorkommen läßt: wir haben eiserne Platten, mit denen wir die Erde abdecken würden, wenn er sie aber vom Himmel herabkommen läßt: wir haben etwas, das ‘Aqob heißt“. Reichsaramäisch: Cowley 13,12. Jüdisch-Palästinisch: jBer 5b (= jMQ 82d) אין תימר רבנן דהכא ניחא. אין תימר רבנן דרומיא (דדרומא) רברבייא קומוי והוא שאיל לזעירייא. (אין תימר רבנן דהכא ניחא. אין תימר רבנן דרומייא אינון שריין ואינון אסרין (דדרומא אתון שריין ואינון אסורין) „Wenn du sagst: Die hiesigen Gelehrten, ist es gut; wenn du aber sagst: Die daromäischen Gelehrten(, so ist zu sagen): Obwohl große Männer vor ihm sitzen, fragt er die kleinen; wenn du sagst: Die daromäischen Gelehrten(, so ist zu sagen): Die einen erlauben es und die anderen verbieten es“; GenR 32,16 אין מן טוריא רמיא הוא הא כתיב ויכסו כל ההרים הגבוהים ואין מן מכייא הוא לא אשגח ביה קרייא ולא אחשביה כלום „Wenn er (der Garizim) zu den hohen Bergen gehört: es steht doch geschrieben: Und alle hohen Berge wurden bedeckt (Gen 7,19); wenn er aber zu den niedrigen gehört, hat die Schrift keine Rücksicht auf ihn genommen und ihn überhaupt nicht beachtet“; 87,3 אי את גבור אי את יאי הא דובא קומיך קום קפחניה „Wenn du ein Mann bist, wenn du schön bist: ein Bär liegt vor dir, pack ihn an!“ (ähnlich jAZ 44d). Babylonisch-Talmudisch: [bBB 4a M אי לא סתרת לא תסתר ואי סתרת לא תבני ואי סתרת ובנית עבד⟨י⟩א ביש⟨י⟩א בתר דעבדין מתמלכין „Wenn du (den Tempel) noch nicht niedergerissen hast, reiß ihn nicht nieder! Wenn du ihn schon niedergerissen hast, baue ihn nicht wieder auf! Wenn du ihn aber schon niedergerissen und wiederaufgebaut hast: die bösen Knechte fragen erst, nachdem sie es schon getan haben“ (rell. z.T. neuhebr.)]; bGit 34a Mitte; bŠebu 30b Anfang. Syrisch: Julian 67,3. Im Deutschen ist vor der Apodosis etwa zu ergänzen: „so besteht Anlaß, darauf hinzuweisen“; „so muß gesagt werden“; „so denkt daran!“.

Im NT findet sich diese natürlich auch im Griechischen mögliche Ausdrucksweise: Mt 11,14; (12,33a.b); Joh 8,16; Act 19,38; Röm 11,18; 1Kor 3,12f.; 11,16; Phil 3,4; 1Joh 2,1; 5,9; Apc 3,3b; vgl. Joh 15,18 (nach Bultmann Joh 422 Anm. 2 ist γινώσκετε ὅτι Zusatz des Evangelisten), Jak 5,19f. und 1Joh 2,29, wo bereits γινώσκετε (γινωσκέτω) steht wie jNaz 52c (2mal) אין שמעתון מילה מרבי אליעזר הוון

יודעין דרבי יוחנן פליג „Wenn ihr eine Entscheidung des R. E. hört, denkt daran, daß R. J. andrer Meinung ist".

f) Der Gebrauch der Tempora

In den konjunktionalen Konditionalsätzen stehen zum Ausdruck futurischer, präsentischer und präteritaler Zeitlage in der Regel die nach ihrer üblichen Bedeutung zu erwartenden verbalen oder nominalen Prädikate, nämlich Perfekt im Irreal der Vergangenheit und im präteritalen Nicht-Irreal, Imperfekt, Partizip oder ein nominales Prädikat im Irreal der Gegenwart und im präsentischen oder futurischen Nicht-Irreal. Jedoch können semitische Perfekta in Protasis und Apodosis auch nicht-präterital[1] gebraucht werden, und zwar zum Ausdruck von: α) Futurum und Futurum exactum, β) zeitlosem und iterativem Präsens, γ) Irreal der Gegenwart.

α) Semitisches Perfekt als Futurum und Futurum exactum

Synt Verh 686ff., Syntax 485ff., GKa 106o. 159n, GBe 9d, BLA 79n. 111c, Nöld Syr 258, Odeberg 70.544, Wagner 82.321—23.

Futurisches Perfekt findet sich außer selten im Jüdisch-Palästinischen nur in der Protasis. Hebräisch: Gen 43,9; 47,6; Ri 16,17; 2Sam 15,33; 2Kön 7,4a.b; Jer 37,10; Hi 9,16.30f.; 11,13ff.; Rt 1,12f. (LXX immer ἐάν + Konjunktiv Aor., außer Hi 11,13 εἰ + Aor., Rt 1,12 ὅτι + Aor.). Reichsaramäisch: Dan 6,6; Cowley 5,7.8.13; 7,10; 10,15f.; 14,8; 15,35; 25,12; 28,9; 29,6; 42,5.10 (vorher in Parallele כזי + Impf.); Kraeling 1,5.8; 2,13b; 3,14.18.20; 4,14.17; 5,13; 11,5.9 (dazu Cowley 8,10.19; 25,9; Kraeling 3,14.15.16; 9,21; 12,23). Jüdisch-Palästinisch: jKil 32b = jKet 35a (vgl. GenR 100,3) אין קמית ביני צדיקייא לא נבהית (ו)אין קמית ביני רשיעייא לא נבהית „Wenn ich (in diesen Gewändern) unter den Frommen auferstehen werde, so werde ich mich (1. plur.) nicht zu schämen brauchen, wenn aber unter den Frevlern, so brauche ich mich (ebenfalls) nicht zu schämen"; jTaan 69a אין אתא פלניא מיעול לאוסייא דידיה לא תשבקיניה דהיא זבינה גבן „Wenn der und der kommt, um sein Grundstück zu betreten, laß ihn nicht, denn es ist von uns gekauft worden!" (dafür KlglR zu 2,2 = 4,18 [zitiert S. 284f.] Partizip); jNaz 52c (zitiert S. 85f.);

[1] Hier hat sich noch die ursprüngliche Zeitlosigkeit des sem. Perfekts erhalten. Jedoch liegt bei den poetischen hebr. Belegen sicher zumeist das für die (bes. spätere) hebr. Dichtung typische Zurücktreten der Zeitstufenunterschiede (zugunsten der Aspektunterschiede oder ästhetischer Kontrastdifferenzierung) der „Tempora" vor. Selten in Apod. allein: Num 32,23; 1Sam 2,16.

jChag 77d אין צפרית חד זמן לבשון לבושיכון ואין צפרית זמן תניין עולון כולכון כד נא צפר לבשון מניכון וכד נא צפר כחדא (dagegen in jSanh 23c Partizip: תיניינות עולו) „Wenn ich Einmal pfeife, zieht eure Kleider an, und wenn ich zum zweiten Mal pfeife, kommt alle auf einmal herein!“; 77d und jKet 33b = jŠebu 38a (beide zitiert S. 98 Anm.); jNed 40d אין אתת איתא מישאלינכון אימרון לה „Wenn eine Frau kommt, um euch zu fragen, belehrt sie!“; jAZ 41d (zitiert S. 83); 42a (zitiert S. 99); j Qid 58d = jKet 31a דלא אפיקית מתניתא דרבי חייה רבא ממתניתין זרקוני לנהרא „Wenn ich nicht den Rechtssatz von Rabbi Ḥijja dem Großen aus unserer Mischna herleite, werft mich in den Strom!“; GenR 78,16 אין אמרית לך חדא מילתא טבא את אמרת בציבורא מן שמי „Wenn ich dir etwas Richtiges sage, wirst du es dann öffentlich in meinem Namen verkündigen?“; LevR 25,5 = PredR zu 2,20 אין זכית אכלית „Wenn ich würdig sein werde, werde ich davon essen“; אם זכית אכיל (ואכיל, תיכול) מנהון תהוה מודע לי „Wenn du noch dessen gewürdigt werden wirst, davon zu essen, tu es mir kund!“; KlglR zu 1,16 (ähnlich AD 22,8) אין חמיתיה חכמת יתיה „Wenn du ihn sähest, würdest du ihn erkennen?“ (dagegen präteritales Perfekt: jDam 21d = GenR 60,10 אין הוון קדמאי בני מלאכים אנן בני נש ואין הוון בני נש אנן חמרין „Wenn unsere Vorfahren Söhne von Engeln waren, sind wir Menschen; wenn sie aber Menschen waren, sind wir Esel“; futurisches Partizip: jKil 32b אין אנא חמי ליה אנא חכים ליה „Wenn ich ihn sehen werde, werde ich ihn erkennen“; jŠebi 38d לא אזלין לון ואין אזלין לון חזרין לון „Sie werden nicht abziehen, wenn sie aber abziehen, werden sie wiederkommen“; jTer 46b אין לית אתון יהבין ליה לן אנן מחרבין מדינתא „Wenn ihr ihn uns nicht ausliefert, werden wir die Stadt zerstören“; jBM 10c אין פחתין ואין יתרין דידך „Ob sie weniger werden oder ob sie mehr werden, es gehört dir“; GenR 75,7 אין יכילנא ליה הא טב „Wenn ich ihn überwältige, ist es gut“ [Var. אין יכלית]; GenR 53,14 אין יהיב אנא אצבעי עליה אנא פחיש ליה „Wenn ich meinen Finger darauf legen werde, werde ich ihn zusammendrücken“; LevR 27,6 אין אנא מודענא סורחנא דהדין ברי להדין דיינא כדון הוא קטיל ליה „Wenn ich dem Richter das Vergehen meines Sohnes kund tue, wird er ihn gleich töten“; KlglR Einl 34 אין את יתיב הכא אנא אזיל עמהון ואין את אזיל עמהון אנא יתיב הכא אין אנא אזיל עמהון מה אנא יכיל מהני להון אלא ייזיל מלכהון ברייהון עמהון דהוא יכיל מהני להון סגיא „Wenn du hier bleibst, werde ich mit ihnen gehen, wenn du aber mit ihnen gehst, werde ich hier bleiben. Wenn ich mit ihnen gehe, was kann ich ihnen nützen? Vielmehr ihr König, ihr Schöpfer, soll mit ihnen gehen, denn der kann ihnen sehr nützen!“;

AD 15,21f.; 16,11; 19,11; 26,2ff.; 28,7; 29,21f.; Präsentisches Partizip: GenR 67,3 אין בעי הוא עביד מצוותא אין בעי הוא גניב ואין בעי הוא קטיל „Wenn er will, erfüllt er Gebote; wenn er will, stiehlt er; wenn er will, tötet er" u. ebd. ö. ä.; 70,17 אין בעיין אתון אנא מרמי ביה ויהיב ליה לאה „Wenn ihr wollt, betrüge ich ihn und gebe ihm Lea"; PredR zu 3,2 אין דמיך יתעיר „Wenn er schläft, soll er aufwachen!"; AD 18,14; seltener Imperfekt: jDam 26b אין יסב חדא לעשר צריך מיסב חדא למאה אין יסב חדא למאה צריך מיסב חדא לאלף „Wenn er sonst ein Zehntel nimmt, muß er ein Hundertstel nehmen; wenn er sonst ein Hundertstel nimmt, muß er ein Tausendstel nehmen!"; jBer 4a כד תחמיניה יהיב ידיה על אפוהי הוא מקבל עלוי עול מלכות שמים „Wenn du ihn die Hand auf sein Gesicht legen siehst, nimmt er das Joch des Himmelreiches auf sich"; jBeṣ 60c כד תיעול לדרומא את שאיל לה „Wenn du nach Südjudäa gehst, frage danach!" und so immer nach כד [meist temporal „sobald"]; Nominalsatz: jBer 13d אין תלתא אינון אנא וברי מנהון אין תרין אינון אנא וברי אינון „[Ausspruch Šim'ons ben Joḥai:] Wenn die Auserwählten drei sein werden, so werden ich und mein Sohn darunter sein; wenn es zwei sein werden, so werden ich und mein Sohn es sein"; in GenR 35,2 geht der Spruch noch weiter: ואם חד הוא אנא הוא „Wenn es [nur] einer sein wird, werde ich es sein!"; GenR 39,6 אם לית את מוותר ציבחד לית עלמא יכיל קאים „Wenn du nicht etwas übrig läßt, kann die Welt nicht bestehen"; AD 15,9f.; AD 20,11f. אין לית את מלכא סופך למהוי מלכא „Wenn du noch nicht Kaiser bist, wirst du es werden"; jSanh 29a אין לית את מהימן לי אזל ושאל באורים ותומים „Wenn du mir nicht glaubst, befrage die Urim und Tummim!); sowie im Syrischen. Als Futurum exactum (nur in der Protasis) kann das Perfekt aufgefaßt werden im Hebräischen: Dt 32,41; Jes 4,4 (LXX ὅτι + Fut.), im Reichsaramäischen: Cowley 10,6.7.14; 11,7; 30,27; 42,7.8; 45,7; Kraeling 11,8; im Jüdisch-Palästinischen: KlglR zu 1,5 אין איחריב הדין ביתא לית מלכוותא מתגרין בכון „Wenn dieses Haus (= der Tempel) zerstört sein wird, werden euch die Reiche nicht mehr angreifen"; sowie im Syrischen. Im Arabischen steht in nicht-irrealen Konditionalsätzen immer Perfekt oder Apokopat.

β) Semitisches Perfekt als zeitloses und iteratives Präsens

VglGr 420d. 422. 423bβ, GKa 159n, Driver 138, Brockelmann 164bβ, Nöld Syr 258, Odeberg 70.544, Wagner 321—23.

Perfekt als zeitloses Präsens bzw. wiederholte Handlung in der Gegenwart findet sich in Protasis und Apodosis im Hebräischen:

Spr 9,12a (LXX ἐάν + Konjunktiv Aor. — Fut.); nur in Protasis: Jer 49,9; Mi 5,7b; Spr 9,12b; Hi 35,6a.b; dazu iterativ: Ps 41,7; 63,7; 94,18; Spr 25,21; Hi 7,4.13f.; 21,6 (LXX meist ἐάν + Konjunktiv Aor., nur Ps 41,7; 63,7 εἰ + Impf., Hi 35,6 εἰ + Aor., Jer 49,9 ὅτι, Hi 7,13f. Hauptsatz; im Nachsatz Futur, Imperativ, Präsens oder Perfekt); im Reichsaramäischen in Protasis: Aḥiqar 128; im Jüdisch-Palästinischen in Protasis und Apodosis: jTer 45d אין קטא קטא שיחור ואין אובד אובד מרגלי „Wenn man (durch Trinken aus einem nicht zugedeckten Gefäß) etwas gewinnt, gewinnt man höchstens eine Kohle, wenn man aber etwas verliert, verliert man eine Perle (= das Leben)", oder nur in der Protasis: jBer 7b אין הוה לכון אריסטון ומטא יומא לשית שעין עד דלא תסקון לאריסטון תיהון מצלין דמנחתא עד דלא תסקון „Wenn ihr das Frühmahl zu halten habt und der Tag schon die sechste Stunde erreicht hat, bevor ihr an das Frühmahl gegangen seid, so betet das Minchagebet, bevor ihr an das Frühmahl geht!" sowie im Syrischen auch in Apodosis nach dem konditional-temporalen מא ד „wenn, wann". Im Griechischen kann abgesehen von konjunktivischen Nebensätzen im Hauptsatz gnomischer (K-G 386.7, Bl-Debr 333.1) oder komplexiver Aorist (K-G 386.11, Bl-Debr 333.2) oder Perfekt (K-G 384.5, Bl-Debr 344) in präsentischer Bedeutung stehen.

Black 93 möchte Mt 10,25b B(ΘאU) εἰ τὸν οἰκοδεσπότην Βεεζεβοὺλ ἐπεκάλεσαν, πόσῳ μᾶλλον τοὺς οἰκιακοὺς αὐτοῦ als zeitloses Präsens verstehen („D richtig καλοῦσιν"), aber der Aorist wird präterital gemeint sein, vgl. Joh 15,20ff.; auch macht die meist sinngemäße Wiedergabe des Tempus bei LXX eine so wörtliche Übersetzung nicht wahrscheinlich.

γ) Semitisches Perfekt im Irreal der Gegenwart

VglGr 427. 428, Synt Verh 693f., Syntax 495, GKa 106p. 159x, Brockelmann 165, Odeberg 545, Nöld Syr 375 A, Mand 475ff.; K-G 574, Schwyzer 686, Mayser 1 S. 227f.; 3 S. 91, Bl-Debr 360.3.

Irreal der Gegenwart kann das Perfekt im Hebräischen nur in der Protasis ausdrücken: Dt 32,29; Esth 7,4 (LXX übersetzt beides nicht als Konditionalsatz). In Ri 8,19 steht in einer präsentischen Apodosis nach präteritaler Protasis (Perfekt) wohl unter deren Einfluß auch Perfekt (LXX: Indikativ Aor. + ἄν). Dagegen findet sich Perfekt in Protasis und Apodosis im Altaramäischen: Hadad 13, und im Jüdisch-Palästinischen: jBer 6d = jSanh 27d רבי לייא וחברייא הוון יתבין קומי פונדקיא ברמשא אמרין מהו מימר מילא דאוריתא

אמר לון מכיון דאילו הוה אימּמא הוינן חמיין מה קומינן ברם כדון אסור
,,R. L. und andere Gelehrte saßen am Abend vor dem Gasthaus;
sie sagten: Soll man ein Wort des Gesetzes sagen? Er sagte
zu ihnen: Wenn es Tag wäre, sähen wir, was vor uns ist; aber
jetzt ist es verboten"; jBer 7a אלו הוה כתיב בשמי ניחת הוא הוה
יאות לית כתיב אלא מפני שמי נחת הוא ,,Wenn geschrieben stände . . .,
wäre es gut! Aber es steht doch da . . .!"; jŠebu 37a.b אילולא דהות ידעה
בהון לא קברתיה ,,Wenn sie es nicht wüßte, müßte sie ihn nicht begraben";
PredR zu 7,12b אילו הוה רבי מאיר לא הוה עביד כן ,,Wenn es Rabbi Meir
wäre, äße er nicht"; AD 21,11 אלו הוה במדינתא אף חד דכותיה לא יכילתא
למכבש לה לעלם ,,Wenn in der Stadt auch nur noch einer wie dieser
wäre, könntest du sie niemals bezwingen"; vgl. LevR 25,5 סבא סבא
אי קרצת לא חשכת אמר ליה קריצת וחשכית ,,Alter, Alter, wenn du früh (= in
der Jugend) gearbeitet hättest, brauchtest du nicht spät (= im Alter)
zu arbeiten! Er sagte zu ihm: Ich habe früh gearbeitet und arbeite
auch spät" (dagegen Perfekt im Irreal der Vergangenheit: jBer 3b
אילו הוינא קאים על טורא דסיני בשעתא דאיתיהיבת תורה לישראל הוינא מתבעי
קומוי רחמנא דיתברי לבר נשא תרין פומין חד דהוה לעי באוריתא וחד דעביד ליה
כל צורכיה. חזר ומר ומה אין חד הוא לית עלמא יכיל קאים ביה מן דילטוריא
דיליה אילו הוו תרין על אחת כמה וכמה ,,Wenn ich auch auf dem Berge
Sinai gestanden hätte, als Israel die Tora gegeben wurde, hätte ich
Gott gebeten, daß dem Menschen zwei Münder erschaffen würden,
deren einer sich mit dem Gesetz beschäftigte, und deren anderer
alles sonst Nötige erledigte. Man erwiderte: ,Was denn? Wenn er
nur Einen hat, kann die Welt schon nicht bestehen wegen seiner Angeberei; wenn es zwei wären, doch noch viel weniger!'"; jKil 27c
אילו יהבתון לי הוינא צ⟨ב⟩ר לון בסירקי ,,Wenn ihr mir [das Getreide] gegeben hättet, hätte ich es [zum Verkauf] auf dem Markt aufgehäuft";
jŠebi 35a b אילו אכלת הוינא קטיל לך ,,Wenn du [das verbotene Fleisch]
gegessen hättest, hätte ich dich getötet"; jTer 45d = jAZ 41b אלו
זבנת גרמך ללודנין הוה מזבין [זבינתה] להון בדמין יקרין ,,Wenn du dich den
Lyddaern [oder: Ringkämpfern = ludii, vgl. Goldschmidt I 339
Anm. 1] verkauft hättest, wärest du um einen hohen Preis verkauft
worden"; jMQ 81d אילולא דלא חרמית בר נש מן יומיי הוינא מחרים לההוא
גוברא ,,Wenn es nicht so wäre, daß ich noch niemals jemanden gebannt habe, hätte ich diesen Mann in den Bann getan"; jQid 59a
אילו הוית גבאי לא אבאשתא ,,Wenn du bei mir gewesen wärest, wärest
du nicht krank geworden"; אילו הוית גבאי אינשמת בפריע ,,Wenn du bei
mir gewesen wärest, wärest du schnell wieder gesund geworden";

jBQ 6d אילו צבעתיה סומק הוה טב עשרים וחמשה מנוי ,,Wenn du die Wolle rot gefärbt hättest, wäre sie 25 Minen wert gewesen“; GenR 33,1 אילו הוה גבכון היך הויתון דיינין ,,Wenn das bei euch gewesen wäre, wie hättet ihr entschieden?“ = LevR 27,1 אילו הוה הדין דינא בארעכון מה הויתון עבדין ,,Wenn dieser Prozeß in eurem Lande gewesen wäre, was hättet ihr getan?“ [AD 26,18 mit אין]; GenR 33,9 = LevR 31,8 אילו לא קטלתיה אילן רב הוה מתעבד ,,Wenn sie ihn nicht abgerissen hätte, wäre er ein großer Baum geworden“; LevR 34,12 אלו אמרת לכון לא הוון מהמנין יתי ,,Wenn ich es euch gesagt hätte, hätten sie es mir nicht geglaubt“; KlglR zu 1,1 אילו בעית אימא דתדע מה דאית עמי לא הות אמרה לי כסיתיה ,,Wenn meine Mutter dich hätte wissen lassen wollen, was ich bei mir habe, hätte sie mir nicht befohlen, es zuzudecken“; zu 1,5 דאילו חרבתיה לא הות ידעה ברייה מה חרבת ,,Denn wenn ich es zerstört hätte, könnte niemand sehen, was du zerstört hast“; zu 1,9 אילו לא שבקתוניה מנן הוינן שמעין דא מרגליתא ,,Wenn ihr ihn nicht hättet [vortragen] lassen, woher hätten wir diese Perle gehört?“ zu 2,2a אילו לא אלהיה קטליה לדין מאן הוה יכיל ליה ,,Wenn diesen nicht sein Gott getötet hätte, wer hätte ihn überwältigen können?“; PredR zu 1,8 דאילו הפכת ואיסתכלת בן יותר מן מה דהוינן פרחין בתרך הוית פריח בתרן ,,Denn wenn du dich umgedreht und uns gesehen hättest, wärest du uns mehr nachgelaufen, als wir dir“; AD 24,1; 27,12 u. ö.; jAZ 44d אין הוה עילויה יקיר לא איתפתחה ואין לא איתפתחה כהאי דלעיל ,,Wenn Pech darauf gewesen wäre, wäre es [das Faß] nicht geöffnet worden; wenn es aber nicht geöffnet worden wäre, gälte das oben Gesagte“; AD 26,18 u. ö.; GenR 36,1 אלמלא דקרא תרנגולא הוינא מחי יתך וקטליתך ,,Wenn nicht der Hahn gekräht hätte, hätte ich dich geschlagen und getötet“ = LevR 5,1 אילולי דקרא תרנגולא הוינא קטיל לך; GenR 36,1 אילמלי דקטעתיה הוינא מחי יתך וקטיל יתך ,,Wenn meine Mutter schon meine Nabelschnur abgeschnitten hätte, würde ich dich schlagen und töten“ = LevR 5,1 אי קטעת אמי שורי הוינא קטיל לך; vgl. Irreal der Gegenwart: LevR 6,3 אילולי דההיא איתתא חשידה בהון לא הוה קברה ליה ,,Wenn diese Frau [= ich] nicht dessen verdächtig wäre, hätte sie ihren Sohn nicht begraben müssen“; 34,14 אי לאו דחשיד עלה לא יהיב לה ,,Wenn er nicht ihr gegenüber verdächtig wäre, gäbe er ihr nichts“; אילולי דחשיד את לא יהבת לה פריטין ,,Wenn du ihr gegenüber nicht verdächtig wärest, hättest du ihr nichts gegeben“; PredR zu 7,7 אם אנן שמעין בהדא אוף בההיא צריכין שמוע להון ,,Wenn wir in diesem Punkt gehorchten, müßten wir ihnen auch in jenem gehorchen“; jPea 21b אילולא דהוא בר נשא רבא לא יתב ליה רבי אליעזר לרע מיניה ,,Wenn dieser nicht ein großer Mann wäre, hätte R. E. nicht unterhalb von ihm Platz genommen“). Im Syrischen und Mandäischen bezeichnen Perfekt in Protasis und Apodosis unterschiedslos Irreal der Gegenwart und der Vergangenheit (für Irreal der Gegenwart kann daneben auch ein Partizip, ein Nominalsatz oder [nur im Syrischen] ein Imperfekt stehen). Im Arabischen wird das Perfekt besonders in der Apodosis häufig für den Irreal der Gegenwart gebraucht. In der griechischen irrealen Periode kann für die Vergangenheit auch das Imperfekt stehen, selten für die Gegenwart auch der Aorist, sowie für beide das Plusquamperfekt (da der Aspekt maßgebend ist).

Torrey, Our translated Gospels 45, bemerkt zu Joh 14,7 B (Plusquamperfekt in irrealer Protasis und Apodosis), semitisches Perfekt in Protasis und Apodosis habe nicht-irreale präsentische Bedingung gemeint. Aber 1. kann dieser Satz auch im Griechischen einen Irreal der Gegenwart ausdrücken und 2. sind im Semitischen Real und Irreal meist differenziert (vgl. das Folgende).

g) Die Unterscheidung realer und irrealer Konditionalsätze

Eine Verwechslung von realer und irrealer Bedingung ist vom Semitischen her unwahrscheinlich, da alle semitischen Sprachen mit Ausnahme des Mandäischen (hier ist dafür das Perfekt für den Irreal reserviert; Ausnahmen sind selten, vgl. Nöld Mand 476f.) dafür zwei verschiedene Konjunktionen besitzen, nämlich אם, אי, אין, הם, הין (VglGr I 254, II 419) für den Real (Akkadisch: šumma) und לו, אלו, הין לו (ursprünglich Wunschsätze einleitend, vgl die gleiche Entwicklung im Griechischen!) für den Irreal (Akkadisch: šumman). Diese Konjunktionen werden im Akkadischen, Neuhebräischen, Christlich-Palästinischen, Südarabischen und Äthiopischen streng auseinandergehalten. Dagegen brauchen das Hebräische, Reichsaramäische, Jüdisch-Palästinische, Syrische und Arabische die reale Konjunktion gelegentlich, das Babylonisch-Talmudische häufiger (das Mandäische immer) auch für den Irreal. Im nachklassischen Griechisch ist der Irreal auch nicht immer vom Real unterschieden (Mayser 1, S. 227, Bl-Debr 360).

h) Die Verkürzung von Konditionalsätzen

α) Die Verkürzung einfacher Konditionalsätze

αα) Die Auslassung der Apodosis im einfachen Konditionalsatz

VglGr 443—45, Synt Verh 707—9. 729. 779, Syntax 515f. 540, GKa 159dd. 167a, Nöld Mand 476. 478; K-G 577.4a, Schwyzer 687, Bl-Debr 482.

Im semitischen Konditionalsatz kann die Apodosis ausgelassen werden, wenn sie sich aus dem Zusammenhang leicht ergänzen läßt, meist als Frage „Was ist dann?" o. ä.; vgl. Gen 50,15; Ex 4,1[1]; PredR zu 10,8 = GenR 79,6 Var. ואין אפיקית לך מיניה חד מית „Wenn ich dir aber von dort noch einen Toten heraushole?". Diese Gewohnheit kommt auch im klassischen Griechisch vor, scheint aber im geschriebenen Vulgärgriechisch weniger üblich zu sein, denn Mayser nennt kein Beispiel und LXX beseitigt beide atl. Belege: Ex 4,1 wird aufgefüllt (+ τί ἐρῶ πρὸς αὐτούς), Gen 50,15 als negierter Wunsch übersetzt (μήποτε). Im NT finden sich zwei Beispiele: Joh 6,62 (+ „was werdet ihr dann erst sagen?"), Act 23,9 (+ „was dann?"); vgl. Ps 27,13.

ββ) Die Auslassung der Protasis im einfachen Konditionalsatz
VglGr 302c, SyntVerh 682. 711f., Syntax 493, GKa 107x. 108f, Kö 193d. 201c. 390p. 412β. 415n, Driver 141; K-G 392. 6, 573c, 577.3, Schwyzer 682f., Mayser 1 S. 228, 3 S. 91f., Bl-Debr 456.3, Bultmann Diatribe 15.

Im Semitischen und Griechischen wird manchmal die Protasis ausgelassen. Die Bedingung muß dann dem Vorhergehenden entnommen werden. Im Deutschen setzt man am besten „dann" (= „in diesem Fall") oder „sonst" (= „andernfalls") vor den semitisch und griechisch (außer vor einer Frage) ohne „und" angeschlossenen Hauptsatz. Dies findet sich nach einer Frage[2] (wo nicht anders vermerkt, ist „dann" zu übersetzen): Hi 3,13; 13,19; GenR 33,1 = LevR 27,1 = AD 26,19f. (Anfang zitiert S. 91) הוינן מרימין רישיה דדין ומרימין רישיה דדין וסימתא סלקא למלכותא „Dann hätten wir beide hinrichten lassen, und der Schatz wäre an den Staat gefallen"; nach einer positiven Aussage: Gen 31,30 (+ Frage); Hi 14,15; 23,7; KlglR zu 3,66 רשע זה בא לאבד את ישראל מתחת כנפיך ספר תורתך שנתת להם מי יקרא בו „Dieser Frevler kommt, um Israel von unter deinen Flügeln zu vernichten! Wer wird dann aber noch in deinem Gesetzbuch lesen, das du ihnen gegeben hast?"; Aḥiqar 139a.b; 140 (140b asyndetisch, alle + Frage) [ה]וה לי שהד חמס ומן אפו צדקני + מן ביתי נפקת חמת[א] עם מן אקשה ואעפה „Ein gewalttätiger Zeuge stand gegen mich, wer hat mich da für gerecht erklärt? Von meinem Hause ging Zorn aus, mit wem kann ich da noch wetteifern und mich messen?"; jQid 64c הוית ידע דהוא כן ולמה שרית לי מן קדמיתא „Du wußtest doch, daß es so ist! Warum

[1] Zu הֵן „wenn" vgl. GKa 159w, Kö 390g, Kropat 69, Driver 115, Brockelmann 164d.
[2] Weitere aram. Beispiele S. 291 Anm. 1.

hast du es mir denn dann anfangs erlaubt?"; LevR 28,3 (= PredR zu 1,3) מגירסך אנא ולית את מטעים לי תבשילך דנדע מה אינון צריכין אם טל ואם מטר ,,Ich bin dein Koch; läßt du mich dann nicht deine Speisen kosten, damit ich weiß, was noch nötig ist, sei es Tau oder Regen?" u. ebd. o.ä.; AD 26,22; bPes 54a צבתא בצבתא מתעביד וצבתא קמייתא מאן עבד ,,Eine Zange wird mit Hilfe einer anderen Zange gemacht; wer hat denn dann aber die erste Zange gemacht?"; nach einer negativen Aussage: 1Sam 13,13? (,,sonst"); Hi 32,22 (,,sonst"); jMŠ 55b (zitiert S. 247); jBM 8c דהב לית אתון אכלין ולמה אתון רחמין דהב סוגין ,,Ihr eßt also auch kein Gold; aber warum liebt ihr denn dann das Gold so sehr?"; GenR 94,6 (zitiert S. 102 Anm.); PredR zu 6,5 (neuhebr. und jüd.-pal. gemischt) אמר לו כלום נהנת אמר לו לא אמר לו אנא דלא עללית נוח לי סגין מינך ,,Hast du etwas in der Stadt genossen?" ,,Nein!" ,,Dann bin ich, der ich die Stadt gar nicht betreten habe, viel besser dran als du!"; bMeil 14a היא גופה לא מצלה לדידי מצלה לי ,,Sie rettet sich selbst nicht; dann sollte sie mich retten?"; bNid 20b דאמינא בטבעא לא ידענא בדמא ידענא ,,Denn ich dachte: die (allgemeine) Beschaffenheit kenne ich nicht; dann soll ich das Blut beurteilen können?"; nach einem Wunsch: 1Kön 20,23.25; 2Kön 5,3; 13,19; Jes 27,4b; Ps 55,7; 61,9?; 81,14f.; Hi 14,14b; 23,4; 1Chr 22,13; nach einem Imperativ: Ex 7,9; Ps 50,15; 81,11; Spr 22,6; 25,21f.; Hi 13,20; GenR 67,6 גזור עליו שמדים את מתכיפו לאבות ,,Bringe über ihn Religionsverfolgung! Dann wirst du ihn den Vätern anschließen"; jQid 66b אתחמי מפייס אנא מוקים ליה ,,Stelle dich besänftigend! Dann werde ich ihn aufrichten"; jSanh 28c סב ברתי דלמא מיני ומינך הוא מוקים בר נש טב ,,Heirate meine Tochter! Dann wird Er vielleicht um meinet- und deinetwillen einen guten Sohn zur Welt kommen lassen"; AD 20,25 (vgl. dagegen syndetisch S. 238ff.). Dabei steht z.T. im Hebräischen schon ein Wort für ,,dann": vgl. כִּי־עַתָּה (LXX νῦν) in 1Sam 13,13; Hi 3,13; 7,21; 13,19; (כִּי) אָז (LXX τότε) in Jos 1,8; 2Kön 5,3; 13,19; Ps 124,4f.; Hi 3,13; 13,20; 22,26; 1Chr 22,13; 1QS 3,11. Außerdem setzt LXX in Spr 25,22 τοῦτο γὰρ ποιῶν, in Hi 14,15 εἶτα ,,dann" (= klassisch-griechisch) und in Hi 32,22 εἰ δὲ μή ,,sonst" zu.

Im NT liegt diese verkürzende Redeweise vor (überall ,,dann"): Mt 10,13 D (om. καί); 24,6 (Mk 13,7 = Lk 21,9 ὅταν); Lk 20,5 (Mt 21,25 = Mk 11,31 οὖν); 22,12 D; 23,39; Joh 7,34; 14,9b Bא; 1Kor 8,11 Bא; 14,9b; dazu mit τότε: Lk 14,10; außerdem findet sich in Röm, 1Kor, Hebr öfters ἐπεί ,,denn sonst" (vgl. Bauer s. v.). Theoretisch könnten auch alle Beispiele, wo καί eine konsekutive Satzverbindung („so daß") ersetzt, wie etwa Mt 5,15b; 9,17b; 27,64; 25,27 = Lk 19,23b; Joh 14,16.23, hierher gezogen werden und καί recht passend durch „dann" übersetzt werden. Doch erlaubt weder semitisches noch griechisches Sprachempfinden die Annahme einer solchen Ellipse zwischen syndetischen Sätzen. Nur vor einer Frage ist καί statthaft, da im Semitischen mit Affekt gesprochene und an eine vorhergehende Äußerung sich anschließende Fragen (besonders rhetorische) meistens durch ein (durch tonloses „denn, aber" oder überhaupt nicht zu übersetzendes) ו eingeleitet werden[1]; ein solches καί „denn" kommt auch im Griechischen vor[2]. Außerdem könnte man es außer Mk 12,37 = Lk 20,44 auch als „aber" verstehen. Deshalb gehören auch noch die folgenden ntl. Stellen hierher: Mk 4,13 καὶ πῶς: „Ihr versteht schon dieses Gleichnis nicht; wie wollt ihr dann (aber) erst die weiteren Gleichnisse verstehen?"; 9,12 Bא καὶ πῶς „Freilich soll Elias erst kommen, um alles in Ordnung zu bringen; aber wie kann dann über den Menschensohn geschrieben stehen, daß er viel leiden und verachtet werden soll?" (Klostermann); 12,37 καὶ πόθεν = Lk 20,44 καὶ πῶς „David nennt ihn also ‚Herr'; wie kann er denn dann (nur) sein Sohn sein?"; Lk 12,56 πῶς δέ ist besseres Griechisch; 13,16; 19,23a Bא (D οὖν); Joh 14,9b ℜD; Act 2,8 καὶ πῶς (in Röm 3,7f. verbindet καί „und" dagegen zwei parallele Fragen). Wenn diese zuletzt erwähnten Sätze jeweils als Ein konditionales Gefüge gemeint wären (so A. Fridrichsen, Conject. Neotest. 2 [1936] 44f. zu Mk 4,13), so müßte semitisch πῶς bzw. πόθεν am Versanfang stehen[3]: πῶς οὐκ οἴδατε τὴν παραβολὴν ταύτην καὶ πάσας τὰς παραβολὰς γνώσεσθε;

---

[1] VglGr 302a. 305b, GKa 112p.cc, Segal 461f., Schlatter Sprache 100, Aḥiqar 139a. 140a, Dalman 223, Odeberg 498. 503, Levy s.v. ו; jBM 8c Mitte; AD 15,11; 17,2.10; 26,9.17; 27,13; 29,2; Schles 98—102. 121.

[2] K-G 521.3, Bl-Debr 442.8, Bauer s. v. καί 2h.

[3] Vgl. S. 276f. Nur in der ältesten (der sprachlich differenziertesten) hebr. Prosa kann ein verbaler Aussagesatz mit einer nachfolgenden Wortfrage synd. oder asynd. zu echter Hypotaxe verbunden werden. Allerdings unterscheiden sich die drei hebr. Belege (vgl. S. 257) charakteristisch von den ntl.: 1. ist die Protasis durch הִנֵּה bzw. עַתָּה als solche gekennzeichnet (außer Hi 34,29) und 2. ist in den atl. Belegen (außer 2Sam 18,11) das Fragewort מָה „was?" Objekt bzw. Subjekt des zweiten (transitiven) Verbs, kann also schlecht dem ersten jeweils intransitiven Verb vorangesetzt werden, da es mit diesem weder grammatisch noch sachlich irgendwie verbunden werden kann, während das bei den ntl. Beispielen sehr gut möglich gewesen wäre.

β) Die Verkürzung paralleler Konditionalsätze

VglGr 437, Synt Verh 759, Syntax 517f. (arabisch immer ’au „oder“ zwischen den beiden Perioden), GKa 159ff, Kö 390n.

Wenn zwei (meist einander entgegengesetzte) Bedingungssätze mit kurzen Nachsätzen aufeinander folgen, können im Semitischen die Konjunktion sowie gemeinsame Satzteile in der zweiten (z.T. durch ו an die erste Periode angeschlossenen) Protasis ausgelassen werden. Dies findet sich im Hebräischen: Ps 139,8 אִם־אֶסַּק שָׁמַיִם שָׁם אָתָּה וְאַצִּיעָה שְּׁאוֹל הִנֶּךָּ, LXX ἐὰν ἀναβῶ εἰς τὸν οὐρανόν, σὺ εἶ ἐκεῖ· ἐὰν καταβῶ εἰς τὸν ᾅδην, πάρει. Jes 43,2a כִּי־תַעֲבֹר בַּמַּיִם אִתְּךָ־אָנִי וּבַנְּהָרוֹת לֹא יִשְׁטְפוּךָ; Spr 9,12; Hi 10,15; 16,6; 35,6. LXX setzt an allen Stellen (außer Jes 43,2aβ, das sie wie bβ als Einen Satz versteht) ein zweites ἐάν bzw. εἰ ein. Neuhebräisch: jTaan 65b אם יאמר לך אדם אל אני מכזב הוא בן אדם אני סופו לתחות בו שאני עולה לשמים ההוא אמר ולא יקימינה „Wenn jemand zu dir sagt: ‚Ich bin Gott‘, so lügt er; ‚ich bin der Menschensohn‘, so wird er es schließlich bereuen; ‚ich fahre auf gen Himmel‘, so hat er es zwar gesagt, wird es aber nicht ausführen“; GenR 12,15 אם אני נותן לתוכן חמין הם מתבקעים צונין הם מקריסין „Wenn ich warmes Wasser in sie (die Becher) hineingieße, werden sie springen; kaltes, werden sie sich zusammenziehen“; vgl. 86,6 (zitiert S. 273). Reichsaramäisch: Kraeling 3,22a. Jüdisch-Palästinisch: GenR 45,10 מתלא אמר אם אמר לך חד אדניך דחמר לא תיחוש תריין עביד לך פרובי „Das Sprichwort sagt: Wenn Einer zu dir sagt: ‚Du hast Eselsohren‘, so kümmere dich nicht darum; (sagen es dir aber) zwei, so mache dir ein Halfter!“; 74,3 אלא אין הוה חמי קוקייה טבא הוה נסיב פטילקין טב הוה נסיב ליה „Sondern jedesmal wenn er ein wertvolles Schaf sah, nahm er es sich; eine wertvolle Schüssel, nahm er sie sich“; vgl. GenR-Odeberg 86,5(6) הוה אמר ליה מזוג רתחין והא רתחין מזוג פשרין והא פשרין „Er sagte zu ihm: ‚Bereite heiße Getränke!‘ und sie waren heiß; ‚Bereite laue Getränke!‘ und sie waren lau“; jQid 64c ההן גיורא מדמי לעמר גופנא אין בעית למיתניה בעמרא שרי בכיתנא שרי „Der Proselyt gleicht der Baumwolle; wenn du sie mit Wolle zusammenbringen willst, ist es erlaubt; mit Leinen, ist es (auch) erlaubt“; jBM 8c (zitiert S. 148); vgl. LevR 26,2 (zitiert S. 262). Babylonisch-Talmudisch: bJeb 63a כי אמר לה עבידי לי טלופחי עבדה ליה חימצי חימצי עבדה ליה טלופחי „Wenn ihr Mann zu ihr sagte: ‚Mach mir Linsen!‘, machte sie ihm Kichererbsen; ‚Kichererbsen!‘, machte sie ihm Linsen“. Dagegen ist die zweite Protasis vollständig: GenR 52,14 אם אמרה ליה מחי מחי ואם אמרה ליה

שבוק הוה שביק „Wenn sie zu ihm sagte: ‚Schlag zu!‘, schlug er zu; und wenn sie zu ihm sagte: ‚Laß ab!‘, ließ er ab“ (dass. 41,2 אין אמרת) u.ö.

Im NT findet sich diese ungriechische Redeweise: Mt 24,26 ἐὰν οὖν εἴπωσιν ὑμῖν· ἰδοὺ ἐν τῇ ἐρήμῳ ἐστίν, μὴ ἐξέλθητε· ἰδοὺ ἐν τοῖς ταμιείοις, μὴ πιστεύσητε (Lk 17,23 ist gräzisiert). Außerdem könnte es vorliegen: Mk 11,31f. ἐὰν εἴπωμεν· ἐξ οὐρανοῦ, ἐρεῖ· διὰ τί οὖν οὐκ ἐπιστεύσατε αὐτῷ; ἀλλὰ εἴπωμεν· ἐξ ἀνθρώπων, — ἐφοβοῦντο τὸν ὄχλον „Wenn wir sagen: ‚Von Gott‘, so wird er sagen: ‚Warum habt ihr ihm denn dann nicht geglaubt?‘; wenn wir aber sagen: ‚Von Menschen‘, —“ (Apodosis durch Erzählung ersetzt, vgl. Gen 3,22f.; Bl-Debr. 470.3), Mt 21,26 und Lk 20,6 hätten dann wie LXX vor der zweiten Protasis ein ἐάν eingefügt. Mt 21,21W **213.472.565.697.1093** (καί statt κἄν). Auch Joh 10,9 δι' ἐμοῦ ἐάν τις εἰσέλθῃ, σωθήσεται καὶ εἰσελεύσεται καὶ ἐξελεύσεται καὶ νομὴν εὑρήσει könnte 10,9b vielleicht als zweite Konditionalperiode gemeint sein (mit hebr. καί Apodoseos): „. . . und wenn er durch mich ein- und ausgeht, so wird er Weide finden.“

γ) Die Verkürzung disjunktiver Konditionalsätze[1]

αα) Die Auslassung der ersten Apodosis (ἀναπόδοτον)

VglGr 439a. 441a. 442c, Synt Verh 709, Syntax 515f., GKa 159dd, Kö 391n, Brockelmann 169a. 170b, BLA 111f, Schles S. 154 (bŠab 145b), Nöld Mand 478; K-G 577.4d, Schwyzer 687, Mayser 1 S. 293, 3 S. 8f., Bl-Debr 454.4, Raderm 27, Wellh Einl 8.

Im Hebräischen und Aramäischen wird öfters wie im Arabischen die erste Apodosis zweier sich gegenseitig ausschließender Bedingungssätze (εἰ — εἰ μή) ausgelassen, wenn sie leicht aus dem Zusammenhang zu ergänzen ist („so ist es gut“ o.ä.)[2]. Hebräisch: Ex 32,32;

---

[1] Dieser Verkürzungstendenz steht im Sem. die Liebe zur Paronomasie (Bau symmetrischer Doppelsätze) entgegen, vgl. Schles 106, Burney Poetry 15ff., Black 105ff.; so etwa jNed 41b ווי דייכול ווי דלא ייכול אין אכיל עבר על נידריה אין דלא אכיל חטי על נפשיה = jAZ 40a ווי דייכול ווי דלא יכול אין אכיל הוא עבר על נידריה ואין לא אכיל הוא חטא על נפשיה „Wehe dem, der (Brot) ißt (nachdem er gelobt hat, keines zu essen)! Wehe dem, der nicht ißt! (Denn) wenn er (Brot) ißt, übertritt er sein Gelübde, wenn er nicht ißt, sündigt er sich selbst gegenüber“; KlglR zu 2,2 אין אנא אמר לך מלכא קטיל ליה לההוא גברא ואין לית אנא אמר לך את קטיל לההוא גברא „Wenn ich es dir sage, wird mich der König töten, andernfalls du“; LevR 34,15 (vgl. S. 83); EsthR zu 3,2, u.ö. vgl. die folgende Anm.

[2] Doch wird sie meist beibehalten: Neuhebr.: jJom 45a unten (הרי יפה); bŠab 32a oben; bTem 16a (beide מוטב); GenR 65,10 (הרי מוטב); PredR zu 3,17 (zit. S. 84); zu 12,7; Jüd.-Pal.: jJom 45c ההן דחטא על חבריה צריך מימר ליה סרחית עלך ואין קבליה הא טבאות ואין לא מייתי בני נש ומפייס ליה קומיהון „Wenn

1Sam 20,12 (hier wie in Lk 13,9 ἀναπόδοτον und Verkürzung der zweiten Protasis! LXX vervollständigt: + ἄφες)[1]; 1Sam 12,14f. Reichsaramäisch: Dan 3,15. Das ist auch gut griechisch (ergänze εὖ ἔσται o.ä.) und von Homer an oft belegt. Im NT findet sich ein Beispiel: Lk 13,9 κἂν μὲν ποιήσῃ καρπὸν εἰς τὸ μέλλον· εἰ δὲ μή γε, ἐκκόψεις αὐτήν[2].

ββ) Die Verkürzung der zweiten Protasis

VglGr 439a. 441a. 442b, Synt Verh 709f., Syntax 515f., GKa 152k. 159dd, Kö 338m, Brockelmann 169a, Albrecht 19a, Segal 489, Schles S. 150f., Nöld Syr 374 D, Neusyr 372, Dillmann 205; K-G 577.6, Schwyzer 687, Mayser 3 S. 7ff. 124, Bl-Debr 376, 439.1, 454.4, 480.6, Bauer s.v. γέ, Wellh zu Mt 6,1, Fiebig Erz 10.

Im Hebräischen und Aramäischen wird öfters wie im Arabischen der positiven Bedingung nur Konjunktion + Negation als Gegensatz gegenübergestellt („wenn aber nicht", „andernfalls", „sonst"). Diese bleiben außer arabisch und selten syrisch immer unkontrahiert (im

---

sich jemand gegen einen anderen versündigt hat, muß er zu ihm sagen: ‚Ich habe gegen dich gesündigt!' Wenn er ihn annimmt, ist es gut, wenn nicht, bringt er Leute mit und besänftigt ihn vor ihnen"; jChag 77d אי הימנך הא טבאות ואין לא עביד הדין סימנך קומוי „Wenn er dir glaubt, ist es gut, wenn aber nicht, tu dein Zeichen vor ihm!" (Fortsetzung zit. S. 248); jKet 33b (= jŠebu 38a: אנן עבדין טבות סגין מינכון אנן כתבין דין (2mal, davon einmal + אתא nach ואין לא) מוגמרין אין אתא טבאות ואין לא אנן מחלטין ניכסייא „Wir machen es viel besser als ihr (in bezug auf einen geflohenen Schuldner): Wir schreiben ein gerichtliches Edikt; wenn er kommt, ist es gut, wenn nicht, erklären wir seine Güter für dem Gläubiger verfallen"; GenR 91,4 נעול ונחמי אי אשכחנן יתיה טעי לן... הא טב ואם לאו בצפרא נחמי מה נעביד „Wir wollen eintreten und nachsehen; wenn wir ihn uns vergessend finden, ist es gut; wenn nicht, wollen wir am Morgen sehen, was wir tun können"; RtR zu 2,14 אנא צווח ליה אין עני הא טב ואין לא עני הא כולה חדא „Ich will Gott anrufen; wenn er antwortet, ist es gut; wenn er aber nicht antwortet, ist alles eins (= sind alle Götter gleich ohnmächtig)"; KlglR Einl = zu 2,1 (vgl. bGiṭ 57b) אי אמריתו לי מוטב ואי לא אנא מסריקנא לבישרא דהנך אינשי במסריקין דפרזלא „Wenn ihr es mir sagt, ist es gut; wenn aber nicht, lasse ich euer Fleisch mit eisernen Kämmen kämmen"; PredR zu 10,2 (zit. S. 83); jBer 5b (zit. S. 85); jJom 40c ...אין תימר מיד ניחא ואין תימר „Wenn du sagst: (Es geschieht) bald, ist es gut, wenn du aber sagst..."; HhldR zu 1,6 u.ö. ניחא; (dafür auch paronomastische Umschreibungen: jNed 40a הן דמטא מטא הן דלא מטא נוהגין בקילקול „Wo er hinkam, kam er hin [= war es gut = schaffte er den falschen Kalender wieder ab]; wo er nicht hinkam, richtete man sich weiter nach dem Verderben [= dem falschen Kalender]"); Bab.-Talmud.: bGiṭ 57b אי אמריתו לי מוטב ואי לא מסריקנא לבשרייכו במסרקי דפרזלא . An die Stelle der Auslassung mag eine Geste getreten sein.

[1] Vgl. Kuhr 33 Anm. 2. [2] sy behält die Auslassung bei.

Gegensatz zu אלא „außer“!): Hebräisch: וְאִם לֹא (אַיִן), Neuhebräisch: ואם לאו (לאו aus לא הוא), Aramäisch: ואין (הן) לא, Arabisch: wa'illā (nur syrisch selten ohne ו); vgl. Hebräisch: Gen 24,49; Ex 32,32; Ri 9,15; 2Kön 2,10; Neuhebräisch: Ber 2,1; 3,2.5; 4,3; 5,5; 7,5; Šab 17,6.7; 21,3; Pes 3,7.8; Sanh 5,5; 6,1.4; 11,2; 12,9; 13,2 u.ö. u.ö.; Aramäisch: Dan 3,18; jPes 31c אנא יהבה לכון גדיל ואין אמר גדיל הא כמילוי ואין לא אנא מחשבנא גודלנה מן פרני „Ich werde euch reichlich (Almosen) geben! Und wenn mein Mann ‚reichlich‘ gemeint hat, geschieht es nach seinen Worten, andernfalls werde ich das (über seine Worte) Hinausgehende von meiner Brautgabe abrechnen“; jTaan 66d אין בטלית חדא מילה מן הדין ספר אורייתא ייעלון לון ואין לא ייזלון לון „(Rabbi Levi bar Sisi betete mit der Tora in der Hand:) Wenn ich nur Ein Wort von diesem Buch der Tora abgeschafft habe, mögen sie (die Räuber in die Stadt) hereinkommen, andernfalls mögen sie weggehen!“; jSanh 25d אין אכלת מינה מעשה הוא ואי לא אחיזת עינים הוא „Wenn du davon gegessen hast, war es Wirklichkeit, andernfalls war es nur eine Augentäuschung“ (Anfang zitiert S. 198 Anm.); jAZ 42a אין עבדת לחלוחי שריא ואי לאו אסירה „Wenn er (der Fisch) Schleim absondert, ist er erlaubt, andernfalls ist er verboten“; AD 15,21f. אין יכיל אנא זבין אנא ואי לא אנא מיתי לך בר נש דזבין להון „Wenn ich kann, kaufe ich (sie), andernfalls bringe ich dir jemanden, der sie kauft“; jMQ 81b (zitiert S. 261); KlglR zu 1,1 (zitiert S. 83); AD 29,22.23 und die auf S. 97 Anm. 2 genannten Stellen. An Stelle des ersten Konditionalsatzes kann dabei auch ein Imperativ[1] (Gen 30,1; 1Sam 2,16; 1Makk 15,31; Bel 29; KlglR zu 1,1 אמרי לי קושטא בריה דמאן אנא ואין לא אנא קטע ראשך „Sage mir in Wahrheit, wessen Sohn ich bin, sonst haue ich dir den Kopf ab“ [AD 18,11 ואי לא כדין]; jŠebi 35a unten und jJeb 11a Mitte u.ö. ebenso, vgl. Levy I 406; GenR 58,8; KlglR zu 1,16 = 4,19; PredR zu 3,16; bPes 25b; bJom 82b; bSanh 74b; 96b), ein Fragesatz[2] (Gen 42,16?; 2Sam 17,6; Tob 8,12) oder ein Aussagesatz (Hi 24,25) stehen. LXX übersetzt am häufigsten εἰ δὲ μή, daneben auch (καί) εἰ μή, καὶ ἐὰν μή. Im NT haben Mt, Lk, Paulus εἰ δὲ μή γε; Mk, Joh, Apc εἰ δὲ μή.

Diese Verkürzung findet sich ebenso auch im klassischen und Koine-Griechisch. Darüber hinaus ist aber im Griechischen (klas-

---

[1] Vgl. S. 238ff. Klassisch-griech. Beispiele bei Liddell-Scott I 481b.
[2] Vgl. S. 287.

sisch und Koine) εἰ δὲ μή (γε) so erstarrt, daß es auch (statt εἰ δέ) nach negativer erster Protasis stehen kann („sonst“, „andernfalls“). Im Semitischen ist das nicht möglich[1.2], vielmehr müßte der Satz positiv wiederholt werden wie etwa Joh 12,24; 16,7b, vgl. RtR zu 2,18 אין לך אדם שאינו בא למדה זו ואם לא הוא בא בנו ואם לא בנו בא בן בנו „Es gibt keinen Menschen, der nicht das Maß (an Glück und Unglück) erreicht, wenn aber nicht er, so wenigstens sein Sohn, sonst wenigstens sein Enkel“; GenR 36,7 שותפי עמך אלא איזדהר בך דלא תיעול לחלקי ואם עלת בחלקי אנא חביל בך „Mach mich zu deinem Gesellen, aber sieh dich vor, daß du nicht meinen Anteil antastest! Wenn du aber meinen Anteil antastest, werde ich dich verderben!“.

Im NT steht verkürzte[3] zweite Protasis nach positivem Konditionalsatz: Lk 10,6; 13,9; nach positivem Imperativ: Mt 6,1; Joh 14,11; Apc 2,5.16; nach positiver indirekter Frage: Lk 14,32[4]; nach positivem Behauptungssatz: Joh 14,2[5]. Erstarrtes εἰ δὲ μή (γε) steht: Mk 2,21.22 (Mt 9,17; Lk 5,36.37)[6] und 2Kor 11,16: Dies kann nicht wörtlich auf ein semitisches Original zurückgehen[7].

[1] Gen 24,37f. ist durch die Quellenkompilation entstanden und wohl als „sondern“ zu verstehen (= כִּי אִם), vgl. Kö 391s, VglGr 441b Anm.; Aḥiqar 81 אל תהחשך ברך מן חטר הן לו לא תכהל תהנצלנ[הי...] darf nicht übersetzt werden: „Halte deinen Sohn nicht vom Stock zurück, sonst kannst du ihn nicht retten...“ (VglGr 442b), da dann והן לא (Dan 3,18) dastehen müßte, sondern (הן לו = אילו) „... wenn du ihn nicht retten kannst vor ...“ (so VglGr 428a und Cowley).

[2] In LXX kommt es jedoch schon vor: Num 20,18; Jer 11,21; Hi 32,22 (durch falsche Übersetzung); Dan 6,6.13 (Zusätze).

[3] Unverkürzt: Mt 10,13; 18,16 (vgl. Joh 18,23; 1Kor 9,17; Jak 2,8f.); vgl. 1Sam 12,15; Dan 3,15; Cowley 42,7f.10.

[4] Peš übersetzt wörtlich.

[5] Unmöglich ist die Vermutung Torreys zu Joh 14,2 (Our Translated Gospels 108ff.) וְלָא „wenn aber nicht“ sei Versehen für וְלֵא „es ist passend“, denn 1. ist וָלֹא „wenn (es) also wirklich nicht (sein kann)“ nur hebr. und zwar nur zweimal (2Sam 13,26; 2Kön 5,17) einigermaßen zweifelsfrei belegt (außerdem vielleicht noch 1Sam 20,12) — beide Male am Anfang einer direkten Rede (LXX καὶ εἰ μή), vgl. Kuhr 71f., außerdem: VglGr 301c, GKa 159dd, Kö 363b, Brockelmann 134c; 2. heißt „es schickt sich“ gewöhnlich וָלֵי bzw. וָאלֵי (syr. וָלֵא) mit Jod am Ende, seltener וָלָא (targumisch וְלָא) und ist aram. (aber nur reichs- und ostaram.); vgl. Levy, Levy TW, Jastrow, Dalman Lex s.v.

[6] Peš übersetzt „damit nicht“. So wird es auch im Sem. gelautet haben, vgl. Lk 14,12 μήποτε; denn auch LXX ersetzt zweimal hebr. „damit nicht“ durch εἰ δὲ μή: 1Sam 19,17 (nach Imp.); Num 20,18 (nach negiertem Befehl!).

[7] In Mt 11,7—9 = Lk 7,24—26 τί ἐξήλθατε εἰς τὴν ἔρημον θεάσασθαι κάλαμον ὑπὸ ἀνέμου σαλευόμενον; ἀλλὰ τί ἐξήλθατε ἰδεῖν ἄνθρωπον ἐν μαλακοῖς (ἱματίοις)

δ) Durch Auslassung entstandene Ausnahmesätze („außer“, „nur“)

VglGr 299d. 435b—d. 445c, SyntVerh 712—26, Syntax 502—12, GKa 163, Kö 372f—n. 391t—392. 402p, Brockelmann 168, Segal 503—12, BLA 111e, LÄ 63c.m, Dalman 222, Odeberg 534. 535, Schles 94. 171, Duval S. 389f., Nöld Syr 328. 374 D, Mand § 314, Schulthess 197.4. εἰ (ἐὰν) μή: K-G 577.8, Schwyzer 687, Mayser 3, S. 205, Bl-Debr 306.4, 376. ἀλλά: K-G 534.2.5.6, Schwyzer 578, Mayser 3, S. 116—19, Bl-Debr 448.8, Moulton 268f., Wellh Einl 16.

ἠμφιεσμένον; ...ἀλλὰ τί ἐξήλθατε προφήτην ἰδεῖν; „Seid ihr etwa in die Wüste hinausgegangen, um ein im Winde schwankendes Rohr zu sehen? Seid ihr etwa hinausgegangen, um einen Menschen in weichen Kleidern zu sehen? ... Seid ihr etwa hinausgegangen, um einen Profeten zu sehen?“ (τί gibt jüd.-pal. מה „was?“ wieder, das oft eine rhetorische Satzfrage einleitet, vgl. jKil 32b = jKet 35a = GenR 100,3 ומה אנא בהית בעובדי „Muß ich mich etwa meiner Taten schämen?“; jKil 32b = jKet 35a מה את טב מן רבך „Bist du etwa besser als dein Lehrer?“; jBer 4b = jŠeq 47a מה את פליג ליה יקר (אלא) עבור קומוהי וסמי עינויי „Willst du es [das Götzenbild] denn ehren? Vielmehr, du magst an ihm vorüber gehen, aber halte es für blind!“; jBer 5c מה סליקית למיקטלה בני ארעא דישראל ניזיל וניחות לי מן הן דסליקית „Bin ich etwa heraufgekommen, um die Israeliten umzubringen? Ich will wieder gehen und dahin hinabsteigen, woher ich heraufgestiegen bin“; מה הוה מיזל ליה דלא מיסב רשותא „Durfte er denn weggehen, ohne Erlaubnis eingeholt zu haben?“; 12b מה ידיך חוריתא קטעון „[Man sagte zu jemand, der nur mit einer Hand bediente:] Deine andere Hand ist wohl abgehauen?“ jPea 15c מה אנא מזבין לכון איקרא דאבהתי בפריטין „Verkaufe ich euch etwa die Ehre meiner Väter für Geld?“; jDam 21d [2mal] מה רבי זעירא מיכול (מילה) דלא מתקנא „Sollte etwa R.Z. Unverzehntetes essen?“; מה איפשר דרבי ירמיה משלחה לי מילה דלא מתקנא „Ist es denn möglich, daß R.J. mir Unverzehntetes schickt?“; 22a אמר ליה גיניי גיניי מה את מנע לי מן בית ווע‍דה ופלג קומוי ועבר „Er sagte [zu dem Fluß, der Hochwasser hatte]: Ginnai, Ginnai, willst du mich etwa vom Lehrhaus fernhalten? Da teilte er sich vor ihm und er ging hindurch“; jJom 40d מה אתון נהיגין גביכון ברמיו „Ist etwa bei euch Betrug üblich?“; jChag 77d [zit. S. 130]; jMQ 82a ומה את סבר דאת חביב עלי כרבי לעזר „Meinst du etwa, du stehst mir so nahe wie R.L.?“; 82d מה את סבר דילפינן עובדא מינך לא ילפין עובדא מן בר נש זעיר „Meinst du etwa, wir lassen uns von dir belehren? Man übernimmt nichts von einem geringeren!“; AD 29,28; 30,1.2; GenR 75,6 מה אנא טב מן סבי „Bin ich etwa besser als mein Vorfahr?“; GenR 11,5 מה הוית בעי דאייתי לך נון בתרין עשר דנרין „Wolltest du denn, daß ich dir einen Fisch für zwölf Denare bringe?“; 70,13 מה את סביר ממון אתית טעין לא אתית טעין אלא מילין „Meinst du denn, ich sei mit Geld beladen gekommen? Ich bin nur mit Worten beladen gekommen!“; מה את סביר ממון אתית בעי מינך לא אתית אלא בגין תרתין טלייתך „Meinst du denn, ich sei gekommen, um Geld von dir zu erhalten? Ich bin nur um deiner beiden Töchter willen gekommen!“; 70,17 מה את צבי דאנן דכרין דכוותכון „Willst du etwa, daß wir Böcke [d. h. unzüchtig] sind wie ihr?“; LevR 27,1 ומה הדין דהבא מתאכיל בארעכון „Wird etwa dieses Gold in eurem Land gegessen?“; GenR 33,1 מה לא דיינית

Die Ausnahme („außer, nur“) wurde im Semitischen ursprünglich durch einen nachgestellten Konditionalsatz zum Ausdruck gebracht: Der voranstehende Hauptsatz nämlich verneinte zunächst einen Tatbestand gänzlich, darauf gab ein verneinter Konditionalsatz an, wo dieser Tatbestand doch gilt[1]. In diesem Konditionalsatz wurden dann alle Satzteile ausgelassen, die mit denen des Hauptsatzes identisch waren[2]: „Niemand wird dorthin kommen, wenn nicht er (dorthin kommen wird)“ = „Nur er wird dorthin kommen“. Darauf erstarrte das „wenn nicht“ zu einer Exzeptivpartikel (= „außer“ bzw., wenn

---

טב „Habe ich etwa nicht gut gerichtet?“; KglR zu 1,1 und AD 17,21f. [zit. S. 130]; AD 24,5f.; weitere Belege bei Dalman 223, Odeberg 499, Black 87f., ebenso im Neuhebr.: Segal 463) wollen Wellh Einl 16f. und Joüon Quelques Aramaisms 225 ἀλλά auf aram. אלא „wenn aber nicht“ (Joüon), „oder“ (Wellh) zurückführen. Nun kann aram. ואין לא an einigen Stellen auch mit „oder“ wiedergegeben werden, vgl. bŠab 66b, 110b ואי לא „Wenn (dieses) aber nicht (vorhanden, wirksam, angenehm, möglich ist)“ = „oder“. Aber „wenn aber nicht, andernfalls, sonst, (oder)“ wird im Aram. nicht kontrahiert (vgl. S. 98f.), so daß nicht einzusehen ist, warum dieses ואין לא hier nicht wie auch sonst (vgl. S. 99) durch εἰ δὲ μή γε übersetzt worden sein sollte, und die immer kontrahierte (vgl. S. 103) Ausnahmepartikel אלא „außer; sondern; aber, vielmehr“ hat niemals die Bedeutung „oder“. ἀλλά wird also hier zu übersetzen sein: „Nun, wohlan, also, sagt doch!“, vgl. dazu K-G 534.8, Schwyzer 578, Liddell-Scott und Bauer s.v.; in einem ähnlichen Fall, allerdings nach vorangehender Negation, was die Bedeutung „wenn aber nicht“ von vornherein ausschließt (vgl. S. 99f.), steht in GenR 94,6 ואלא = „denn aber“: רבי מאיר חמא חד שמראי אמר ליה רבי מאיר מהיכן אתית אמר ליה מן דיוסף אמר ליה רבי מאיר לא אמר ליה שמראי ואלא דמאן אמר ליה מן דיששכר „Rabbi Meir sah einen Samaritaner. Rabbi Meir sagte zu ihm: ‚Von wem stammst du ab?‘ Er sagte: ‚Vom Stamme des Josef.‘ Rabbi Meir sagte zu ihm: ‚Nein!‘ Der Samaritaner sagte zu ihm: ‚Von wem denn dann aber (sondern von wem)?‘ Er sagte zu ihm: ‚Vom Stamme Issaschar!“. In Mk 11,32 ἀλλὰ εἴπωμεν meint ἀλλά „aber, dagegen“: „sagen wir dagegen . . .“ (Wellh Mk 92: ואלא = „oder aber“), vgl. S. 97 z.St.

[1] Die umgekehrte Konstruktion, also „außer“ nach positivem Hauptsatz, wurde nicht entwickelt, da sie keinen so pointierten Sinn hat („nur einer war da“ ist auffälliger und wesentlicher als „nur einer war nicht da“!); hier wurde eben anders formuliert. Die Ausnahmepartikel hätte in diesem Falle „wenn“ lauten müssen („Alle werden kommen, wenn er kommen wird“ = „Nur er wird nicht kommen“).

[2] Ein unverkürzter Ausnahmesatz steht im Hebr.: 1Kön 3,18; 2Kön 23,22f.; Dan 10,21b + 11,1b; im Aram.: Dan 6,6 (Theod läßt das Verb im Ausnahmesatz aus); ein mand. Beispiel bei Nöld Mand 478; vgl. S. 97 Anm. 1; daneben oft nach „sondern“, vgl. hebr.: Gen 15,4; Lev 21,14; Dt 8,3; 12,14; Jos 11,13; 1Sam 21,5; 2Sam 13,33; 2Kön 14,6; 17,36.39; Jer 7,23; 39,12; aram.: Cowley 9,7.9.

in den Hauptsatz hereingenommen und mit dessen Negation zusammengefaßt, „nur“)[1]. Dieser Ausnahmesatz ist nun im Hebräischen und Aramäischen und besonders im Arabischen sehr verbreitet. Als Exzeptivpartikel erscheint darin im Neuhebräischen, Aramäischen und Arabischen „wenn nicht“ in kontrahierter Form: Jüdisch-Palästinisch[2], Samaritanisch und Arabisch אִלָּא; Neuhebräisch, Christlich-Palästinisch, Syrisch, Babylonisch-Talmudisch (neben selten אי לאו) und Mandäisch אֶלָּא (beide aus אין לא); Reichsaramäisch[3] (wie nur im nachgestellten Konditionalsatz) להן (aus לא הן)[4,5]. Nur im Hebräischen ist eine andere Verbindung mit der konditionalen Konjunktion als Exzeptivpartikel üblich geworden, nämlich כִּי אִם (eigentlich: „ja, wenn“, „vielmehr wenn“, „dagegen wenn“), daneben findet sich seltener בִּלְתִּי bzw. בִּלְתִּי אִם („ohne“, „außer“, „außer daß“), זוּלָתִי („außer“), מִבַּלְעֲדֵי („außer“) und מִלְּבַד („außer“)[6]. LXX gebraucht dafür verschiedene Ausdrücke, ohne für jedes hebräische Wort ein bestimmtes Äquivalent zu haben: Am häufigsten ἀλλ’ ἤ (Gen 47,18b; Jos 14,4; 2Sam 12,3 u.ö. Dan 3,28 für aramäisches לָהֵן), seltener ὅτι

---

[1] Da diese Konstruktion etwas umständlich ist, können außerdem noch Einzelpartikel die Bedeutung „nur“ ausdrücken (und zwar meist hinweisende Partikel oder Zusammensetzungen mit „ein“, „allein“; so etwa hebr.: אַךְ, אֶפֶס, רַק, הִנֵּה (Gen 22,7), לְבַד; neuhebr.: בד, בלבד; aram.: (ב)לחוד (jüd.-pal., syr.: לחוד; nab., jüd.-pal., christl.-pal., syr., mand.: בלחוד); arab. ’innamā (in einigen modernen arab. Dialekten kann die Negation vor ’illā ausfallen, so daß dies die Bedeutung „nur“ erhält, vgl. VglGr 435 bε). In den meisten Fällen wird jedoch „nur“ gar nicht ausgedrückt.

[2] Im Jüd.-Pal. findet sich für „nur“ selten לית—דלא o.ä., vgl. Dalman 209. 222. Odeberg 302a, Levy I 391f.

[3] Nur einmal palm. (Steuertarif II 149 [137 n. Chr.]) אלא, vgl. Cantineau 136.

[4] Daneben existiert noch mit gleicher Bedeutung eine um ein weiteres אין „wenn“ vermehrte Form, nämlich jüd.-pal. (targumisch) אל(א)הין, syr. u. christl.-pal. אלא אן und mand. (mit vorangestelltem הין) הינילא (vgl. zur Umkehr im Mand. und Reichsaram.: Nöld Mand 209 Anm. 1).

[5] Nur sehr selten werden andere Wörter (meist Präpositionen = „ohne“) zur Kennzeichnung der Ausnahme benutzt = „außer“ (gewöhnlich nach positivem Hauptsatz): חוץ מן, לחוץ (neuhebr.), מבלעדי (neuhebr., reichsaram., jüd.-pal., syr.), (ל)בר מן (reichsaram. [immer ohne ל], jüd.-pal., christl.-pal., syr., bab.-talmud., mand.), דלמא (syr.), שטר מן (reichsaram., syr.).

[6] לְבַד מִן und מִלְּבַד sind sonst Präpositionen (nach positivem Satz) = „(ganz) abgesehen von“; LXX πλήν, χωρίς, ἐπί, πάρεξ, ἐκτός. Zu אִם לֹא vgl. S. 100 Anm. 1, S. 120 Anm. 2 und S. 135 Anm. 3.

ἀλλ᾽ ἤ (1Sam 21,7; 30,17 u.ö.), ἀλλά (Gen 28,17; Jer 22,17) und ἀλλ᾽ ἢ ὅτι (2Sam 19,29) sowie ἤ (2Kön 9,35, nach ergänztem ἄλλο τι), außerdem πλήν (Num 11,6; Dt 1,36; Jes 45,6 u.ö.) und πάρεξ (Hos 13,4; 1Sam 21,10 u.ö.)[1]. Dagegen finden sich konditionale Konjunktionen nur selten: Von den ca. 60 hebräischen Belegen für die Ausnahme hat LXX εἰ μή: Ri 7,14 B; Neh 2,2.12; Pred 3,12; 5,10 Sym; (Judit 6,2; 9,14); dazu für aramäisches לָהֵן in Dan 6,6 Theod; εἰ μήτι für aramäisches לָהֵן in Dan 2,11; ὅτι εἰ μή: 1Kön 17,1; Pred 8,15; ἐὰν μή: 2Chr 23,6; außerdem immer, wenn in LXX ein Verbum finitum folgt: Gen 32,27; 42,15; 43,3.5; Lev 22,6; 2Sam 3,13; Am 3,3.4.7; Esth 2,14 (außer frei, aber sinngemäß ἕως ἄν Jes 55,10.11; 65,6; Rt 3,18; ὅτι ἐάν 2Kön 4,24).

Im klassischen Griechisch wird die Ausnahme nach negativen Sätzen neben πλήν durch (erstarrtes) εἰ (selten ἐὰν) μή (mit oder ohne Verbum finitum) oder ἀλλά, ἀλλ᾽ ἤ (meist ohne Verbum finitum) = „außer", „als" eingeführt. In der niederen Koine steht (von πλήν, ἐκτός, ἐκτὸς εἰ μή abgesehen) in Ägypten meistens ἀλλά oder ἀλλ᾽ ἤ, sonst häufiger εἰ (ἐὰν) μή[2].

Im NT kommt der durch Verkürzung entstandene Ausnahmesatz auffallend häufig vor[3]. Er wird fast immer durch εἰ μή eingeleitet, daneben selten durch ἐκτὸς εἰ μή, ἐὰν μή, ἀλλά, ἀλλ᾽ ἤ, πλήν, ἐκτός[4].

---

[1] Hebr. בִּלְתִּי, זוּלָתִי und מִבַּלְעֲדֵי werden ausschließlich durch diese beiden übersetzt.

[2] Mayser kann nur Ein Beispiel für ἐὰν μή = „außer" (und zwar ohne Verb. fin.) geben, dagegen viele für ἀλλά, öfter ἀλλ᾽ ἤ (ohne Verb. fin.), vgl. auch LXX.

[3] Relativ viermal so häufig wie im AT, in den Synoptikern fünfmal, bei Mk allein sogar neunmal so häufig wie im AT. Die Häufigkeit bei Mk entspricht ungefähr der im jüd.-pal. Aram.

[4] Die ntl. Belege sind: εἰ μή: Mt 11,27b.c; 12,24.39; 13,57; 14,17; 15,24; 16,4; 17,8.21 CDW; 21,19; Mk 2,7.26; 4,22a Θλ; 5,37; 6,4.5.8; 8,14 Bא (WΘλφ dafür μόνον); 9,8 BאD; 9,9.29; 10,18; 11,13; Lk 5,21; 6,4; 8,51; 10,22b.c; 11,29; 17,18; 18,19; Joh 3,13; 6,22.46; 10,10; 13,10a B; 14,6; 17,12; 19,15; Act 11,19; 21,25 ℜD; Röm 11,15; 13,1.8; 1Kor 1,14; 2,2.11a.b; 8,4; 10,13; 12,3; 2Kor 2,2; 12,5.13; Gal 6,14; Eph 4,9; Phil 4,15; Hebr 3,18; 1Joh 2,22; 5,5; Apc 2,17; 13,17; 14,3; 19,12; ἐκτὸς εἰ μή: 1Tim 5,19; εἰ μήτι ἄν: 1Kor 7,5; ἐὰν μή: Mk 4,22 a Bא; (Mt 12,29; Mk 3,27; 10,30; Joh 3,2.27; 6,44.65; 7,51; 15,4b.c; Act 8,31; Röm 10,15; 1Kor 15,36; 2Tim 2,5); ἀλλά: Mk 4,22a DW.b; 9,8 CℜΘ; 2Kor 1,13 P46; ἀλλ᾽ ἤ: 2Kor 1,13 א; πλήν: Mk 12,32 (= Dt 4,35 u.ö.ä.); Joh 8,10 ℜ; Act 15,28; 20,23; ἐκτός: Act 26,22; χωρίς: Röm 10,14. Das Verhältnis der Synoptiker untereinander ist dabei folgendes: Mt übernimmt

Dieser häufige Gebrauch des durch εἰ μή eingeleiteten Ausnahmesatzes im NT geht — so muß aus den oben dargelegten sprachlichen Tatsachen geschlossen werden — auf semitischen und zwar, was das εἰ μή betrifft, speziell auf aramäischen (bzw. neuhebräischen) Einfluß zurück, denn hier wird die entsprechende Exzeptivpartikel („wenn nicht") fast ausschließlich und sehr häufig verwandt. Weniger wahrscheinlich ist dagegen sowohl Einwirkung des hebräischen (bzw. biblisch-aramäischen) AT, da das Hebräische (und eigentlich auch das Reichsaramäische) in diesem Fall keine dem εἰ μή genau entsprechende Partikel benutzt, als auch Einwirkung von LXX, da LXX nur sehr selten εἰ μή (bzw. auch ἐὰν μή) für „außer" gebraucht, wozu ja auch vom Hebräischen (bzw. Biblisch-Aramäischen) her keine Veranlassung vorlag.

Im einzelnen kann man folgende Gebrauchsweisen unterscheiden:

1. Der Hauptsatz allein ist unvollständig und sinnlos, denn Subjekt oder Prädikat stehen erst nach der Ausnahmepartikel (Übersetzung: „nur"). Diese sehr prägnante Ausdrucksweise wird im Arabischen (VglGr 435bδ, Synt Verh 716f., Syntax 504), Hebräischen, Neuhebräischen und Aramäischen verwandt:

a) Für das Subjekt: Hebräisch: Gen 47,18b לֹא נִשְׁאַר לִפְנֵי אֲדֹנִי בִּלְתִּי אִם־גְּוִיָּתֵנוּ וְאַדְמָתֵנוּ LXX καὶ οὐχ ὑπολείπεται ἡμῖν ἐναντίον τοῦ κυρίου ἡμῶν ἀλλ' ἢ τὸ ἴδιον σῶμα καὶ ἡ γῆ ἡμῶν „Nur unser Leib und unser Acker ist noch übrig"; ferner: 1Sam 2,2; 1Kön 12,20; 2Kön 24,14; 1Chr 15,2; 2Chr 23,6 (LXX übersetzt meist ganz wörtlich). Neuhebräisch: Ber 8,8; Jom 3,10 שלא היו לו אלא שנים „Welcher nur zwei hatte"; AZ 1,3; 3,1; jŠab 4d אין להן אלא שמן שומשמין „Sie haben nur Sesamöl" u. ebd. ö.ä.; bSot 48b (Fiebig Nr. 360); bBQ 116a אין לו אלא שכרו „Ihm steht nur sein Lohn zu"; bBek 43b אין לו אלא גבין אחד „Er hat nur eine Augenbraue"; KlglR zu 2,1 = 3,51 ולא נשתייר מהם אלא אני „Und nur ich blieb von ihnen übrig"; GenR 68,7 לא יצא משם אלא הוא „Nur er zog von dort aus"; ExR 2,9 בתחלה לא ירד אלא מלאך אחד „Zuerst kam nur ein Engel herab". Jüdisch-Palästinisch:

von Mk 4mal: Mt 12,4 (als „sondern"); 13,57; 17,8.(21); 21,19; Mt ändert gegen Mk 2mal: Mt (9,3: Kürzung); 10,26 aus Q; (13,58: dogmatische Korrektur); (16,5: Kürzung); 17,9; (19,17: dogmatische Korrektur); Mt führt neu ein einmal: 14,17; Lk übernimmt von Mk 4mal: Lk 5,21; 6,4; 8,51; 18,19; Lk ändert gegen Mk 3mal: Lk 4,24; 8,17 (= 12,2 aus Q); 9,36; Lk ändert gegen Q mit Mk 3,22 = Mt 9,34 1mal: Lk 11,15. Im ganzen haben Mt 10 (11), Mk 17 und Lk 8 Beispiele.

AD 29,29 לא הוה גבי אלא פלחי „Ich hatte nur meine Portion"; jSanh 28c אף על גב לא קם אלא בר נש ביש „Aber es erstand doch nur ein böser Mensch"; GenR 11,5 לא הוה תמן אלא חד נון „Dort war nur Ein Fisch"; 34,21 לית בה אלא תרתין עמודין „Dort sind nur zwei Säulen"; PredR zu 3,9 = AD 33,9 יקרכון לא עביד אלא אתון לגרמיכון „Ihr allein bereitet euch (diese) eure Ehrung". Babylonisch-Talmudisch: bBB 3b כל מאן דאתי ואמר מבית חשמונאי קאתינא עבדא הוא דלא אישתיירא מינייהו אלא ההיא ינוקתא „Wenn jemand behauptet, er stamme aus der Familie der Hasmonäer, so ist er ein Sklave, denn von jenen blieb nur ich (fem.) übrig"; Syrisch: Jos Styl 23,15 ולא מיתו מנהון אלא אן תרין אנשין „Nur zwei von ihnen starben", mit Voranstellung Jos Styl 15,5 ואלא אן חדא אורחא לית הוא דסלקא לה „Und nur ein Weg ging da hinauf"; vgl. Peš Mt 14,17 לית לן תנן אלא חמש גריצן ותרין נונין; Mk 8,14 ואלא חדא גריצתא לית הוא עמהון בספינתא.

b) Für das Prädikat (nur im Nominalsatz): Hebräisch: Neh 2,2 אֵין זֶה כִּי־אִם רֹעַ לֵב, LXX οὐκ ἔστιν τοῦτο εἰ μὴ πονηρία καρδίας, wörtlich: „Das ist nur Herzenskummer"; ferner: Gen 28,17; Ri 7,14; 2Sam 19,29; Jer 22,17. Neuhebräisch: bZeb 102a אין הלום אלא מלכות הלום, „meint nichts anderes als: Regierung"; TosJad II,14 קהלת אינה אלא מחכמתו של שלמה „Qohelet ist nur ein Teil der Weisheit Salomos" u.ö. ähnlich vgl. S. 122 Anm. 1; Jüdisch-Palästinisch: jAZ 42c לית אינון אלא מריעין „Sie sind nur krank".

In der Koine findet sich überraschenderweise auch ein Beispiel: SB 7267,7 (226 v.Chr.) φάσκειν μὴ καθήκειν αὐτὸν ἀλλ' ἢ τὸ τρίτον μέρος „Es komme ihm nur ein Drittel zu"; vgl. auch: Hamb I 27,18 (250 v.) οὐ γὰρ ἔχομεν ἀλλ' ἢ ἡμερῶν β σπέρμα.

Wenn man bedenkt, daß das Objekt von ἔχειν (= semitisch [יֵשׁ] אית ל bzw. negiert לית [reichsaramäisch noch unkontrahiert לא איתי], [אין] לישה oder [לא] הוה) im Semitischen als Subjekt erscheint, darf man wohl aus dem NT hierherziehen: Mt 14,17 οὐκ ἔχομεν ὧδε εἰ μὴ πέντε ἄρτους καὶ δύο ἰχθύας „Wir haben hier (aber) nur fünf Brote und zwei Fische"; Mk 8,14 Bℵ καὶ εἰ μὴ ἕνα ἄρτον οὐκ εἶχον μεθ' ἑαυτῶν ἐν τῷ πλοίῳ „So hatten sie nur ein Brot bei sich im Schiff"[1].

---

[1] Sehr selten steht im Sem. die Ausnahme vor der Negation, vgl. hebr. Jes 45,5 (LXX übersetzt frei); Hos 13,4 (beidemal זוּלָתִי „außer", LXX πλήν); sehr selten arab., nur syr. öfters (Peš behält auch die Wortstellung hier und in Mk 7,3.4 bei); auch im Griech. ist diese Umkehrung selten. Wahrscheinlich handelt es sich um eine Stileigentümlichkeit des Mk.

2. Der Hauptsatz ist vollständig. Als Ausnahme folgt ein im Hauptsatz noch nicht vorhandener Satzteil (Übersetzung: „nur"). Diese Konstruktion ist im Arabischen (SyntVerh 716f.), Hebräischen, Neuhebräischen und Aramäischen üblich. Hebräisch: 1Kön 17,1 אִם־יִהְיֶה הַשָּׁנִים הָאֵלֶּה טַל וּמָטָר כִּי אִם־לְפִי דְבָרִי, LXX εἰ ἔσται τὰ ἔτη ταῦτα δρόσος καὶ ὑετὸς ὅτι εἰ μὴ διὰ στόματος λόγου μου „Es soll diese Jahre nur (= erst wieder) auf mein Wort Tau oder Regen fallen!"; ferner Gen 21,26 (Zeitbestimmung); 42,15 (בְּ + Inf.); 2Kön 9,35 וְלֹא־מָצְאוּ בָהּ כִּי אִם־הַגֻּלְגֹּלֶת, LXX οὐχ εὗρον ἐν αὐτῇ ἄλλο τι ἢ τὸ κρανίον. Esth 5,12 (Objekt); 2Chr 2,5b (לְ + Inf.); 1QH 4,31 ודרך אנוש לוא תכון כי אם ברוח יצר אל לו „Aber der Weg des Menschen ist nur fest durch den Geist, den Gott für ihn gebildet hat"; CD 10,22 אל יאכל איש ביום השבת כי אם המוכן „Am Sabbat darf jemand nur bereits Vorbereitetes essen"; 11,5f. „höchstens". 17f.; 12,7f.; 13,14f. Neuhebräisch: Ber 2,2; 4,7; 5,1; 6,6; 9,5 אין עולם אלא אחד „Es gibt nur eine Welt"; Suk 3,9; Ket 10,5; BM 9,13; BB 4,4; 10,4. Reichsaramäisch: Aḥiqar 120 (ל + Inf.); AD 3,4 (Schluß der Fastenrolle). Jüdisch-Palästinisch: jBer 4c ברם בקייטא דלא הוה חזיק רישיה לא הוה לביש אלא דאדרעיה „Aber im Sommer, wenn er keine Kopfbedeckung trug, war er nur mit den (Tefillin) seines Armes angetan"; 6a לא הוינן חסרין אתמל אלא מיקום ומירקוד „Uns fehlte gestern nur noch aufzustehen und zu tanzen!"; 6c תמן לא שרית לך אלא בגין דסכנתא דנפשא ברם הכא אסור „Dort habe ich es dir nur wegen Lebensgefahr erlaubt, aber hier ist es verboten!"; jBM 8c לית אתון חיין אלא בזכות בעירא דקיקא „Dann bleibt ihr nur durch die Gerechtigkeit des Kleinviehs am Leben"; jŠebi 35a לא אתכוון משמדתון ולא אתכוון אלא מיכול פיתא חמימא „Er wollte sie nicht zum Abfall veranlassen, sondern er wollte nur frisches Brot essen" u. ebd. ö.ä.; jMŠ 56b כד תהוויין ח⟨כ⟩רין ארעא לא תח⟨כ⟩רון אלא מן דחלונייא „Wenn ihr Land pachten wollt, pachtet es nur von Gottesfürchtigen!"; jŠab 10c לא אתינן מיתני אלא מילין דכל עלמא מודיי בהן „Wir sind gekommen, um nur Worte zu lehren, zu denen sich alle Welt bekennt"; jBM 8c לא אתית אלא מיחמי פרוכסין דידכון „Ich bin nur gekommen, um eure Geschäftsführung zu sehen"; jBQ 6b לית בי מיכל אלא ביעין „Ich kann nur Eier essen"; jBM 8c (Dalman 246: Inf.); jSanh 26c דאנא ידע דלא אתי אלא מיסב מגוסתי מיניי „Von welchem ich weiß, daß er nur kommt, um mir meine Speise wegzunehmen"; GenR 30,7 הא לא אתי מבולא אלא על ביתיה דההוא גברא „Die Sintflut kommt nur über das Haus dieses Mannes"; 70,13 לא אתית טעין אלא מילין „Ich

bin nur mit Worten beladen gekommen"; לא אתית אלא בגין תרתין טלייתך „Ich kam nur wegen deiner beiden Töchter"; LevR 26,7 וכדון דאנא בעלם דקושטא לית את שמע מיני אלא מילין דקשוט „Jetzt aber, da ich in der Welt der Wahrheit bin, hörst du von mir nur wahre Worte"; 27,6 לא אתא אלא לאתפגגא עם בנוי „Er kam nur, um sich mit seinen Kindern zu ergötzen"; PredR zu 3,9 (2mal) = AD 36,6f. כל אינש ואינש לא מתרין אלא עם בעלי אומנותיה „Jeder darf (in der zukünftigen Welt) nur mit seinen Zunftgenossen zusammenwohnen"; AD 17,22 (Ortsbestimmung); 20,1 לית אנא יכיל לאפקא מן הכא אלא בדמות דמית „Ich kann dich hier nur herausbringen, wenn du dich tot stellst"; 20,12 לית ביתא הדין חרב אלא ביד גבר מלכא „Dieses Haus kann nur durch einen König zerstört werden"; 22,16 und 34,4f. (Zeitbestimmung). Babylonisch-Talmudisch: bBer 8a לא הוה מצלינא אלא היכא דגריסנא „Ich betete nur da, wo ich studierte"; 43b ולא אמרן אלא בפנתא אבל בגילדא לית לן בה ובפנתא לא אמרן אלא באורחא „Dies meinen wir nur in Bezug auf das Oberleder, aber bei der Sohle liegt uns nichts daran; aber auch in Bezug auf das Oberleder meinen wir es nur auf der Straße"; 61b לא איברי עלמא אלא לרשיעי גמורי או לצדיקי גמורי „Die Welt wurde nur für die vollkommenen Frevler oder für die vollkommenen Gerechten erschaffen; bPes 105a ולא אמרן אלא בחמרא ושיכרא „Wir haben das aber nur bei Wein und Bier gesagt"; bBB 21a כי מחית לינוקא לא תימחי אלא בערקתא דמסנא „Wenn du ein Kind schlägst, schlage es nur mit einem Schuhriemen!"; bBM 51a מאני תשמישתיה דיקירי עליה לא מזבין להו אי לאו בדמי יתירי „Seine Gebrauchsgegenstände verkauft man, da sie einem lieb sind, nur für einen besonders hohen Preis"; bChul 105a ואנא לא סיירנא אלא חדא זימנא „Aber ich untersuche nur Einmal"; bNaz 12b (Schles S. 208). Das klassische Griechisch liebt diese Ausdrucksweise nicht, doch lassen sich aus der Koine Beispiele anführen: Epiktet III 6,5 ἐπεὶ γὰρ οὐκ ἀγωνίζεται, εἰ μὴ ὅπου κρείσσων ἐστίν. UPZ 54,6 (160 v.) οὐκ ἰλήφασιν ἀλλ' ἢ τὸ ἥμισυ. PSI IV 422,5 (3. Jahrh. v.) ἐμοὶ Κερκίων οὐ δίδωσιν ἀλλ' ἢ δ. Zen pap 59028,6 (258 v.) ὅλως οὐκ εἰλήφαμεν ἀλλ' ἢ ἅπαξ („überhaupt nur einmal")[1].

---

[1] Daneben findet man in dieser Art Sätzen in der Koine sehr selten ἕως „bis auf, ausgenommen", vgl. PLond Nr. 77. 73 (7. Jahrh. n.) οὐκ ἔχω ἕως ἑνὸς τριμησίου „Ich habe nur ein einziges Trimesion", vgl. Mayser 2 S. 525. Dagegen bedeutet hebr. לֹא–עַד אֶחָד o.ä. „auch nicht einer" = „keiner" (vgl. Ri 4,16; 2Sam 17,22 u.ö., LXX ἕως ἑνός), was aber nach Ps 14,3 LXX; 53,4 LXX (= Röm 3,12) und Bauer s. v. auch im Griech. möglich zu sein scheint.

Auch im NT zeigt sich die Tendenz, auf das Ausgenommene schon vorher hinzuweisen (durch οὐδείς, ἄλλος u. a.), doch gibt es noch allerhand Beispiele für jene etwas ungefüge Ausdrucksweise: Das Subjekt des A.c.I. ist ausgenommen: Mk 2,26 (Lk 6,4) οὓς οὐκ ἔξεστιν φαγεῖν εἰ μὴ τοὺς ἱερεῖς. Eine Ortsbestimmung: Mk 6,4 (Mt 13,57); Mt 15,24 οὐκ ἀπεστάλην εἰ μὴ εἰς τὰ πρόβατα τὰ ἀπολωλότα οἴκου Ἰσραήλ. Röm 13,1. Eine Zeitbestimmung: Mk 9,9. Ein Mittel (ἐν): Mt 12,24; 17,21 CDW𝔎 τοῦτο δὲ τὸ γένος οὐκ ἐκπορεύεται εἰ μὴ ἐν προσευχῇ καὶ νηστείᾳ. 1Kor 12,3; (διά): Joh 14,6. Eine Begründung (ἐν): 2Kor 12,5 Bא; Gal 6,14; 1Tim 5,19 (ἐκτὸς εἰ μὴ ἐπὶ δύο ἢ τριῶν μαρτύρων). Ein Zweck (ἵνα): Mk 4,22a.b; Joh 10,10. Ein Adjektiv: 1Kor 10,13 πειρασμὸς ὑμᾶς οὐκ εἴληφεν εἰ μὴ ἀνθρώπινος. In Joh 13,10a B müßte im Semitischen νίψασθαι entweder direkt vor oder direkt nach εἰ μή stehen; 13,10b schließt jedoch in keinem Falle an, da „sondern" nur einem negierten Satz folgen kann, wozu 10a allein durch Streichung von εἰ μὴ τοὺς πόδας wird. 1Kor 7,5 εἰ μήτι ἂν ἐκ συμφώνου πρὸς καιρὸν ἵνα σχολάσητε τῇ προσευχῇ hat in unsemitischer Weise Ausnahmen verschiedener Art.

3. Im NT wird das Ausgenommene öfters durch Formen von οὐδείς (μηδείς) bzw. οὔ τις (μή τις) vorweggenommen (wörtlich: „niemand [nichts] — außer", freier: „nur"), und zwar: a) Das Subjekt: Mk 10,18 (Lk 18,19) οὐδεὶς ἀγαθὸς εἰ μὴ εἷς θεός. Mt 11,27b.c[1] (Lk 10,22b.c); Joh 3,13; 6,46[1]; 17,12; 1Kor 2,11b; 8,4 (adjektivisch, wie semitisch unmöglich); Apc 2,17; 13,17[1]; 14,3; 19,12. b) Das Objekt[2]: Mk 5,37[3] (Lk 8,51[1]); 6,8[4]; 9,8[3] (Mt 17,8); 11,13 (Mt 21,19)

---

[1] οὐ (μή) τὶς (τινά, τὶ); wenn nicht anders bemerkt, οὐδείς.

[2] Von den Stellen, an denen Formen von οὐδείς o.ä. als Objekt und nach ἐν erscheinen, hat an mehreren der erste Satz einen selbständigen Akzent, d. h. das „niemand, nichts" ist betont, während εἰ μή nur eine (korrigierende) Ausnahme nennt. Es handelt sich also nicht um Ausnahmesätze im sem. Sinn, wo der Ton auf der Ausnahme liegt (man würde deshalb in diesen Fällen im Sem. eine der präpositionalen Ausnahmepartikeln erwarten, vgl. S. 103 Anm. 5.6 und S. 104 Anm. 1; an den einzigen mir bekannten vergleichbaren Stellen steht auch בִּלְתִּי [Num 32,11f.] bzw. זוּלָתִי [Jos 11,13 mit unverkürztem Ausnahmesatz]; LXX hat beidemal πλήν). Diese Stellen sind: Mk 5,37 = Lk 8,51 (Wunder soll nicht vor der Öffentlichkeit geschehen); Mk 6,8 (unbedeutende Ausnahme); Joh 8,10 𝔎 (kein Ankläger war mehr da); 2Kor 12,5.

[3] οὐκ (οὐκέτι) οὐδένα.

[4] Der Gegensatz zwischen Mk 6,8f. εἰ μὴ ῥάβδον μόνον, ἀλλὰ ὑποδεδεμένους σανδάλια und Mt 10,10 μηδὲ ὑποδήματα μηδὲ ῥάβδον — Lk 9,3 μήτε ῥάβδον, 10,4

οὐδὲν εὗρεν εἰ μὴ φύλλα. Joh 8,10 𝔎; Act 26,22 (freiere Wortstellung: οὐδὲν ἐκτὸς λέγων ὧν τε οἱ προφῆται ἐλάλησαν); Röm 13,8a μηδενὶ μηδὲν ὀφείλετε. 1Kor 1,14; 2,2 (vgl. S. 109 Anm. 1). c) Ein präpositionaler Ausdruck (vgl. S. 109 Anm. 2): Mk 9,29 τοῦτο τὸ γένος ἐν οὐδενὶ δύναται ἐξελθεῖν εἰ μὴ ἐν προσευχῇ[1]. 2Kor 12,5 P[46] ὑπὲρ δὲ ἐμαυτοῦ οὐδὲν καυχήσομαι εἰ μὴ ἐν ταῖς ἀσθενείαις. d) Ein Dativobjekt: Act 11,19.

Nun gibt es im Semitischen kein Indefinitpronomen. Doch könnte hier eines der üblichen Ersatzworte gestanden haben, die LXX z. T. durch οὐδείς wiedergibt, vgl. 2Sam 12,3 וְלָרָשׁ אֵין־כֹּל כִּי אִם־כִּבְשָׂה אַחַת קְטַנָּה, LXX καὶ τῷ πένητι οὐδὲν ἀλλ’ ἢ ἀμνὰς μία μικρά. 2Kön 4,2 אֵין לְשִׁפְחָתְךָ כֹל בַּבַּיִת כִּי אִם־אָסוּךְ שָׁמֶן, LXX οὐκ ἔστιν τῇ δούλῃ σου οὐθὲν ἐν τῷ οἴκῳ ὅτι ἀλλ’ ἢ ὃ ἀλείψομαι ἔλαιον. Num 11,6 (אֵין כֹּל, LXX οὐδέν); 1Kön 3,18 (אֵין־זָר, LXX οὐκ — οὐδείς); Dan 10,21 (אֵין אֶחָד, LXX οὐδείς); Gen 39,6.9 (לֹא־מְאוּמָה, LXX οὐκ — οὐδέν); Esth 2,15 (לֹא דָבָר, LXX οὐδέν); Dan 2,11 (aram. אָחֳרָן לָא, LXX οὐδείς)[2]. Dem entspricht im Jüdisch-Palästinischen (+ לא = „niemand“, „nichts“): בר נש, אנש, גבר; כלום. Wahrscheinlicher ist jedoch, daß — soweit nicht originales Griechisch vorliegt — die semitische Negation (לא [לֹא, אַל] bzw. לית [אַיִן] im Nominalsatz) gräzisierend durch das negative Pronomen er-

---

μὴ ὑποδήματα, läßt sich so erklären, daß hier noch in der aram. Fassung אלא „außer, sondern“ und לא bzw. ולא („nicht“ bzw. „und nicht“) verwechselt wurden, wie es etwa belegt ist bŠab 116b (aram. Übersetzung von Mt 5,17: Schles S. 203); μόνον wäre dann griech. Zutat (vgl. S. 126ff.). So J. D. Michaelis, Einl. 4. Aufl. 1788, L. Bertholdt Einl. III 1819 (vgl. Meyer Jesu Muttersprache 103), Wellh Mk 1. Aufl., Torrey, Our Translated Gospels 143—45 (denkt an Verlesung von לא[ורחא]לא), Burney Poetry 121 Anm. 1. Vgl. Black 158, ferner Schulthess ZNW 21 (1922), 234; A. Oepke ThWNT V 311 (beide dagegen), Grant 108. In mündlicher Überlieferung ist eine solche Verwechslung jedoch sehr unwahrscheinlich.

[1] Torrey, Our Transl. Gospels 129—31, hält aram. אין לא (= εἰ μή) für verlesen aus אף לא „nicht einmal“. Aber „außer“ ist aram. (außer sehr selten bab.-talmud.) immer kontrahiert (אלא), diese Verwechslung also ausgeschlossen, vgl. S. 102 Anm.

[2] Außerdem übersetzt LXX durch οὐδείς noch folgende hebr. Wörter, die zufällig in Ausnahmesätzen nicht belegt sind: negiertes אִישׁ (Gen 41,44; 45,1 u.ö.); negiertes מִן + Suffix (Ex 5,8), vgl. zu negiertem אֶחָד Ex 8,27; 9,6.7 u.ö.; negiertem דָּבָר Ex 5,11; Jos 11,15 u.ö.; negiertem מְאוּמָה Gen 30,31; 40,15 u.ö.

setzt[1,2] bzw. ergänzt wurde[3], wie z.B. Esth 5,12 לֹא־הֵבִיאָה אֶסְתֵּר הַמַּלְכָּה ... כִּי אִם־אוֹתִי, LXX οὐ κέκληκεν ἡ βασίλισσα... οὐδένα... ἀλλ' ἢ ἐμέ, vgl. 2Kön 9,35 (LXX + ἄλλο τι); Jer 22,17 (LXX setzt im Hauptsatz καλή zu)[4]. Für diesen Punkt gelten also auch noch die semitischen Beispiele von 1. und 2. οὐδείς o.ä. vor der Ausnahme ist im klassischen Griechisch (doch setzt man hier gern noch ἄλλος hinzu) und in der Koine recht oft belegt (auch nicht am Anfang stehend).

4. Der ausgenommene Satzteil ist im Hauptsatz schon durch ein Substantiv vertreten (Übersetzung: „außer"). Dieser Fall ist neben dem Arabischen im Hebräischen, Neuhebräischen und Aramäischen öfters belegt. Im einzelnen erscheint dabei als Ausnahme: a) Das Subjekt eines Verbalsatzes: Hebräisch: 2Chr 21,17 וְלֹא נִשְׁאַר־לוֹ בֵּן כִּי אִם־יְהוֹאָחָז קְטֹן בָּנָיו, LXX καὶ οὐ κατελείφθη αὐτῷ υἱὸς ἀλλ' ἢ Ὀχοζιας ὁ μικρότατος τῶν υἱῶν αὐτοῦ. Num 32,12; 1Sam 30,17. Šab 2,3; jSot 24a אין לך רפואה אלא חלב רותח „Es gibt für dich kein anderes Heilmittel (gegen Husten) außer warmer Milch"; KlglR zu 1,1 לא מימי נצחני אדם אלא אלמנה זו „Noch nie hat mich ein Mensch besiegt außer

---

[1] Das geschieht auch noch innerhalb des NT! So steht οὐδείς (statt οὐκ): Mk 9,29 (Mt 17,21 CDW); Lk 4,24 (Mk 6,4; Mt 13,57); 17,18 D (Lk 17,18 Bא); vgl. αὐτῷ: Mt 12,4 (Mk 2,26; Lk 6,4).

[2] Im Aram. hätte es also ausgesehen wie Peš Mk 11,13 לא אשכח בה אלא אן טרפֵא (sonst übersetzt Peš jedoch in den Evangelien immer ganz wörtlich durch לא מדם, לא אנש [wie es auch gern in freiem Syrisch geschieht], auch wo z.B. אנש nicht ganz zum Sinn paßt wie Mk 9,8 = Mt 17,8; jedoch steht Mk 10,18 = Lk 18,19 לית!). LXX-Beispiele für diesen Ersatz gibt es bei den Ausnahmesätzen zufällig nicht, sonst aber öfters: 1. für אַיִן: Jos 6,1 אֵין יוֹצֵא, καὶ οὐθεὶς ἐξεπορεύετο ἐξ αὐτῆς. Jes 59,4; 63,5 u.ö.; Aram.: Dan 3,25 וַחֲבָל לָא־אִיתַי בְּהוֹן, καὶ φθορὰ οὐδεμία ἐγενήθη ἐν αὐτοῖς. 2. für לֹא: Hi 1,22; 2,10 לֹא־חָטָא אִיּוֹב, οὐδὲν ἥμαρτεν Ιωβ. Spr 30,20; Ps 23,1 u.ö.

[3] Es fällt nämlich auf, daß οὐδείς, οὐδέν etc. immer vor dem Verbum (meist sogar am Satzanfang) steht (außer Mk 5,37 = Lk 8,51 und Joh 6,46, wo aber οὐ auch voransteht, nur dann οὐδένα [τινά] nach), wie es im Sem. bei לא üblich ist; auch לית (אַיִן) steht meist am Satzanfang.

[4] Außerhalb von Ausnahmesätzen findet sich Zusatz von οὐδείς in LXX öfters: Gen 37,4; 39,9; Jos 10,28.39; Hi 21,25; 42,7; Spr 26,2 u.ö., vgl. (οὐδείς + 3. sing. statt 3. plur.): Jer 15,10 („man"); Jes 36,21; Dan 5,8; Gen 20,9. Ebenso Zusatz von τὶς nach einer Negation: Am 3,4b.5b; Spr 21,25 (nach negativem Wort: מָאֵן „sich weigern"), vgl. auch Hi 27,10; Ps 88,12 (τὶς + Aktiv statt Passiv); Spr 25,28 (Verb verlesen).

dieser Witwe". Aramäisch: Petra 1,5 (NE 451); jŠab 8c הכין כל עמא לא אקים לבר נש אלא לי „So hat man noch keinen Menschen außer mir hingestellt"; LevR 30,6 מן כל מה דקפחית ומן כל מה דנסבית לית ליה להחוא גברא כלום אלא הדין טפיטא דתחותי והוא מן דידך „Von allem, was ich geraubt und genommen habe, besitze ich nichts mehr außer diesem Teppich, auf dem ich sitze, und der gehört dir"; KlglR zu 1,5 עבדינן בינינן דלא יפוק בר נש מהכא אלא דמית „Wir haben unter uns ausgemacht, daß niemand von hier herausgeht außer einem Toten"; AD 20,13 ולית גבר הדיוט שליט ביה אלא גבר מלך „Und nicht wird ein Ungelehrter darüber herrschen, außer einem König"[1]. b) Das Objekt eines Verbalsatzes: Hebräisch: Jos 14,4 וְלֹא־נָתְנוּ חֵלֶק לַלְוִיִּם בָּאָרֶץ כִּי אִם־עָרִים לָשֶׁבֶת, LXX καὶ οὐκ ἐδόθη μερὶς ἐν τῇ γῇ τοῖς Λευίταις ἀλλ' ἢ πόλεις κατοικεῖν. Gen 39,6.9; 2Kön 13,7 (LXX passiv); Esth 2,15; Hos 13,4c.[2] Aramäisch: Cowley 13,11f. אף לא יכל גבר אחרן יהנפק עליכי ספר חדת ועתק להן זנה ספרא זי אנא כתבת „Auch soll niemand anderes gegen dich irgendeinen Vertrag hervorholen können außer diesem Vertrag, den ich geschrieben habe" = Kraeling 9,22; Afraat (ed. Wright) 312,20 (syr.) וחדא מן דמותא לא עבדו להון לסגדתא אלא דמותא דעגלא „Aber sie machten sich kein Bild zur Anbetung außer dem Bild eines Kalbes". c) Das Dativobjekt eines Verbalsatzes: Hebräisch: 2Kön 5,17 לוֹא־יַעֲשֶׂה עוֹד עַבְדְּךָ עֹלָה וָזֶבַח לֵאלֹהִים אֲחֵרִים כִּי אִם־לַיהוה, LXX οὐ ποιήσει ἔτι ὁ δοῦλός σου ὁλοκαύτωμα καὶ θυσίασμα θεοῖς ἑτέροις ἀλλ' ἢ τῷ κυρίῳ μόνῳ (vgl. S. 113 Anm. 2). Aramäisch: Dan 3,28 וְלָא־יִסְגְּדוּן לְכָל־אֱלָהּ לָהֵן לֵאלָהֲהוֹן, LXX μηδὲ προσκυνήσωσιν θεῷ ἑτέρῳ ἀλλ' ἢ τῷ θεῷ αὐτῶν. d) Das Subjekt eines Nominalsatzes: Hebräisch: Pred 3,12 (8,15) אֵין טוֹב בָּם כִּי אִם־לִשְׂמוֹחַ, LXX οὐκ ἔστιν ἀγαθὸν ἐν αὐτοῖς εἰ μὴ τοῦ εὐφρανθῆναι. Dt 4,35 (ergänze אֱלֹהִים); Jos 11,19; 1Sam 21,7; 2Sam 12,3; 2Kön 4,2; Neh 2,12; Hos 13,4d; Ber 5,4; BQ 4,9. Aramäisch: Dan 2,11 וְאָחֳרָן לָא אִיתַי דִּי יְחַוִּנַּהּ קֳדָם מַלְכָּא לָהֵן אֱלָהִין, LXX καὶ οὐδείς ἐστιν, ὃς δηλώσει ταῦτα τῷ βασιλεῖ, εἰ μήτι ἄγγελος. jSanh 23b לית בכל ההן דרא כשר אלא את

[1] Oder: „Nicht wird ein Gemeiner darüber herrschen, sondern ein König" (Dalman WJ 348), je nachdem, ob der מלך auch ein הדיוט ist oder nicht, vgl. S. 135.

[2] In 1Kön 22,31 (2Chr 18,30) ist dagegen כִּי אִם mit „sondern" zu übersetzen, wie aus der Zufügung von לְבַדּוֹ zweifelsfrei hervorgeht. Denn לְבַד wird im Hebr. nach כִּי אִם „außer" nicht zugesetzt, sondern höchstens nach כִּי אִם „sondern", vgl. 2Sam 13,33; 2Kön 10,23.

„Es gibt in diesem ganzen Geschlecht keinen Tauglichen außer dir". e) Eine Ortsbestimmung: 2Kön 5,15 אֵין אֱלֹהִים בְּכָל־הָאָרֶץ כִּי אִם־בְּיִשְׂרָאֵל, LXX οὐκ ἔστιν θεὸς ἐν πάσῃ τῇ γῇ ὅτι ἀλλ' ἢ ἐν τῷ Ισραηλ. f) Eine Zeitbestimmung: 2Kön 23,22f. g) Ein Instrument: Šab 2,3. h) Ein ganzer Satz: Arabisch: Synt Verh 719; Hebräisch: Num 11,6 אֵין כֹּל בִּלְתִּי אֶל־הַמָּן עֵינֵינוּ, LXX οὐδὲν πλὴν εἰς τὸ μαννα οἱ ὀφθαλμοὶ ἡμῶν „Nichts ist da, außer daß wir (dauernd) das Manna sehen" (Nominalsatz). Außerdem ist noch zu bemerken: i) Im Hauptsatz und als Ausnahme kann dasselbe Substantiv gebraucht sein (vgl. S. 97 Anm. 1): Arabisch: SyntVerh 713. Hebräisch: 1Sam 21,7 לֹא־הָיָה שָׁם לֶחֶם כִּי־אִם־לֶחֶם הַפָּנִים, LXX οὐκ ἦν ἐκεῖ ἄρτος ὅτι ἀλλ' ἢ ἄρτοι τοῦ προσώπου. 1Sam 30,17; Neh 2,12; 2Chr 21,17. Aramäisch: Dan 3,28; Cowley 13,11f.; Kraeling 9,22. k) Das Ausgenommene kann auch ein selbständiger Relativsatz sein: Esth 2,15; Petra 1,5. Das klassische Griechisch und die Koine bieten für diese Konstruktion Beispiele.

Aus dem NT ist hier einzuordnen: Mt 12,39 (16,4; Lk 11,29) καὶ σημεῖον οὐ δοθήσεται αὐτῇ εἰ μὴ τὸ σημεῖον Ἰωνᾶ (als Subjekt eines Verbalsatzes und als Ausnahme ist dasselbe Substantiv gebraucht, vgl. a, i); Lk 17,18 D ἐξ αὐτῶν οὐδεὶς εὑρέθη ὑποστρέφων ὅς δώσει δόξαν τῷ θεῷ εἰ μὴ ὁ ἀλλογενὴς οὗτος (Subjekt eines Verbalsatzes ausgenommen, vgl. a); in Lk 17,18 B[1] οὐχ εὑρέθησαν ὑποστρέψαντες δοῦναι δόξαν τῷ θεῷ εἰ μὴ ὁ ἀλλογενὴς οὗτος ist der Plural εὑρέθησαν ὑποστρέψαντες unsemitisch[2], wenn man nicht verstehen will: „Es fand sich, daß sie (die Neun) nicht zurückkehrten, sondern nur dieser Fremdling"; Phil 4,15 (adjektivisches οὐδείς gibt es im Semitischen nicht) οὐδεμία μοὶ ἐκκλησία ἐκοινώνησεν εἰς λόγον δόσεως καὶ λήμψεως εἰ μὴ

[1] Hier liegt ein Behauptungssatz vor, da οὐκ nur eine Frage einleitet, wenn eine bejahende Antwort erwartet wird, vgl. K-G 589.3.4, Schwyzer 629, Mayser 2, S. 545, Bl-Debr. 427.2.

[2] Ein Plural im Hauptsatz ist nicht mehr Vorwegnahme einer singularischen Ausnahme, sondern hat einen selbständigen Akzent, ist also unsem., vgl. S. 109 Anm. 2. So steht Num 32,11f. nach הָאֲנָשִׁים הָעֹלִים מִמִּצְרַיִם „die Auszugsgeneration" auch die Präpos. בִּלְתִּי! In 2Kön 5,17 ist אֱלֹהִים אֲחֵרִים entweder sing. zu übersetzen („einem anderen Gotte" wie Dan 3,28) oder כִּי אִם „sondern nur". Außerdem steht ein Plural im Hauptsatz vor „sondern" in der Formel לֹא־הָיוּ לוֹ בָּנִים כִּי אִם־בָּנוֹת in Jos 17,3; 1Chr 2,34; 23,22; aber hier ist 1. auch das Ausgenommene ein Plural und 2. hat בָּנִים fast schon die Bedeutung „(männliche) Nachkommenschaft".

ὑμεῖς μόνοι (vgl. a); Act 15,28 ἔδοξεν γὰρ τῷ πνεύματι τῷ ἁγίῳ καὶ ἡμῖν μηδὲν πλέον ἐπιτίθεσθαι ὑμῖν βάρος πλὴν τούτων τῶν ἐπάναγκες (Objekt eines Verbalsatzes in freier, griechischer Wortstellung, vgl. b). Das Subjekt eines Nominalsatzes (vgl. d) ist ausgenommen in Joh 19,15[1] οὐκ ἔχομεν βασιλέα εἰ μὴ Καίσαρα. Ein ganzer Satz folgt (vgl. h): Act 21,25 ℜD κρίναντες μηδὲν τοιοῦτον τηρεῖν αὐτοὺς εἰ μὴ φυλάσσεσθαι αὐτοὺς τὸ εἰδωλόθυτον (der A.c.I. entspricht einem semitischen konjunktionalen Nebensatz, vgl. a). In Mk 6,5 καὶ οὐκ ἐδύνατο ἐκεῖ ποιῆσαι οὐδεμίαν δύναμιν, εἰ μὴ ὀλίγοις ἀρρώστοις ἐπιθεὶς τὰς χεῖρας ἐθεράπευσεν liegt ein (zwar frei formulierter) unverkürzter Ausnahmesatz vor (vgl. S. 102 Anm. 2 und S. 115 Anm. 1). Mk 6,5 entspricht semitischer Redeweise nicht, da der Ausnahmesatz 1. nur ein unbetonter, einschränkender Zusatz ist (vgl. S. 109 Anm. 2) und 2. zwei verschiedene Ausnahmen enthält: a) nur Krankenheilungen, b) nur an wenigen Personen (vgl. S. 109 zu 1Kor 7,5).

5. An einigen ntl. Stellen wird die Ausnahme durch „anderer (ἄλλος, ἕτερος)“[2] vorweggenommen: Mk 12,32 οὐκ ἔστιν ἄλλος πλὴν αὐτοῦ. Joh 6,22 πλοιάριον ἄλλο οὐκ ἦν ἐκεῖ εἰ μὴ ἕν. 1Kor 8,4 ℜ οὐδεὶς θεὸς ἕτερος εἰ μὴ εἷς. 2Kor 1,13 א(B) οὐ γὰρ ἄλλα γράφομεν ὑμῖν ἀλλ' (om. B) ἢ ἃ ἀναγινώσκετε. Dafür gibt es auch einige semitische Belege, so etwa: Hebräisch: 1Sam 21,10 אֵין אַחֶרֶת זוּלָתָהּ בָּזֶה, LXX οὐκ ἔστιν ἑτέρα πάρεξ ταύτης ἐνταῦθα. 1QS 11,18 ואין אחר זולתכה להשיב על עצתכה „Und es gibt keinen anderen außer dir, zu antworten auf deinen Rat“, vgl. auch 1Kön 3,18 אֵין־זָר ... זוּלָתִי, LXX οὐκ ἔστιν οὐθείς ... πάρεξ. 2Kön 5,17 לֵאלֹהִים אֲחֵרִים, LXX θεοῖς ἑτέροις[3]. Reichsaramäisch: Dan 2,11 וְאָחֳרָן לָא אִיתַי ... לָהֵן, LXX καὶ οὐδείς ἐστιν ... εἰ μήτι; Cowley 8,10f. לא איתי לי בר וברה אחרנן אח ואחה ואנתה ואיש אחרן שליט בארקא זך להן אנתי. In den jüngeren aramäischen Sprachen sowie dem Neuhebräischen und Arabischen (wo ja überhaupt nur das dem εἰ μή genau entsprechende אלא gebraucht wird), scheint es

---

[1] Vgl. S. 106 zu Mt 14,17 und Mk 8,14 Bא.

[2] Ursprünglich ist ἕτερος dualisch = „einer von zweien“ bzw. „wesensverschieden“, ἄλλος meint dagegen ein zweites Exemplar derselben Gattung. Beide Wörter werden griech. substantivisch und adjektivisch gebraucht. Im NT scheint ἕτερος besseres Griech. darzustellen, vgl. (nach Nestle)

	Mt	Mk	Joh	Lk	Act
ἄλλος:	29mal	22mal	33mal	11mal	5mal
ἕτερος:	9mal	(1mal)	1mal	32mal	17mal

[3] Vgl. S. 113 Anm. 2.

dagegen keine Beispiele zu geben. Dagegen findet man im klassischen Griechisch ἄλλος bzw. ἕτερος vor εἰ μή, ἀλλά, ἀλλ' ἤ sehr häufig, in der Koine oft. Das hier besprochene ἄλλος bzw. ἕτερος dürfte also griechischen Ursprungs sein. Dafür spricht auch: a) In Mk 12,32 ist ἄλλος gegen M und LXX in Dt 4,35 eingesetzt (aus Ex 8,6 LXX?). b) Schon LXX hat ἄλλος in Ausnahmesätze eingefügt: 2Kön 9,35; Neh 2,12 א c (außerdem öfters sonst: Gen 19,12; Ex 4,13; 8,6; 9,14; Jos 4,9; 1Kön 21,6; Hi 37,23; Jes 43,10), ebenso ἕτερος (statt aram. כל) in Dan 3,28 (außerdem sonst: Ex 26,28; Dt 4,28; Ri 11,34; Hi 31,9; Jes 30,10; Hos 3,3; Am 3,15).

6. Die Ausnahme besteht aus einem ganzen Satz. Dieser wird oft durch eine besondere Konjunktion eingeführt. Aber auch wenn keine besondere Konjunktion gebraucht wird, ist dieser Satz im Semitischen nicht direkt von der Exzeptivpartikel abhängig, sondern er ist nur ein Teil (ein Satzteil) des nach der Exzeptivpartikel zu ergänzenden Satzes[1], dessen Verbum finitum als mit dem des Hauptsatzes übereinstimmend ausgelassen ist. Es handelt sich nämlich bei den konjunktionslosen Ausnahmesätzen um Zustandssätze. Diese sind nun entweder zur Haupthandlung gleichzeitig (Übersetzung bei gleichem Subjekt in Haupt- und Nebensatz sowie mit „wenn nicht" zusammengenommen: „der nicht", „ohne daß er", sonst: „außer indem", „außer dabei", „ohne daß"), wenn es sich um einfache Nominalsätze handelt oder das Prädikat im Imperfekt steht, oder vorzeitig (Übersetzung: „außer, nachdem"), wenn das Prädikat im Perfekt steht[2]. Unverkürzt würde ein solcher zusammengesetzter Satz lauten (Jes 55,10): „Der Regen kehrt nicht in den Himmel zurück, wenn (er) nicht (in den Himmel zurückkehrt), nachdem er die Erde getränkt hat" = „ohne daß er vorher die Erde getränkt hat." Daß diese Ausnahmesätze Zustandssätze sind, wird besonders aus dem Arabischen deutlich (SyntVerh 720—723, Syntax 508, Wagner 336), wo sie oft durch wa (das Kennzeichen des Zustandssatzes) eingeleitet

---

[1] Er darf also nicht mit dem unverkürzten Ausnahmesatz verwechselt werden (vgl. S. 102 Anm. 2), in dem das Verbum des Hauptsatzes wiederholt ist.

[2] Doch kann im Arab. nach präteritalem Hauptsatz auch eine gleichzeitige punktuale Handlung durch das Perfekt ausgedrückt werden, wohl unter dem Einfluß des von 'illā nach Analogie der Konditionalkonjunktionen regierten nichtpräteritalen Perfekts.

werden[1]. Allerdings spricht manches dafür, daß die Semiten diese Sätze doch oft als von der Ausnahmepartikel abhängig empfunden haben: So fehlt im Arabischen das einleitende wa oft[2]; im Hebräischen wird nach כִּי אִם o.ä. keine zweite Konjunktion gebraucht[3], weil anscheinend die Exzeptivpartikel als den Ausnahmesatz regierende Konjunktion aufgefaßt wurde, was dadurch erleichtert wurde, daß in der hebräischen Exzeptivpartikel כִּי (בִּלְתִּי) אִם das „wenn“ (אִם) unkontrahiert nachsteht[4]; und in den aramäischen Sprachen mit ihrer loseren Satzfügung ist eine so strenge Satzverknüpfung, wie sie dieser eingebaute Zustandssatz darstellt, sowieso kaum zu verstehen. Eine solche Verbiegung, die die ursprüngliche Satzfügung aufgeweicht und aus der (aus einer Konjunktion entstandenen) Ausnahmepartikel eine neue Konjunktion „außer wenn“[5] gemacht hat (die sich aber jetzt nur auf einen Satzteil des ursprünglichen Nebensatzes bezieht), scheint also z. T. wirklich vorzuliegen. Das ändert jedoch nichts am Sinn dieser Konstruktion, der gerade aus ihrem ursprünglichen Verständnis verdeutlicht werden muß[6].

---

[1] Vgl. auch die Tatsache, daß die Bedeutung „ohne daß“ ebensogut dadurch ausgedrückt werden kann, daß vor den Zustandssatz an Stelle der Exzeptivpartikel eine Negation (+ וְ) tritt; vgl. Hebr. 1Sam 20,2 לֹא־יַעֲשֶׂה אָבִי דָּבָר גָּדוֹל אוֹ דָּבָר קָטֹן וְלֹא יִגְלֶה אֶת־אָזְנִי, LXX οὐ μὴ ποιήσῃ ὁ πατήρ μου ῥῆμα μέγα ἢ μικρὸν καὶ οὐκ ἀποκαλύψει τὸ ὠτίον μου „Mein Vater tut nichts, ohne es mir zu offenbaren“; Am 3,5.6; vgl. Am 3,4a וְטֶרֶף אֵין לוֹ, θήραν οὐκ ἔχων mit b בִּלְתִּי אִם־לָכַד, ἐὰν μὴ ἁρπάσῃ τι: Der gleiche Sinn („er besitzt“) wird einmal durch gleichzeitigen Zustandssatz („er hat“) und einmal durch vorzeitigen Ausnahmesatz („er hat ergriffen“) ausgedrückt.

[2] Vgl. auch, daß, wie in den Konditionalsätzen, nichtpräteritales Perfekt vorkommt (vgl. S. 115 Anm. 2).

[3] Dafür benutzt man im Hebr. den präpos. Inf. (vgl. S. 34 Anm. 6), vgl. Gen 42,15 אִם תֵּצְאוּ מִזֶּה כִּי אִם־בְּבוֹא אֲחִיכֶם הַקָּטֹן הֵנָּה, LXX οὐ μὴ ἐξέλθητε ἐντεῦθεν, ἐὰν μὴ ὁ ἀδελφὸς ὑμῶν ὁ νεώτερος ἔλθῃ ὧδε. 2Chr 2,5b כִּי אִם־לְהַקְטִיר, LXX ὅτι ἀλλ' ἢ τοῦ θυμιᾶν, wie im Aram. nur an Stelle von Final-, Subjekt- und Objektsätzen.

[4] Auch nach den anderen hebr. Ausnahmepartikeln, die nicht mit אִם zusammengesetzt sind, kommt keine zweite Konjunktion vor.

[5] Dieses „wenn“ ist temporal! Es nennt nicht eine Bedingung, sondern nur die näheren Umstände!

[6] Deshalb wird im folgenden streng nach der historischen sem. Syntax analysiert, auch wenn der Satzaufbau den Semiten selbst z.T. nicht mehr bewußt gewesen sein sollte. Das wird etwa wichtig bei Mk 10,29f.

a) Zustandssätze als Ausnahme sind (neben dem Arabischen, vgl. S. 115) besonders im Hebräischen oft belegt. Sie bestehen entweder α) aus einfachen Nominalsätzen, die meist mit dem Hauptsatz gleichzeitig sind, oder β) sie enthalten ein Perfekt und bezeichnen eine dem Hauptsatz gegenüber abgeschlossene Handlung[1]. Aber auch im Aramäischen gibt es hierhergehörige Beispiele[2]. α) Hebräisch: Gen 43,3.5 לֹא־תִרְאוּ פָנַי בִּלְתִּי אֲחִיכֶם אִתְּכֶם, LXX οὐκ ὄψεσθε τὸ πρόσωπόν μου, ἐὰν μὴ ὁ ἀδελφὸς ὑμῶν ὁ νεώτερος μεθ' ὑμῶν ᾖ. Num 11,6 „die Tatsache daß". Neuhebräisch: GenR 46,3 אין בך פסולת אלא ציפורן של אצבע קטנה שליך גדולה קמעא „Du hast keinen Fehler, außer daß der Nagel deines kleinen Fingers etwas zu groß ist". β) Hebräisch:

---

[1] Sonst werden allerdings im Hebr. Nebenhandlungen, die während des Verlaufs der Haupthandlung bereits abgeschlossen vorliegen (nachgestellte vorzeitige Zustandssätze), in der Regel dadurch als Zustandsschilderungen, die die Haupthandlung unterbrechen, kenntlich gemacht, daß dem Perfekt das Subjekt vorangestellt wird (durch Inversion der gewöhnlichen Wortstellung oder durch Zusatz des Personalpron.). Vgl. 1Kön 1,41 וַיִּשְׁמַע אֲדֹנִיָּהוּ וְכָל־הַקְּרֻאִים אֲשֶׁר אִתּוֹ וְהֵם כִּלּוּ לֶאֱכֹל „Das hörten Adonja und alle seine Gäste, nachdem sie gerade ihre Mahlzeit beendet hatten", Gen 18,13; Jos 18,1; 1Sam 1,5 u.ö. Doch kann die Voranstellung des Subjekts auch unterbleiben, wie etwa Ri 7,19, wo nur אַךְ mit Inf. abs. voransteht: וַיָּבֹא גִדְעוֹן וּמֵאָה־הָאִישׁ אֲשֶׁר־אִתּוֹ בִּקְצֵה הַמַּחֲנֶה רֹאשׁ הָאַשְׁמֹרֶת הַתִּיכוֹנָה אַךְ הָקֵם הֵקִימוּ אֶת־הַשֹּׁמְרִים „Und Gideon erreichte mit seinen hundert Mannen zu Anfang der mittleren Nachtwache den Rand des Lagers, nachdem man eben die Wachen ausgestellt hatte"; Gen 27, 30 (vorangestellter Zustandssatz mit nachgestelltem Subj.); 44,4 (Parenth.). Hebr. Impf. steht dagegen in gleichzeitigen Zustandssätzen bei gleichem Subj. immer ohne vorangestelltes Subj.: 1Sam 1,10; 20,2; Am 3,5b (+ Inf. abs.); Hi 16,13; 24,22; 27,22; 42,3 (synd.) — Lev 1,17; Jes 5,11; 10,24; 30,31; Jer 21,7; Ps 4,3b; 103,5; Hi 29,24; 31,34; 36,8 (asynd.) u.ö.; anders: 2Sam 15,37 וַיָּבֹא חוּשַׁי רֵעֶה דָוִד הָעִיר וְאַבְשָׁלֹם יָבֹא יְרוּשָׁלָ͏ִם „Und Davids Freund Husai kam gerade nach der Stadt, als Absalom in Jerusalem einzog". Impf. aber ist in Ausnahmesätzen im Hebr. zufällig nicht belegt. Im arab. Zustandssatz wird das Subj. bei Impf. nur bei Subjektswechsel, bei Perfekt (meist + waqad) gar nicht vorangestellt. Vgl. VglGr 318—23, GKa 156, Kuhr 30ff., Brockelmann 139.

[2] Auch im Reichsaram. kommen noch verbale Zustandssätze ohne explizites Subjekt vor, vgl. vorzeitig (Perfekt): Dan 6,25b וְלָא־מְטוֹ לְאַרְעִית גֻּבָּא עַד דִּי־שְׁלִטוּ בְּהוֹן אַרְיָוָתָא „Und sie waren noch nicht auf den Boden der Grube gelangt, als schon die Löwen über sie herfielen" (?); gleichzeitig (Impf.): Dan 4,2 חֵלֶם חֲזֵית וִידַחֲלִנַּנִי „Einen Traum sah ich, der erschreckte mich"; 7,16 אֶבְעֵא „Indem ich verlangte", vgl. BLA 78m. 107d; und zu Dan 6,25b S. 133 Anm.

Am 3,7 כִּי לֹא יַעֲשֶׂה אֲדֹנָי יהוה דָּבָר כִּי אִם־גָּלָה סוֹדוֹ אֶל־עֲבָדָיו הַנְּבִיאִים, LXX διότι οὐ μὴ ποιήσῃ κύριος ὁ θεὸς πρᾶγμα, ἐὰν μὴ ἀποκαλύψῃ παιδείαν αὐτοῦ πρὸς τοὺς δούλους αὐτοῦ τοὺς προφήτας „außer nachdem"; ferner: Am 3,3.4b; Gen 32,27; Lev 22,6b; 2Sam 3,13 (text. emend.); Esth 2,14b (LXX immer ἐὰν μή); 2Kön 4,24; Rt 3,18; Jes 55,10.11; 65,6; 1QS 5,13f. כיא לוא יטהרו כי אם שבו מרעתם „Denn sie werden nicht rein, außer nachdem sie umgekehrt sind von ihrer Bosheit"; CD 10,23 אל ישתה כי אם היה במחנה „Nicht soll er (am Sabbat Wasser) trinken, außer es war (schon vorher) im Lager"; 12,13f. והדגים אל יאכלו כי אם נקרעו חיים „Und Fische sollen sie nicht essen, außer diese sind vorher noch lebendig aufgerissen worden"; 13,15f. ואל יעש איש חבר למקח ולממכר כי אם הודיע למבקר אשר במחנה ועשה אמנה „Nicht darf jemand eine Genossenschaft gründen, um Handel zu treiben, außer er habe zuvor den Aufseher in Kenntnis gesetzt und dessen Einwilligung erhalten". Aramäisch: AD 19,14 דלא יהוי אכסני עליל להכא מזבנא כלום אלא גרע רישיה „Denn hier darf kein Fremder eintreten, um etwas zu verkaufen, ohne daß er zuvor seinen Kopf geschoren hat"; Spicilegium syr. (ed. Cureton) 2,14 ואנא לא משכח אנא למהימנו אלא אן אתטפיסת „Ich kann nicht glauben, außer nachdem ich überzeugt worden bin"[1]. Während aber ein semitischer Ausnahmesatz sowohl im Hebräischen durch כִּי אִם und im Neuhebräischen und Aramäischen durch das kontrahierte אלא[2], als auch durch die vorangestellte Apodosis[3] eindeutig als solcher gekennzeichnet ist, sind im Griechischen nicht-irrealer nachgestellter Konditionalsatz und Ausnahmesatz nicht unterschieden (außer wenn etwa auf εἰ [ἐάν] μή ein Imperativ, Partizipium absolutum oder conjunctum o.ä. folgt [vgl. K-G 577.8], oder ein zweites εἰ [so nach εἰ μή, πλήν, ἀλλά] zugesetzt ist)[4]. Soweit eine semitische Vorlage anzunehmen ist, wird daher jeder einem negierten Hauptsatze nachgestellter negierter Konditionalsatz mit großer Wahrscheinlichkeit auf einen semitischen Ausnahmesatz zurückgehen. Deshalb müssen die entsprechenden ntl. Belege (immer ἐάν + Konjunktiv) hier erwähnt werden: α) Gleichzeitige Ausnahmesätze können gemeint sein: Joh 3,2 ἐὰν μὴ ᾖ ὁ θεὸς μετ᾽αὐτοῦ „ohne daß Gott mit ihm ist"; 6,44 ἐὰν μὴ ὁ

[1] In diesem Sinne steht Kraeling 2,14 בר מן זי + Impf. „außer wenn" und CIS 209,6 = Cantineau Nab II 33,6 בלעד הן + Impf. (vgl. S. 103 Anm. 5).

[2] Außer selten im Syr. (und Arab.) vgl. S. 98.

[3] Vgl. S. 75f. Im NT ist nachgestellte Protasis sonst selten.

[4] LXX übersetzt die Ausnahmesätze auch einfach als nachgestellte Konditionalsätze (ἐάν + Konjunktiv).

πατὴρ ἑλκύσῃ αὐτόν. 15,4c ἐὰν μὴ ἐν ἐμοὶ μένητε (zu b vgl. S. 140); Act 8,31 ἐὰν μή τις ὁδηγήσει με, 1Kor 14,6; vgl. Röm 10,14c πῶς δὲ ἀκούσωσιν χωρὶς κηρύσσοντος; β) Vorzeitige Ausnahmesätze: Mk 3,27 = Mt 12,29 ἐὰν μὴ πρῶτον[1] τὸν ἰσχυρὸν δήσῃ „ohne daß er vorher den Starken gebunden hat“; Joh 3,27; 6,65 (vgl. 19,11) ἐὰν μὴ ᾖ δεδομένον αὐτῷ ἐκ τοῦ οὐρανοῦ (τοῦ πατρός). 7,51 ἐὰν μὴ ἀκούσῃ πρῶτον[1] παρ' αὐτοῦ καὶ γνῷ τί ποιεῖ. Röm 10,15 ἐὰν μὴ ἀποσταλῶσιν. 1Kor 15,36 σὺ ὃ σπείρεις οὐ ζωοποιεῖται ἐὰν μὴ ἀποθάνῃ. 2Tim 2,5 οὐ στεφανοῦται ἐὰν μὴ νομίμως ἀθλήσῃ. Schwierigkeiten macht Mk 10,29f. Bℵ οὐδείς ἐστιν ὃς ἀφῆκεν οἰκίαν ἢ ἀδελφοὺς ἢ ἀδελφὰς ἢ μητέρα ἢ πατέρα ἢ τέκνα ἢ ἀγροὺς ἕνεκεν ἐμοῦ καὶ ἕνεκεν τοῦ εὐαγγελίου, ἐὰν μὴ λάβῃ ἑκατονταπλασίονα (von V. 30b wird als einem selbständigen Satz [vgl. S. 255] oder einem späteren Zusatz [Wellh] abgesehen): Falls der Text nicht überhaupt verderbt oder durch sprachliche oder sachliche Besserungsversuche gestört ist, läßt sich folgendes sagen: Ein nachgestellter Konditionalsatz („falls er es nicht hundertfach zurückerhält“) ist sachlich unmöglich. Also bleibt nur ein Ausnahmesatz: Da nach ἐὰν μή keine weitere Konjunktion folgt, muß es sich im Semitischen (gemäß der auf S. 115ff. gegebenen Analyse) um einen Zustandssatz gehandelt haben, und zwar wahrscheinlich um einen vorzeitigen, da λαμβάνειν eine punktuelle Handlung bezeichnet und Synchronisierung zweier punktueller Handlungen durch einen Zustandssatz ungewöhnlich ist[2]. Bei Annahme wörtlicher Übersetzung aus dem Aramäischen wird also zu übersetzen sein: „Niemand verläßt (sicher ist לֵית דְּשָׁבֵיק vorauszusetzen, da לית ד + Perfekt im Aramäischen nicht üblich ist) sein Haus etc. um des Evangeliums willen, außer er habe (zuvor) das Hundertfache empfangen (אלא קבל)“[3]. Bei gleichzeitigem Zustands-

[1] Πρῶτον ist im Sem. überflüssig, da die Vorzeitigkeit durch das sem. Perfekt eindeutig bezeichnet ist und Nachzeitigkeit in Ausnahmesätzen im Sem. unmöglich ist. Auch das dem πρῶτον in Mt 12,29 = Mk 3,27 entsprechende, den Nebensatz fortsetzende (sonst müßte καί vor τότε fehlen, vgl. S. 95) καὶ τότε τὴν οἰκίαν αὐτοῦ διαρπάσει (διαρπάσῃ Mt ℵDφ, Mk 𝔎) ist griech. Zusatz. Sem. müßte es als unverkürzter Ausnahmesatz (S. 115 und S. 102 Anm. 2) direkt hinter ἐὰν μή stehen (vgl. auch die verschiedene Bedeutung von διαρπάζειν bei Mk!). Ähnliche, offenbar auch erst durch griech. Bearbeitung entstandene Wiederholungen sind S. 227 Anm. 2 behandelt.

[2] Es kommt jedoch vor: 1Sam 9,14; 2Sam 15,37.

[3] Das wäre dann eine sachliche Parallele zu Lk 7,47 ἀφέωνται αἱ ἁμαρτίαι αὐτῆς αἱ πολλαί, ὅτι ἠγάπησεν πολύ „Gott hat ihr viele Sünden vergeben, weil (was man daran sieht, daß) sie so dankbare Liebe zeigt“, vgl. P. Joüon, La

satz würde die Übersetzung lauten: „ohne daß er (im gleichen Augenblick) das Hundertfache empfängt (אלא מקבל)“. Die von Mk 10,30b καὶ ἐν τῷ αἰῶνι τῷ ἐρχομένῳ ζωὴν αἰώνιον; Mt 19,29 πᾶς ὅστις ἀφῆκεν οἰκίας . . . πολλαπλασίονα λήμψεται; Lk 18,29f. οὐδείς ἐστιν ὃς ἀφῆκεν οἰκίαν . . . ὃς οὐχὶ μὴ λάβῃ πολλαπλασίονα beabsichtigte (futurische) Deutung müßte im Aramäischen durch ולא מקבל = καὶ οὐ (statt ἐὰν μή) λήμψεται ausgedrückt sein (so auch Peš Mk 10,30; Lk 18,30 ולא נקבל)[1]; ἐὰν μὴ λάβῃ wäre in diesem Fall eine schlechte (Mt und Lk ändern!) Gräzisierung.

b) Der Ausnahmepartikel folgt ein Nebensatz, der durch eine besondere Konjunktion eingeleitet wird: Hierfür gibt es im Arabischen (SyntVerh 720, Syntax 507f.), Neuhebräischen[2] und Aramäischen Beispiele: Neuhebräisch: Pea 2,1 אינו מפסיק אלא אם כן חרש „Es trennt nicht, außer wenn man es umgepflügt hat“: Šab 1,5—8.10 אין צולין בשר ובצל וביצה אלא כדי שיצולו מבעוד יום „Man darf nicht Fleisch, Zwiebeln oder Eier braten, außer wenn sie noch bei Tage gebraten werden“; 23,4; Erub 10,8; Beṣ 1,3.5; 2,5; Jeb 16,3; 16,5 אין מעידין אלא עד שתצא נפשו „Man darf nicht eher aussagen, als bis seine Seele herausgegangen ist“; BB 2,1.2.4.5; bSot 3a; (dafür öfter עד ש: bBQ 80a אין לו תקנה עד שיינק חלב רותח „Es gibt für ihn keine Besserung, außer wenn er warme Milch trinkt“; KlglR zu 4,2 לא היה אחד מהן הולך לסעודה עד שנקרא ונשנה „Keiner der Israeliten besuchte ein Gastmahl, ohne daß er zuvor wiederholt eingeladen worden war“). Jüdisch-Palästinisch: jBeṣ

pécheresse de Galilée, RScR 29 (1939), 617f., Jeremias Gleichn 109f., Liddell-Scott s. v. ὅτι B 2.

[1] Vgl. S. 213. Stattdessen kann in einem Hauptsatz auch עד ד (wie im Neuhebr. עד ש, vgl. oben) „ohne daß (danach)“ stehen: GenR 80,1 לית תורא עגישא עד דברתה בעיטא „Eine Kuh ist nicht stößig, ohne daß auch ihr Kalb später ausschlägt“; לית איתא זניא עד דברתה זניא „Eine Frau hurt nicht, ohne daß auch ihre Tochter später hurt“; LevR 22,2 ולא עלו מן תמן עד דגרש ההוא סמיא לפתיחא „Und sie gingen nicht von dort weg, ohne daß der (zunächst) Blinde den (zunächst) Sehenden führte“.

[2] Aber nicht im atl. Hebr., vgl. S. 116 mit Anm. 3 und 4. Im Hebr. würde präpositionaler Inf. gebraucht oder der ganze Satz anders gefaßt werden. Als einzige Ausnahme müßte Dt 32,30 angesehen werden: אֵיכָה יִרְדֹּף אֶחָד אֶלֶף... אִם־לֹא כִּי־צוּרָם מְכָרָם, LXX πῶς διώξεται εἷς χιλίους . . ., εἰ μὴ θεὸς ἀπέδοτο αὐτούς; wenn mit Onqelos (אלהין ארי) Jer I (אלהין מטול ד) „außer weil“ zu übersetzen ist. Es läge dann ein Aramaismus vor, vgl. S. 135 Anm. 3, vielleicht metri causa. Andernfalls ist אִם לֹא mit Kö 353g = הֲלֹא zu fassen: „ist es nicht so, daß“, wie in Jer 48,27; Hi 30,25. Zum Reichsaram. vgl. Cantineau Nab I 102: להן הן und Dalman 238 Mitte „außer wenn“.

63a לא זכית אנא לאורייתא אלא בגין דחמית קדליה דרבי מאיר מן אחורוי „Ich bin des Gesetzes nicht würdig gewesen, außer weil ich den Nacken von Rabbi Meir (unbekleidet) von hinten gesehen habe“; אנן לא זכינן לאוריתא אלא בגין דחמינן אצבעתיה דרבי מן גולגיקין דידיה „Wir sind des Gesetzes nicht würdig gewesen, außer weil wir die Zehen von Rabbi aus seinen Schuhen (unbekleidet hervorgucken) gesehen haben (und dieses getadelt haben)“; jJeb 9a לית בר נש אמר אף אלא דו מודה על קדמייתא „Niemand sagt: Auch, außer wenn er mit dem vorher Gesagten übereinstimmt“; LevR 26,2 אפשר דאנא עביד כלום אלא אם מתאמר לי מן עליותא „Kann ich denn etwas tun, außer wenn es mir vom Himmel befohlen ist?“; KlglR zu 1,1 אמרין ליה עבדין בינן דלא נקבל בר נש אכסנאי אלא עד דקפץ תלת קפיצין „Wir haben unter uns ausgemacht, daß wir niemanden als Gast aufnehmen, außer wenn er zuvor drei Sprünge gemacht hat“; עבדינן בינינן דלא ייעול בר נש למזבנא זבינוהי אלא אם כן רישיה גריע ושיחרור אפוי „Wir haben unter uns ausgemacht, daß niemand kommen darf, um seine Waren zu verkaufen, außer wenn sein Haupthaar geschoren und sein Gesicht berußt ist“ (dafür wie im Neuhebräischen auch עד ד: jBer 5c מה ביש מנהגא דהכא דלא אכיל בר נש ליטרא דקופד עד דמחו ליה חד קורסם „Wie unschön ist doch der hiesige Brauch, daß niemand ein Pfund Fleisch essen darf, ohne daß man ihm [vorher] einen Schlag versetzt hat“; vgl. GenR 80,1 [nachzeitig: zitiert S. 120 Anm. 1]). Babylonisch-Talmudisch: bGit 77b לא אמרן אלא דלא גבוה עשרה „Wir haben das nicht gesagt, außer wenn er nicht hoch ist zehn (Handbreit)“; bBM 29b לא אמרן אלא דלא שדא ביה ציביא „Wir sagen es nur, wenn man keine Gewürzkräuter hineingetan hat“ u. ebd. ö.ä.; bBQ 91b = bBB 26a לא שכיב שכחת ברי אלא דקץ תאינתא בלא זמנה „Mein Sohn Š. mußte nur sterben, weil er einen Feigenbaum zur Unzeit gefällt hatte“; bChul 84b לא אמרן אלא דלא צייץ „Wir sagen es nur, wenn es nicht gekocht hat“; ebenso: bBer 44b; bPes 12b; bBeṣ 6a; bMQ 18b u.ö. Syrisch: Afraat 10,16 ואיכנא הות לריש דבנינא אלא אן דסלקת לה „Wie (= nicht) befand sie sich auf der Spitze des Hauses, außer dadurch daß (oder: weil) sie heraufgestiegen war“; Julian 23,9 ומנא דיתיר מן הדא אית אלא דנחלף אתרא „Und was (nichts) gibt es Besseres als dieses, außer daß wir auswandern“. Im Griechischen findet man neben konjunktionalen Nebensätzen öfters Genitivus absolutus als Ausnahme. Im NT folgen der Ausnahmepartikel: α) Ein Finalsatz (eingeleitet durch ἵνα): Mk 4,22a.b οὐ γάρ ἐστίν τι κρυπτόν, ἐὰν μὴ ἵνα φανερωθῇ· οὐδὲ ἐγένετο ἀπόκρυφον, ἀλλ᾽ ἵνα ἔλθῃ εἰς φανερόν. Joh 10,10 ὁ κλέπτης οὐκ ἔρχεται εἰ μὴ ἵνα κλέψῃ καὶ θύσῃ καὶ ἀπολέσῃ (an Stelle von Finalsätzen, deren Subjekt mit dem des Hauptsatzes übereinstimmt, ist auch im Aramäischen [vgl. S. 120 Anm. 2] ein Infinitiv vorauszusetzen [vgl. S. 34 Anm. 6 und S. 107 f.], ἵνα also wahrscheinlich freie Übersetzung und daher kein Beweis für aramäische Vorlage; ebenso ist auch an Stelle von Subjekt- und Objektsätzen im Aramäischen ein Infinitiv möglich); β) Ein Temporalsatz (eingeleitet durch ὅταν): Mk 9,9; γ) Ein Subjektsatz (eingeleitet durch ὅτι): 2Kor 12,13 τί γάρ ἐστιν ὃ ἡσσώθητε ὑπὲρ τὰς λοιπὰς ἐκκλησίας εἰ μὴ ὅτι αὐτὸς ἐγὼ οὐ κατενάρκησα ὑμῶν; Eph 4,9[1] τὸ δὲ ἀνέβη τί ἐστιν εἰ μὴ ὅτι καὶ κατέβη εἰς τὰ κατώτερα μέρη τῆς γῆς[2]; δ) Ein Objektsatz (eingeleitet durch

---

[1] Diese Formel (מהו־אלא) ist rabbinisch nicht zu belegen. Dafür ist aber zur Angabe von Wortbedeutungen sehr häufig אין – אלא „bedeutet nichts anderes als", vgl. Bacher I 4f., II 5. 10.

[2] Dagegen ist in Phil 1,18 א τί γὰρ πλὴν ὅτι παντὶ τρόπῳ... Χριστὸς καταγγέλλεται das ὅτι wohl nicht zu τί γάρ zu ziehen (so Bauer s. v. πλήν d als Eine Möglichkeit) „dabei kommt ja doch nur heraus, daß ... Christus verkündigt wird", wie bei τί ὅτι „warum?" in Mk 2,16 C𝔎; Lk 2,49; Act 5,4.9 (Bl-Debr 299.4). Vielmehr handelt es sich um das emphatische ὅτι, wie es in οὐχ ὅτι („es ist nicht so, daß ..." = „nicht") etwa vorkommt: Joh 6,46; 7,22; 2Kor 1,24; 3,5; Phil 3,12; 4,11.17: „Was tut's? Jedenfalls ist es so, daß ..." = „Jedenfalls wird Christus ... verkündigt!" Wahrscheinlich ist auch das ὅτι in Joh 3,28b so zu verstehen. Das wäre dann ein sicherer Semitismus, da im Sem., im Gegensatz zum griech. οὐχ ὅτι-ἀλλὰ καί „nicht nur — sondern auch" (vgl. K-G 525.3.4, Mayser 3, S. 118, Bl-Debr 470.1A, 480.5), das „daß" erst nach dem „sondern" steht, vgl.: bBer 7b ולא עוד אלא שזוכה בדין... ולא עוד אלא שרואה בצריו „Nicht nur das, sondern er wird auch im himmlischen Gericht als unschuldig erfunden...; nicht nur das, sondern er wird auch die Rache an seinen Feinden sehen"; PredR zu 1,8 ועל אותו הדבר נתפשתי לשם מינות ולא עוד אלא שעברתי על מה שכתוב בתורה „Und deshalb wurde ich wegen Häresie verhaftet; und nicht nur das, sondern ich übertrat auch das Schriftwort (Spr 5,8)"; zu 3,17 (zit. S. 84); EsthR zu 3,9 ולא עוד אלא שנקראו בנים „Und sie werden sogar Söhne genannt" u. ebd. ö.ä.; jPea 15d = GenR 35,4 ולא עוד אלא דאת שלחת לי מילה דאנא מנטר לה ואנא שלחית לך מילה דאת דמך לך והיא מנטרה לך „(Rab zu Arṭaban:) Und nicht nur das, sondern du sandtest mir einen Gegenstand, den ich behüten muß (eine Perle), und ich sandte dir einen Gegenstand, der dich behütet, wenn du schläfst (eine Türpfostenkapsel)", wie der parallel gebaute vorangehende Satz beweist: מה אנא שלחית לך מילה דלית לה טימי ואת שלחת לי מילה דטבא חד פולר „(Arṭaban zu Rab:) Was! Ich habe dir einen Gegenstand gesandt, der unschätzbar ist und du hast mir einen Gegenstand gesandt, der nur einen Pullar wert ist!" (beides falsch bei Bill I 245); jTaan 68d ולא עוד אלא דאמרתון „Und nicht nur das, sondern ihr sagtet auch"; jChag 77b ולא עוד אלא דהוה עליל לבית ווע׳דא והוה חמי טלייא קומי ספרא והוה אמר מה אילין יתבין עבדין הכא „Und nicht nur das, sondern er pflegte auch in das Lehrhaus ein-

ὅτι): Act 20,22f. (πλὴν ὅτι ist jedoch idiomatisches Griechisch); dem A.c.I. in Act 21,25 ℜD μηδὲν τοιοῦτον τηρεῖν αὐτούς εἰ μὴ φυλάσσεσθαι

---

zutreten und Kinder vor dem Lehrer (sitzen) zu sehen und zu sagen (= Wenn er eintrat und sah, zu sagen): Was zu tun sitzen die denn hier?"; LevR 5,4 והוה תמן חד בר נש והוה שמיה אבא יודן רמאי וחס ושלום לא הוי רמאי אלא דהוה מרמי במצוותא „Und dort war ein Mensch mit Namen Abba Judan der Betrüger; aber Gott behüte! Er war kein Betrüger, sondern (das ist deshalb, weil??) er gab viel Almosen"; 34,14 ואזלת ואשתעית עם משבקתך ולא עוד אלא דיהבת לה פריטין „Du hast mit deiner geschiedenen Frau gesprochen; und nicht nur das, sondern du hast ihr (sogar) Geld gegeben!"; jKil 32b ולא עוד אלא דהוה גלי „Und nicht nur das, sondern er war auch in der Verbannung"; jTer 40d ולא עוד אלא דחבריה חמי ליה „Und dazu sieht man ihn doch auch"; jSanh 21d ולא עוד אלא דשבק ספרים „Und nicht nur das, sondern er hinterließ auch Schriftliches"; vgl. jBeṣ 62c.d ידעה הוות אלא דהוות בעיא מישמע מן אבוה „Sie wußte es (natürlich), aber sie wollte es (gern noch einmal) von ihrem Vater hören"; jAZ 39b כדון אנא ידע דאתון בען אלא דאנא דחיל מסנהדרין דידכון דלא יקטלונני „Ich weiß jetzt, daß ihr (Götzendienst treiben) wollt, aber ich fürchte mich vor eurem Gerichtshof, daß sie mich töten werden"; KlglR zu 1,1 אין אלא דלא תיעול למדינתא בר מדעתי „Ja! Aber betritt die Stadt nicht ohne mein Wissen!" (AD 19,11 ohne ד). Doch auch bei allen übrigen in dieser Anm. genannten Stellen (außer zu τί ὅτι) ist sem. Einfluß möglich, da „nicht, daß" = „es ist nicht so, daß" sem. belegt ist: jBer 4c לא שאדם יקבל עליו מלכות שמים תחילה ואחרי כן יקבל עליו עול מצות „Ist es nicht so, daß man zuerst das Himmelreich auf sich nimmt und danach erst das Joch der Gebote?"; jBM 10d לא דאנא חייב מיתן לכון אגריכון אלא אנא חייה מסרית לכון „Nicht, daß ich verpflichtet bin, euch euren (vollständigen) Lohn zu geben, sondern ich, Chija, bezahle euch so"; jPes 31b לא דאנא סבר כדעתיה אלא בגין ציפרייא דלא יחלטון בניהון „Nicht, daß ich seiner Meinung bin, aber wegen der Ṣipporäer, damit sie nicht ihre Söhne verlieren (mag es geschehen)"; vgl. jPea 15c דילמא דו בעי פריטין טובן „Vielleicht will er noch mehr Geld"; jJeb 13a דילמה דלית הוא מרי אולפן „Vielleicht ist er kein Gesetzeskundiger"; jSanh 25d דילמא דאינון אכלין זבחי מתים „Vielleicht essen sie Totenopfer"; jBer 12b (zit. S. 71 Anm.); AD 29,23 = 26 כבר דעבדון שמייא ניסין „Der Himmel hat schon Wunder getan"; jJeb 13a ובלחוד דלא תימר „Nur sage nicht"; jQid 61d ובלחוד דלא יתוב ליה „Nur darf er es nicht wieder tun"; jBer 9b ובלבד שלא יפחות משלש אבדלות „Nur daß er nicht weniger als drei Habdalen spricht"; jBer 6d ובלבד דלא יעביד כהדין דייקלרא אלא תפילין מלמעלן ורצועות מלמטן „Nur soll man es nicht machen wie der Korbmacher, sondern die Tefillin sollen oben sein und die Riemen unten" (ebenso hebr. כי „daß" nach אפס, אך „nur"; אף „auch", vgl. GBu s. v.); KlglR zu 1,1 (vgl. jMŠ 55c) אתא זימנא חורן אמר ליה חמית בחלמי דכל עמא מנפחין לי בלועיהון ומקלסין לי באצבעתיהון אמר ליה... אוצר דחיטין אית ליה וכד מחמיין ליה באצבעתיהון דהוה דילפא נחית עליהון וכד הוו מנפחין ליה בלועיהון דאינון מנפחין וכדו דמקלסין לך באצבעיהון דאינון מצמחין עשבין ולית להוא גברא מנהון כלום „Zu andrer Zeit kam er wieder und sagte zu dem Traumdeuter: ‚Ich sah in meinem Traum, daß alle mit vollen Backen mich anbliesen und mit ihren Fingern (auf mich zeigend) priesen!' Der sagte: ‚. . . Er hat einen Vorrat an Weizen, und wenn man auf

αὐτοὺς τό τε εἰδωλόθυτον καὶ αἷμα würde im Aramäischen ein Objektsatz mit ד entsprechen[1].

7. An Stelle des verneinten Hauptsatzes gebraucht man im Semitischen gern eine (rhetorische) Frage mit negativem Sinn, um die Verneinung lebhafter zum Ausdruck zu bringen[2]. Das kann sein:

---

ihn mit Fingern zeigte, (so bedeutet das,) daß der Regen durchgesickert war (so daß die Körner keimten); und wenn sie ihn mit vollen Backen anbliesen, (so bedeutet das,) daß sie gequollen waren (durch den Regen); und wenn sie dich mit ihren Fingern priesen, (so bedeutet das,) daß sie Unkraut (zwischen sich) aufsprossen ließen, so daß du nichts mehr davon hast"; דלמא דאתון חכימין למיפשר חילמא דחמית כרבכון „Ist es vielleicht so, daß ihr auch so klug seid, mir meinen Traum zu deuten, wie euer Lehrer?"; dagegen etwa jDam 24a לא דאנא חשיד לך אלא „Das ist nicht, weil ich dich verdächtigte, sondern . . .", vgl. ebd. dass. לא בגין חשיד לך אלא. Doch dient das dem ntl. τί ὅτι entsprechende מהו ש(ד) „was ist es, daß" (wie z.T. auch nur מה, vgl. S. 101 Anm. und hebr. הכי) nur zur Einleitung einer Satzfrage: jKil 32d הוא ובנו מהו שיצטרפו בכלאים „Verbinden sich er und sein Sohn zu verbotener Mischgattung?"; 35a גוים מהו שיהו מצווין על קידוש השם „Ist den Heiden die Heiligung des Gottesnamens anbefohlen?"; jChal 57b מהו שיהו חייבין „Sind sie verpflichtet?"; מהו שילקו „Sollen sie geschlagen werden?"; (4mal) מהו שיבטלו „Sollen sie aufhören?"; jŠebi 39a תבן של שביעית מהו שיהא אסור „Soll Stroh vom Sabbatjahr verboten sein?"; jNid 49a גופה מהו שיהא טמא מעת לעת „Ist sie 24 Stunden unrein?"; bBB 165b מהו שיבואו „Sollen sie kommen?"; jBer 5b = jMQ 82d שמואל בר אבא עלו בו חטטין אתון ושאלון לרבי יסא מהו דיסחי אמר לון אין לא סחי מיית הוא (Ber: דלא יסחי) „Š. b. A. bekam Geschwüre; man fragte R. I.: Soll er baden? Er sagte zu ihnen: Wenn er nicht badet, wird er sterben"; jBer 12d מהו דכתיב „Steht denn geschrieben?"; jMŠ 56b מהו דנסב „Darf ich (den Zehnten) nehmen?"; jAZ 40d = jŠab 14d (ohne ד) מהו דתיעבור קומוי וייחי ... מהו דישמע קלה וייחי „Darf sie an ihm vorübergehen, damit er am Leben bleibt? Darf er ihre Stimme hören, damit er am Leben bleibt?"; GenR 65,2 מהו דניכליניה „Dürfen wir ihn (den Star) essen?"; bNed 8a (zit. S. 236); (dafür auch מהו + Inf.: jMQ 83a מהו לכפות את המיטה „Muß man das Bett [bei einem Todesfall] umstürzen?"; מהו לישן על גבי מיטה כפוייה „Muß man auf einem umgestürzten Bett schlafen?" u.ö. ebd.; jBer 10a—c [zit. S. 149f.]; jŠebi 39a מהו מייבלא בפוניין לאשקלון „Darf man [die Früchte des Brachjahres] in Tüchern nach Askalon bringen [um sie dort zu verkaufen]?"; jSanh 27d [zit. S. 89f.]; jAZ 41a מהו מיעברתיה „Soll man ihn wegschaffen?" u.ö. vgl. S. 36 Anm.; das könnte höchstens für Joh 14,22 τί γέγονεν (Dsy τί ἐστιν) ὅτι ἡμῖν μέλλεις ἐμφανίζειν σεαυτόν; in Frage kommen: „Willst du denn nur uns erscheinen?".

[1] Wenn in Act 21,25 ℜD αὐτούς nach φυλάσσεσθαι fehlte, käme auch ein hebr. oder aram. Inf. in Frage.

[2] Vgl. VglGr 110b. 111c. 115b. 116kl. 118c; mehrere sem. Negationen sind ursprünglich Fragewörter! Auch bei den griech. Popularphilosophen ist rhet. Frage häufig: Bultmann Diatribe 31. 85f.

a) Eine Satzfrage: Arabisch: SyntVerh 713. Hebräisch: Am 3,3 הֲיֵלְכוּ שְׁנַיִם יַחְדָּו בִּלְתִּי אִם־נוֹעָדוּ, LXX εἰ πορεύσονται δύο ἐπὶ τὸ αὐτὸ καθόλου ἐὰν μὴ γνωρίσωσιν ἑαυτούς; 3,4b. Neuhebräisch: RŠ 3,8; bŠab 31a כלום מעמידין מלך אלא מי שיודע טכסיסי מלכות „Macht man etwa jemanden zum König, außer einen, der die Verordnungen der Regierung kennt?". Aramäisch: jSanh 29a כלום אית לך עלינן אלא הדין זונרא והדין כלינידין „Hast du überhaupt etwas bei uns, außer diesem Gürtel und diesem Oberkleid?"; LevR 26,2 (zitiert S. 121); AD 17,21f. (zitiert S. 130); oder häufiger: b) Eine Wortfrage, wobei das Fragewort den ausgenommenen Satzteil vorwegnimmt[1] (vgl. zum Arabischen: Synt Verh 713f.; Syntax 506): Erfragt und ausgenommen ist: α) Das Subjekt: Hebräisch (מִי, מָה, LXX τίς, τί[2]): Jes 42,19 מִי עִוֵּר כִּי אִם־עַבְדִּי, LXX τίς τυφλὸς ἀλλ' ἢ οἱ παῖδές μου; Ps 18,32a.b; Pred 5,10 (adjektivisches מָה); 2Chr 2,5b (?, Infinitiv + לְ [= Partizip] als Nachsatz „außer, daß ich ihm räuchern kann"). Neuhebräisch: Naz 8,1; Ar 3,2; Qin 1,1. Aramäisch: (מן, מה [מא]): Aḥiqar 107 מן הו זי יקום קדמוהי להן זי אל עמה „Wer (= niemand) kann vor ihm stehen, außer einer mit dem Gott ist (?)?"; bAZ 76b u.ö. מאן חכים למיעבד כי הא מילתא אי לאו רב עקביה דגברא רבא הוא „Wer wäre so verständig, solches zu tun, außer R. 'A., der ein großer Mann ist?"; Julian 23,9 (zitiert S. 121); Afraat 10,18 מן אנון בנײָא אלא אן כהנֵא „Wer sind die Bauleute anderes als die Priester?"; 85,7 ומנא אנון לם כאפֵא דנורא אלא אן בנַי צהיון „Was sind die feurigen Steine anderes als die Kinder Zions?" u.ö. ebd. β) Das Akkusativobjekt: Mi 6,8. γ) Eine präpositionale oder modale Bestimmung: Neuhebräisch: Ber 1,3; Mak 1,7 למה פרט הכתוב בשלשה אלא להקיש שלשה לשנים „Warum hat die Schrift ‚durch drei' hervorgehoben, außer um drei Zeugen zweien gleichzustellen?". Aramäisch: Afraat 10,16 (zitiert S. 121); 26,20 „warum — außer weil"; 57,11 „worin — außer in". Im Griechischen sind Satz- und Wortfragen mit negativem Sinn vor „außer" häufig (wobei allerdings meist ἄλλος dabeisteht), jedoch ist das Erfragte mit dem Ausgenommenen oft nicht identisch; vgl. Epiktet IV 1,12 τίς με δύναται ἀναγκάσαι εἰ μὴ ὁ πάντων κύριος Καῖσαρ;

Im NT sind nach εἰ μή nur Wortfragen belegt (wie meist im Semitischen), dabei nimmt das Fragewort die Ausnahme immer vorweg,

[1] Vgl. dazu S. 109ff.

[2] Außerhalb unserer Konstruktion übersetzt LXX hebr. מִי „wer" in rhetorischer Frage zweimal sinngemäß durch οὐδείς: Jer 49,4; Hi 4,7.

und zwar: α) Das Subjekt: Mk 2,7 (Lk 5,21) τίς δύναται ἀφιέναι ἁμαρτίας εἰ μὴ εἷς (Lk μόνος) ὁ θεός (emphatisches „niemand — außer“); Röm 11,15 τίς ἡ πρόσλημψις εἰ μὴ ζωὴ ἐκ νεκρῶν; 1Kor 2,11a (‖οὐδείς in 11b!); 2Kor 2,2; 12,13; Eph 4,9[1]; 1Joh 2,22; 5,5. β) Das Dativobjekt: Hebr 3,18 τίσιν δὲ ὤμοσεν μὴ εἰσελεύσεσθαι εἰς τὴν κατάπαυσιν αὐτοῦ εἰ μὴ τοῖς ἀπειθήσασιν; vor einem durch ἐὰν μή eingeleiteten nachgestellten Konditionalsatz[2] steht eine durch πῶς eingeleitete Wortfrage: Mt 12,29; Act 8,31; Röm 10,15; bzw. durch τί: 1Kor 14,6; eine durch μή eingeleitete Satzfrage: Joh 7,51.

8. Im NT steht an einigen Stellen neben der Ausnahme noch ein pleonastisches „allein“ (μόνος, εἷς) oder „nur“ (μόνον)[3]. Dies ist jedoch in mehreren Fällen offensichtlich erst im Griechischen zugesetzt worden, nämlich μόνος in Mk 10,18 D μόνος εἷς θεός (zu Mk 10,18 Bא εἷς ὁ θεός); Mt 12,4 („sondern“, zu Mk 2,26); (Mt 24,36 „sondern“, zu Mk 13,32 „sondern“); Lk 5,21 (statt εἷς in Mk 2,7); 6,4 (zu Mk 2,26); (Apc 9,4 **1957. 2023** „sondern“, zu Apc 9,4 „sondern“) und μόνον in Mt 21,19 (zu Mk 11,13) und Joh 13,10a D („sondern“ zu Joh 13, 10a B)[4]. Aber auch Act 11,19 scheint μόνοις (D) bzw. μόνον (Bא) vom

---

[1] Ein betonter Satzteil wird im Sem. wie im Griech. gern vor das Fragewort gestellt.

[2] Vgl. S. 119.

[3] Μόνος: Mt (12,4 „sondern“); 17,8; (24,36 „sondern“); Mk 6,8; (8,14 WΘλφ, εἰ μή ausgelassen); 9,8; 10,18 D; Lk 5,21; 6,4; (9,36, εἰ μή ausgelassen); Act 11, 19 D; Phil 4,15; (Apc 9,4 **1957.2023** „sondern“); εἷς: Mk 2,7; 10,18 Bא; Lk 18,19; μόνον: Mt 21,19; Act 11,19 Bא. Offensichtlich wurde die stark ausschließende Kraft der sem. Konstruktion nicht mehr recht empfunden.

[4] Auch außerhalb des Ausnahmesatzes ist μόνον in den Synoptikern außer Mk 5,36 (= Lk 8,50) immer zugesetzt: Mt 5,47 (gegenüber Lk 6,33); 8,8 (gegenüber Lk 7,7); 9,21 (Mk 5,28 κἄν); 10,42 Bא (gegenüber Mk 9,41); 14,36 (Mk 6,56 κἄν); ebenso οὐ μόνον — ἀλλὰ καί in Mt 21,21 (zu Mk 11,23) und Mk 9,37b Θφ (zu BD). Für οὐ (μή) μόνον — ἀλλὰ καί (klassisch-griech. und Koine) gibt es übrigens im Sem. keine entsprechend geläufige Redewendung; das bedeutet, daß auch die ntl. Beispiele in Joh 5,18; 11,52; 12,9; 13,9; 17,20 (gut sem. dagegen Joh 8,16!); Act 18,4 D; 19,26.27; 21,13; 26,29; 27,10; u.ö. in den Briefen (so 1Joh 2,2; 2Joh 1; gut sem. dagegen Jak 1,22; 2,24; 1Joh 5,6b) mit großer Wahrscheinlichkeit als griech. Bildungen zu betrachten sind. Nur selten wird im Sem. non modo — sed etiam ausgedrückt: So ist es etwa umschrieben Dt 8,3 ...לֹא עַל־הַלֶּחֶם לְבַדּוֹ יִחְיֶה הָאָדָם כִּי עַל, LXX (= Mt 4,4) οὐκ ἐπ' ἄρτῳ μόνῳ ζήσεται ὁ ἄνθρωπος, ἀλλ' ἐπί... Esth 1,16 לֹא עַל־הַמֶּלֶךְ לְבַדּוֹ עָוְתָה וַשְׁתִּי הַמַּלְכָּה כִּי עַל־כָּל־הַשָּׂרִים, LXX οὐ τὸν βασιλέα μόνον ἠδίκησεν Αστιν ἡ βασίλισσα, ἀλλὰ καὶ πάντας τοὺς ἄρχοντας, vgl. auch neuhebr. und jüd.-pal.

griechischen Verfasser zu stammen, da Lk als einziger ntl. Schriftsteller gegen semitischen und LXX-Sprachgebrauch[1] μόνος bzw.

ולא עוד אלא = οὐ μόνον δέ, ἀλλὰ καί „nicht nur das, sondern auch“ (Dalman 241, Levy II 460b, III 626a, vgl. Ber 1,1). Nur im Neuhebr. ist לא סוף דבר — אלא (vgl. Levy III 493) und im Syr. לו בלחוד–אלא (Nöld Syr S. 254) recht oft belegt, außerdem im Neuhebr. selten לא די–אלא „es genügt nicht — sondern (erst)“ (jSanh 24b; bJom 87a). In LXX findet sich οὐ μόνον — ἀλλὰ καί bezeichnenderweise außer Esth 1,16 nur Esth 8,13c.d.x; Judit 11,7; Weish 10,8; 11,19; Sirach Prolog 4f., 23f.; 1Makk 6,25; 11,42; 2Makk 4,35 (— δὲ καί); 6,31; 7,24; 3Makk 1,29; 2,26; 3,1.23; 4Makk: 14mal. Außerdem kommt im Sem. noch eine abgekürzte und dadurch sehr mißverständliche Umschreibung vor: „nicht — sondern“ = „nicht nur — sondern auch“, vgl. LevR 23,12 לא תאמר שכל מי שהוא בגופו נקרא נואף נואף בעיניו נקרא נואף „Sage nicht, daß (nur) jeder, der mit seinem Leibe (Ehebruch treibt), ein Ehebrecher genannt wird; (sondern auch) wenn er Ehebruch treibt mit seinen Augen, wird er Ehebrecher genannt“; bŠab 156b (2mal) צדקה תציל ממות ולא ממיתה משונה אלא ממיתה עצמה „Wohltat rettet vom Tode, und zwar nicht (nur) von einem unnatürlichen, sondern (auch) von dem natürlichen Tode“; bBQ 113b לא לך אלא לגר... ולא לגר צדק אלא לגר תושב „Nicht (nur) an dich, sondern (auch) an einen Proselyten... und nicht (nur) an einen wirklichen, sondern (auch) an einen Beisaßproselyten“; jAZ 42a לא ביש לי דאמרת על טהור טמא אלא סופך דאמר על טמא טהור „Es mißfällt mir nicht (nur), daß du etwas Reines als unrein erklärst, sondern (auch, erst recht), daß du später etwas Unreines als rein erklären wirst“; bBek 40a לא תימא דעגילן ולא סדיקן אלא כיון דעגילן אף על גב דסדיקן „Sage nicht (nur), wenn die Hufe rund und nicht gespalten sind, sondern (auch), wenn sie rund und gespalten sind (‚sind sie fehlerhaft)“; לא תימא דשפיד ופרוס אלא כיון דפרוס „Sage nicht (nur), wenn das Maul zugespitzt und gebogen ist, sondern (auch), wenn es nur gebogen ist(, ist es fehlerhaft)“; bErub 13a und bNed 12a und bNaz 9b (Schles S. 265) לא מיבעיא ד–אלא „Es ist nicht (nur) fraglich, daß..., sondern (auch)...“. Diese Ausdrucksweise liegt (zumindest nach Ansicht von Θφ) auch vor: Mk 9,37b BD ὃς ἂν ἐμὲ δέχηται, οὐκ ἐμὲ δέχεται (+ μόνον Θφ) ἀλλὰ (+ καὶ Θφ) τὸν ἀποστείλαντά με. Act 5,4 οὐκ ἐψεύσω ἀνθρώποις ἀλλὰ τῷ θεῷ. Sie könnte auch Joh 12,44 ὁ πιστεύων εἰς ἐμὲ οὐ πιστεύει εἰς ἐμὲ ἀλλὰ εἰς τὸν πέμψαντά με im Hintergrund stehen, obwohl hier bewußt pointierend gebraucht. Im allgemeinen würden im Sem. die beiden Glieder einfach durch ו „und“ verknüpft (oder durch גם–גם [hebr.]; בין–בין, אף–אף [auch aram.], לחוד–לחוד [aram.] „sowohl — als auch“ o.ä.), wie etwa Mt 23,20.21.22, wo zu übersetzen ist: „Wenn aber jemand beim Tempel schwört, so schwört er nicht nur beim Tempel, sondern auch bei dem, der darin wohnt“. Entsprechend wird auch bei „weder — noch“ meist einfach durch ו verknüpft: לא–ולא, vgl. Kö 371, Friedrich 319c, Albrecht 22, Dalman 241, Margolis 67b, Schles 94.

[1] Nur die hebr. Partikel אַךְ, אֶפֶס, רַק (vgl. S. 103 Anm. 1) stehen immer voran. LXX gibt diese aber meist durch πλήν wieder; aber auch wenn sie sie durch μόνος, μόνον übersetzt, stellt sie diese gern nach (voran etwa Gen 7,23). Voranstellung kommt jedoch in den griech. verfaßten Teilen von LXX öfters vor.

μόνον einem Substantiv immer voranstellt (Lk 5,21; 6,4)[1], außer wo er es anders übernimmt (Lk 9,36 nach Mk 9,8). Es verbleiben also: μόνος in Mk 6,8; 9,8 (= Mt 17,8); Phil 4,15; εἷς in Mk 2,7; 10,18 Bא (= Lk 18,19)[2]. Doch auch diese gehen wohl kaum auf eine semitische Vorlage zurück[3], da Zusatz von „allein" oder „nur" zur Ausnahme im Semitischen selten ist: Im Hebräischen steht dem Ausgenommenen appositionell nachgestelltes לְבַד + Suffix nur dreimal, und zwar nach זוּלָתִי bzw. בִּלְתִּי „außer", nach: Ex 22,19 בִּלְתִּי לַיהוה לְבַדּוֹ, LXX πλὴν κυρίῳ μόνῳ; Jos 11,13 זוּלָתִי אֶת־חָצוֹר לְבַדָּהּ, LXX πλὴν Ασωρ μόνην; 1Kön 12,20 זוּלָתִי שֵׁבֶט־יְהוּדָה לְבַדּוֹ, LXX πάρεξ ... μόνοι. Nach כִּי אִם wird es dagegen nur zugesetzt — und zwar sehr selten —, wenn dies die Bedeutung „sondern" hat: 2Sam 13,33 כִּי־אִם־אַמְנוֹן לְבַדּוֹ מֵת, LXX ὅτι ἀλλ' ἢ Αμνων μονώτατος ἀπέθανεν. 1Kön 22,31 = 2Chr 18,30 כִּי אִם־אֶת־מֶלֶךְ יִשְׂרָאֵל לְבַדּוֹ, LXX ἀλλ' ἢ τὸν βασιλέα Ισραηλ μονώτατον; 2Kön 10,23 כִּי אִם־עֹבְדֵי הַבַּעַל לְבַדָּם, LXX ὅτι ἀλλ' ἢ οἱ δοῦλοι τοῦ Βααλ μονώτατοι. Im Neuhebräischen wird jedoch בִּלְבַד „nur" oft zugesetzt: Ber 2,2 אינו נוהג אלא ביום בלבד „Er übt es nur bei Tag allein"; Šab 2,2; RŠ 4,2; jPea 18a אין סכנה אלא הדלית והדקל בלבד „Gefahr besteht nur beim Besteigen eines Astes oder einer Palme allein"; jKil 28a אינו זורע לתוכו אלא מין אחד בלבד „Er sät nur eine Art allein hinein"; jŠab 4b = bŠab 26a אין מדליקין אלא בשמן זית בלבד „Man darf (am Sabbat) nur mit Olivenöl allein anzünden"; jŠab 4d אין להן אלא שמן אגוזים בלבד „Sie haben nur Nußöl allein" u. ebd. ö.ä.; jAZ 42c אין בינינו ולצדיקים אלא דיבור פה בלבד „Zwischen uns und den Toten besteht ein Unterschied nur in der Sprache allein"; jHor 48a אין אנינה אלא למת בלבד „Betrübnis ist nur um einen Verstorbenen allein am Platz"; ebenso im Syrischen בלחוד, vgl. Afraat 1,12 לא שליט הוא לה דנעבד פצחא אלא אן באורשלם בלחוד „Nicht war es ihm erlaubt, das Passalamm anzurichten, außer in Jerusalem allein". Ein griechisches

[1] Außerdem nur noch in Mk 10,18 D.

[2] Εἷς im Sinne von „allein" findet sich außerdem noch Mt 23,10 καθηγητὴς ὑμῶν ἐστιν εἷς ὁ Χριστός (ebenso V. 9). Es kann sowohl griech. (vgl. Bauer s. v.) als auch sem. (vgl. Dt 6,4 „J. als einziger") sein. εἷς bzw. אחד muß dabei als Apposition („einer, nämlich Gott", „Gott als einziger") verstanden werden.

[3] Auch LXX setzt einmal μόνος zu: 2Kön 5,17. Außerhalb des Ausnahmesatzes ist μόνος in LXX öfters zugesetzt (und zwar immer nachgestellt): Gen 3,11. 17; Lev 16,11; Dt 6,13 A; 10,20 A; Jos 22,20; Ri 10,16 B; 1Kön 18,7.7.37 A; Hi 12,2 A; 31,39; Ps 136,7.

Beispiel für μόνος nach εἰ μή „außer" findet sich etwa bei Herodot 1,200 οὐδὲν ἄλλο σιτέονται εἰ μὴ ἰχθῦν μοῦνον.

9. Nicht selten wird im Semitischen die Ausnahmekonstruktion dazu benutzt, eine Sache besonders hervorzuheben, ohne daß daneben anderes unbedingt ausgeschlossen ist[1]. Der Ausnahmesatz eignet sich dazu deshalb so gut, weil man bei ihm — und zwar in der isolierten Stellung nach dem „wenn nicht" — einen wichtigen Satzteil besonders exponieren kann. Dieser Sprachgebrauch ist im Arabischen recht häufig (vgl. SyntVerh 723—725; Syntax 506, 509f.)[2]: Ein schönes Beispiel ist Ibn Hišām 383,20: قالت الاحبار ما كان ابراهيم الّا يهوديّا وقالت النصارى ما كان ابراهيم الّا نصرانيّا „Die Rabbinen sagten: Abraham war ein Jude, und die Christen sagten: Abraham war ein Christ". Aber auch im Hebräischen, Neuhebräischen und Aramäischen wird diese Art der Hervorhebung gern gebraucht: Hebräisch: Jes 42,19 מִי עִוֵּר כִּי אִם־עַבְדִּי, LXX τίς τυφλὸς ἀλλ' ἢ οἱ παῖδές μου „Gerade mein Knecht ist blind!"; Neh 2,2 אֵין זֶה כִּי־אִם רֹעַ לֵב, LXX οὐκ ἔστιν τοῦτο εἰ μὴ πονηρία καρδίας „Es ist sicher ein Herzenskummer!"; Gen 28,17 אֵין זֶה כִּי אִם־בֵּית אֱלֹהִים „Dies ist das Haus Gottes!"; Ri 7,14 אֵין זֹאת בִּלְתִּי אִם־חֶרֶב גִּדְעוֹן „Das ist das Schwert Gideons!"; 2Sam 19,29 כִּי לֹא הָיָה כָּל־בֵּית אָבִי כִּי אִם־אַנְשֵׁי־מָוֶת „Dem Tode geweiht war ja eigentlich mein ganzes Vaterhaus!"; CD 9,5 ואין כתוב כי אם נוקם הוא לצריו ונוטר הוא לאויביו „Aber es steht doch geschrieben: Er nimmt Rache an seinen Gegnern und er trägt seinen Feinden nach!". Neuhebräisch: bQid 32b ושמא תאמרו כמלאכי השרת נדמו לו לא נדמו לו אלא לערביים „Und vielleicht meint ihr, sie erschienen ihm als Dienstengel (die Engel dem Abraham); (nein, vielmehr) sie erschienen ihm als Araber!"; bBQ 30a לא יהא אלא כרפשו „Es soll gelten als sein Schmutz!"; bSanh 109a אנשי סדום לא נתגאו אלא בשביל טובה שהשפיע להם הקדוש „Die Sodomiten wurden übermütig wegen der vielen Güter, mit denen Gott sie überhäuft hatte"; bMen 40a והלא כל המטיל תכלת בירושלם אינו אלא מן המתמיהין „Jeder, der in Jerusalem purpurblauen Stoff (an seinem Gewand) anbringt, erregt doch Er-

[1] Diese Konstruktion war bisher nur im Arab. untersucht. Die ntl. Beispiele erweisen sie auch für das Jüd.-Pal. der Zeit Jesu.

[2] Auf diese Weise werden im Arab. auch überraschend eintretende oder sichtbar werdende Ereignisse beschrieben („nicht — wenn nicht" = „als, ehe, kaum — da war schon . . ."), vgl. Synt Verh 725, Syntax 509f.

staunen!“; TosŠab XI,15 (= jŠab 13d) והלא בן סטדא לא למד אלא בכך „Gerade dadurch (durch das Tätowieren) hat doch auch Ben Sṭada (= Jesus?) (das Zaubern) gelernt!“; LevR 34,2 וכי פרוטה נותן לו והלא לא נותן לו אלא נפשו „Gibt er denn dem Armen (nur) eine Pruṭa? Schenkt er ihm denn (damit) nicht das Leben?“; LevR 7,6 כל המתגאה אינו נידון אלא באש „Jeder, der sich erhebt, wird durch das Feuer (d. h. das erhabene Element) gerichtet!“; HhldR zu 7,11 (= GenR 20,16) שלשה שוקין הן: אין שוקן של ישראל אלא באביהן שבשמים ... אין שוקה של אשה אלא בבעלה... אין שוקו של יצר הרע אלא בקין ובחבורתו... אין שוקן של גשמים אלא בארץ „Drei Arten von Begierden gibt es: Das Begehren Israels ist nach seinem Vater im Himmel, das Begehren der Frau ist nach ihrem Manne, das Begehren des bösen Triebs ist nach Qain und seiner Genossenschaft; das Begehren des Regens ist nach der Erde“; PredR zu 1,8 אמר לו נאמן עלי הדיין והוא סבר שבשבילו אמר והוא לא אמר אלא לשום שמים „Er sagte ihm (dem Richter): Der Richter ist mir gegenüber gerecht!, und der dachte, er habe ihn damit gemeint, aber er hatte den ewigen Richter gemeint!“; zu 3,17 (zitiert S. 84); Sifre zu Num 5,2 § 1 (ed. Horovitz) לפי דרכנו למדנו שאין מחזקין אלא המוחזקין ואין מזרזין אלא למזורזין „Nach unserer Weise lernen wir, daß man stärkt die als stark Bewährten und aneifert die als eifrig Bewährten!“ (Kuhn); vgl. auch die auf S. 122 Anm. 1 erwähnte Formel. Aramäisch: jBer 7a (zitiert S. 90); jChag 76c = KlglR Einl 2 אילין אינון נטורי קרתא לית אילין אלא חרובי קרתא „Das sollen die Wächter der Stadt sein? Das sind ja die Zerstörer der Stadt!“; jChag 77d מה אמרית יאייא בריווא לא אמרית אלא בעובדא „Habe ich etwa gesagt: Schön von Aussehen? Ich habe gemeint: (Schön) an Tat!“; jAZ 44d את סבר דהדא דרבי שמעון בן גמליאל לקולא ולית היא אלא לחומרא „Du könntest meinen, daß diese Entscheidung des R. Š. b. G. eine Erleichterung sei. Sie ist jedoch eine Erschwerung!“; KlglR zu 1,1 (mit Wortspiel) מה אתון סבירין על ערסא אנא דמיך לית אנא דמיך אלא אארעא „Meint ihr etwa, ich schliefe auf dem Bett? Ich schlafe auf der Erde!“; dieselbe Stelle lautet AD 17,21f. מה אתון סבירין דאנא דמיך אלא על ערסא דערסא „Meint ihr etwa, daß ich schlafe, wenn nicht auf dem besten Bett!“ = „Wisset, daß ich in einem sehr guten Bett schlafe!“; vgl. auch das formelhafte הא לא דמיא אלא להא (etwa: bŠab 12a) „Dieses gleicht folgendem“; לית היא אלא (etwa: jNaz 52c) „Dies ist doch“ und לא אתינן מתניתא אלא (etwa jPea 19c) „Wir wollen doch lehren“. Dieser Sprachgebrauch ist aus dem Griechischen nicht zu belegen. Im Deutschen setzt man am besten an Stelle des „nur“

ein „gerade“, „ja“, „doch“ o.ä. oder hebt den betreffenden Satzteil durch Voranstellung oder Betonung hervor. Diese semitische Konstruktion liegt an einigen ntl. Stellen vor:

a) Mk 4,22a.b οὐ γάρ ἐστίν τι κρυπτόν, ἐὰν μὴ (Θλ εἰ μή, DW ἀλλ') ἵνα φανερωθῇ· οὐδὲ ἐγένετο ἀπόκρυφον, ἀλλ' ἵνα ἔλθῃ εἰς φανερόν. Dies ist also zu übersetzen: „Denn das Verborgene muß *offenbar werden*, und das Geheime muß *an die Öffentlichkeit kommen*!“; Lk 8,17 οὐ γάρ ἐστιν κρυπτὸν ὃ οὐ φανερὸν γενήσεται, οὐδὲ ἀπόκρυφον ὃ οὐ μὴ γνωσθῇ καὶ εἰς φανερὸν ἔλθῃ und Mt 10,26 (= Lk 12,2) οὐδὲν γάρ ἐστιν κεκαλυμμένον (Lk οὐδὲν δὲ συγκεκαλυμμένον ἐστὶν) ὃ οὐκ ἀποκαλυφθήσεται, καὶ κρυπτὸν ὃ οὐ γνωσθήσεται bieten eine geglättete Form, die aber die Pointe von Mk 4,22a.b nicht zum Ausdruck bringt[1].

b) Mk 6,4 = Mt 13,57 οὐκ ἔστιν προφήτης ἄτιμος εἰ μὴ ἐν τῇ πατρίδι αὐτοῦ (om. Mt) „*In seiner Vaterstadt* ist ein Prophet (immer) mißachtet!“; OxyrhPap 1,6 οὐκ ἔστιν δεκτὸς προφήτης ἐν τῇ πατρίδι αὐτοῦ und in noch besserem Griechisch ([adjektivisches] οὐδείς statt οὐκ, vgl. S. 109ff.) Lk 4,24 οὐδεὶς προφήτης δεκτός ἐστιν ἐν τῇ πατρίδι αὐτοῦ sowie Joh 4,44 προφήτης ἐν τῇ ἰδίᾳ πατρίδι τιμὴν οὐκ ἔχει bieten einen sinngemäß gräzisierten Text (ohne μόνον!).

c) Mt 12,24 οὗτος οὐκ ἐκβάλλει τὰ δαιμόνια εἰ μὴ ἐν τῷ Βεεζεβοὺλ ἄρχοντι τῶν δαιμονίων „Dieser treibt die Dämonen ja *durch Beezebul* aus, *den Obersten der Dämonen*!“; Lk 11,15 ἐν Βεεζεβοὺλ τῷ ἄρχοντι τῶν δαιμονίων ἐκβάλλει τὰ δαιμόνια und Mk 3,22 = Mt 9,34 ἐν τῷ ἄρχοντι τῶν δαιμονίων ἐκβάλλει τὰ δαιμόνια bieten einen sinngemäß gräzisierten Text (betonte Voranstellung von ἐν Βεεζεβοὺλ bzw. ἐν τῷ ἄρχοντι τῶν δαιμονίων; kein einschränkendes μόνον!).

---

[1] Wellh Einl 15 und danach Burney Joh 76 wollen die Varianten zwischen Mk 4,22 und den Parallelen auf doppeldeutiges aram. ד zurückführen: Übersetzt man in der anzunehmenden Mk-Vorlage (אלא דיתגלי) das ד nicht final (ἵνα), sondern relativisch („außer dem, das geoffenbart werden soll“; aber in diesem [nicht eindeutigen] Falle ist אלא מה ד wahrscheinlicher!, vgl. Dalman 117f.), so ist man in der Tat der anderen Version (דלא יתגלי) graphisch und dem Sinne nach näher, als im griech. Text. Black 57f. hält nach Wellh den Mt-Lk-Text für ursprünglich; die Mk-Version sei vielleicht schon durch einen Irrtum im Aram. entstanden (דלא zu אלא ד), aber wahrscheinlich nur eine — wenn auch merkwürdige — originalgriech. Formulierung. In Wirklichkeit erweist die typisch sem. Konstruktion Mk 4,22 als ursprünglich. Lk 8,17 und Mt 10,26 = Lk 12,2 sind dagegen Gräzisierungen, bei denen die umständliche Fassung (durch die Relativsätze!) und die doppelte Negation noch auf die ursprüngliche Formulierung hinweisen.

10. Öfters besteht im Semitischen die Ausnahme aus einer Zeitbestimmung, vor deren als sicher erwartetem oder schon geschehenem Eintreffen die Haupthandlung nicht ablaufen kann bzw. konnte. Es wird also nur die zeitliche Reihenfolge zweier Ereignisse bestimmt. Im Deutschen übersetzt man am besten „erst (wenn, als)“[1]: Diese

---

[1] Die Bedeutung „erst (wenn, als)“ wird im Sem. häufiger durch לא–עד („nicht — bis“) ausgedrückt, wobei das Interesse der Zeit nach dem durch עד angegebenen Zeitpunkt gilt: Arab.: lā–ḥattā + Verb. fin.: vgl. Synt Verh 668. 737; Hebr.: לֹא–עַד a) mit einer kurzen Zeitangabe: Neh 13,19 עַד אַחַר הַשַּׁבָּת, LXX ἕως ὀπίσω τοῦ σαββάτου „erst nach Ende des Sabbats“; mit Inf.: Gen 19,22 עַד־בֹּאֲךָ שָׁמָּה, LXX ἕως τοῦ σε εἰσελθεῖν ἐκεῖ. CD 15,10f.; b) mit Verb. fin.: Gen 29,8 לֹא נוּכַל עַד אֲשֶׁר יֵאָסְפוּ כָל־הָעֲדָרִים, LXX οὐ δυνησόμεθα ἕως τοῦ συναχθῆναι πάντας τοὺς ποιμένας „das können wir erst wenn ...“; Num 23,24b עַד, ἕως; Ps 132,3—5 עַד, ἕως; 1QS 6,16f.; 8,18; CD 2,21 לוא–עד אשר. Neuhebr.: לא–עד ש + Verb. fin.: Ab 2,4; bSanh 98a (vgl. Albrecht S. 50). Reichsaram.: לָא–עַד + Verb. fin.: Esr 4,21; Cowley 69,5; Aḥiqar 96,130f. Jüd.-Pal.: לא–עד ד: jBer 2c לא אמרין דעל עד שעתה דייעול „Sie sagten erst, daß er käme, als er schon kam“; jTer 46c לא יחמון אפיי עד דאינון סחיין „Sie dürfen mich erst sehen, wenn sie gebadet haben“; jŠab 8c לית איפשר דאנא נפיק מיכא עד דנידע מה הוי בסופיה „Ich kann von hier erst weggehen, wenn ich weiß, wie es ausgegangen ist“; jBM 12c לא יכיל ארעייא באני עד דבני עילייא „Der Bewohner des unteren Stockwerkes kann erst bauen, wenn der Bewohner des oberen Stockwerks baut“; PredR zu 3,2 לית את זייע מן הכא עד דאת מרקיד לן ציבחד „Du darfst erst weitergehen, wenn du vor uns ein wenig getanzt hast“; AD 15,11; 27,4f.; LevR 24,3 ולא יפקון מן הכא עד זמן דיחמון חררה דדמא על אפי מיא „Und sie sollen erst weggehen von hier, wenn sie einen Blutklumpen auf der Wasseroberfläche sehen“; ebd. dasselbe im Präteritum: ולא עלון מן תמן עד זמן דחמון כמין חררה דדמא על אפי מיא; vgl. Dalman 235, Odeberg 523. Bab.-Talmud.: לא–עד ד + Verb. fin.: vgl. Schles S. 39. 239f. Syr.: (ד) עד, vgl. Nöld 360 C. Mand.: עד. Christl.-Pal.: עדמא ד. Diese Konstruktion (οὐ, μή — ἕως [ἄν], ἕως οὗ in der Bedeutung „erst wenn“, „erst als“) gibt es natürlich auch im Griech. (vgl. Mayser 1 S. 269f., 274 und Jes 55,10.11; 65,6; Rt 3,18 LXX). Im NT findet sich Entsprechendes (wobei der Ton auf der Zeit nach dem durch ἕως o.ä. angegebenen Zeitpunkt liegen muß wie im Sem. bei אלא!) etwa: Mt 5,26 (Lk 12,59); 17,9; 23,39 (Lk 13,35); 24,39; Mk 14,25; Lk 1,20; 22,16.34; Joh 9,18; 13,38; Act 23,12.14.21; Apc 7,3; 15,8; 20,3.5; vgl. 6,10 „wann endlich“. Jedoch bezeichnet „bis“ auch nach einer Negation im Sem. und im Griech. öfters nur die Grenze, innerhalb derer die Haupthandlung betrachtet wird, ohne daß damit gesagt sein soll, daß sich danach etwas ändert, so Hebr.: Gen 28,15 עַד אֲשֶׁר אִם־עָשִׂיתִי, LXX ἕως τοῦ ποιῆσαί με πάντα. Jes 42,4 לֹא–עַד, LXX οὐ — ἕως ἄν (= Mt 12,20), vgl. Jes 22,14. Neuhebr.: GenR 51,1 כאשות זו שאינה מספקת לראות שמש עד שהיא חוזרת לעפר „Wie jener Maulwurf, der die Sonne nicht sehen kann, bis er zum Staube zurückkehrt“; jBer 14b לא הספיק לומר

Zeitbestimmung ist entweder: a) Eine kurze Zeitangabe: Arabisch: SyntVerh 714, Syntax 506. Hebräisch: Gen 21,26 וְגַם אָנֹכִי לֹא שָׁמַעְתִּי בִּלְתִּי הַיּוֹם, LXX οὐδὲ ἐγὼ ἤκουσα ἀλλ' ἢ σήμερον „Und ich habe es erst heute gehört"; 1Kön 17,1 (zitiert S. 107) „Erst wieder auf mein Wort"; 2Kön 23,22f. (LXX ὅτι ἀλλ' ἢ) „Seit den Tagen der Richter erst wieder". Neuhebräisch: Ber 6,6 אין מביאין את המוגמר אלא לאחר סעודה „Man bringt das Räucherwerk erst nach der Mahlzeit"; bBek 20b ורוב בהמות אין חולבות אלא אם כן יולדות „Die meisten Tiere geben erst Milch, wenn sie geworfen haben". Aramäisch: HhldR zu 1,1 לית בר נש מתני אנוקי דידיה אלא בשעת רווחיה „Jemand erzählt erst von seiner Not, wenn es ihm wieder gut geht"; AD 22,16 לא תתן יתהון להון אלא עם מטמעי שמשא בערובת שבתא „Gib es ihnen erst am Freitag abend!" oder: b) Ein ganzer Satz: Hebräisch (nur Zustandssätze[1]): 2Kön 4,24 אַל־תַּעֲצָר־לִי לִרְכֹּב כִּי אִם־אָמַרְתִּי לָךְ, LXX μὴ ἐπίσχῃς μοι τοῦ ἐπιβῆναι, ὅτι ἐὰν εἴπω σοι „Halte erst an, wenn ich es dir sage!". Bei den drei übrigen atl. Beispielen übersetzt LXX sinngemäßer ἕως ἄν[2] und zeigt dadurch, daß sie hier auch ein temporales Satzverhältnis sieht: Jes 55,10 וְשָׁמָּה לֹא יָשׁוּב כִּי אִם־הִרְוָה אֶת־הָאָרֶץ, LXX καὶ οὐ μὴ ἀποστραφῇ, ἕως ἂν μεθύσῃ τὴν γῆν „Und erst dorthin zurückkehrt, nachdem er die Erde getränkt hat" und ebenso V. 11; Jes 65,6 לֹא אֶחֱשֶׁה כִּי אִם־שִׁלַּמְתִּי, LXX οὐ σιωπήσω, ἕως ἂν ἀποδῶ „Ich werde erst ruhen, wenn ich es heimgezahlt habe"; Rt 3,18 (לֹא–כִּי אִם, LXX ἕως ἄν) „Er wird nicht ruhen, bis er es vollendet hat". Neuhebräisch: Jeb 16,5 (zitiert S. 120). Aramäisch: KlglR zu 1,1 (zitiert S. 121); außerdem bei NöldMand 478 (bes. Anm. 4)[3].

Im NT liegt diese Bedeutungsnuance vor: Mk 9,9 διεστείλατο αὐτοῖς ἵνα μηδενὶ ἃ εἶδον διηγήσωνται, εἰ μὴ ὅταν ὁ υἱὸς τοῦ ἀνθρώπου ἐκ νεκρῶν

עד שפרחה נשמתו „Rabbi ʿAqiba hatte (noch) nicht das Šma beendet, bis er (= als er schon) starb". Aram.: Dan 6,25b; Esr 5,5 לָא–עַד, jTer 45c לא אספק משתי עד דאיתחלחל „Er hatte noch nicht ausgetrunken, als er schon zitterte". Im NT etwa Mk 9,1 (= Mt 16,28; Lk 9,27); 13,30 (= Mt 24,34; Lk 21,32); Mt 1,25; 5,18; 10,23; 1Kor 4,5 (πρὸ καιροῦ nimmt ἕως ἂν ἔλθῃ ὁ κύριος vorweg). Eine Partikel „erst" gibt es im Sem. nicht. So wird „erst" öfters gar nicht ausgedrückt.

[1] Vgl. S. 115ff.

[2] Entsprechend der S. 132 Anm. 1 behandelten im Sem. und Griech. geläufigen Ausdrucksweise.

[3] Peš übersetzt Mk 9,9 wörtlich.

ἀναστῇ „Sie dürften das Gesehene erst jemandem berichten, wenn (niemandem berichten bis) der Menschensohn von den Toten auferstanden sei“, Mt 17,9 verbessert εἰ μὴ ὅταν in ἕως οὗ, wie es LXX in Jes 55,10.11; 65,6; Rt 3,18 getan hat; außerdem nach ἐὰν μή: Joh 7,51 „erst wenn man ihn gehört hat“ (hier wie bei den übrigen auf S. 118f. genannten ntl. Belegen liegt der Hauptakzent jedoch nicht auf der Festlegung der zeitlichen Reihenfolge); vgl. auch Mk 7,3.4 „erst wenn sie sich die Hände gewaschen haben“. Zwei Belege für οὐκ — εἰ μή bzw. μή — ἐὰν μὴ πρότερον = „nicht eher — als bis“, „erst wenn“ finden sich auffälligerweise in den Papyri (Rein 7,18.23 [141 v.] bei Mayser 1, S. 320). Vielleicht liegt aramäischer Einfluß vor.

11. Während die Ausnahmepartikel im Semitischen ursprünglich nur nach negiertem Hauptsatz möglich war[1], sind einige Einzelsprachen darüber hinausgegangen: Man setzte sie zunächst auch nach Verben mit negativem Sinn, wie „bestreiten“ = „nicht sagen“, „sich zerstreuen“ = „nicht zusammenbleiben“ u. ä. (vgl. Synt Verh 714, Syntax 506), und schließlich nach rein positiven Hauptsätzen. Es handelt sich dabei offensichtlich um eine innereinzelsprachliche Entwicklung. Der Ausnahmepartikel folgt hierbei ein einzelner Begriff oder ein konjunktionaler Nebensatz. Besonders im Arabischen findet sich „wenn nicht“ = „außer“ nach positivem Hauptsatz recht häufig (Synt Verh 714—716, Syntax 503f.: alle + einzelner Begriff)[2]; ebenso im Neuhebräischen (vgl. Albrecht S. 35, Segal 505): Pes 5,8; Zeb 1,1; 5,6.7; Men 1,1 (alle אלא ש „außer daß“); Git 9,1.2 (+ einzelner Begriff); während im atl. Hebräisch nur die Präpositionen (מ)לְבַד, מִבַּלְעֲדֵי (und בִּלְתִּי Ex 22,19?)[3], und zwar selten, so gebraucht werden; doch ist dies im nachatl. Hebräisch schon möglich: CD 5,15 יאשם כי אם נלחץ „Er soll schuldig sein (= er soll seiner Strafe nicht entgehen), außer er ist gezwungen worden“. Im Reichsaramäischen steht להן öfters nach positiven Verben: Dan 6,8 (LXX, Theod ἀλλ᾽ ἤ). 13; Cowley 15,32.32.33 (alle + einzelner Begriff). Dagegen ist dies in den übrigen aramäischen Sprachen nicht üblich. Im Griechischen scheint sich εἰ μή = „außer“ nur nach negiertem Haupt-

---

[1] Vgl. S. 102.

[2] Während aber nach negiertem Hauptsatz das Ausgenommene im Kasus mit dem (u. U. auch ausgelassenen) Eingeschränkten kongruiert, steht es nach positivem Hauptsatz im Akkusativ!

[3] Vgl. S. 103.

satz zu finden[1]. So steht auch im NT nach positivem Verbum ein Ausnahmesatz nur bei den festen Redensarten ἐκτὸς εἰ μή (1Kor 14,5; 15,2), εἰ μήτι (Lk 9,13 [von Lk formuliert]; 2Kor 13,5b [nach rhetorischer Frage mit positivem Sinn]) „es müßte denn sein, daß", und ein Substantiv nach den Präpositionen πλήν (Act 8,1) und χωρίς (2Kor 11,28) = „außer".

12. Die Ausnahmepartikel hat im Semitischen oft adversative Bedeutung („sondern")[2]. Dies ist dann der Fall, wenn das Ausgenommene dem im negierten Hauptsatz stehenden Oberbegriff nicht untergeordnet ist, sondern einer anderen Kategorie angehört (für semitisches Empfinden liegt da kein grundsätzlicher Unterschied vor), vgl. z.B. „Kein Mann außer dem König", aber „Kein gemeiner Mann, sondern (nur) der König". Dabei kann entweder ein einfacher Gegensatz vorliegen (Übersetzung: „sondern") oder das Gegenübergestellte in seiner Ausschließlichkeit betont sein (Übersetzung: „sondern nur"). Im Arabischen kommt adversatives 'illā in beiden Bedeutungen vor, vgl. SyntVerh 717—719, Syntax 506—508. Im Hebräischen findet sich adversatives כִּי אִם[3] fast so oft wie ausschließendes[4]. Das Entgegengesetzte kann dabei ein einzelner Begriff (Gen 32,29; 2Sam 21,2; 1Kön 18,18; 1QS 5,5 lies כיא אם statt ואם; CD 4,11; 15,1 u.ö.) oder ein ganzer Satz sein (Gen 15,4; 1Sam 8,19; 2Sam 5,6; Sir 33,1 u.ö.)[5]; in beiden Fällen kann es auch ausschließlich gemeint sein („sondern nur": Jos 17,3; 1Sam 2,15; 2Kön 19,18 u.ö.; Dt 12,14; Jos 23,8; 1Sam 21,5 u.ö.). LXX gibt כִּי אִם = „sondern (nur)" meist durch ἀλλά (Gen 15,4; 32,29; 35,10 u.ö.), ἀλλ' ἤ (Dt 12,14; 1Kön 17,12; 2Kön 19,18 u.ö.) oder ὅτι ἀλλ' ἤ (1Sam 21,5; 2Sam 21,2 u.ö.) wieder,

---

[1] Vgl. Thesaurus Graecae linguae III 191.

[2] Umgekehrt hat im Griech. ἀλλά = „sondern" auch die Bedeutung „außer" angenommen, vgl. K-G 534.5, Schwyzer S. 578, sowie oben S. 103f.

[3] Im AT rund 40mal, daneben auch כִּי allein „sondern". Einige Male scheint außerdem „sondern" durch אִם לֹא ausgedrückt zu sein: Gen 24,38 (LXX: ἀλλ' ἤ); Ps 131,2 (εἰ μή); (Ez 3,6?, οὐδέ); und Jos 22,24 durch וְאִם לֹא (ἀλλά). Das wäre dann als Aramaismus zu betrachten; es handelt sich ja auch um lauter späte Stücke (Gen 24,37f. ist durch die Quellenkompilation entstanden). Aber zumindest in Jos 22,24 wird „wahrlich" gemeint sein.

[4] Die übrigen auf S. 103 aufgezählten hebr. Exzeptivpartikel kommen nicht in der Bedeutung „sondern" vor (außer זוּלָתִי in Dt 4,12).

[5] Vgl. den hierzu parallelen Abschnitt, Nr. 4, S. 111ff.

daneben je einmal durch ὅτι εἰ μή (2Kön 23,9), μᾶλλον γάρ (Spr 18,2); εἰ μή „sondern“ findet sich Bel 4[1]. Im Neuhebräischen ist אלא „sondern“ häufig: Es steht vor einem einzelnen Wort: AZ 3,4; Pes 9,2 u.ö., vor einem Verb. fin.: Ber 3,5; BQ 3,11; BM 2,9; BB 3,8; 8,8; AZ 2,5 u.ö.; „sondern nur“ ist zu übersetzen: Ber 5,4; Pes 2,1; 9,7; DtR 2,25 אל תתקשטי בה בפרהסיא אלא בתוך ביתך „Schmücke dich damit nicht öffentlich, sondern nur in deinem Hause!“ u.ö. Auch im Aramäischen ist es reichlich belegt: Im Reichsaramäischen findet sich להן „sondern (nur)“: Dan 2,30 (vor Finalsatz, LXX ἀλλά); Cowley 9,7.9; 33,11; Kraeling 4,20; 8,9; 1QGen Apoc 22,34. Im Jüdisch-Palästinischen steht אלא „sondern“ + einzelner Ausdruck: jBik 65c אילין דקיימין מן קומי מיתא לא מן קומי מיתא אינון קיימין לון אלא כן קומי אילין דגמלין ליה חסד „Diejenigen, die vor einem Toten aufstehen, stehen nicht vor dem Toten auf, sondern vor denen, die ihm die letzte Ehre erweisen“; jPes 31b.c טרוכסימון לא מן יומא דין אלא מן דאתמול דהוא כמיש וזליל „Endivie, (aber) nicht von heute, sondern (noch) von gestern, die (so daß sie) (schon) welk und unansehnlich ist“; jBer 9c עלך לא כעסית אלא על הדין דאטרח „Dir zürne ich nicht, sondern dem, der (dich) belästigte“; jBM 8c דלא תימרון בגין דחלתך עבדית אלא בגין דחלתיה דרחמנא „Damit ihr nicht sagt, ich hätte es aus Furcht vor dir getan, sondern aus Gottesfurcht“; 10c לית בדעתי מזבנתה כדון אלא בפוריא „Ich habe nicht die Absicht, es (schon) jetzt zu verkaufen, sondern (erst) am Purimfest“; jKet 25c לא מסתייה דסליקא לכהונתא אלא דתימר תגבה „Es genügt nicht, daß sie zur Priesterwürde aufsteigt, sondern (erst), daß sie nach deiner Meinung (die Ketuba) einkassiert?“; KlglR zu 1,1 לית הא בישא אלא טבא דמטי חגא ולא הוה ליה לההוא גברא כלום „Das bedeutet nicht Schlechtes, sondern Gutes, denn wenn das Fest kommt, wirst du nichts haben“; PredR zu 4,6 לא מיסתייה מובד דידיה אלא דאחרנין „Er ist (noch) nicht zufrieden, wenn er sein eigenes Vermögen verliert, sondern (erst wenn auch) das der anderen“; AD 23,21 u. ö.; + Verb. fin.: jBer 4c לא לך הימנית אלא לאילין דברישך הימנית „Nicht dir habe ich vertraut, sondern denen, die an deinem Kopfe sind (= Tefillin), habe ich vertraut“; jNed 42b (Dalman WJ 338: + Imp.); jŠab 5c לא תהי עביד כן אלא גרוף תיפייא ויהב תלתא כיפין ורמי עליהן „Mache es nicht so, sondern kratze den Herd aus und lege drei Steine (hinein) und stelle (das

[1] Außerdem hat LXX einige Male den hebr. Text mißverstanden: Gen 47,18a (εἰ γάρ); 2Kön 17,40; oder frei übersetzt: 1Sam 2,15; 2Sam 5,6 (ὅτι „weil“).

Essen) darauf!"; 11a חדא מן תלת מילייא לית בי אלא אולפני שכיח לי ,,Keines von den drei Dingen trifft auf mich zu, sondern meine Lehre befindet sich in mir (deshalb glänzt mein Gesicht)"; jAZ 43d ולא רבי חייה רבה תניתה אלא מן דשמעה מיניה חזק וקבעה ,,Und Rabbi Ḥijja lehrte es nicht (von sich aus), sondern (aber) als er es von ihm hörte, befestigte er es und legte es fest"; LevR 27,1 לא עבידתכון אתית למיחמי אלא דינכון אתית למיחמי ,,Ich bin nicht gekommen, um eure Ware zu sehen, sondern ich bin gekommen, um eure Rechtssprechung kennenzulernen" (dafür AD 26,10 Asyndese; GenR 33,1 אלא ,,außer"); PredR zu 7,12a לא אמרית ווי אלא ווה אמרית ,,Ich habe nicht Wehe! gesagt, sondern Ha!" u.ö.; ,,sondern nur" ist zu übersetzen: jKil 32d דלא יחוט ליה מסאניה בכיתן אלא ברצועה ,,Daß man ihm seine Schuhe nicht mit Flachs nähe, sondern nur mit einem Riemen"; jAZ 44d אנא מחמי לכון דלית אתון סגדין לאהין טורא אלא לצלמייא דתחותוי ,,Ich werde euch beweisen, daß ihr nicht diesen Berg (Garizim), sondern nur die unter ihm liegenden Götzenbilder verehrt"; NumR 12,10 לית מזל חמי במה דקדים ליה ולית מזל חמי במה דלעיל מיניה אלא במה דלרע מיניה ,,Ein Planet sieht nicht, was vor ihm ist, und ein Planet sieht (auch) nicht, was über ihm ist, sondern nur, was unter ihm ist"; PredR zu 1,3 (= LevR 28,2) לא תהא סביר דבגין מגיסך אתית אלא בגין דלא צווחת לי עם חבירי ,,Glaube nicht, daß ich wegen deines Essens gekommen bin, sondern nur, weil du mich nicht mit meinen Genossen eingeladen hast"; AD 15,18 u.ö.; vgl. Dalman 241. Auch im Babylonisch-Talmudischen, Syrischen und Christlich-Palästinischen hat אלא häufig die Bedeutung ,,sondern (nur)". Nur ausnahmsweise wird im Semitischen das ,,nur" nach ,,sondern" noch einmal durch לא – אלא ausgedrückt: EsthR zu 3,8 אין בניך מתקטרגין לא על שעבדו עבודה זרה ולא על שגלו עריות ולא על שפיכת דמים אלא אין מתקטרגין אלא על שהן משמרין דתותיך ,,Deine Kinder werden nicht angeklagt wegen Götzendienst, noch wegen Unzucht, noch wegen Mord, sondern nur, weil sie deine Gebote halten". Im klassischen Griechisch kann εἰ μή nicht ,,sondern" heißen[1]. In der Koine kommt es außerhalb des NT nur sehr selten vor, so etwa: Ohne Verb. fin.: Silkoinschrift (Ditt.Or. 201,20 [6. Jahrh. n.])[2] und + Verb. fin.: Theodoros Prodromos ed. Rud. Hercher, 7,426 (Bauer s.v.; 2. Jahrh. n.); Acta Barn 20 (Bl-Debr 448,8; 5. Jahrh. n.).

---

[1] So mit Bl-Debr 448.8 gegen Raderm 14 und Bauer s. v.

[2] Unter koptischem Einfluß, vgl. R. Lepsius, Hermes 10 (1876), 129—44, Die griechische Inschrift des nubischen Königs Silko, 140.

Im NT ist adversatives εἰ (ἐὰν) μή recht häufig. Da LXX-Einfluß auch hier nicht in Frage kommt[1], und dieser Sprachgebrauch im originalen Vulgärgriechisch sehr selten belegt ist, muß auch hier[1] das Semitische eingewirkt haben[2]. Zwar darf man nicht in jedem Fall auf eine semitische Vorlage schließen, da an mindestens zwei Stellen εἰ μή „sondern" im Griechischen selbständig formuliert wurde: Durch Verengung des Oberbegriffs wurde nämlich εἰ μή „außer" in εἰ μή „sondern" verwandelt in Mt 12,4 (zu Mk 2,26 ist αὐτῷ οὐδὲ τοῖς μετ' αὐτοῦ zugesetzt) und in Joh 13,10 D (zu 13,10 B ist τὴν κεφαλήν zugesetzt). Aber man wird sagen dürfen, daß εἰ (ἐὰν) μή in der Bedeutung „sondern" gehäuft nur im Bereich semitischer Spracheinwirkung möglich ist, indem hier das Gefühl für den scharfen Unterschied zwischen „außer" und „sondern" verlorengeht. Im NT folgt auf εἰ (ἐὰν) μή „sondern (nur)"[3] meist ein einzelner Begriff: Mt 12,4 ὃ οὐκ ἐξὸν ἦν αὐτῷ φαγεῖν οὐδὲ τοῖς μετ' αὐτοῦ, εἰ μὴ τοῖς ἱερεῦσιν μόνοις „sondern nur den Priestern"; Mk 13,32 (= Mt 24,36) περὶ δὲ τῆς ἡμέρας ἐκείνης ἢ τῆς ὥρας οὐδεὶς οἶδεν, οὐδὲ οἱ ἄγγελοι ἐν οὐρανῷ οὐδὲ ὁ υἱός, εἰ μὴ ὁ πατήρ (Mt + μόνος) „sondern nur der Vater"; Lk 4,26 καὶ πρὸς οὐδεμίαν αὐτῶν ἐπέμφθη Ἠλίας, εἰ μὴ εἰς Σάρεπτα τῆς Σιδωνίας πρὸς γυναῖκα χήραν „sondern ‚nach Sarepta zu einer Witwe'". 27 καὶ οὐδεὶς αὐτῶν ἐκαθαρίσθη εἰ μὴ Ναιμὰν ὁ Σύρος „sondern Naiman der Syrer"; 17,18 Bא läßt sich vom Semitischen her nur verstehen: „Die Neun kehrten also nicht zurück, sondern nur dieser Landfremde" (vgl. S. 113); Joh 13,10 D ὁ λελουμένος οὐ χρείαν ἔχει τὴν κεφαλὴν νίψασθαι εἰ μὴ τοὺς πόδας μόνον „sondern nur die Füße"; Röm 14,14 (mit wiederholtem Verbum, vgl. S. 115 Anm. 1) οὐδὲν κοινὸν δι' ἑαυτοῦ· εἰ μὴ τῷ λογιζομένῳ τι κοινὸν εἶναι, ἐκείνῳ κοινόν „Nichts ist an sich unrein, sondern wenn jemand meint, daß etwas unrein sei, so ist es für diesen unrein"; Gal 1,7 (mit wiederholtem Verbum vgl. S. 115 Anm. 1) ὃ οὐκ ἔστιν ἄλλο, εἰ μή τινές εἰσιν οἱ ταράσσοντες ὑμᾶς „Welches es gar nicht gibt (Bl-Debr 306.4), sondern es handelt sich

---

[1] Wie bei εἰ μή = „außer", vgl. S. 105.

[2] Man erwartet dieses εἰ μή in den Synoptikern eigentlich noch häufiger, da doch jedes ἀλλά = „sondern" — soweit eine aram. Vorlage in Frage kommt — auf אלא zurückgehen muß. (Nur in den Targumen kommt ארי, ארום, das Äquivalent von hebr. כִּי, selten auch in der Bedeutung „sondern", „aber" vor, meist jedoch als „daß", „weil".)

[3] Auch ἀλλά kann „sondern nur" heißen: Mt 6,18; 7,21; Mk 5,39; 6,9; 2Kor 1,9b. 19; 10,18; 13,8; Gal 5,6; 6,15; Eph 4,29; 2Petr 2,5; Apc 9,5.

nur um gewisse Leute, die euch verwirren"; 1,19 ἕτερον δὲ τῶν ἀποστόλων οὐκ εἶδον, εἰ μὴ Ἰάκωβον τὸν ἀδελφὸν τοῦ κυρίου „sondern nur Jakobus, den Bruder des Herrn"; 2,16 οὐ δικαιοῦται ἄνθρωπος ἐξ ἔργων νόμου ἐὰν μὴ διὰ πίστεως Χριστοῦ Ἰησοῦ „sondern nur durch den Glauben an Christus Jesus"; Apc 9,4 καὶ ἐρρέθη αὐτοῖς, ἵνα μὴ ἀδικήσουσιν τὸν χόρτον τῆς γῆς οὐδὲ πᾶν χλωρὸν οὐδὲ πᾶν δένδρον, εἰ μὴ τοὺς ἀνθρώπους, οἵτινες οὐκ ἔχουσιν τὴν σφραγῖδα τοῦ θεοῦ ἐπὶ τῶν μετώπων „sondern nur die Menschen, die nicht das Siegel Gottes auf der Stirne tragen"; 21,27 καὶ οὐ μὴ εἰσέλθῃ εἰς αὐτὴν πᾶν κοινὸν καὶ ὁ ποιῶν βδέλυγμα καὶ ψεῦδος εἰ μὴ οἱ γεγραμμένοι ἐν τῷ βιβλίῳ τῆς ζωῆς τοῦ ἀρνίου „sondern nur, die im Lebensbuch des Lammes aufgeschrieben sind". Ein ganzer Satz folgt auf adversatives εἰ (ἐὰν) μή: 1Kor 7,16f. τί οἶδας, εἰ σώσεις; εἰ μὴ . . . ἕκαστον ὡς κέκληκεν ὁ θεός, οὕτως περιπατείτω „Nicht weißt du, ob du retten wirst[1]; sondern nur (das wissen wir): Jeder soll leben, wie Gott ihn berufen hat".

Dagegen ist Mt 5,13b Bℵ εἰς οὐδὲν ἰσχύει ἔτι εἰ μὴ βληθὲν ἔξω (DWΘ it βληθῆναι ἔξω καὶ) καταπατεῖσθαι ὑπὸ τῶν ἀνθρώπων ein Beispiel dafür, daß die Ausnahmekonstruktion auch bei adversativer Bedeutung von אלא erhalten bleiben kann, da für semitisches Empfinden „außer" und „sondern" nicht scharf unterschieden sind (vgl. oben S. 135): Hier liegt nämlich keine Fehlübersetzung vor (etwa: אלא wurde fälschlich als „außer" verstanden und deshalb der ursprünglich selbständige Nachsatz dem Hauptverbum subordiniert), sondern wörtliche Übertragung einer semitischen Konstruktion: Obwohl βληθὲν ἔξω (βληθῆναι ἔξω καὶ) καταπατεῖσθαι logisch dem εἰς οὐδὲν ἰσχύει selbständig gegenübersteht (was die Parallele Lk 14,35 durch den asyndetischen Hauptsatz ἔξω βάλλουσιν αὐτό „[sondern] man wirft es weg" richtig zum Ausdruck bringt[2]), ist es grammatisch dem ἰσχύει untergeordnet, wie es für unser Empfinden nur bei אלא = εἰ μή in der Bedeutung „außer" geschehen dürfte. Es ist also zu übersetzen: „Es ist zu nichts mehr nütze, sondern wird weggeworfen und von den Leuten zertreten". Genau dieselbe Konstruktion (exzeptives „außer" an Stelle von adversativem „sondern") liegt auch vor Mt 26,42 εἰ οὐ δύναται τοῦτο παρελθεῖν ἐὰν μὴ αὐτὸ πίω, γενηθήτω τὸ θέλημά

[1] Diese rhetorische Satzfrage mit negativem Sinn (vgl. S. 124ff.) lautet wörtlich übersetzt: „Weißt du denn, ob du retten wirst?" (Zu aramaisierendem τί „etwa?" vgl. S. 101 Anm. und S. 124 Anm.)

[2] Jeremias Gleichnisse 147.

σου „Wenn er nicht an mir vorübergehen kann, sondern ich ihn trinken muß, so geschehe dein Wille", wörtlich übersetzt: „Wenn er mich nicht verschonen kann, außer ich habe ihn zuvor getrunken (vgl. zu diesem vorzeitigen Zustandssatz S. 115ff.), so geschehe dein Wille" und Joh 15,4b τὸ κλῆμα οὐ δύναται καρπὸν φέρειν ἀφ' ἑαυτοῦ ἐὰν μὴ μένῃ ἐν τῇ ἀμπέλῳ „Eine Ranke kann nicht von selbst Frucht tragen, sondern nur, wenn sie am Weinstock bleibt", wörtlich übersetzt: „Nicht von sich aus, außer sie bleibt am Weinstock (vgl. zu diesem gleichzeitigen Zustandssatz S. 115ff.)". Auch Röm 13,8a läßt sich so verstehen: „Bleibt niemandem etwas schuldig, sondern liebet einander!"[1], während 1Kor 14,6 aus sachlichen Gründen nicht eindeutig formuliert ist, indem das im ἐὰν μή-Satz eigentlich notwendige „zugleich" das Zungenreden abwertend ausgelassen ist. Eine solche Inkongruenz nach אלא ist im Semitischen etwa belegt Nab 5,39 (Synt Verh 717) ما قلتُ من سيّءٍ ممّا أُتيت به الاّ مَقالَةَ اقوام „Ich habe Schlechtes, wie es dir hinterbracht worden ist, nicht gesagt, sondern (es ist) nur Gerede von Leuten"; Ṭabari IIb. 650,3 (Synt Verh 722) لم يدعْ شيئا الاّ وقد ذاكره إيّاه „Er überging nichts, ohne es vor ihm erwähnt zu haben (sondern erwähnte es)"; Jes 55,11 לֹא־יָשׁוּב אֵלַי רֵיקָם כִּי אִם־עָשָׂה אֶת־אֲשֶׁר חָפַצְתִּי „Mein Wort wird nicht leer zu mir zurückkehren, außer nachdem es ausgerichtet hat, was mir gefällt (= sondern es wird ausrichten ...)", LXX LC οὐ μὴ ἀποστραφῇ πρός με κενόν, ἕως ἂν συντελεσθῇ ὅσα ἠθέλησα. CD 11,3f. אל יקח איש עליו בגדים צואים או מובאים בגז כי אם כ⟨ו⟩בסו במים או שופים בלבונה „Nicht soll jemand (am Sabbat) schmutzige Kleider anziehen oder solche, die (längere Zeit) in einem Vorratsraum aufbewahrt worden sind, außer sie seien vorher mit Wasser gewaschen (= nicht schmutzige s o n d e r n gewaschene) oder mit Weihrauch abgerieben worden (= nicht längere Zeit aufbewahrte, a u ß e r sie seien vor dem Anziehen gegen den muffigen Geruch parfumiert worden)".

Außerdem steht πλήν in der Bedeutung „sondern (nur)" Lk 12,31 (+ Verb. fin., „sondern nur"; Mt 6,33 δὲ πρῶτον); 23,28 (+ Verb. fin.); Act 27,22 (+einzelner Begriff, „sondern nur").

---

[1] Die merkwürdige Wortwahl von Röm 13,8a könnte auf ein aram. Wortspiel zwischen חוב ὀφείλειν und חבב ἀγαπᾶν zurückgehen (Agnes Smith Lewis nach A. Meyer, Jesu Muttersprache 125), wie es Black 137ff. auch für mehrere synoptische Stellen vermutet.

13. Im Semitischen steht die adversativ gebrauchte Ausnahmepartikel[1] oft auch nach positivem Satz[2]; sie ist dann durch „aber“, „jedoch“ zu übersetzen. Es folgt meist ein (selbständiger) Satz, selten ein einzelnes Wort. Beides ist im Arabischen für 'illā belegt, vgl. Synt Verh 718f., Syntax 507. Im Hebräischen wird כִּי אִם in dieser Bedeutung nur sehr selten gebraucht, wenn der Text an diesen Stellen überhaupt in Ordnung ist: Gen 40,14 (LXX ἀλλά) „aber“ (?); Num 24,22 (καὶ ἐάν) „aber“, „und doch“; 1Kön 20,6 (ὅτι) „jedoch“; Ez 12,23 (ὅτι) „aber“, „doch“. Im Neuhebräischen hat אלא oft die Bedeutung „vielmehr“, „aber“, vgl. Albrecht 18a, Segal 504. Im Reichsaramäischen begegnet להן öfters in der Bedeutung „aber“, vgl. Esr 5,12 (LXX αὐτοῖς!); Cowley 9,6; 34,6; 37,5; Kraeling 4,16; 7,33. Im Jüdisch-Palästinischen ist אלא „aber“ oft belegt, so j Qid 64c שרי אלא הוי ידע „Es ist erlaubt, aber wisse!“; jBM 11b (zitiert S. 268 Anm.); KlglR zu 1,11 על כולא שרי ושביק ליך אלא על דאמרת לי חזיין אפיך כיהודאיתא לא שרי ולא שביק ליך „Alles ist dir vergeben, doch daß du gesagt hast: ‚Du siehst wie eine Jüdin aus‘, ist dir nicht vergeben“; AD 16,5; 19,11; 29,22; אלא „vielmehr“: jNaz 53d (Dalman 239). Sehr häufig ist אלא „aber, jedoch“ im Babylonisch-Talmudischen, Syrischen, Christlich-Palästinischen und Mandäischen belegt. Die entsprechende griechische Partikel ist ἀλλά.

2. *Konditionale Relativsätze und Partizipien*

Konditionale Relativsätze: VglGr 372. 377—79. 450—53, vSoden 165g.h, 168, Synt Verh 697—701. 707. 788, Syntax 372f. 489—91. 501f., GKa 137c. 138e—i, GBe 9b, Kö 341n. 367ε. 382b—d. 390e.f, Brockelmann 154. 155a. 172, Albrecht 31, Segal 420—22. 435f. 442—45, BLA 108m.n.o.r. 111g, Dalman 117f. 123. 235, Schles 133—40. 175f., Duval 376, Nöld Syr 218. 236. 317. 374 Anm., Mand 343—45. 413f. 440f. 445f. 455, Schulthess 184, 190.2, Dillmann 205; K-G 359.3β, 386.7, 467.9, 468 Anm. 4, 510.4b, 554.4, 558.7, 559.1, 560, 563, 565, 588 Anm. 1, Schwyzer 209. 312. 643, Mayser 1 S. 76f. 261—67, 2 S. 550, Bl-Debr 290.2, 291.4, 293, 297, 298.4, 367, 380, 428.4, 466.1—3, Raderm 176f., Wellh Einl 12, Schlatter Mt 157.

Konditionale Partizipien: VglGr 273 Anm. 2, GKa 112n.mm.oo. 116w. 159i, GBe 9g[e]. 13c[b], Kö 341a—m. 367β. 412l—t. 413k—n, Brockelmann 140, Albrecht 19b. 107f, Segal 331, 374.7, 376, 435, 438, 439, 442—45; K-G 356.6, 457.6, 461.5, 486.3, 493, 577.3, 602, Schwyzer 66. 391. 399. 403. 408. 705, Mayser 1 S. 169—73, 343, 351, 2 S. 554, 3 S. 64f., 76f., 191ff., Bl-Debr 275.6, 297 A,

[1] Vgl. Nr. 12 auf S. 135ff.

[2] Wie auch in der Bedeutung „außer“, vgl. Nr. 11 auf S. 134f.

413.1.2, 430, 466.4, 468, A. Debrunner, Geschichte der griechischen Sprache II (Göschen 114), 1954, 199, Fiebig Erz 8. 19f., Wellh Joh 135f., Bauer s.v. πᾶς 1cγ, Raderm 219.

Die semitischen Sprachen besitzen mit Ausnahme des Akkadischen weder ein substantivisches noch ein adjektivisches Indefinitpronomen (τὶς, τὶ)[1]. Diese Lücke füllen die verschiedensten Ersatzwörter, so etwa im Hebräischen: אדם, איש, נפש, אחד, כל; דבר, מאומה; sowie paronomastisches Partizip; im Aramäischen: אנש, בר נש, גבר, איש (reichsaram.), חד; מלתא, כלום, מנדעם; sowie paronomastischer Relativsatz[2]. Wenn jedoch in einem bedingenden Satz ein Indefinitum vorkommen soll, so wird in der Regel nicht ein Ersatzwort gebraucht, sondern diese Protasis in einen konditionalen Relativsatz[3] umgewandelt, als bzw. vor dessen Relativpronomen der indefinite Satzteil erscheint; statt „wenn jemand“, „wenn eine Stadt“ wird also gesagt „derjenige welcher“ bzw. „die Stadt welche“. Dabei kann im Hebräischen und Neuhebräischen an die Stelle des konditionalen Relativsatzes auch ein konditionales Partizip treten. In beiden Fällen kann כל = πᾶς zum Ausdruck der Unbestimmtheit vorangestellt werden. Ausnahmen sind selten[4]. Dieser konditionale Relativsatz bzw. dieses

---

[1] Außer dem seltenen hebr. und arab. מה „etwas“, vgl. VglGr I 113.

[2] מנדעם (ostaram. z.T. verkürzt: bab.-talmud. מידי, syr. מדם, mand. מידא) ist nur reichs- und ostaram., כלום vorwiegend westaram. „etwas“. Ähnliche Ersatzwörter finden sich im Arab., vgl. VglGr 44.68, Synt Verh 427—41, Syntax 293f. Ein paronomastischer Relativsatz findet sich etwa: jChag 78a = jSanh 23c (4mal) חדא אמרה מה דהיא אמרה „Eine sagte etwas (= einen Zauberspruch)“; jSanh 25d (3mal) אמר מה דמר „Er sagte etwas (= einen Zauberspruch)“; 29b נסב מה דנסב „Er nahm etwas“; vgl. Dalman 245; bBM 107b עבד מאי דעבד „Er tat etwas“. Außerdem wird ein Indefinitum im Sem. seltener ausgedrückt als im Griech.: So fügt LXX in den Schriften mit hebr. Original zu 81 übersetzten Indefinita 101mal τὶς, τὶ von sich aus hinzu; auch ist τὶς, τὶ in den griech. Originalschriften viel häufiger, vgl. Jos: 1mal (zugesetzt); Ri: 2mal; 1—4Kön: 18mal (davon 11mal zugesetzt) mit 2Makk: 40mal; 3Makk: 19mal; 4Makk: 29mal! Zu paronom. Partzz. und Relativsätzen vgl. bes. H. Reckendorf, Über Paronomasie in den sem. Sprachen, Gießen 1909, 88ff., 165ff.

[3] Durch diesen Zuwachs wird der kond. Relativsatz eine sehr häufige sem. Ausdrucksweise.

[4] So kommt in den gesetzlichen Partien des AT (bes. Pentateuch und Ez; 1QS 6,24) öfters אִישׁ, אִישׁ אִישׁ „ein Mann“, „jemand“, אִשָּׁה „eine Frau“, אָדָם, נֶפֶשׁ „jemand“ in konjunktionalen (meist כִּי) Konditionalsätzen vor; vgl. Kö 341n. LXX übersetzt meist ἐάν τις, daneben ἐὰν ἄνθρωπος, γυνή, ψυχή o.ä. Neuhebr.: bBer 28b כשאדם עובר עבירה אומר שלא יראני אדם „Wenn jemand eine Übertretung begeht, denkt er: Daß mich nur niemand sieht!“; Fiebig Nr. 33. 68

konditionale Partizip stehen in der Regel am Satzanfang — auch vor einem Verbum finitum —, wie es für die Protasis im semitischen Konditionalsatz üblich ist[1,2]. Der konditionale Relativsatz wird also im Semitischen als echter Bedingungssatz empfunden, was auch daraus hervorgeht, daß die Kennzeichen des Bedingungssatzes auf jenen übertragen wurden: So erscheinen etwa im Arabischen auch im konditionalen Relativsatz die Tempora und Modi des gewöhnlichen Konditionalsatzes[3] (Perfekt, Apokopat), und öfters wird fa zur Einleitung der Apodosis gebraucht, dagegen niemals mā als Negation. Im Hebräischen steht öfters Wau Apodoseos[4], so etwa Gen 44,9; Ex 9,19.21; 21,13; Lev 7,20; 17,10.13; 18,5.29; 20,6; 22,3.6; 23,29.30; 25,33; Num 5,30; 9,13; Dt 17,12; 18,20; Jos 15,16; Ri 1,12; 1Sam 20,4; Jer 23,34; 27,11; Mi 3,5b; Ps 107,43; Spr 9,16b; 1QS 6,27; 7,4.4.

Ende. Jüd.-Pal.: jŠab 13d = jGiṭ 44b אילין בני מדינחא ערומין סגין כד חד מינהון בעי משלחה מילה מסטריקון לחבריה הוא כתב במי מילין „Die Morgenländer sind sehr schlau; wenn jemand von ihnen dem anderen etwas Geheimes schicken will, schreibt er es mit Gallapfelsaft“; jTaan 69c אין הוה יליף אכיל ליטרא דקופד ייכול פלגא אין הוה יליף שתי קסט דחמר ישתה פלגא „Wenn jemand gewöhnt ist, (täglich) ein Pfund Fleisch zu essen, soll er (am 8. Ab nur) die Hälfte essen; wenn jemand gewöhnt ist, (täglich) einen Krug Wein zu trinken, soll er (nur) die Hälfte trinken“; jMeg 74a אין אתא בר נש גביכון מלכלך באוריתא תהוון מקבלין ליה ולחמריה ולמנוי „Wenn zu euch jemand mit Gelehrsamkeit gesättigt kommt, so sollt ihr ihn aufnehmen samt seinem Esel und Gepäck!“; GenR 91,7 (zit. S. 248); LevR 5,2 Ar כי הוה קאים איניש על אמבוניא דסדום לא הוה יכיל למחזי ארעא מן חיליהון דאילנייא „Wenn jemand auf den Berggipfeln Sodoms stand, konnte er wegen der starken Bäume nicht die Erde sehen“; KlglR zu 1,16 (zit. S. 251).

[1] Vgl. S. 75f.

[2] Allerdings muß im Sem. nicht jeder voranstehende Relativsatz kond. sein, vgl. Jes 52,15b; Pred 1,9; 3,15. Andererseits kann ein kond. Relativsatz natürlich auch nachstehen, wie etwa im Hebr. nach אָרוּר, אַשְׁרֵי, הוֹי. Aber in diesem Fall wäre im Sem. — wie im Griech. und Deutschen — ein generalisierender Relativsatz auch gebraucht worden, wenn es ein Indefinitpron. gäbe. Deshalb werden nachgestellte kond. Relativsätze nicht berücksichtigt. Überhaupt kann ja im Sem. wie im Indogermanischen jedes Subst. oder Adjektiv o.ä. an jeder beliebigen Stelle des Satzes einen Konditionalsatz vertreten, also etwa „bei schlechtem Wetter reisen wir nicht“ = „wenn das Wetter schlecht ist . . .“, vgl. K-G 577.3, Schwyzer 682. Beim Relativsatz bzw. Partz. läßt es sich auch manchmal nicht eindeutig sagen, ob an ein einzelnes Subj. gedacht oder generelle Bedeutung anzunehmen ist, es sei denn, כל = πᾶς ist hinzugefügt, so etwa Joh 3,31a.c.34.

[3] Ebenso im Griech.: K-G 563.3d.

[4] Vgl. S. 66ff.

5.8.12.13.14.14.16.19.25; CD 9,13; 10,12f.; 12,17f. u.ö. und nach konditionalem Partizip: Ex 12,15; 31,14; Lev 7,25; Num 19,11; 21,8; Ri 19,30; 1Sam 2,13; 2Sam 2,23; 20,12; 23,3f.; Jer 38,2b; Spr 20,21; 23,24b; 29,9.21; 2Chr 13,9; 1QS 6,13.14; 7,10f.15; CD 9,12.14f. u.ö.[1]. Im Aramäischen kann auch hier Perfekt in futurischer Bedeutung gebraucht werden, vgl. Cowley 8,9.19; 25,9; Kraeling 3,14.15.16; 9, 21; 12,23; AD 22,8. Außerdem kann im Arabischen, Syrischen[2] und Äthiopischen nach dem Relativpronomen die Konditionalkonjunktion ('in, 'en) eingeschoben werden. Der konditionale Relativsatz bzw. das konditionale Partizip stehen immer im Singular[3], wenn nicht — wie besonders bei vorangestelltem Substantiv — mehrere indefinite Subjekte aus sachlichen Gründen unumgänglich sind, sei es, daß sie nur zu mehreren auftreten[4], sei es, daß sie gegeneinander handeln[5].

Der konditionale Relativsatz ist auch im Griechischen ganz gewöhnlich. Er wird eingeleitet durch ὅς oder ὅστις, die in der Koine eigentlich nicht mehr unterschieden werden, meist gefolgt von der Modalpartikel (ἐ)άν, die bezeichnet, daß die Aussage an Bedingungen geknüpft ist, und Konjunktiv. Er steht oft im Plural und meist nach. An seine Stelle kann auch ein generisches Partizip treten. Daneben wird oft εἴ τις, ἐάν τις gebraucht. εἴ τις bzw. ὅς + Indikativ weisen im allgemeinen auf tatsächliche Verhältnisse, während ἐάν τις oder ὅς (ἐ)άν + Konjunktiv verallgemeinernd-zukünftig-iterativ sind.

---

[1] Vgl. VglGr 274 Anm. 2. 391a, GKa 112ii.mm, Kö 415z, Brockelmann 157; ebenso im Phön.-Punischen nach מי + Relativsatz, vgl. Kil 1,12f. (Friedrich 319). LXX behält dieses καί z.T. bei, so von den obigen Beispielen in Ex 17,10. 13; Lev 25,33; Num 5,30; Dt 17,12; Jer 23,34; 27,11; 1Sam 2,13; 2Sam 2,23; 2Chr 13,9. In einigen Fällen setzt LXX sogar καί zu; so vor kond. Relativsatz: Lev 17,4; vor kond. Partz.: Esr 1,4; 1Chr 11,6.

[2] Dies wird allerdings im Syr. unter griech. Einfluß (ὅς ἐάν) üblich geworden sein. So Nöld Syr 374 Anm.; dagegen Brockelmann VglGr 453.

[3] Deshalb werden auch hier nur singularische kond. Relativsätze berücksichtigt, mit Ausnahme des neutr. plur., der im Sem. keine Entsprechung hat (ὅσα, ἅ) und auch in LXX öfters אֲשֶׁר wiedergibt, vgl. Gen 39,3; Ex 12,16; Lev 22,20; Num 19,14; Ri 11,24; 1Kön 22,14b (+ anaphor. ταῦτα) u.ö.

[4] Vgl. S. 189 zu Lk 9,5.

[5] So etwa Derek 'ereṣ zoṭa IX שני תלמידי חכמים הדרים בעיר אחת וביניהם מחלוקת סופון למות „Zwei Weisenschüler, die in Einer Stadt wohnen und unter ihnen ist Streit: ihr Ende ist zu sterben"; jPea 21b = jŠeq 49b (zit. S. 35 Anm.).

Im Neuen Testament, besonders in den Evangelien und Johannesbriefen, erscheint der konditionale Relativsatz bzw. das konditionale Partizip gegenüber εἴ τις, ἐάν τις auffallend häufig[1]. Hier liegt sicher semitischer Einfluß vor, wenn sich auch grundsätzlich nicht entscheiden läßt, ob das Hebräische oder Aramäische direkt oder durch Vermittlung von LXX[2] eingewirkt hat. Auch können nur wenige Stellen eindeutig als ungriechisch erwiesen werden. Im allgemeinen ist vielmehr der konditionale Relativsatz im Griechischen auch möglich; nur die Häufigkeit im NT ist auffallend[3]. Immerhin führt die Beobachtung dieser Ausdrucksweise auch an einer nicht eindeutig ungriechischen Stelle zu einem sicheren Ergebnis: In der Perikope von der Ehescheidung nämlich (Mt 5,31f.; 19,9; Mk 10,11f.; Lk 16,18) ist Mk 10,12 Bא (Aℜ, W) καὶ ἐὰν αὐτὴ ἀπολύσασα τὸν ἄνδρα αὐτῆς (ἐὰν γυνὴ ἀπολύσῃ τὸν ἄνδρα αὐτῆς καὶ) γαμήσῃ ἄλλον μοιχᾶται, D(Θφ) καὶ ἐὰν γυνὴ ἐξέλθῃ ἀπὸ τοῦ ἀνδρὸς καὶ ἄλλον γαμήσῃ μοιχᾶται der einzige von acht Konditionalsätzen, der nicht als konditionaler Relativsatz bzw. konditionales Partizip konstruiert ist. Er erweist sich damit auch aus sprachlichen Gründen als späterer Zusatz[4]; dabei variieren die Handschriften nach dem Eherecht der jeweiligen Kirchenprovinz.

Bei der Übersetzung ins Deutsche kann man die Mehrzahl der ntl. konditionalen Relativsätze bzw. Partizipien ruhig belassen („wer", „was", „wo"). An mehreren Stellen empfiehlt es sich allerdings aus sprachlichen oder sachlichen Gründen, die Protasis in einen konditional-temporalen Konjunktionalsatz zu verwandeln und „(jedesmal) wenn jemand" o.ä. zu übersetzen; so etwa: Mk 6,10; 9,18; 11,24; 13,15f. (Mt 24,17f.; Lk 17,31); Mt 18,20 Bא; Lk 10,35.

a) *Der konditionale Relativsatz*

α) Der konditionale Relativsatz im Semitischen

I. Das Relativpronomen ist grammatisches Subjekt des Relativ- und des Hauptsatzes

---

[1] Man darf hier nicht vom Deutschen her urteilen, da im Deutschen „wenn (irgend) jemand" wegen seiner Umständlichkeit gegenüber „wer" relativ selten gebraucht wird. Im Griech. dagegen ist εἰ (ἐάν) τις ebenso kurz wie ὅς (τις) ἐάν.

[2] Dies ist allerdings aus sachlichen Gründen in den meisten Fällen nicht wahrscheinlich.

[3] Die genauen Zahlen entnehme man der Tabelle am Ende dieses Abschnittes, S. 230—32.

[4] Zu den sachlichen Gründen gegen die Entstehung in Palästina vgl. Bill II 23f.

1) Der konditionale Relativsatz wird im Hebräischen, Neuhebräischen und Aramäischen durch folgende Pronomina eingeleitet:

a) Das einfache Relativpronomen: Hebräisch: אֲשֶׁר (LXX gibt es meist durch ὃς [ἐ]άν wieder): Dt 19,5 וַאֲשֶׁר יָבֹא אֶת־רֵעֵהוּ בַיַּעַר לַחְטֹב עֵצִים וְנִדְּחָה יָדוֹ בַגַּרְזֶן לִכְרֹת הָעֵץ וְנָשַׁל הַבַּרְזֶל מִן־הָעֵץ וּמָצָא אֶת־רֵעֵהוּ וָמֵת הוּא יָנוּס אֶל־אַחַת הֶעָרִים־הָאֵלֶּה וָחָי, LXX καὶ ὃς ἂν εἰσέλθῃ μετὰ τοῦ πλησίον εἰς τὸν δρυμὸν συναγαγεῖν ξύλα, καὶ ἐκκρουσθῇ ἡ χεὶρ αὐτοῦ τῇ ἀξίνῃ κόπτοντος τὸ ξύλον, καὶ ἐκπεσὸν τὸ σιδήριον ἀπὸ τοῦ ξύλου τύχῃ τοῦ πλησίον καὶ ἀποθάνῃ, οὗτος καταφεύξεται εἰς μίαν τῶν πόλεων τούτων καὶ ζήσεται. Gen 44,9.10; Ex 12,16; 22,8; Ri 7,4a; 1Sam 22,23; Ps 24,4f.; Jes 50,10b; Sir 38,15; 1QS 6,25ff.; 7,3f.5.8.9.10.12.13f.14; CD 14,20ff. u.ö.[1] Reichsaramäisch: זי, די: Cowley 5,10 זי יכלא מנהם ינתן לה כספא זי כתיב מן עלא „Wenn jemand einen von ihnen (am Bauen) zu hindern sucht, muß er ihm die oben genannte Geldsumme geben"; 1,6; 6,14; 8,11ff.; 13,10f.; 20,14; 25,15; Kraeling 5,7; 6,16; 8,7; 9,19; 10,16; 12,27. Jüdisch-Palästinisch: ד: jKil 32d דלא שלח עילייא לא שלח ארעייה „Wenn jemand nicht das Oberkleid auszieht, zieht er auch nicht das Unterkleid aus"; jŠebi 35c (= LevR 11,2) דאכל פרוטגמיא אכיל משתיתא „Wenn jemand von der Vorfeier gegessen hat, ißt er auch von der Hochzeit"; jOrl 61b דאכיל מן חבריה בהית מסתכל ביה „Wenn jemand etwas von seinem Nächsten ißt, schämt er sich, ihn anzusehen"; GenR 84,8 די בליביה בליביה די בליבהון בפומהון „Wenn etwas in Eines Menschen Herzen ist, bleibt es darin, wenn etwas aber in vieler Menschen Herzen ist, ist es auch bald in ihrem Mund"; LevR 3,1 = PredR zu 4,6 במתלא אמרין דיוזיף בריביתא מאבד דיליה ודלא דיליה „Im Sprichwort heißt es: Wenn jemand (Geld) auf Zinsen ausleiht, verliert er, was ihm gehört und was ihm nicht gehört"; RtR zu 1,17 דאית ליה זבין ודלית ליה אזיל לגבי מרי עבדתיה והוא יהיב ליה „Wenn jemand (Geld) hat, kauft er, und wenn jemand nichts hat, geht er zu seinem Arbeitsherrn, und der gibt ihm etwas"; KlglR zu 1,16 (= CD 4,18 als kond. Partizip) דעריק מן הכא יתצד מן הכא ודעריק מן הכא יתצד מן הכא „Wenn jemand von hier entkommt, soll er dort gefangen werden und umgekehrt"; zu 3,59 דשאיל בשלמך מתקטיל דלא שאיל בשלמך מתקטיל „Wenn dich jemand grüßt, wird er getötet, wenn dich jemand nicht grüßt, wird er auch getötet"; Ab 1,13a.b.c (=AD 37,9f.); PalTrg Gen 9,6;

---

[1] Im Neuhebr. wird ש allein so nicht gebraucht, vgl. aber AZ 4,1 את שהוא נראה עמו אסור (Nominativ!) „Wenn etwas mit ihm zusammengehörig erscheint, ist es verboten".

TrgJer I Gen 9,6; 26,11; Ex 21,12.15.16.17; 31,14a; Lev 24,18; Num 19,11[1] u.ö. Babylonisch-Talmudisch: ד: bSanh 7a דאזיל מבי דינא שקל גלימא ליזמר זמר וליזיל באורחא „Wenn jemand vom Gericht kommt, das ihm nur den Mantel weggenommen hat, singe er ein Lied und mache sich davon"; 109a דאית ליה חד תורא מרעי חד יומא דלית ליה לירעי תרי יומי „Wenn jemand Einen Stier besitzt, muß er Einen Tag (das Vieh) weiden, wenn keinen, zwei Tage"; דאית ליה תורא נשקול חד משכא דלית ליה תורא נשק׳ל תרי משכי „Wenn jemand Einen Stier besitzt, erhält er Eine Haut, wenn keinen, zwei" u.ö. ebd.; bPes 112a (4mal, Schles S. 217); 114a (mit Wortspiel) דאכיל אליתא טשי בעיליתא דאכיל קקולי אקיקלי דמתא שכיב „Wenn jemand Fettschwanz ißt, verbirgt er sich (am besten) im Obergeschoß, wenn jemand Gemüse ißt, kann er ruhig auf dem Misthaufen der Stadt liegen"; bBQ 46b דכאיב ליה כאיבא איזל לבי אסיא „Wenn jemand Schmerzen hat, geht er zum Arzt"; bBM 59b, 75b; bBB 127b u.ö. Syrisch: ד: Afraat 114,15 דעמל חדא ודשפל דחל „Wenn sich jemand bemüht hat, freut er sich, wenn jemand faul war, hat er Angst"; in Peš nur, wenn im ersten Gliede כל ד steht: Mt 7,8b; Lk 11,10b[2]. Mandäisch: ד: RGinza (ed. Petermann) 224,17 דאביד עבידאתון לבית הייא לא מיתכשאר „Wenn jemand ihre Taten tut, wird er nicht tüchtig zum Hause des Lebens"; 218 ganz, u.ö.

b) Das Interrogativpronomen (als Korrelativ) und das Relativpronomen[3]: Hebräisch: מִי אֲשֶׁר (LXX mißversteht z.T. als direkte Frage): 2Sam 20,11 מִי אֲשֶׁר חָפֵץ בְּיוֹאָב וּמִי אֲשֶׁר־לְדָוִד אַחֲרֵי יוֹאָב, LXX τίς ὁ βουλόμενος Ιωαβ καὶ τίς τοῦ Δαυιδ, ὀπίσω Ιωαβ u.ö. Neuhebräisch: מי ש, מה ש: Ber 3,1 מי שמתו מוטל לפניו פטור מקריאת שמע „Wenn jemandem sein Toter vor ihm liegt, ist er von der Rezitierung des Šᵉma befreit"; 8,7; Pea 4,9; 5,6; 8,7.8.9; Chal 2,3; Šab 19,4; 22,5.6; 24,1; Pes 9,1; RŠ 3,7; 4,9; BM 4,11; BB 2,4; 6,5.6; 10,6; AZ 3,5; Fiebig Nr 133 u.ö. Reichsaramäisch: מן די, מה די[4]: Dan 3,6 = 11 וּמַן־דִּי־לָא יִפֵּל וְיִסְגֻּד יִתְרְמֵא לְגוֹא־אַתּוּן נוּרָא יָקִדְתָּא, LXX 3,11 ὃς ἂν μὴ πεσὼν προσκυνήσῃ, ἐμβληθήσεται εἰς τὴν κάμινον τοῦ πυρὸς τὴν καιομένην. Jüdisch-Palästinisch: מאן ד, מה ד: jBer 2c (mit vorangestelltem Satzteil, vgl. S. 79ff.) הדא איילתא דשחרא מאן דאמר כוכבתא היא טעי זימנין דהיא מקדמא וזימנין

---

[1] Im hebr. Original steht überall kond. Partz.

[2] Im griech. Original steht überall Partz.

[3] Manchmal ist nur beim ersten von mehreren aufeinanderfolgenden Konditionalsätzen das Interrogativpron. zugesetzt: bPes 111b. 112a (Schles S. 217).

[4] Im Ägypt.-Aram. nur vor ל.

דהיא מאחרה ,,Die Morgendämmerung: wenn jemand sagt, sie sei die Venus, so irrt er, denn die ist manchmal früher und manchmal später am Himmel"; 3c מאן דקטיל מתקטיל; 7c (5 mal) מאן דמצלי יצלי דרמשא עד יומא קאים ,,Wenn jemand (das Abendgebet) beten will, darf er schon beten, wenn es noch Tag ist"; jDam 22a מאן דידע בנפשיה דלא אקיל לבר נש מן ישראל מן יומוי יעבור ולא מנכה ,,Wenn jemand bei sich weiß, daß er noch niemals in seinem Leben jemanden beleidigt hat, kann er hindurchgehen (durch den Fluß, der sich auf ein Wort eines Rabbis geteilt hatte) ohne Schaden zu leiden"; jMŠ 55b מאן דעבד יאות עבד כרבי יוסי ,,Wenn es jemand recht macht, macht er es wie R. J."; jJom 40d מאן דשמע שמע; 40d מאן דרגיל ליה לא יכיל מיכול מבר נש כלום ,,Wenn sich jemand damit (dem Tetragramm) befaßt, kann er von niemandem etwas essen"; 43d אחינן מאן דאית ליה מיינוק ייזיל בגיניה ,,Meine Brüder, wenn jemand ein Kind hat, soll (darf) er um dessentwillen (nach Hause) gehen!"; jBeṣ 60d מאן דעביד טבאות לא שחיק ליה מאיתמל = ebd. מאן דבעי דייא טב לא שחק ליה מן דאיתמל ,,Wenn es jemand besser machen will, zerreibt er es (das Gewürz für den Wein) nicht (schon) einen Tag vorher (vor dem Feiertag)"; jBer 6c מאן דאית ליה עבידא ייזל ויעבד ,,Wenn jemand eine Arbeit zu tun hat, tue er sie!"; jSot 20b מאן דמרבע ארבע גרבין בעי אשית תיסר ,,Wenn jemand vier Weinfässer quadrieren will, braucht er 16"; jBM 8c (2 mal) מאן דמחזר לה גו שלשים יומין יסב אכן ואכן בתר שלשים יומין יתרים רישיה ,,Wenn es (das verlorene Schmuckstück) jemand innerhalb von 30 Tagen zurückgibt, erhält er soundso viel; (wenn aber erst) nach Ablauf der 30 Tage, wird er enthauptet"; jBM 9c מאן דלא סבר הא (הדא) מילתא לא סבר בנזקין כלום ,,Wenn jemand dies nicht für richtig hält, versteht er nichts von Schädigungen"; jAZ 40d מאן דבעי מיסתמיא יסתמי מאן דבעי לממת ימות ,,Wenn jemand erblinden will, soll er erblinden; wenn jemand sterben will, mag er sterben"; GenR 68,4 (= LevR 8,1) מאן דבעי אמר שירה ומאן דלא בעי בכי ,,Wenn jemand möchte, singt er ein Lied, wenn jemand nicht möchte, weint er"; LevR 15,8 (= 16,7) Ar במתלא אמרין מאן דאכל בהדא קורא ילקי בהדא קולא ,,Im Sprichwort heißt es: Wenn jemand vom Palmkohl ißt, wird er vom Palmstengel verwundet"; 20,2 (zitiert S. 255); PredR zu 10,13 מאן דעבר עבר ומאן דלא עבר לא יעבר ,,Wenn jemand den Euphrat schon überschritten hat, hat er ihn eben überschritten; wenn ihn jemand aber noch nicht überschritten hat, soll er ihn nicht überschreiten!"; zu 11,1 מאן דעבר אדאורייתא חייב לקטלא ,,Wenn jemand das Gesetz übertritt, ist er des Todes schuldig"; AD 21,3 מאן דבעי מפק ליה יפוק ליה ,,Wenn jemand die Stadt verlassen möchte, soll er es tun"; TrgJer I Lev 24,16.21a.b[1]; 25,26 (AT: כִּי) u.ö.; LevR 30,7 (3mal) מה דאזל אזל; PredR zu 11,9 מה דהוה הוה „Was geschehen ist, ist geschehen" u.ö. Babylonisch-Talmudisch: מאי ד, מאן ד: bBer 55b מאן דרחים לי לבעי עלי רחמי ומאן דסני לי לחדי לי „Wenn mich jemand liebt, möge er für mich um Erbarmen bitten, wenn mich jemand haßt, möge er sich wegen mir freuen"; bJom 74b מאן דאית ליה סעודתא לא ליכלה אלא בימּמא „Wenn jemand nur Eine Mahlzeit zu essen hat, esse er sie nur bei Tage"; bMeg 16a מאן דמנדב מנחה מייתי מלי קומצא דסולתא ומתכפר ליה „Wenn jemand ein Mehlopfer gelobt hatte, brachte er eine Handvoll Mehl, wodurch er entsündigt wurde"; bSanh 3b אמרי אינשי מאן דאית ליה דינא ליקרב לגבי דיינא „Man sagt: Wenn jemand einen Prozeß hat, soll er zum Richter gehen"; bKet 61b מאן דעביד הכי פסיל למאכל דמלכא „Wenn jemand dergleichen tut, ist er unwürdig, daß der König bei ihm speise"; bBQ 113b מאן דמשתכח בבי דרי פרע מנתא דמלכא „Wenn jemand in der Scheune angetroffen wird, muß er die königliche Abgabe bezahlen"; bBM 73b מאן דיהיב טסקא ליכול ארעא „Wenn jemand für ein Feld die Grundsteuer zahlt, soll er auch dessen Nutznießung haben"; מאן דלא יהיב כרגא לשתעביד למאן דיהיב כרגא „Wenn jemand keine Steuern zahlt, soll er dem Steuern Zahlenden unterworfen sein"; 77b מאן דזבין ארעא באלפא זוזי אוזולי מוזיל ומזבין נכסי „Wenn jemand ein Feld für 1000 Sus kaufen will, muß er seinen ganzen Besitz ganz billig verkaufen"; bBB 65a מאן דיהיב מתנה בעין יפה יהיב „Wenn jemand ein Geschenkt gibt, gibt er reichlich"; 74a דגמירי דמאן דשקיל מידי מינייהו לא מסתגי ליה „Denn es ist überliefert, daß, wenn jemand etwas von ihnen nimmt, er sich nicht von der Stelle bewegen kann"; bSanh 102b Ar (mit Wortspiel) מאן דפרע קנאיה מחריב קיניה „Wenn jemand seiner Eifersucht freie Bahn läßt, zerstört er sein Nest" (Drucke: ביתיה „sein Haus") u.ö.; bZeb 100b מאי דהוה הוה „Was vorbei ist, ist vorbei" u.ö. Syrisch: מן ד, מא ד: Afraat 106,13—108,22; Peš Mt 10,37.39.40.41; 12,30; 13,9; 23,20.21. 22; Lk 3,11 u.ö. u.ö.; אינא ד: Peš Mt 10,22b; 24,18; Mk 16,16; Lk 9,48c; 12,9 u.ö.[2] Mandäisch oft מאן ד, מא ד.

c) Das Demonstrativpronomen (als Korrelativ) und das Relativpronomen: Jüdisch-Palästinisch: אהן ד, אהין ד, ההן ד, ההין ד, הדין ד: jBer 10a אהן דנסב תורמוסא ומברך עילוי ונפל מיניה מהו מברכה עילוי זמן תניינות „Wenn jemand eine Lupine nimmt und darüber den Segen spricht

[1] Vgl. S. 147 Anm. 1.
[2] Vgl. S. 147 Anm 2.

und sie ihm entfällt, muß er dann den Segen ein zweites Mal sprechen?“; 10b הדין דאכל סולת מהו למיברכה בסופה ,,Wenn jemand Mehlspeise ißt, muß er danach den Segen sprechen?“; 10c אהן דאכל סולת ובדעתיה מיכול פיתא מהו מברכה על סולתא בסופא ,,Wenn jemand, der Mehlspeise gegessen hat, noch Brot essen will, muß er nach der Mehlspeise den Segen sprechen?“; jŠab 10a ההן דשחק תומא כד מפרך ברישייא משום דש ,,Wenn jemand (am Sabbat) Knoblauch zerreibt, ist er, wenn er die Spitzen zerreibt, schuldig wegen Dreschens“; 10b ההן דשחק מלח חסף פילפלין חייב משום טוחן ,,Wenn jemand (am Sabbat) Salz, eine Scherbe oder Pfeffer zerreibt, ist er schuldig wegen Mahlens“; 10c ההן דעבד קופין כד צפר משום מיסיך ,,Wenn jemand (am Sabbat) Körbe macht, ist er, wenn er die Gerten flicht, schuldig wegen Webens“; 10d ההין דעבד דפין וההן דעבד ספיין חייב משום בונה ,,Wenn jemand (am Sabbat) Bretter anfertigt, oder wenn jemand Steinlagen anfertigt, ist er schuldig wegen Bauens“; u. ö. in jŠab; jPes 33c ההין דאכל חובץ ובדעתיה מיכול קופד צריך מבערא פיסתא ,,Wenn jemand, der Butter gegessen hat, darauf Fleisch essen will, muß er die Brotkrumen wegräumen“; jŠebi 34c ההן דאזיל ליה לצורכה ולא מתעני ייזל מן אתר לאתר והוא מתעני ,,Wenn jemand keinen Erfolg hat, gehe er hin und her, so wird er Erfolg haben“; jJom 45c (zitiert S. 97 Anm. 2); jQid 60b = jAZ 45a (zitiert S. 261). Babylonisch-Talmudisch: Zum Indefinitersatz מידי vgl.: bNid 8b מידי דאית ליה שם לווי לא קתני ,,Wenn etwas einen Beinamen hat, nennt er es nicht“. Syrisch: הַו ד, הַי ד; מדם ד: Peš Mt 24,17; Lk 6,49; 12,48a; Joh 3,21.31.33; 5,23; 7,18b; 10,2 u. ö.; Lk 16,15b; Joh 3,6 u. ö. (vgl. S. 147 Anm. 2). Mandäisch האך ד; מינדאם ד.

d) Das Demonstrativ- und das Interrogativpronomen (als Korrelativ) und das Relativpronomen: Babylonisch-Talmudisch: האי מאן ד: bBer 55b האי מאן דחליש יומא קמא לא לגלי ,,Wenn jemand krank ist, soll er das am ersten Tag noch nicht bekanntmachen“; bŠab 19a האי מאן דיהיב מנא לקצרא במשחא ניתיב ליה ובמשחא נשקול מיניה ,,Wenn jemand ein Gewand dem Walker übergibt, soll er es vor der Abgabe und nach Erhalt ausmessen“; 73b האי מאן דקניב סילקא חייב שתים אחת משום קוצר ואחת משום זורע ,,Wenn jemand (am Sabbat) Mangold (-blätter) abpflückt, ist er doppelt schuldig, wegen Mähens und wegen Säens“; 74b האי מאן דפרים סילקא חייב משום טוחן ,,Wenn jemand (am Sabbat) Mangold zerreibt, ist er schuldig wegen Mahlens“; האי מאן דארתח כופרא חייב משום מבשל ,,Wenn jemand (am Sabbat) Pech heiß macht, ist er schuldig wegen Kochens“; 75b האי מאן דמלח בישרא חייב

משום מעבד ,,Wenn jemand (am Sabbat) Fleisch einsalzt, ist er schuldig wegen Bearbeitens''; 129a האי מאן דעביד מילתא ולא אפשר ליה לישקול זוזא מכא וליזיל לשב חנואתא עד דטעים שיעור רביעתא ,,Wenn jemand, der sich zur Ader gelassen hat, nicht imstande ist (sich den nötigen Wein zu kaufen), so soll er sich einen abgenutzten Sus verschaffen und sieben Läden besuchen, bis er ein Viertellog zusammengekostet hat''; האי מאן דעביד מילתא לא ליתיב היכא דכריך זיקא דילמא שפי ליה אומנא ומוקים ליה ארביעתא ואתי זיקא ושאיף מיניה ואתי לידי סכנה ,,Wenn sich jemand zur Ader gelassen hat, soll er sich nicht an einen Ort setzen, an dem Zugluft weht, damit er nicht, wenn ihm der Bader (das Blut) bis auf ein Viertellog abgezapft hat, falls die Zugluft noch mehr abzapft, in Gefahr geriete''; 140b האי מאן דאפשר למישתי שיכרא ושתי חמרא עובר משום בל תשחית ,,Wenn jemand, dem es genügt, Bier zu trinken, Wein trinkt, übertritt er das Verbot, etwas zu verderben''; 156a האי מאן דבחד בשבא יהי גבר ולא חדא ביה ,,Wenn jemand am Sonntag geboren ist, wird er ein Mann sein, an dem nichts auszusetzen ist''; האי מאן דבכוכב יהי גבר נהיר וחכים משום דספרא דחמה הוא ,,Wenn jemand unter der Herrschaft des Merkur geboren ist, wird er ein gutes Gedächtnis haben und weise sein, weil dieser der Schreiber der Sonne ist''; bJom 78b האי מאן דבעי למיטעם טעמא דמיתותא ליסיים מסאני וליגני ,,Wenn jemand einen Vorgeschmack des Todes haben will, schlafe er mit den Schuhen an den Füßen''; bGit 70a האי מאן דמחו ליה באלונכי דפרסאי מיחייא לא חיי ,,Wenn jemand von persischen Lanzen getroffen wurde, bleibt er sicher nicht am Leben''; האי מאן דבלע זיבורא מיחייא לא חיי ,,Wenn jemand eine Biene verschluckt hat, bleibt er bestimmt nicht am Leben''; bBQ 30a האי מאן דבעי למהוי חסידא לקיים מילי דנזיקין ,,Wenn jemand ein Frommer sein will, halte er die Gesetze von den Schädigungen''; 59b האי מאן דקץ כופרא מאי משלם ,,Was muß jemand bezahlen, wenn er eine unreife Dattel abgeschnitten hat!'' u.ö. u.ö., da dies die häufigste Einleitung eines kond. Relativsatzes im Babylonisch-Talmudischen ist. Syrisch: הַו אינא ד ,הַו מן ד.

e) Das Interrogativpronomen als Relativpronomen: Besonders im Hebräischen: מִי, מָה (LXX übersetzt meist τίς und versteht z.T. sicher als Frage[1]); Ri 7,3 מִי־יָרֵא וְחָרֵד יָשֹׁב, LXX τίς δειλὸς καὶ φοβού-

---

[1] Manchmal ist es schwer zu entscheiden, ob nicht doch eine echte Frage gemeint ist. So doch wohl 1Sam 11,12 (LXX τίς); Sach 9,17 (LXX εἴ τι) Auch das τίς von LXX ist doppeldeutig, vgl. zu relativischem τίς: K-G 588 Anm. 1 Ende, Schwyzer 644, Mayser 1 S. 80, Bl-Debr 298.4.

μενος; ἀποστραφήτω. Ps 107,43 מִי־חָכָם וְיִשְׁמָר־אֵלֶּה, LXX τίς σοφὸς καὶ φυλάξει ταῦτα; Spr 9,4a.16a מִי־פֶתִי יָסֻר הֵנָּה, LXX V. 4 ὅς ἐστιν ἄφρων, ἐκκλινάτω πρός με. Ex 24,14; 32,26; Jes 50,8b.10a; 54,15b; Sach 4,10a; Pred 5,9b u.ö.; Altaramäisch: מן: Sfire I C 16—25 (8. Jahrh. v. Chr.: ed. M. A. Dupont-Sommer, Paris 1958, 87) ומן ליצר מלי ספרא זי בנצבא זנה ויאמר אהלד מן מלוה או אהפך טבתא ואשם [ל]לחית ביום זי יעבד כן יהפכו אלהן אש[א ה]א וביתה וכל זי [ב]ה וישמו תחתיתה [לע]ליתה ואל ירת שר[ש]ה אשם ,,Aber wenn jemand die Worte der Inschrift, die sich auf dieser Stele befindet, nicht bewahrt und (vielmehr) sagt: Ich werde einige ihrer Worte auslöschen! oder: Ich werde das Gute umdrehen und in Böses verwandeln!, so mögen die Götter an dem Tage, an dem er das tut, jenen Menschen und sein Haus und alles, was darin ist, umdrehen und sein Unterstes zu oberst kehren, und seine Nachkommenschaft möge keinen Namen erben!"; Sfire II C 1—11 (ebd. 117); Nerab (NE 445) II 8ff. Reichsaramäisch: מן: Nabatäisch unter arabischem Einfluß: CIS II 209,7ff. ומן יעבד כעיר דנה פאיתי עמה קנס לדושרא אלה מר[אנא כס]ף סלעין חמש מאה חרתי ולמראנא כות ,,Wer anders handelt als dieses: dann soll auf ihm eine Geldstrafe ruhen zugunsten von Dusara, dem Gott unseres Herren (des Königs der Nabatäer), von 500 Drachmen von Ḥaretat und zugunsten unseres Herren in gleicher Höhe!"; 224,10ff. (dasselbe mit מן די: 198,7ff.; 223,3f.); außerdem vgl. Esr 6,9 מָה (LXX ὃ ἄν); 1 QGen Apoc 19,16 תריפא מן שדא [ארז]א ,,Verflucht sei, wer die Zeder fällt!".

2) Zum Ausdruck der Verallgemeinerung und Unbestimmtheit kann den genannten Pronomina noch כל ,,jeder" vorangestellt werden[1]. So ergibt sich:

a) כל + Relativpronomen: Hebräisch: כֹּל אֲשֶׁר (LXX übersetzt meist πᾶς ὃς [ἐ]άν): Joel 3,5 כֹּל אֲשֶׁר־יִקְרָא בְּשֵׁם יהוה יִמָּלֵט, LXX πᾶς ὃς ἂν ἐπικαλέσηται τὸ ὄνομα κυρίου σωθήσεται. Gen 30,33; Lev 11,32; Num 19,14b.22a (neutr.); Ri 7,4b; CD 12,3f. u.ö. Neuhebräisch: כל ש: Ab 3,17 כל שחכמתו מרבה ממעשיו למה הוא דומה ,,Wenn jemandes Weisheit mehr ist als seine Taten, wem gleicht er dann?"; Pea 1,4; 8,9; Pes 10,5; RŠ 3,8 u.ö. Reichsaramäisch: כל די (LXX übersetzt meist πᾶς ὃς ἐάν): Dan 6,8 כָּל־דִּי־יִבְעֵה בָעוּ מִן־כָּל־אֱלָהּ וֶאֱנָשׁ עַד־יוֹמִין תְּלָתִין לָהֵן

[1] Manchmal hat nur der erste von mehreren aufeinanderfolgenden kond. Relativsätzen כל: bPes 110b; bNed 40a (Schles S. 206); oder nur der zweite: Ri 7,4a.b; 11,24a.b; Nöld Mand 344.

מִנָּךְ מַלְכָּא יִתְרְמֵא לְגֹב אַרְיָוָתָא, LXX πᾶς ἄνθρωπος (om. Theod), ὃς ἂν εὔξηται εὐχὴν ἢ ἀξιώσῃ ἀξίωμά τι παρὰ παντὸς θεοῦ ἕως ἡμερῶν τριάκοντα ἀλλ' ἢ παρὰ Δαρείου τοῦ βασιλέως ῥιφήσεται εἰς τὸν λάκκον τῶν λεόντων. Esr 7,21.23. Jüdisch-Palästinisch: כל ד: jChag 78a כל דמטי יחכום זוגיה „Wenn es jemand vermag, merke er sich seinen Genossen" (7 Zeilen vorher ganz singulär kond. Partizip [Schreibfehler! kaum Hebraismus]: כל מטי יעביד מה דהוא חכם „Jeder es Vermögende soll vormachen, was er versteht!"); jNed 38d (= jŠab 15d מאן ד) כל דעבד לא מפסד „Wenn jemand (an diesem Sabbat) arbeitet, richtet er keinen Schaden an"; GenR 86,5 כל דקפיז לה נסיב ליה מה דעלה „Wenn jemand auf sie (die Bärin) springt, wird er all ihren Schmuck erhalten"; PalTrg Gen 4,14.15; TrgJer I Gen 4,14.15; Ex 12,15; 22,18; Num 19,13; 21,8; 35,30 u.ö.[1]. Babylonisch-Talmudisch: כל ד: bTaan 20b כל דבעי ליתי ולישקול, כל דצריך ליתי וליעול; bKet 3a = bGit 33a u.ö. כל דמקדש אדעתא דרבנן מקדש „Wenn jemand eine Ehe eingeht, geht er sie im Sinne der Rabbinen ein"; bNed 40a כל דסני לי ליחדי „Wenn mich jemand haßt, soll er sich freuen"; bBM 66b כל דאי לא קני „Wenn etwas (ein Versprechen) ein Wenn enthält, bewirkt es keinen Erwerb"; bBB 163a M כל דמזייף לאו לגבי ספרא אזיל ומזייף „Wenn jemand ein Dokument fälschen will, wird er nicht zum Schreiber gehen, damit der es fälsche"; bHor 14a כל דאמר מילתא ולא מפריך להוי רישא „Wenn jemand etwas vorträgt, ohne widerlegt zu werden, soll er unser Oberhaupt sein" u.ö. Im Syrischen und Mandäischen ist כל ד sehr häufig, vgl. Peš Mt 7,8a.21; Lk 11,10a; 14,11; 18,14c; 20,18a; Joh 3,20; 4,13; 11,26 u.ö.[2]; RGinza 117,10 כול דהאזילה מאיית וכול דמיתכאראכבה מיתיקליא „Wenn ihn (den Feuerofen) jemand sieht, muß er sterben, und wenn ihn jemand anfaßt, verbrennt er sich".

b) כל + Interrogativpronomen + Relativpronomen: Neuhebräisch: כל מה ש, כל מי ש: bŠab 30b כל מי שילך ויקניט את הלל יטול ד' מאות זוז „Wenn es jemandem gelingt, Hillel zu erzürnen, soll er 400 Sus erhalten"; Pea 8,9; Sanh 6,1; Fiebig Nr 148, 324, 360 u.ö. u.ö. Jüdisch-Palästinisch: כל מאן ד: jTaan 66d כל מאן דהוה מובד מילה הוה נסב לה מן תמן וכל דהוה משכח מילה הוה מייבל לה לתמן „Wenn jemand etwas verloren hatte, holte er es sich von dort wieder, und wenn jemand etwas gefunden hatte, brachte er es dorthin"; jSanh 25d והוה כל מאן דעליל הוה יהיב ליה חד מרתוקה וכל מאן דנפיק הוה יהיב ליה בנתיקה „Und es geschah, wenn jemand hereinkam, gab er ihm einen Schlag auf

[1] Vgl. S. 147 Anm. 1. [2] Vgl. S. 147 Anm. 2.

die Brust, und wenn jemand hinausging, gab er ihm einen Schlag auf den Rücken"; GenR 49,23 כל מאן דלא מטא שליחא דצבורא לגביה למיתן קיטמא בראשיה יסב (איהו) קיטמא ויהיב בראשיה „Wenn zu jemandem der Gemeindediener nicht gekommen ist, um ihm Asche aufs Haupt zu schütten, so nehme er selbst Asche und tue sie auf sein Haupt"; LevR 25,5 = PredR zu 2,20 כל מאן דעייל ונפיק יהא טרי על אפיה „Wenn jemand hereinkommt oder hinausgeht, soll er ihm (davon) ins Gesicht werfen!"; AD 19,19f. (präterital); 21,4f.; KlglR Einl 33 כל מאן דבעי למיסק יסק „Wenn jemand heraufsteigen will, soll er es tun!"; TrgJer I Ex 22,19; 30,14; 31,14b; Lev 7,29; Num 19,14[1] u.ö.; כל מה ד: KlglR zu 4,19 וכל מה דבעי לימטי עלן ימטא „Und wenn uns etwas zustoßen sollte, mag es (uns) zustoßen" u.ö. Babylonisch-Talmudisch: כל מאן ד: bBer 58b כל מאן דכסיפא מלתא למשקל בימּמא אתי ושקיל בליליא „Wenn sich jemand schämte, bei Tage etwas zu nehmen, nahm er es bei Nacht"; bTaan 20b כל מאן דצריך ליתי וליכול „Wenn es jemand nötig hat, mag er mitessen"; bBB 3b (zitiert S. 106). Außerdem ist כל אינא ד, כל מן ד im Syrischen und כול מאן ד im Mandäischen sehr häufig; vgl. Peš Mt 5,22a.28.32a; 7,26; Lk 16,18; Joh 3,16; 6,45; 8,34; 12,46; 18,37; 19,12 u.ö. כל מן ד (vgl. S. 147 Anm. 2); Johb 32b כול מאן דאזיל לואת זאמארתא וזירא זרא דכאדבא ומינה̄ באטנא . . . מישתאיאל „Wenn jemand zu einer Sängerin geht und falschen Samen sät und sie von ihm schwanger wird . . ., so wird er gerichtlich verhört"; RGinza 235 ult. (Nöld S. 433).

II. Das Relativpronomen ist grammatisches Objekt o.ä. des Relativ- oder des Hauptsatzes oder beider

a) Das Relativpronomen ist im Hauptsatz Subjekt, aber nicht im Relativsatz: Hebräisch[2]: Num 22,6b אֵת אֲשֶׁר־תְּבָרֵךְ מְבֹרָךְ וַאֲשֶׁר תָּאֹר יוּאָר,

[1] Im Hebr. steht überall kond. Partz., z.T. auch ohne כֹּל.

[2] Wie die Beispiele zeigen, können im Hebr. (wie öfters auch im Syrischen — z.T. unter griech. Einfluß —: Nöld 349, und Äthiopischen: VglGr 381c, und sehr selten im Bab.-Talmud.: Schles S. 212) die Akkusativpartikel אֵת (vgl. auch 1Kön 8,31 „wenn jemand irgendeine Sünde tut") bzw. eine Präpos. (vgl. auch Gen 20,13) auch vor das Relativpron. treten, wenn sie nur für den Relativsatz gelten, was ja im Griech. ganz geläufig ist. So geschieht es in LXX auch oft dann, wenn im AT ein zusammengesetzter Nominalsatz (der in den meisten anderen sem. Sprachen in diesem Fall allein möglich ist, da das Relativpron. als ursprüngliches Demonstrativpron. in den übergeordneten Satz gehört [im Griech. dagegen in den Relativsatz!]) vorliegt, d. h. אֲשֶׁר Nominativ und Subjekt ist, vgl. Gen 44,9 אֲשֶׁר יִמָּצֵא אִתּוֹ וָמֵת, LXX παρ' ᾧ ἂν εὑρεθῇ τὸ κόνδυ, ἀποθνησκέτω. Num 19,22a.

LXX οὓς ἐὰν εὐλογήσῃς σύ, εὐλόγηνται, καὶ οὓς ἐὰν καταράσῃ σύ, κεκατήρανται. Esth 2,13 אֵת כָּל־אֲשֶׁר, LXX ὃ ἐάν; Ex 32,24[1] לְמִי זָהָב הִתְפָּרָקוּ, LXX εἴ τινι ὑπάρχει χρυσία, περιέλεσθε. Gen 31,32 עִם אֲשֶׁר תִּמְצָא אֶת־אֱלֹהֶיךָ לֹא יִחְיֶה LXX παρ' ᾧ ἐὰν εὕρῃς τοὺς θεούς σου οὐ ζήσεται. Num 5,10b; Dt 18,22. Neuhebräisch: BB 8,5 מה שעשה עשוי „Was er getan hat, ist getan"; RŠ 2,9. Reichsaramäisch: Esr 7,21 כָּל־דִּי יִשְׁאֲלֶנְכוֹן עֶזְרָא סָפְרָא יִתְעֲבִד, LXX πᾶν ὃ ἂν αἰτήσῃ ὑμᾶς Εσδρας ἑτοίμως γιγνέσθω. Jüdisch-Palästinisch: jBM 10b (ähnlich 10c unten) ומה דינון עבדין דילי ולך „Und wenn sie etwas einbringen, soll es uns beiden gehören"; AD 21,22 מה דאנון ילדין ליהוי באמצע „Was sie an Kindern kriegen, soll geteilt werden". Babylonisch-Talmudisch: bBer 60b (3mal) כל דעביד רחמנא לטב „Alles, was Gott tut, ist zum Guten".

b) Das Relativpronomen ist im Relativsatz Subjekt, aber nicht im Hauptsatz: Hebräisch: Gen 19,12 כֹּל אֲשֶׁר־לְךָ בָּעִיר הוֹצֵא מִן־הַמָּקוֹם, LXX εἴ τίς σοι ἄλλος ἔστιν ἐν τῇ πόλει, ἐξάγαγε ἐκ τοῦ τόπου τούτου. Lev 22,20 כֹּל אֲשֶׁר־בּוֹ מוּם לֹא תַקְרִיבוּ, LXX πάντα ὅσα ἂν ἔχῃ μῶμον ἐν αὐτῷ (!) οὐ προσάξουσιν. Dt 14,9.10. Reichsaramäisch: Esr 7,25 דִּי לָא יָדַע תְּהוֹדְעוּן, LXX τῷ μὴ εἰδότι γνωριεῖτε. Aḥiqar 142 עם זי רם מנך אלתעבר בנ[צוי] „Mit jemandem, der höher gestellt ist als du, fange keinen Streit an", 143. Jüdisch-Palästinisch: LevR 25,5 ומה דהני למרי שמיא עביד „Was dem Herren des Himmels gefällt, tut er"; bŠab 31a דעלך סני לחברך לא תעביד „(Hillel sagt:) Wenn dir etwas verhaßt ist, tu es auch deinem Nächsten nicht an!". Babylonisch-Talmudisch: bChag 14b דארצי וארצו קמיה קחשיב דארצי ולא ארצו קמיה לא קא חשיב „Wenn jemand vorgetragen hat, und man auch vor ihm vorgetragen hat, zählt er ihn auf. Wenn jemand zwar vorgetragen hat, aber man vor ihm nicht vorgetragen hat, so zählt er ihn nicht auf"; bKet 81b דטבא ליה עבדי ליה „Was für ihn gut ist, tut man ihm".

c) Das Relativpronomen ist weder im Relativsatz noch im Hauptsatz Subjekt: Hebräisch: Spr 3,12 אֶת אֲשֶׁר יֶאֱהַב יהוה יוֹכִיחַ, LXX ὃν γὰρ ἀγαπᾷ κύριος παιδεύει. Hi 6,24 מַה־שָּׁגִיתִי הָבִינוּ לִי, LXX εἴ τι πεπλάνημαι φράσατέ μοι. Gen 39,3; 41,55; Num 23,12; Ri 11,24a.b; 1Sam 20,4; 2Sam 21,4; 1Kö 22,14b = 2Chr 18,13b; Jes 21,6; Sir 15,11b; CD 2,13. Neuhebräisch: Pes 1,3; BB 6,7 מה שנתן נתן; Fiebig Nr 328. Alt-

---

[1] LXX und die Targume Onq, Jer I verstehen als Imperativ, doch wäre auch Ausfall der direkten Rede möglich (vgl. Dalman 277 Anm. 2).

aramäisch: Hadad 4 ומז אשא[ל מן] אלהי יתנו לי „Und wenn ich von den Göttern etwas erbitte, geben sie es mir“. Reichsaramäisch: Dan 5,19b דִּי־הֲוָה צָבֵא הֲוָא קָטֵל וְדִי־הֲוָה צָבֵא הֲוָה מַחֵא, Theod οὓς ἠβούλετο, αὐτὸς ἀνῄρει, καὶ οὓς ἠβούλετο, αὐτὸς ἔτυπτεν. 19bβ; 5,21 לְמַן־דִּי (= Akk.); Esr 7,18 מָה דִי, LXX εἴ τι; Dan 4,14.22.29 לְמַן־דִּי יִצְבֵּא יִתְּנִנַּהּ, Theod ᾧ ἐὰν δόξῃ, δώσει αὐτήν. Cowley 8,9f.; 13,8; 20,14; 25,9; 28,7.12. Jüdisch-Palästinisch: jMŠ 55c ומה דאת זרע לית את כנש מה דאת מוליד לית את קבר „Was du säen wirst, wirst du nicht einsammeln! (Dieses Traumwort bedeutet:) Was du an Kindern zeugen wirst, wirst du nicht begraben müssen!“; jKil 27c מה דהוה זבונה חמי הוה זבן „Wenn der Käufer etwas gesehen hätte, hätte er es gekauft“; jBQ 6b (öfters) ומה דו אמר יהבין ליה „Und was er nennt, gibt man ihm“; GenR 33,1 מן דמחיית גיית „Wenn du jemanden schlägst, schlägst du ihn mit Macht“ (Var. הן „wo“); 33,3; LevR 13,2 כל דבעי הבו ליה „Alles, was er will, gebt ihm!“; 34,15 כל מה דאת לעי לנפשא לעי „Alles, was du tust, tust du für dich selbst“; AD 28,6. Babylonisch-Talmudisch: bBer 60b כל דעביד רחמנא לטב עביד „Alles, was Gott tut, tut er zum Guten“; bPes 110a מלכא מאי דבעי עביד „Was der König will, tut er“; bBB 47b (zitiert S. 82f.). Mandäisch: RGinza 171,20 כול דבאיית עביד „Was du willst, tu!“ u.ö.

III. Das Relativpronomen des konditionalen Relativsatzes steht dem Hauptsatz als „Casus pendens“ absolut voran

In allen bisher zitierten Beispielen ist das Relativpronomen des konditionalen Relativsatzes grammatisches Subjekt oder Objekt des Hauptsatzes. Doch das Relativpronomen muß nicht notwendiger grammatischer Satzteil des nachfolgenden Hauptsatzes sein: Es ist nämlich im Semitischen sehr beliebt, das „psychologische Subjekt“, also den Satzteil, über den etwas ausgesagt werden soll, aus dem betreffenden Satz herauszunehmen und, auch wenn er nicht grammatisches Subjekt ist, im Nominativ[1] an den Satzanfang zu stellen und danach den vollständigen Satz folgen zu lassen, in dem dieser „Casus pendens“ an der Stelle, wo er eigentlich hingehörte, durch ein Pronomen (gewöhnlich ein Suffix) wiederaufgenommen wird[2].

[1] Ursprünglich wird es sich jedoch um eine unflektierte Ausrufform (Endung -ā) gehandelt haben, vgl. VglGr 3.271.

[2] In der schulmäßigen Übersetzung fügt man nach dem „Casus pendens“ ein „von ihm gilt“ ein. Im folgenden sind die zusammengesetzten Nominalsätze ganz wörtlich übersetzt (Doppelpunkt zwischen Mubtada' und Ḫabar), um ihren Bau deutlich zu machen.

Dieser sogenannte ,,zusammengesetzte Nominalsatz“ (bestehend aus dem isoliert voranstehenden Mubtada’ = Subjekt und dem Ḫabar = ein Verbalsatz oder Nominalsatz mit meist anderem grammatischen Subjekt), der die Ausdrucksmöglichkeiten der semitischen Sprachen sehr bereichert, wird im Semitischen nicht als Anakoluth empfunden, sondern als ungebrochene Konstruktion. Ein solcher ,,Casus pendens“ ist nun auch oft der konditionale Relativsatz. Dabei lassen sich drei Fälle unterscheiden:

a) Das Relativpronomen wird im Hauptsatz durch einen obliquen Casus wiederaufgenommen: Hebräisch: (LXX behält das ,,Anakoluth“ öfters bei[1]) nach אֲשֶׁר: Jos 15,16 = Ri 1,12 אֲשֶׁר־יַכֶּה אֶת־קִרְיַת־סֵפֶר וּלְכָדָהּ וְנָתַתִּי לוֹ אֶת־עַכְסָה בִתִּי לְאִשָּׁה, LXX (Ri) ὃς ἂν πατάξῃ τὴν Πόλιν τῶν γραμμάτων καὶ προκαταλάβηται αὐτήν, δώσω αὐτῷ τὴν Ασχαν θυγατέρα μου εἰς γυναῖκα. (Ex 21,13; LXX anak.); Lev 25,33 (LXX anak.); 1Sam 11,7 (LXX anak.); 1Kö 8,31f. (LXX ἐάν); Mi 3,5b; 1 QS 6,27ff.; 7,16 (lies ואשר statt ואיש); nach מִי אֲשֶׁר: Ex 32,33 מִי אֲשֶׁר חָטָא־לִי אֶמְחֶנּוּ מִסִּפְרִי, LXX εἴ τις ἡμάρτηκεν ἐνώπιόν μου, ἐξαλείψω αὐτὸν ἐκ τῆς βίβλου μου, nach מִי: Jes 44,10f. (LXX frei); vgl. 50,8a (Relativpron. in 1. plur. des Nachsatzes mit einbegriffen, LXX τίς); Spr 9,4b. 16b (LXX frei); Esr 1,3 = 2Chr 36,23 (LXX τίς); nach כֹּל אֲשֶׁר: Ri 7,5a כֹּל אֲשֶׁר־יָלֹק בִּלְשׁוֹנוֹ מִן־הַמַּיִם כַּאֲשֶׁר יָלֹק הַכֶּלֶב תַּצִּיג אוֹתוֹ לְבָד, LXX πᾶς ὃς ἂν λάψῃ τῇ γλώσσῃ αὐτοῦ ἐκ τοῦ ὕδατος, ὡς ἐὰν λάψῃ ὁ κύων, στήσεις αὐτὸν κατὰ μόνας. 7,5b (LXX anak.); Jos 2,19a (LXX nicht anak.); 2,19b (LXX anak.); CD 16,8f. (neutr.); vgl. Lev 18,29; Jes 55,1; Sach 4,10a, wo das Relativpron. im pluralischen Subjekt des Nachsatzes mit einbegriffen ist, ebenso 1Chr 29,8 (Artikel statt Relativpron.) הַנִּמְצָא אִתּוֹ אֲבָנִים נָתְנוּ לְאוֹצַר בֵּית־יהוה, LXX setzt auch das Relativpron. in den Plural: οἷς εὑρέθη παρ’ αὐτοῖς λίθος, ἔδωκαν εἰς τὰς ἀποθήκας οἴκου κυρίου. Neuhebräisch: nach מי ש: Jom 8,6.7; RŠ 1,9 מי שראה את החדש ואינו יכול להלך מוליכין אותו על החמור ,,Jemand, der den neuen Mond gesehen hat, aber nicht gehen kann (von ihm gilt): man bringt ihn auf einem Esel“; BM 4,4; nach כל ש: Qid 1,10 כל שאינו עושה מצוה אחת אין מטיבין לו ,,Jeder, der Ein Gebot nicht tut (von ihm gilt): Gott tut ihm nichts Gutes“; Šab 22,2; 23,3; Fiebig Nr 25, 100a.b, 124

---

[1] Manchmal hat sie sogar ein Anakoluth, wo im AT gar keines vorliegt: Dan 3,6 (im Aram. passiv) πᾶς, ὃς ἂν μὴ πεσὼν προσκυνήσῃ, ἐμβαλοῦσιν αὐτὸν εἰς τὴν κάμινον, vgl. S. 183 Anm. 1.

u. ö.; nach כל מי ש: GenR 48,5 כל מי שהוא תופשו אני נותן לו פרוקופי „Jeder, der ihn (den Räuberhauptmann) ergreift: ich werde ihm eine Würde verleihen“; ExR 21,3 כל מי שהוא עושה רצון המקום שומע לו „Jeder, der den Willen Gottes tut: er erhört ihn“ u. ö. Altaramäisch: nach מן: Nerab (NE 445) I 5—10 מן את תהנס צלמא זנה וארצתא מן אשרה שהר ושמש ונכל ונשך יסחו שמך ואשרך מן חין „Wer auch immer du (bist, der du) raubst dieses Bild und den Sarg von seinem Ort: Mond und Sonne und Ningal und Nusku mögen ausreißen deinen Namen und deinen Ort von den Lebenden!“. Reichsaramäisch: nach כל די: Esr 7,26 כָּל־דִּי־לָא לֶהֱוֵא עָבֵד דָּתָא דִי־אֱלָהָךְ וְדָתָא דִּי מַלְכָּא אָסְפַּרְנָא דִּינָה לֶהֱוֵא מִתְעֲבֵד מִנֵּהּ, LXX πᾶς ὃς ἂν μὴ ᾖ ποιῶν νόμον τοῦ ϑεοῦ καὶ νόμον τοῦ βασιλέως, ἑτοίμως τὸ κρίμα ἔσται γιγνόμενον ἐξ αὐτοῦ, nach זי: Aḥiqar 138. Jüdisch-Palästinisch: nach ד: LevR 3,1 = PredR zu 4,6 במתלא אמרין דאגר גינא אכל ציפרין דאגר גינין ציפרין אכלין ליה „Im Sprichwort heißt es: Wenn jemand Einen Garten pachtet, so ißt er Vögel; pachtet jemand aber Gärten, so fressen die Vögel ihn“; HhldR zu 1,2 (= PredR zu 7,1) מתלא אמר (PredR + מאן) דנכית ליה חויא חבלא מדחיל ליה „Das Sprichwort sagt: Wen eine Schlange gebissen hat: ein Strick erschreckt ihn“; bNed 41a במערבא אמרי דדא ביה כולא ביה דלא דא ביה מה ביה „Im Westen (d. h. in Palästina) sagt man: Der, in dem dieses (das Wissen) ist: alles ist in ihm. Der, in dem dieses nicht ist: was ist in ihm?“; nach מאן ד: jKil 32b = jKet 35a (= PredR zu 7,12b) מאן דאמר לן רבי דמך אנן קטלין ליה „Derjenige, welcher uns berichtet, daß Rabbi gestorben sei: wir werden ihn töten“ (PredR: כל דאתא ואמר); jJeb 12d מאן דבעי מיעבד ביתא כמין שובך לא שמעין ליה „Jemand, der sein Haus wie einen Taubenschlag machen will: man hört nicht auf ihn“; jBQ 6a (= bBM 41a) מאן דמר לי הדא מילתא אנא נסיב בנרייתיה „Jemand, der mir das erklärt: ich werde ihm seine Badeutensilien nachtragen“; jSanh 29a (zitiert S. 37 Anm.); LevR 30,2 מאן דנסב באיין בידיה אנן ידעין דהוא נצוחייא „Jemand, der den Palmzweig in die Hand nimmt: wir erkennen, daß er der Sieger ist“; PredR zu 9,10 מאן ⟨⟩ ד⟨לא⟩ כלום ודבר בגרמיה כלום נוח ליה אם לא נברא „Jemand, der nichts ist, aber so tut, als ob er etwas wäre: es wäre ihm besser, wenn er nicht erschaffen worden wäre“; HhldR zu 1,1 מאן דקרי טבוואות ניזל לגביה מאן דתני טבוואות ניזל לגביה „Jemand, der die Schrift gut vorträgt: wir wollen zu ihm gehen; jemand, der die Mischna gut vorträgt: wir wollen auch zu ihm gehen (= wenn jemand da ist, der . . .)“; nach אהן ד: jBer 10d אהן דעטיש גו מיכלא אסיר למימר ייס „Der, welcher beim Essen niest: es ist verboten, (ihm) ‚Gesundheit!‘ zuzurufen“; nach כל ד: jSanh 26c כל דייתי עלי אנא קטל ליה חוץ מחנניה בן שילא „Jeder, der mich überfallen sollte: ich werde ihn töten mit Ausnahme des Ḥ. b. Š.“; GenR 64,8 כל דאתי מפיק ליה אנא יהיב ליה אגריה „Jeder, der kommt (und) ihn (den im Halse eines Löwen stecken gebliebenen Knochen) herauszieht: ich werde ihm seinen Lohn geben“; PredR zu 7,9 כל דרקיק לעיל על אפוי נפל „Jeder, der nach oben spuckt: es fällt auf sein eigenes Gesicht“; nach כל מאן ד: jChag 78d כל מאן דלא הוה ליה גולה הוה חבריה קטע פלגא דגולתיה ויהב ליה „Jeder, der keinen Mantel hatte: sein Genosse schnitt die Hälfte von dem seinigen ab und gab sie ihm“; GenR 22,12 כל מאן דעבר הוה אמר הב מה דעלך „Jeder, der vorbeiging: er (der Räuber) sagte (zu ihm): Gib her, was du bei dir hast!“; KlglR zu 5,22 כל מאן דכעיס סופיה לאיתרציא „Jeder, der zürnt: sein Ende ist besänftigt zu werden“. Babylonisch-Talmudisch: nach ד: bŠab 23b דרחים רבנן הוו ליה בנין רבנן דמוקיר רבנן הוו ליה חתנוותא רבנן „Wer Gelehrte liebt: ihm werden gelehrte Söhne werden; wer Gelehrte ehrt: ihm werden gelehrte Schwiegersöhne werden“ u. ebd. ö.ä.; 152a (= PredR zu 10,7) דעל סוס מלך דעל חמור בן חורין ודמנעלי בריגלוהי בר איניש דלא הא ולא הא דחפיר וקביר טב מיניה (PredR: דלא דין ולא דין חפיר טב מיניה) „Wer auf einem Pferde reitet, ist ein König; wer auf einem Esel reitet, ist ein freier Mann; und wer (wenigstens) Schuhe an seinen Füßen hat, ist (immerhin noch) ein gewöhnlicher Mensch; wer aber weder das eine noch das andre ist: ein Verscharrter und Begrabener ist (= hat es) besser als er“; bPes 42b דקמיט מרפא ליה ודרפא מקמיט ליה „Wer hartleibig ist: es (das ägyptische Bier) macht ihn geschmeidig und umgekehrt“; bJom 72b דאומן לה סמא דחייא דלא אומן לה סמא דמותא „Wer geschickt mit der Tora umgeht: sie ist ein Heilmittel (für ihn); wer nicht geschickt mit ihr umgeht: sie ist ein tödliches Gift (für ihn); bKet 105b דרחים ליה לא חזי ליה חובא דסני ליה לא חזי ליה זכותא „Wen er liebt: er wird keine Schuld an ihm finden; wen er haßt: er wird keine Unschuld an ihm finden“; bNed 83b (vgl. bKet 72a) דיספוד יספדון ליה דיבכה יבכון ליה דיקבר יקברוניה „Wer klagt: man wird um ihn klagen; wer weint: man wird um ihn weinen; wer begräbt: man wird ihn begraben“; bSanh 109b דהוה ליה תורא לבני אתי כל חד וחד שקלה חדא אמר ליה אנא חדא דשקלי „Wer eine Schicht Ziegel besaß: ein jeder kam, nahm einen Ziegel fort, sagte zu ihm: Ich habe nur Einen genommen“; bMeil 20b דמסוכר ואכיל ציפרא פרח ליביה כציפרא „Wer, nachdem er sich zur Ader gelassen hat, einen Vogel ißt: sein Herz wird flattern wie ein Vogel“;

nach מאן ד: bBer 56a מאן דיהיב ליה אגרא מפשר ליה למעליותא ולמאן דלא יהיב ליה אגרא מפשר ליה לגריעותא ,,Jemand, der ihm Lohn gab: er deutete ihm (die Träume) zum Guten, andernfalls zum Schlechten“; bŠab 119a מאן דיזיף שבתא פרעיה שבתא ,,Jemand, der dem Sabbat zu Ehren ein Darlehen aufnimmt: der Sabbat wird ihn belohnen“; bErub 27b u.ö. מאן דמתרגם לי בבקר אליבא דבן בג בג מובילנא מאניה אבתריה לבי מסותא ,,Derjenige, welcher mir das Wort בבקר der Ansicht des B. entsprechend erklärt: ich will ihm seine Kleider ins Badehaus nachtragen“; nach מידי ד: bKet 72b מידי דקפדי בה אינשי הוי קפידיה קפידא דלא קפדי בה אינשי לא הוי קפידיה קפידא ,,Etwas, womit es die Menschen genau nehmen: das Genaunehmen von Seiten des Mannes ist (dabei) berechtigt; etwas, womit es die Menschen nicht genau nehmen: sein Genaunehmen ist auch nicht berechtigt“; nach האי מאן ד: bMeg 3a האי מאן דמיבעית אף על גב דאיהו לא חזי מזליה חזי ,,Jemand, der erschrickt: obgleich er selbst nichts sieht, sieht doch sein Stern (eine Gefahr)“; bGit 70a האי מאן דשתי טיליא חיורא אחזותו ויתק ,,Jemand, der weißen Wein trinkt: ihn befällt die Auszehrung“; bŠebu 41a (zitiert S. 264); bChul 59a האי מאן דאכל תלתא תקלי חלתית אליבא ריקנא מישתלח משכיה ,,Jemand der drei Schekel Asant auf den leeren Magen ißt: seine Haut fällt ihm ab“ u. ebd. ö.ä.; bAr 21b האי מאן דמסר מודעא אגיטא מודעיה מודעא ,,Jemand, der gegen den Scheidebrief protestiert hat: sein Protest ist gültig“; nach כל ד: bPes 110b כל דקפיד קפדי בהדיה ודלא קפיד לא קפדי בהדיה ,,Jeder, der es genau nimmt: sie nehmen es mit ihm genau; wer es nicht genau nimmt: sie nehmen es auch mit ihm nicht genau“; bTaan 24a כל דלא אפשר ליה לא שקלינן מיניה מידי ,,Jeder, der nichts bezahlen kann: ich nehme nichts von ihm“; bSanh 39a כל דזכי למלכא לשדיוה לביבר ,,Jeder, der den König besiegt: man werfe ihn in einen Tierkäfig“; 72b כל דאתי עלאי במחתרתא קטילנא ליה לבר מרבי חנינא ,,Jeder, der mich beim Einbruch überfällt: ich werde ihn töten außer R.Ḥ.“; bChul 60a כל דמנגע ברומי יהבו ליה מסתוריתא ,,Jeder, der in Rom aussätzig wird: man gab ihm eine Winde“; 109b כל דאסר לן רחמנא שרא לן כוותיה ,,Alles, was Gott uns verboten hat: er hat uns etwas ihm Ähnliches erlaubt“; nach כל מאן ד: bŠab 10b רב חסדא הוה נקיט בידיה תרתי מתנתא דתורא אמר כל מאן דאתי ואמר לי שמעתתא חדתא משמיה דרב יהיבנא ליה ניהליה ,,R. Ḥ. hielt zwei Priestergeschenke von einem Ochsen in seiner Hand, er sagte: Jeder, der kommt und mir eine neue Lehre im Namen Rabs sagt: ich gebe sie ihm“; bTaan 24a כל מאן דפשע משחדינא ליה מינייהו ,,Jeder, der sich widersetzt: ich beschenke ihn davon“. Syrisch: nach מן ד: Afraat 106,12f. מן דלא לבש לבושא דמשתותא מפקין לה לחשוכא בריא ,,Wer nicht ein Feiergewand angezogen hat: man wird ihn herausstoßen in die äußere Finsternis"; 107,5f.6f.10f. u.ö.; Peš Mt 5,40.42a.b; Lk 12, 10b; Joh 6,37b.47.54; 12,48 u.ö.; nach כל מן ד: Peš Joh 7,38; nach כל ד: Peš Mt 13,19; Lk 11,10c; Joh 6,40; nach הו ד: Peš Mt 25,29b[1] u.ö. Mandäisch: nach כול (מאן) ד in RGinza 64—66; Johb 11; 54 u.ö.

b) Irgendein Satzteil der Protasis mit Ausnahme des Relativpronomens wird an irgendeiner Stelle des Hauptsatzes wiederaufgenommen: Neuhebräisch: Orla 3,6; Beṣ 5,7 מי שזימן אצלו אורחים לא יוליכו בידם מנות „Jemand, der Gäste zu sich geladen hat: sie sollen keine Geschenke mitbringen"; BB 8,6; 9,1; AZ 3,6; TosBer IV, 4 כל שנשתנה מברייתו ושינה ברכתו יצא „Irgend etwas, das verändert worden ist von seiner schöpfungsmäßigen Beschaffenheit, und er hat auch den Lobspruch verändert: er ist frei (= wenn etwas verändert wurde und der Betreffende auch den Lobspruch verändert hat, so ist er frei)"; vgl. Tanch שמות 7,4 כל מה שאתם אומרים אני שומע לכם „Alles, was ihr sagt: ich höre auf euch" u.ö. Reichsaramäisch: Cowley 13,12 זי ינפק עליכי ספר לא אנא כ[תבתה] „Wer gegen dich einen solchen Vertrag hervorholt: ich habe ihn nicht geschrieben"; Jüdisch-Palästinisch: jPea 21b הוו סבין ביומינן מאן דהוה יהיב לון מבין ריש שתא לצומא רבא הוון נסבין מן בתר כן לא הוון נסבין „In unseren Tagen gab es Alte; jemand, der ihnen (etwas) gab zwischen Neujahr und dem Versöhnungstag: sie nahmen (es); aber danach nahmen sie nichts mehr"; jKil 32a מאן דאמר אסור דבר תורה ומאן דאמר מותר כההיא דאמר רבי זעירא „Derjenige, welcher Verboten sagt: das ist ein Wort der Tora; und derjenige, welcher Erlaubt sagt: das geschieht entsprechend dem Ausspruch des R. Z."; jAZ 39c מאן דזרע טלופחין בההוא יומא לא מצלחין „Derjenige, welcher an diesem Tage Linsen sät: sie (die Linsen) werden nicht gedeihen"; KlglR zu 1,1 תא נעביד בינינן דכל דשאיל שאלתא ונצח לחבריה דנסבין ליה מנוי „Wir wollen unter uns ausmachen, daß jeder, der eine Frage stellt und den anderen besiegt (weil der sie nicht beantworten kann): daß man ihm (dem Besiegten) etwas wegnimmt"; KlglR Einl 12 = AD 38,3f. כל דזמר זימרא לא עייל באודניה דרקדא כל דזמר זמר ברא דטפשא לא שמע „Jeder, der ein Lied singt (= mag singen wer will): es dringt nicht in das Ohr des Tänzers. Jeder, der ein Lied singt: der Sohn des Toren hört es nicht"; AD 22,8 מאן דחמי לך ההיא שומתא את חכמה לה „Derjenige, welcher dir jenes Muttermal zeigt: wirst du es wiedererkennen? (= wenn dir jemand jenes M. zeigt, ...)".

---

[1] Vgl. S. 147 Anm. 2.

Babylonisch-Talmudisch: bBQ 113a הא מאן דכתיב עליה פתיחא על דלא אתי לדינא עד דאתי לדינא לא מקרעינן ליה ,,Jemand, gegen den ein Bannbrief geschrieben wurde, weil er nicht vor Gericht erschienen ist: bis er vor Gericht erscheint, zerreißen wir ihn (den Bannbrief) nicht (= wenn gegen jemand ...)“; bSanh 109b דמחי ל⟨⟩ה לאיתתא דחבריה ומפלא ליה אמרי ליה יהבה ניהליה דניעברה ניהלך ,,Wer die Frau seines Nächsten schlägt, so daß sie eine Fehlgeburt hat: sie sagen zu ihm (dem Ehemann der Geschlagenen): ‚Gib ihm deine Frau, damit er sie an deiner Stelle wieder schwanger mache!‘“; u. ebd. ö.ä.

c) Die Handlung des konditionalen Relativsatzes an sich bedingt den Hauptsatz; dabei fehlt in der Regel eine beiden gemeinsame Person oder Sache: Hebräisch: Pred 9,4 מִי אֲשֶׁר ⟨יְחֻבַּר⟩ אֶל כָּל־הַחַיִּים יֵשׁ בִּטָּחוֹן, LXX τίς ὃς κοινωνεῖ πρὸς πάντας τοὺς ζῶντας; ἔστιν ἐλπίς ,,Wenn einer noch zugesellt ist ...“[1]. Neuhebräisch: BB 6,7 מי שהיתה דרך הרבים עוברת בתוך שדהו ונטלה ונתן להם מן הצד מה שנתן נתן ושלו לא הגיעו ,,Jemand, durch dessen Feld ein öffentlicher Weg führt, und er hebt ihn auf und gibt ihnen (einen anderen) an der Seite: (dann gilt der Grundsatz:) Was er gegeben hat, hat er gegeben, aber sein Eigentum fällt nicht wieder an ihn zurück“. Altaramäisch Sfire III 7—9 (ed. M. A. Dupont-Sommer, Paris 1958, 127f.) וכל מלכיא זי סחרתי או כל זי רחמה אלי ואשלח מלאכי אלוה לשלח או לכל חפצי או ישלח מלאכה אלי פתחה לי ארחא לתמשל בי בזא ולתרשה לי עליה ,,Und alle Könige meiner Umgebung oder jeder, dessen Zuneigung mir gilt, und dem ich meinen Boten sende, um (ihm eine Botschaft) zu senden oder zu irgend einem (anderen) Zweck, der mir beliebt, oder der mir seinen Boten sendet: der Weg ist für mich offen: Du wirst mir darin keine Vorschriften machen und deswegen keinen Einspruch erheben! (= Wenn jemand mit mir verkehren will, so gilt: Der Weg ist für mich offen!)“. Jüdisch-Palästinisch: jŠebi 38c מאן דמייתי לי חרדלא אנא מורי כרבי יונה ,,Jemand, der mir Senf bringt: ich lehre (darüber) wie R. J.“ Babylonisch-Talmudisch: bPes 111b מאן דשתי מיא בצעי קשי לעניותא ,,Jemand, der Wasser aus einer Schale trinkt (= das Trinken von Wasser aus einer Schale): es ist ungünstig in bezug auf (= bringt) Armut“ u. ebd. ö.ä., vgl. mit nachgestelltem Relativsatz: bPes 112a (Schles S. 217); bRŠ 4a מאן דעבד הכי לאו מעליותא היא ,,Jemand, der so handelt: ist es nicht richtig?“;

---

[1] Hier läßt sich allerdings durch Ergänzung von לוֹ = αὐτῷ im Hauptsatz eine Verbindung durch einen gemeinsamen Satzteil herstellen.

bMQ 10b מאן דמתקיל ארעא אדעתא דבי דרי שרי „Jemand, der die Hindernisse aus dem Boden beseitigt, um Raum für eine Tenne zu schaffen: es ist erlaubt“; bGit 67b דנכתיה חמרא חדתא דמעצרתא הא רוחא קורדייקוס שמיה „Wen neuer Wein von der Kelter beißt: dieser Dämon heißt Taumel“; bBQ 87a = bQid 31a מריש הוה אמינא מאן דאמר הלכה כרבי יהודה קא עבדינא יומא טבא לרבנן והשתא מאן דאמר לי אין הלכה כרבי יהודה עבדינא יומא טבא לרבנן „Früher sagte ich: Jemand, der sagt, die Entscheidung sei wie (die des) Rabbi Jehuda: ich werde einen Festtag für die Gelehrten veranstalten. Jetzt aber: Jemand, der mir sagt, die Entscheidung sei nicht wie (die des) Rabbi Jehuda: ich werde einen Festtag für die Gelehrten veranstalten (= wenn mir jemand sagt ..., so werde ich veranstalten ...)“.

Der konditionale Relativsatz ist also im Hebräischen, Neuhebräischen[1] und in allen aramäischen Sprachen in gleicher Weise verbreitet. Dabei entspricht — wie LXX zeigt — dem semitischen Relativpronomen (ganz gleich, ob mit oder ohne korrelativisches Interrogativpronomen) im Griechischen ὅς, ὅστις, ὅσος, ὃς (ἐ)άν, ὅστις (ἐ)άν. Für hebräisches מִי wäre auch τίς zu erwarten.

β) Der konditionale Relativsatz im Griechischen

Während die unter I. und II. besprochenen konditionalen Relativsätze im Griechischen genau so vorkommen, vgl. etwa ὃν οἱ θεοὶ φιλοῦσιν ἀποθνήσκει νέος, gibt es zu den absolut vorangestellten (III.) kaum Parallelen: Wiederaufnahme durch οὗτος (ὅδε) findet sich noch öfters, vgl. Platon Resp 345b ἃ ἂν εἴπῃς, ἔμμενε τούτοις. Xenoph Anab 6.1,29 νομίζω ὅστις ἐν πολέμῳ ὢν στασιάζει πρὸς ἄρχοντα, τοῦτον πρὸς τὴν ἑαυτοῦ σωτηρίαν στασιάζειν. Cyrop 1.6,21 ὃν ἂν ἡγήσωνται περὶ τοῦ συμφέροντος ἑαυτοῖς φρονιμώτερον ἑαυτῶν εἶναι, τούτῳ οἱ ἄνθρωποι ὑπερηδέως πείθονται. 3.1,20 οὓς ἂν βελτίους τινὲς ἑαυτῶν ἡγήσωνται, τούτοις πολλάκις καὶ ἄνευ ἀνάγκης ἐθέλουσιν πείθεσθαι. 7.5,85 οὓς ἂν ὁρῶ τὰ καλὰ καὶ τἀγαθὰ ἐπιτηδεύοντας, τούτους τιμήσω. Soph Antig 666 ἀλλ' ὃν πόλις στήσειε, τοῦδε χρὴ κλύειν, u.ö. so ὅδε bei Soph; Homer[2] τ 332f.

---

[1] Allerdings ist im Hebr. und Neuhebr. das kond. Partz. sehr viel häufiger und deshalb im NT beim kond. Relativsatz aram. Einfluß wahrscheinlicher. Vgl. auch, daß die unter hebr. Spracheinfluß stehende Apc überhaupt keinen kond. Relativsatz aufzuweisen hat.

[2] Das Pron. ὁ, ἡ, τό, der spätere Artikel, hat bei Homer (wie überhaupt im älteren Griech.) noch fast durchweg die Bedeutung eines Demonstrativpron., vgl. K-G 456—59, Schwyzer 19ff.

ὃς δ' ἂν ἀμύμων αὐτὸς ἔῃ καὶ ἀμύμονα εἰδῇ, τοῦ μέν τε κλέος εὐρὺ διὰ ξεῖνοι φορέουσιν. 577ff. ὃς δέ κε ῥηΐτατ' ἐντανύσῃ βιὸν ἐν παλάμῃσιν καὶ διοϊστεύσῃ πελέκεων δυοκαίδεκα πάντων, τῷ κεν ἅμ' ἑσποίμην. 329ff.; B 391; I 509; Λ 409; O 348.743 u.ö. Auch kann ein singularisches Relativpronomen durch ein pluralisches Demonstrativ wiederaufgenommen werden: Soph Antig 707ff. ὅστις γὰρ αὐτὸς ἢ φρονεῖν μόνος δοκεῖ ἢ γλῶσσαν, ἣν οὐκ ἄλλος, ἢ ψυχὴν ἔχειν, οὗτοι διαπτυχθέντες ὤφθησαν κενοί. Xenoph Cyrop 1.6,11 ὅ τι δ' ἂν πρὸς τοῖς εἰρημένοις λαμβάνῃ τις, ταῦτα καὶ τιμὴν νομιοῦσιν. Der Relativsatz kann auch durch ein (diesen zusammenfassendes) Substantiv wiederaufgenommen werden: PRevL 21.1 (259 v.) [ὅσα δὲ σ]υγγράφονται οἱ οἰκονόμοι ἢ οἱ ἀντιγραφεῖς, μὴ πρασσέσθωσαν οἱ πραγματευόμενοι τῶν συγγραφῶν μηδὲ τῶν συμβόλων μηδέν „Was die von den Verwaltern und Gegenschreibern geschlossenen Verträge betrifft, so sollen die Beamten keinerlei Bezahlungen für Verträge und Kontrakte eintreiben" (Mayser). Das anaphorische Demonstrativpronomen kann weggelassen werden, wenn es leicht zu ergänzen ist: Soph Antig 35f. ὃς ἂν τούτων τι δρᾷ, (erg. τούτῳ) φόνον προκεῖσθαι. τ 511; PGrenf I 27 col. 2.3 (109 v.) ὃς δ' ἂν ἐπέλθηι, (erg. τούτου) ἡ εἴσοδος ἄκυρος ἔστω „Wer auch (gegen sie) vorgeht, (dessen) Klage soll wirkungslos sein"; Jos 2,19b LXX; 2Kor 1,20.

Wiederaufnahme durch nachgestelltes[1] αὐτός ist sehr selten: A 218 ὅς κε θεοῖς ἐπιπείθηται, μάλα τ' ἔκλυον αὐτοῦ[2]. Thuk 3,13 ᾧ γὰρ δοκεῖ μακρὰν ἀπεῖναι ἡ Λέσβος, τὴν ὠφελίαν αὐτῷ ἐγγύθεν παρέξει. Xenoph Anab 2.5,27 ἔφη τε χρῆναι ἰέναι παρὰ Τισσαφέρνην, οὓς ἐκέλευεν, καὶ οἳ ἂν ἐλεγχθῶσι διαβάλλοντες τῶν Ἑλλήνων, ὡς προδότας αὐτοὺς καὶ κακόνους τοῖς Ἕλλησιν ὄντας τιμωρηθῆναι. Hell 3.4,15 προειπὼν δέ, ὅστις παρέχοιτο ἵππον καὶ ὅπλα καὶ ἄνδρα δόκιμον, ὅτι ἐξέσται αὐτῷ μὴ στρατεύεσθαι, ἐποίησεν κτλ.[3] Isokr 1,33 οὓς ἂν βούλῃ ποιήσασθαι φίλους, ἀγαθόν τι λέγε περὶ αὐτῶν πρὸς τοὺς ἀπαγγέλλοντας. Artemisiapap 12 (4. Jahrh. v.) ὃς δ' ἀν-[έλοι] τὰ γράμματα ταῦτα καὶ ἀδικοῖ Ἀρτεμισίην, ὁ θεὸς αὐτῶι τὴν δίκην ἐπιθ[είη]. PHal 1,109 (3. Jahrh. v.) ὃς δ' ἂμ μὴ βούληται συμβα[λέσθαι, τὸν μὲν χοῦν τὸν κατ' αὐ]τὸν ὁ τέμνων καὶ ἀνάγων ἀναρριπτέτω „Wer nicht beisteuern will, das den betreffende Erdreich soll der, der (den

---

[1] Αὐτός hat hier die Bedeutung eines unbetonten Demonstrativs und kann daher nie am Anfang des Satzes stehen.

[2] Doch haben die obliquen Casus von αὐτός bei Homer noch nicht die abgeschwächte Bedeutung wie später (= eius); es ist also auch hier „eben den" gemeint. A 218 hat also mehr formale Ähnlichkeit; vgl. K-G 468 Anm. 1 und 5.

[3] Nach ὅτι wird noch einmal ein vollständiger Nebensatz gebracht.

Graben) zieht und weiterführt, herauswerfen"; 111 ὧι δ' ἂν τοῦ αὐτοῦ χωρίου τάφρος [ἧι μετ' ἄλλων, συμβαλλέσθωσ]αν αὐτῶι τὸ κατὰ μέρος ἕκαστος „Wer auf seinem eigenen Land einen Graben hat mit anderen zusammen, dem sollen sie jeder seinen Anteil beisteuern"; PGrenf I 21,20 (126 v.) ὅσα δ'ἂν φαίνηται ἐπίκτητα ἔχουσα ἡ δεῖνα, κυριευέτω αὐτῶν „Was sie wirklich hinzuerworben hat, darüber gebiete sie!"; IgnEph 6,1 πάντα γὰρ ὃν πέμπει ὁ οἰκοδεσπότης εἰς ἰδίαν οἰκονομίαν, οὕτως δεῖ ἡμᾶς αὐτὸν δέχεσθαι, ὡς αὐτὸν τὸν πέμψαντα, vgl. nach gewöhnlichem Relativsatz: XenophAnab 6.4,9 οὓς δὲ μὴ ηὕρισκον, κενοτάφιον αὐτοῖς ἐποίησαν. 1.9,29; Hell 1.7,35 ἐψηφίσαντο, οἵτινες τὸν δῆμον ἐξηπάτησαν, προβολὰς αὐτῶν εἶναι. 3.1,28 ἐξιὼν δὲ οὓς ηὗρεν ἐπὶ ταῖς θύραις τῶν ταξιάρχων καὶ λοχαγῶν, εἶπεν αὐτοῖς. Lys 16,11; PSI IV 433,7 (261 v.) ὅσα ὑπῆρχεν ἐν ταμιείωι, ἐγὼ αὐτὰ ἐφύτευσα. 636,3ff. (3. Jahrh. v.) τῶν βοῶν τῶν μοι ἀπέστειλας, εἷς αὐτῶν κτλ. [1]

Gänzliche Unabhängigkeit des Hauptsatzes, die sich auch nicht durch ein irgendwie zu ergänzendes Demonstrativpronomen beseitigen läßt, weil gar nicht das Relativpronomen, sondern die Handlung des Relativsatzes gemeint ist[2], ist auch im Griechischen zu finden: EuripHel 267 ὅστις μὲν οὖν εἰς μίαν ἀποβλέπων τύχην πρὸς θεῶν κακοῦται, βαρὺ μέν, οἰστέον δ' ὅμως. Xenoph Cyrop 1.5,13 ὅ τι γὰρ μὴ τοιοῦτον ἀποβήσεται παρ' ὑμῶν, εἰς ἐμὲ τὸ ἐλλεῖπον ἥξει. In Platon Resp 402d ist der anakoluthische Relativsatz durch τοῦτο wiederaufgenommen: ὅτου ἂν ξυμπίπτῃ ἔν τε τῇ ψυχῇ καλὰ ἤθη ἐνόντα καὶ ἐν τῷ εἴδει ὁμολογοῦντα ἐκείνοις καὶ ξυμφωνοῦντα, τοῦ αὐτοῦ μετέχοντα τύπου, τοῦτ' ἂν εἴη κάλλιστον θέαμα, vgl. auch Herodot 2,65 τὸ (= ὃ) δ'ἄν τις τῶν θηρίων τούτων ἀποκτείνῃ, ἢν μὲν ἑκών, θάνατος ἡ ζημία. Im allgemeinen steht er jedoch nach: Ξ 81 βέλτερον, ὃς φεύγων προφύγῃ κακὸν ἠὲ ἁλώῃ. HesOp 327 ἶσον δ', ὅς θ' ἱκέτην, ὅς τε ξεῖνον κακὸν ἔρξῃ. EuripIphTaur 606 τὰ τῶν φίλων αἴσχιστον, ὅστις καταβαλὼν εἰς ξυμφορὰς αὐτὸς σέσωται. Phön 509 ἀνανδρία γάρ, τὸ πλέον ὅστις ἀπολέσας τοὔλασσον ἔλαβε. Thuk 6,14 τὸ καλῶς ἄρξαι τοῦτ' εἶναι, ὃς ἂν τὴν πατρίδα ὠφελήσῃ ὡς πλεῖστα. Xenoph Hell 2.3,51 νομίζω προστάτου ἔργον εἶναι οἵου δεῖ, ὃς ἂν ὁρῶν τοὺς φίλους

---

[1] Der hier vorkommende Gebrauch des Artikels als Relativpron. findet sich häufig bei Homer und den Tragikern, nicht in der attischen Prosaliteratur, selten in der Koine und im Neugriech., vgl. K-G 460, Schwyzer 642f., Mayser 1 S.58ff. Im NT Apc 1,4.8; 4,8; 11,17; 16,5 ὁ ἦν statt ὃς ἦν aus rhetorischen Gründen.

[2] Dieselbe pointierte Ausdrucksweise liegt vor bei der sogen. „ab urbe condita"-Konstruktion, vgl. K-G 485 Anm. 1, Schwyzer 404, 2Kor 13,3.

ἐξαπατωμένους μὴ ἐπιτρέπῃ. Oec 4,19 καὶ τοῦτο ἡγοῦμαι μέγα τεκμήριον ἄρχοντος ἀρετῆς εἶναι, ᾧ ἂν ἑκόντες πείθωνται καὶ ἐν τοῖς δεινοῖς παραμένειν ἐθέλωσιν u.ö. vgl. K-G 563.3d.

Die Hinzufügung von πᾶς zu konditionalen Relativsätzen ist für griechisches Empfinden unnötig, da der generische Charakter dieser Sätze durch das einleitende ὃς (ἐ)άν, ὅστις hinreichend verdeutlicht ist. Es kommt daher auch nur sehr selten vor[1], etwa: Isokr D 41 πᾶν ὅ τι ἂν μέλλῃς ἐρεῖν πρότερον ἐπισκόπει τῇ γνώμῃ. Ebenso N 28, P 235, A 134; Platon Tim 49e πᾶν ὁσόνπερ ἄν, Resp 523d πᾶν ὅ τι, Aesch Prom 35 πᾶς ὅστις, PPar 29,25 (160 v.) πᾶν ὃ ἄν, oft in LXX, im NT außer an den unten besprochenen Stellen nur 1Kor 6,18a πᾶν ὃ ἐάν.

γ) Der konditionale Relativsatz im Neuen Testament

Die ntl. (vorangestellten, singularischen[2]) konditionalen Relativsätze lassen sich auf Grund des vorgelegten semitischen und griechischen Materials folgendermaßen einteilen:

I. Das Relativpronomen[3] ist grammatisches Subjekt des Relativ- und des Hauptsatzes

Dieser Fall ist im Semitischen und im NT am häufigsten, aber auch im klassischen und Koine-Griechisch gut bezeugt. So läßt sich für die Einzelstelle nichts sagen; im ganzen fällt gegenüber der originalgriechischen Literatur die Häufigkeit dieses Falles gegenüber II. auf:

1) Mt 5,21 ὃς δ' ἂν φονεύσῃ, ἔνοχος ἔσται τῇ κρίσει, ferner: Mt 5,19a.bB. 22b.c.31.32b אWΘ; 10,38.42 Bא; 12,50; 15,5f.; 16,25a.b; 18,4.5; 19,9; 20,26.27; 23,12a.b.16c.18b; Mk 3,29 Bא (D + τὶς = Ex 21,17 LXX)[4]. 35; 4,9; 8,34 𝔎Θ; 8,35a.b; 9,37a.b.40.41; 10,11 Bא.15.43.44; Lk 9,

---

[1] Etwas anderes ist πάντες ὅστις, vgl. K-G 359.3cβ.

[2] Vgl. S. 143 Anm. 2 und S. 144 Anm. 3

[3] Die verschiedenen möglichen Pronomina werden leicht vertauscht, vgl. Mt 13,12 ὅστις ἔχει = Mk 4,25 ὃς ἔχει = Lk 8,18 ὃς ἂν ἔχῃ, δοθήσεται αὐτῷ. Der Gebrauch eines bestimmten Pron. läßt also keinen sicheren Schluß zu. Im ganzen sind ὃς (ἐ)άν und ὅστις in den Evangelien, 1—3 Joh, Jak häufiger, dagegen einfaches ὅς in den Briefen.

[4] Nach der Q-Parallele Lk 12,10a (Mt = Mk + Lk!) und der Beliebtheit des Parallelismus membrorum zu schließen, muß Mk 3,28 auf dieselbe Formulierung zurückgehen (wie Lk 12,10). Die Elemente sind noch vorhanden, nur reichlich verstellt: πάντα ὅσα ἐάν, βλασφημήσωσιν, τοῖς υἱοῖς τῶν ἀνθρώπων, ἀφεθήσεται. Vgl. auch S. 178.

24a.b.48a.b Bℵ.50; 14,27; 17,31a.33a.b; 18,17; Joh 4,14 BΚ; 8,51 D; 1Kor 7,37; 11,27; Jak 2,10; 4,4; 1Joh 4,6b. Die Konstruktion in Jak 3,13 τίς σοφὸς καὶ ἐπιστήμων ἐν ὑμῖν, δειξάτω ἐκ τῆς καλῆς ἀναστροφῆς τὰ ἔργα αὐτοῦ ἐν πραΰτητι σοφίας entspricht genau den hebräischen, durch מִי eingeleiteten konditionalen Relativsätzen: Auch hier ist es zweifelhaft — genau wie bei der LXX-Übersetzung jener Stellen und z.T. auch im Hebräischen[1] –, ob das τίς nicht doch interrogativ gemeint ist (vgl. Bl-Debr 298.4).

2) An einigen der hier zu besprechenden Stellen ist dem konditionalen Relativsatz πᾶς vorangestellt[2]. Das ist, wie oben gezeigt, gut semitisch, aber griechisch — wenigstens vor ὃς ἄν, ὅστις (und das ist bei allen hier folgenden Stellen außer Röm 14,23b der Fall) — ganz ungewöhnlich. Die folgenden Stellen verraten also (höchstens außer Röm 14,23b) semitischen Einfluß: Mt 7,24 πᾶς οὖν ὅστις ἀκούει μου τοὺς λόγους τούτους καὶ ποιεῖ αὐτούς, ὁμοιωθήσεται ἀνδρὶ φρονίμῳ, ὅστις ᾠκοδόμησεν αὐτοῦ τὴν οἰκίαν ἐπὶ τὴν πέτραν. 26 Θ (aus v. 24); 19,29 πᾶς ὅστις ἀφῆκεν οἰκίας κτλ. Act 2,21 = Röm 10,13 πᾶς ὃς (ἐ)ὰν ἐπικαλέσηται τὸ ὄνομα κυρίου σωθήσεται stammt aus Joel 3,5 LXX (wörtlich gleich M [zitiert S. 152]); Röm 14,23b πᾶν δὲ ὃ οὐκ ἐκ πίστεως ἁμαρτία ἐστίν.

II. Das Relativpronomen ist grammatisches Objekt o.ä. des Relativ- oder des Hauptsatzes oder beider

Das Relativpronomen ist entweder a) im Relativsatz oder b) im Hauptsatz oder c) in beiden nicht Subjekt. Alle drei Fälle sind im Semitischen und Griechischen belegt, so daß man für die einzelne Stelle nichts sagen kann. Aufs Ganze gesehen läßt sich jedoch feststellen: Während im Semitischen das Relativpronomen in der Mehrzahl der Fälle Subjekt im Relativ- und im Hauptsatz ist (I.), sind im Griechischen — und zwar gerade auch in der (niederen) Koine — die hier zu besprechenden konditionalen Relativsätze in der Überzahl, und bei diesen wiederum die dritte Gruppe (c)[3]. Das bedeutet: Die ntl. Beispiele, bei denen das Relativpronomen nicht zweimal Subjekt

[1] Vgl. S. 151 Anm. 1.

[2] Im Sem. wird das viel öfter der Fall gewesen sein, כל wird also bei der Übersetzung ins Griech. öfters ausgelassen worden sein. Peš setzt כל bezeichnenderweise oft (wieder) zu.

[3] Das ist natürlich kein Zufall, sondern hat seinen Grund in der großen Beweglichkeit der griech. Sprache im Vergleich zu den starreren sem., die deshalb kompliziertere Konstruktionen zu vermeiden suchen.

ist, und zwar besonders die der dritten Gruppe (c), sind mit größerer Wahrscheinlichkeit griechische Bildungen und mit geringerer semitisch beeinflußt, als die unter I. zusammengestellten[1]. Dabei fällt auf, daß Joh, die Acta und die Briefe (außer Jak, 1—3 Joh) fast nur Beispiele dieser (mehr griechischen) Gruppe (II.) bieten.

a) Das Relativpronomen ist im Hauptsatz Subjekt, aber nicht im Relativsatz: 1) Es steht: α) Im Akkusativ: Mt 16,19 ὃ ἐὰν δήσῃς ἐπὶ τῆς γῆς ἔσται δεδεμένον ἐν τοῖς οὐρανοῖς, καὶ ὃ ἐὰν λύσῃς ἐπὶ τῆς γῆς ἔσται λελυμένον ἐν τοῖς οὐρανοῖς. 13,12b; 18,18a.b; 25,29; Mk 4,25b; 11,23b; Lk 8,18b Bא (D stellt den Relativsatz nach); 19,26b; Joh 3,34; 1Kor 15,36[2]; 2Kor 10,18b; Eph 6,8 AD[2]. β) Im Dativ: Lk 7,47b; Act 8,19; 2Petr 1,9. γ) Wird von einer Präposition regiert: Joh 1,33b; außerdem 2) nach πᾶς im Akkusativ stehend: Joh 6,37a; 17,2 D (πᾶν, ὅ).

b) Das Relativpronomen ist im Relativsatz Subjekt, aber nicht im Hauptsatz: Phil 4,8 ὅσα ἐστὶν ἀληθῆ, ὅσα σεμνά κτλ., ταῦτα λογίζεσθε.

c) Das Relativpronomen ist weder im Relativ- noch im Hauptsatz Subjekt, sondern: 1α) Akkusativobjekt: Mt 19,6 ὃ οὖν ὁ θεὸς συνέζευξεν, ἄνθρωπος μὴ χωριζέτω. 20,15; Mk 6,23; 10,9; 11,24 KN; Lk 10,35 („Wenn du noch mehr brauchst, ...“); Joh 2,5 stammt aus Gen 41,55 LXX (εἴπῃ) = M; 11,22; 15,7.16; 19,22; Act 10,15 = 11,9; 15,20 D. 29 D; Röm 3,19; 4,21; 8,24; 9,18a.b; 1Kor 10,20; 2Kor 2,10b BA; Kol 3,23 B; Hebr 12,6a stammt wörtlich aus Spr 3,12 LXX = M; 1Joh 3,22. β) Dativobjekt: Lk 4,6; Röm 6,16; 2Kor 2,10a.b 𝔎. γ) Wird von

[1] Allerdings würden bei Rückübersetzung ins Sem. einige Beispiele entfallen: Da ἔχειν nur durch יֵשׁ לִי, אית לי „ist mir“ wiedergegeben werden kann, wird das Objekt von ἔχειν im Sem. zum Subjekt (vgl. auch S. 106), so daß Mt 13,12; 25,29 = Mk 4,25 = Lk 19,26 ὃ ἔχει ἀρθήσεται im Sem. unter I. einzureihen wäre. Außerdem ist im Sem. ein zusammengesetzter Nominalsatz vorauszusetzen, wenn im Griech. das Relativpron. im Relativsatz, aber nicht ebenso im Hauptsatz Dativobjekt ist oder von einer Präpos. regiert wird (nur im klassischen Hebr. ist diese, genau dem Griech. entsprechende Konstruktion nicht ganz unwahrscheinlich, vgl. S. 154 Anm. 2), so daß auch in diesen Fällen das Relativpron. Subjekt wäre: ᾧ = אֲשֶׁר־לוֹ, ד(מאן)־ליה; ἐφ' ὅν = אֲשֶׁר - עָלָיו, ד(מאן) - עלוהי. Damit vermindern sich besonders die synoptischen Belege für diese eher griech. Gruppe (II.) noch.

[2] Voranstellung des Subjekts des Relativsatzes, das nicht zugleich Subj. des Hauptsatzes ist, vor das Relativpron., wie wahrscheinlich in 1Kor 15,36 und in Eph 6,8 A, ist im Sem. ungewöhnlich (Num 5,10 ist corrupt); vgl. Bl-Debr 475.1.

einer Präposition regiert: Mt 25,40.45 (an Stelle von ἐφ' ὅσον wäre jedoch vom Sem. her einfach [πᾶν] ὅ τι zu erwarten; so in V. 40 sy^{s}. aeth). 2) Die Beispiele mit πᾶς vor dem Akkusativobjekt zeigen alle außer Mk 11,24 die griechisch so ungewöhnliche Verbindung πάντα ὅσα ἄν (Mt) bzw. πᾶν ὅτι ἐάν (Kol), die semitischen Einfluß (direkt oder durch LXX) wahrscheinlich macht: Mt 21,22; 23,3; Mk 11,24; Kol 3,17 (im Hauptsatz durch pluralisches πάντα unsemitisch wiederaufgenommen, also offensichtlich bewußte Plerophorie). 23 ℜ (wohl aus V. 17). An einigen der hierher (c) gehörenden Stellen wird das Relativpronomen im Hauptsatz durch ein (in einem obliquen Kasus stehendes) Demonstrativ- bzw. Personalpronomen oder überhaupt nicht wiederaufgenommen[1]: 1) Dabei ist das Relativpronomen im Relativsatz: α) Akkusativobjekt: Joh 5,19b; 12,50b; 14,13; 1Kor 15,37; Gal 2,18; 5,17; 1Joh 5,14A. β) Dativobjekt: Lk 12,48c; 2Petr 2,19. γ) Wird von einer Präposition regiert: Mt 21,44b Bא = Lk 20, 18b. 2) πᾶς steht vor dem Relativpronomen: α) Als Akkusativobjekt: Mt 7,12; Joh 6,39; 17,2 Bא. β) Als Dativobjekt mit Attractio inversa (Num 19,22a LXX): Lk 12,48b.

III. Das Relativpronomen des konditionalen Relativsatzes steht dem Hauptsatz als Casus pendens absolut voran

Der konditionale Relativsatz kann im NT absolut voranstehen und keinen Satzteil des folgenden Hauptsatzes bilden. Diese isolierte Voranstellung ist im Semitischen sehr beliebt, im Griechischen aber durchaus ungewöhnlich. Im Deutschen läßt sich eine glatte Übersetzung in jedem Falle dadurch erreichen, daß man einen Bedingungssatz mit indefinitem Subjekt („wenn jemand") gebraucht. Wie bei der Analyse der entsprechenden semitischen Ausdrucksweise lassen sich auch im NT drei Fälle unterscheiden:

a) Der konditionale Relativsatz wird im Hauptsatz an der syntaktisch passenden Stelle durch ein in einem obliquen Kasus stehendes Pronomen wiederaufgenommen. Dies geschieht im Semitischen immer durch ein Suffix, welches bekanntlich einem Verbum, einem Nomen oder einer Präposition angehängt wird. Daher kann das rückweisende Pronomen im Semitischen nicht am Satzanfang stehen, sondern nur an einer späteren Stelle des Satzes. Aber auch die einsilbigen mit einem Suffix versehenen Präpositionen (und mit diesen einsilbigen

[1] Diese Stellen werden anschließend unter III. im einzelnen besprochen.

haben wir es im folgenden nur zu tun) schließen sich nach dem Vorbild der bloßen Suffixe meistens[1] an ein vorhergehendes Verbum oder Nomen unmittelbar an. Will man diese Konstruktion im Griechischen wörtlich wiedergeben, so muß für das semitische Suffix die entsprechende Form von αὐτός (als unbetontem Demonstrativ an tonschwacher Stelle) eingesetzt werden — und so macht es auch LXX. Das ergibt dann allerdings eine auch für das nachklassische Griechisch ungewöhnliche Ausdrucksweise. Der Grieche würde vielmehr den Relativsatz in den Hauptsatz einbauen oder ihn zumindest, wenn er unbedingt absolut voranstehen soll, durch ein betontes Demonstrativpronomen (οὗτος) gleich am Anfang des Hauptsatzes wiederaufnehmen (im Deutschen ebenso durch demonstratives „dessen“, „dem“, „den“). So hat auch Lk 9,26 ὃς γὰρ ἂν ἐπαισχυνθῇ με καὶ τοὺς ἐμοὺς λόγους, τοῦτον ὁ υἱὸς τοῦ ἀνθρώπου ἐπαισχυνθήσεται gegenüber Mk 8,38 gräzisiert. Außerdem findet sich notwendiges anaphorisches οὗτος im NT noch 1Joh 2,5 ὃς δ' ἂν τηρῇ αὐτοῦ τὸν λόγον, ἀληθῶς ἐν τούτῳ ἡ ἀγάπη τοῦ θεοῦ τετελείωται. An diesen beiden Stellen ist semitischer Einfluß wahrscheinlich. Auch in 2Petr 2,19b ᾧ γάρ τις ἥττηται, τούτῳ δεδούλωται könnte das Demonstrativpronomen semitischem Sprachgebrauch entsprechen[2], besonders wenn der Relativsatz im Semitischen

---

[1] Abgesehen vom Syr. fast immer ל (Dativ, auch Akk.) und ב (= ἐν). Ausnahmen (eigentlich immer betont) sind etwa hebr.: Gen 13,17 לְ; 15,3 לְ; Dt 1,39 לְ; Ps 22,5 בְּ; Spr 24,8 לְ; Lev 21,14 אֵת; aram.: Dan 4,33b (Cowley 27,20 falsch ergänzt?). Nur im Hebr. wird ein vorangestelltes Objekt öfters durch eine ebenfalls voranstehende mit einem Suffix versehene Präpos. (und zwar dieselbe, die vor dem Objekt steht) wiederaufgenommen (LXX bildet M genau nach): Ri 11,24 הֲלֹא אֵת אֲשֶׁר יוֹרִישְׁךָ כְּמוֹשׁ אֱלֹהֶיךָ אוֹתוֹ תִירָשׁ וְאֵת כָּל־אֲשֶׁר הוֹרִישׁ יהוה אֱלֹהֵינוּ מִפָּנֵינוּ אוֹתוֹ נִירָשׁ, LXX A οὐχὶ ὅσα κατεκληρονόμησέν σοι Χαμως ὁ θεός σου, αὐτὰ κληρονομήσεις; καὶ πάντα, ὅσα κατεκληρονόμησεν κύριος ὁ θεὸς ἡμῶν ἀπὸ προσώπου ἡμῶν, αὐτὰ κληρονομήσομεν. Num 22,35 = 38 (אֶת־הַדָּבָר אֲשֶׁר... אוֹתוֹ, LXX τὸ ῥῆμα ὃ ἐάν... τοῦτο; 23,12 אֹתוֹ, τοῦτο; Dt 13,1 אֹתוֹ, τοῦτο; 1Sam 15,9b אֹתָהּ, LXX om.; 1Kön 22,14b (= 2Chr 18,13b) אֹתוֹ, ταῦτα (αὐτό); Jes 8,13 אֶת־יהוה צְבָאוֹת אֹתוֹ, LXX κύριον αὐτόν; Ez 18,24 בָּם, ἐν αὐταῖς; 33,13 בוֹ, ἐν αὐτῇ; Lev 7,8.9.14 לוֹ, αὐτῷ; 21,3 לָהּ, ἐπὶ τούτοις; 25,44 מֵהֶם, ἀπ' αὐτῶν; 2Sam 6,22 עִמָּם, LXX om.; ohne אֵת vor dem Objekt: Dt 14,6 אֹתָהּ, ταῦτα; 20,20 אֹתוֹ, τοῦτο; vgl. Dt 1,38; biblisch-aram.: Dan 5,23 לֵהּ, Theod αὐτόν (Hebraismus?); zum aram. Sprachgebrauch vgl. Odeberg 564. 565, Nöld Mand 331f.; zum Ganzen: H. S. Nyberg, ZDMG 92 (1938), 325—30.

[2] Vgl. S. 171 Anm. 2.

als zusammengesetzter Nominalsatz vorauszusetzen wäre[1]. An den übrigen Stellen ist das anaphorische Demonstrativ ein Akkusativ (sing. oder plur.) des Neutrums: Hier handelt es sich wohl um einen Gräzismus, da dies im Semitischen ganz selten ist[2]: Joh 14,13 ὅ τι

---

[1] Also anders als in Dan 4,14 und den übrigen auf S. 156 aufgezählten aram. Beispielen (מן די), vgl. S. 168 Anm. 1.

[2] Nur sehr selten wird im Sem. ein neutrischer voranstehender Relativsatz („das was"), der Objekt eines folgenden Verb. fin. ist, durch ein Suffix oder eine Präpos. mit Suffix wiederaufgenommen, vgl. Num 23,12 הֲלֹא אֵת אֲשֶׁר יָשִׂים יהוה בְּפִי אֹתוֹ אֶשְׁמֹר לְדַבֵּר, LXX οὐχὶ ὅσα ἐὰν ἐμβάλῃ ὁ θεὸς εἰς τὸ στόμα μου, τοῦτο φυλάξω λαλῆσαι; 1Kön 22,14b = 2Chr 18,13b אֶת־אֲשֶׁר יֹאמַר יהוה אֵלַי אֹתוֹ אֲדַבֵּר, LXX ἃ ἂν εἴπῃ κύριος πρός με, ταῦτα λαλήσω bzw. (Chr) ὃ ἐὰν εἴπῃ ὁ θεὸς πρός με, αὐτὸ λαλήσω. In Ri 11,24 ist אֲשֶׁר gegen LXX wohl persönlich gemeint (vgl. S. 170 Anm. 1). Aram. Beispiele gibt es nicht. Dagegen wird ein voranstehendes n o m i n a l e s Akkusativ-, Dativ- oder präpos. Objekt mit oder ohne folgenden Relativsatz, das als solches eindeutig gekennzeichnet ist, im Hebr. (vgl. GKa 135c Anm. 1, Kö 340f—i, Driver 123γ) und Aram. (vgl. Dan 5,23; Nöld Syr S. 219, Mand 391) öfters durch ein Suffix oder dieselbe Präpos. mit Suffix wiederaufgenommen. Wenn ein Akkusativobjekt nicht als solches (durch אֶת, ל) gekennzeichnet ist, könnte auch ein zusammengesetzter Nominalsatz beabsichtigt sein, vgl. Num 22,38; Dt 14,6; 20,20; BLA 100y, Schles S. 105, Nöld Syr S. 220, Mand 391f., Schulthess 184.2. Öfters wird im Hebr., Neuhebr. und Reichsaram. auch ein vorangehendes S u b j e k t, dem noch nähere Bestimmungen folgen, vor dem Verb. fin. (also im Verbalsatz!) durch das Personalpron. wiederaufgenommen (VglGr 149. 377b). Im Griech. lautet das anaphorische Pron. der 3. Person im Nominativ οὗτος, seltener ἐκεῖνος, doch bahnt sich in der niederen Koine bereits der Gebrauch von αὐτός als Personalpron. an, was dann im Neugriech. das übliche ist (vgl. K-G 469.4; Schwyzer 190f., 209, Mayser 1, S. 64, Bl-Debr 277.3, 290.2, 291.4, Raderm 216f., Thumb Handbuch 144. 147). LXX gibt das hebr. anaphorische הוּא, הִיא, הֵמָּה teils gut griech. durch οὗτος, teils, wohl um wie im Hebr. Demonstrativ- und Personalpron. (זֶה und הוּא) zu differenzieren, ungriech. durch αὐτός wieder. Vgl. im Hebr. nach kond. Relativsatz: Ex 12,16b אֲשֶׁר יֵאָכֵל לְכָל־נֶפֶשׁ הוּא לְבַדּוֹ יֵעָשֶׂה לָכֶם, LXX ὅσα ποιηθήσεται πάσῃ ψυχῇ, τοῦτο μόνον ποιηθήσεται ὑμῖν. Ri 7,4 אֲשֶׁר אֹמַר אֵלֶיךָ זֶה יֵלֵךְ אִתָּךְ הוּא יֵלֵךְ אִתָּךְ וְכֹל אֲשֶׁר־אֹמַר אֵלֶיךָ זֶה לֹא־יֵלֵךְ עִמָּךְ הוּא לֹא יֵלֵךְ, LXX ὃν ἐὰν εἴπω πρὸς σέ Οὗτος πορεύσεται μετὰ σοῦ (B σὺν σοί), αὐτὸς πορεύσεται μετὰ σοῦ, καὶ (B + πᾶν) ὃν ἐὰν εἴπω σοι (B πρὸς σέ) ὅτι (om. B) (B + οὗτος) οὐ πορεύσεται μετὰ σοῦ, αὐτὸς οὐ πορεύσεται μετὰ σοῦ. Dt 19,5 (zit. S. 146, LXX οὗτος); nach gewöhnlichem Relativsatz: Gen 15,4b (LXX οὗτος); nach Subst. + Relativsatz: Gen 3,12 (LXX αυτη); 24,7 (LXX αὐτός, vorher ταύτην für זֹאת!); 44,17 (LXX αὐτός, vorher τοῦτο für זֹאת!); Dt 1,39 (LXX οὗτοι, τούτοις, αὐτοί); Ez 44,15 (LXX οὗτοι); nach Subst. + Partz.:

Dt 1,30 (LXX αὐτός). 38 (LXX οὗτος); Ez 18,4 (LXX αυτη); nach kond. Partz.: Spr 11,28a (LXX οὗτος); 13,13b (LXX οὗτος); 22,9 (LXX αὐτός); 28,10 (LXX αὐτός). 26b (LXX om.); sonst: Lev 17,11b; Dt 1,38b (LXX αὐτός); Jos 23,5 (LXX οὗτος); Ri 4,4 (LXX αυτη); Jes 34,16; 38,19; 59,16; 63,5 (LXX om.); Ez 47,12 (LXX ταῦτα); manchmal setzt LXX auch οὗτος (Ps 24,4f.; 118,22) oder αὐτός (Gen 44,10) zu. Neuhebr.: jKil 32b מי שמביא את הדור הוא מלבישו „Der das Geschlecht hervorbringt, bekleidet es auch"; KlglR zu 2,14 מי שהוא עתיד לרפאות שברו של ים הוא ירפא לך „Derjenige, der den Bruch am Meere heilen wird, der möge auch dich heilen!"; EsthR (7) zu 3,1 מי שהראנו במפלתן... הוא יראה לנו במפלתו „Der uns ihren Sturz hat sehen lassen, der wird uns auch seinen Sturz sehen lassen" hat das anaphor. הוא auch in den direkt vorangehenden jüd.-pal. Satz eindringen lassen: מאן דאחמי לן בעילאי הוא יחמי לן בארעאי „Der uns himmlische Dinge gezeigt hat, der wird uns auch irdische zeigen"; Mek zu Ex 12,29 (13a) היודע שעותיו ועתותיו הוא חלקו „Der ihre (der Nacht) Stunden und Zeiten Kennende, der hat sie geteilt"; 23,7 (100a) אבל היודע ובעל מחשבות הוא יפרע מאותו האיש „Aber der Wissende und Herr der Gedanken, der wird jenen Mann strafen". Außerdem wird im Neuhebr. oft das Demonstrativ in der Verbindung הרי זה = ἰδοὺ οὗτος anaphorisch gebraucht; vgl. Šebi 1,5; Jeb 4,7 u.ö.; Reichsaram. nach Subst. + Relativsatz: Aḥiqar 44 [ברא זי רבי]ת זי הקימת בתרע היכלא הו חבלך „[Der Sohn, den du aufgezogen] hast, den du in das Tor des Palastes gesetzt hast, der hat dir Schaden zugefügt". 84; sonst: Cowley 10,15 המו; 15,21 הו. Von den jüngeren aram. Sprachen findet sich anaphorisches Personalpron. im Verbalsatz nur noch einige Male im Bab.-Talmud., und zwar in der selbständigen Form איהו: bBM 92b (Partz.) ההוא גברא דנגיד איהו מקפה „Der Mann, der (den Wein) herabfließen läßt, schöpft auch ab"; 83b קריינא דאיגרתא איהו ליהוי פרוונקא „Der Leser des Briefes soll der mit der Ausführung Beauftragte sein"; 63b (Schles S. 80); und sehr selten im Mand., vgl. RGinza 267,19 פתאהיל הו ניצבה „Petahil, der hat sie gepflanzt". Doch muß dies in einem frühen, nicht bezeugten Stadium des Ostaram. häufiger gewesen sein, wie das enklitische, ein vorangehendes Nomen oder Verbum hervorhebende, erstarrte Pron. der 3. Sing. mask. הו beweist, das im Syr. oft (Nöld 221) und im Mand. selten (Nöld 329f.) vorkommt (im Bab.-Talmud. unter dem Einfluß des emphat. ד dafür immer הוא ד vor jedem beliebigen Satzteil: Schles 142, vgl. S. 240 Anm.). Wir werden es daher auch im Jüd.-Pal. der Zeit Jesu nicht voraussetzen dürfen, so daß die von Burney Joh 64f. und Black 36 gesammelten ntl. Stellen — wenigstens soweit Wiederaufnahme des Subjekts im Verbalsatz vorliegt — gerade nicht aram., sondern höchstens hebr. (vielleicht durch LXX) oder neuhebr., wenn nicht sogar einfach (bei οὗτος und ἐκεῖνος) griech. Einfluß (vgl. bes. Colwell 37—40, Bl-Debr 297 A) verraten. Das gilt auch für die drei ntl. Beispiele, bei denen anaphorisches οὗτος nach einem kond. Relativsatz vor einem Verb. fin. steht (αὐτός kommt so nicht vor):

1. Mt 5,19b, doch ist hier wahrscheinlich οὗτος aus οὕτως verschrieben und in V. 19b wie in 19a καὶ διδάξῃ οὕτως zu lesen. Diese Verschreibung kommt in der ntl. Überlieferung nämlich öfters vor: So wurde allein in Mt und Mk οὕτως in οὗτος verschrieben: Mt 5,47 Θ (aus οὕτως EKLS); 7,12 52; 9,33 LΓΘ118.209;

Mk 4,26 Θ**13.346.543.28**; 15,39 K**157**; und umgekehrt οὗτος in οὕτως Mt 5,19 **13. 157.1604**; 7,12 LX**13.124.543**pm; 8,27 L; 10,22 M**13.472**; 24,9 C³Γ**094.713** (gegen Mk 13,13); 26,61 **258**; 27,47 Ω**543**. 54 L**346**; Mk 12,10 **13**; 13,13 X**13.346**. In Apc 3,5 ist sogar zweifelhaft, welches die ursprüngl. Lesart ist.

2. In Lk 9,24b ist οὗτος gegenüber Mk und Mt zugesetzt.

3. Eph 6,8 A τοῦτο.

Von den eben genannten sind die Stellen zu unterscheiden, an denen das Personalpron. in einem Nominalsatz das Subjekt wiederaufnimmt. Es handelt sich dabei ursprünglich um einen zusammengesetzten Nominalsatz, in dem das Personalpron. dem Prädikat vorangeht oder folgt, je nachdem, ob in dem zweiten Satz (Ḫabar) das Subjekt (das Personalpron.) oder das Prädikat den Ton trägt. Doch wurde es im allgemeinen nur noch als Copula verstanden, d. h. als Trennung und Bindeglied von Subjekt und nichtverbalem Prädikat. Das Personalpron. ist als Copula im Nominalsatz (neben anderen) in allen sem. Sprachen üblich (VglGr 53) und wird bes. nach (Demonstrativ-, Personal-, Interrogativ-, Relativ-) Pronomen gern gebraucht. So im Hebr. (zwischen Subjekt und Prädikat oder nach dem Prädikat): nach einem Relativsatz: Gen 30,33 כֹּל אֲשֶׁר־אֵינֶנּוּ נָקֹד וְטָלוּא בָּעִזִּים וְחוּם בַּכְּשָׂבִים גָּנוּב הוּא אִתִּי, LXX πᾶν ὃ ἐὰν μὴ ᾖ ῥαντὸν καὶ διάλευκον ἐν ταῖς αἰξὶν καὶ φαιὸν ἐν τοῖς ἀρνάσιν, κεκλεμμένον ἔσται παρ' ἐμοί. 31,16a לָנוּ הוּא, LXX ἡμῖν ἔσται; Num 15,30 הוּא מְגַדֵּף, LXX οὗτος παροξύνει; Ez 42,13 הֵנָּה vorangest., LXX αὗταί εἰσιν; CD 9,2—4; nach einem Partz.: Spr 10,18b וּמוֹצִא דִבָּה הוּא כְסִיל, LXX οἱ δὲ ἐκφέροντες λοιδορίας ἀφρονέστατοί εἰσιν. 18,9 (LXX ἐστίν); 28,26a (LXX ὁ τοιοῦτος); Subjekt mit näherer Bestimmung: Gen 41,26 (nachgestelltes הֵנָּה, LXX ἐστίν); 48,5 (לִי־הֵם, LXX ἐμοί εἰσιν); Lev 27,30 ליהוה הוא, LXX τῷ κυρίῳ ἐστίν; Jos 23,3 יהוה אֱלֹהֵיכֶם הוּא הַנִּלְחָם לָכֶם, LXX κύριος ὁ θεὸς ὑμῶν ὁ ἐκπολεμήσας ὑμῖν. Pred 9,4 לְכֶלֶב חַי הוּא טוֹב מִן־הָאַרְיֵה הַמֵּת, LXX ὁ κύων ὁ ζῶν αὐτὸς ἀγαθὸς ὑπὲρ τὸν λέοντα τὸν νεκρόν u.ö. nach einfachem Subjekt, vgl. GKa 141gh, Kö 338c—k, Driver 200, Brockelmann 30a. LXX übersetzt nachgestelltes Personalpron. immer durch Formen von εἶναι oder läßt es aus, vorangestelltes fast immer ebenso (darunter an allen bibl.-aram. Stellen), außer sehr selten durch αὐτός (Hos 11,5; Pred 9,4); οὗτος (Gen 2,14; 15,2; Ez 42,13?); εἰμὶ αὐτός (Jes 52,6); εἶ αὐτός (Jer 14,22; Ps 44,5; Neh 9,6). Ebenso im Neuhebr.: bBer 43a הנוטל ידיו תחלה באחרונה הוא מזומן לברכה „Wer sich nach dem Essen zuerst die Hände wäscht, ist zum Vortragen des Tischgebetes bestimmt"; jŠab 11d סיתותן של אבנים היא גמר מלאכתן „Das Behauen der Steine ist der Schluß ihrer Bearbeitung"; NumR 12,3 אמיתה של תורה זיין הוא לבעליה „Die Wahrheit der Tora ist ihrem Besitzer eine Waffe"; AB 3,17; Pes 2,3 (הרי הוא); daneben auch das Demonstrativpron. in dem häufigen הרי זה: Ab 3,4 הנעור בלילה והמהלך בדרך יחידי ומפנה לבו לבטלה הרי זה מתחייב בנפשו „Wenn jemand in der Nacht wacht oder allein wandert und sein Herz Nichtigem nachhangen läßt, so verwirkt dieser sein Leben"; Pea 7,9; Pes 7,11; Mek zu Ex 16,4 (47b) כל מי שיש לו מה יאכל היום ואמר מה אוכל למחר הרי זה מחוסר אמנה. Im Reichsaram. (zwischen und nach): Subst. + Relativsatz: Kraeling 10,16f. זנה ספרא זי אנה ענני כתבת לכי הו יצב „Dieser Vertrag, den ich, ʿAnani, dir geschrieben habe, ist unumstößlich"; 4,17 בני זי ילדתי לי המו שליטן בה „Meine Kinder, welche du mir geboren hast, die sollen darüber Gewalt haben"; 4,18; Cowley 25,8 (nachgestellt); sonst: Dan 2,47; Cowley 5,12; 15,18; Kraeling 2,11.12; 3,5; 4,4; 7,35; 12,13; 1QGen Apoc 19,7; vgl. BLA 72d. Im Jüd.-Pal. kommt anaphor. Personalpron. nur nach Pronomen vor: jPea 19c רב כד נחת לתמן אמר אנא הוא בן עזאי דהכא „Als Rab nach Babylonien kam, sagte er: Ich bin der Ben ʿAzai von hier"; jŠebi 36b תלתא חורנייתא אילין אינין „Die anderen drei (Länder) sind folgende"; jŠab 3c ואילין אינין חורניין „Diese sind die anderen (Halakot)"; jJom 44d מה הוא דין „Was bedeutet das?"; jGit 43d = jQid 64a אהן הוא כולא „Dies ist alles"; jQid 64a הוי ידעה דההן גברא דהוא אזל מקדשתיך דעתיה בישא „Wisse (fem.), daß der Mann, der dich heiraten will, böse Absichten hat!"; jPes 31b.c (zit. S. 136); jTaan 68d (= KlglR zu 2,2) רבי עקיבה כד הוה חמי בר כוזבא הוה אמר דין הוא מלכא משיחא „Als Rabbi ʿAqiba den Bar Kochba erblickte, sagte er: Dieser ist der König Messias!"; jSanh 20d = PredR zu 10,7 את הוא רבהון דיהודאי „Bist du der Lehrer der Juden?"; GenR 68,4 דא היא אומנותיה „Das ist seine Tätigkeit"; 98,25 את הוא כלילהון דאחיך „Du bist die Krone deiner Brüder"; LevR 28,2 מאן הוא דין דלא צווחינן ליה „Wer ist dieser, den wir nicht eingeladen haben?"; 28,3 (zit. S. 94); 30,6 והדין טפיטא דהוא מן דידי מסהיד עלוי „Und dieser Teppich, der mir gehört, zeugt gegen ihn!"; KlglR Einl. 2 ומאן אינון נטורי קרתא „Wer sind denn die Wächter der Stadt?"; zu 1,1 אחמי לי אידא היא חובצא דעיזא חיוורתי ואידא היא דעיזא אוכמתי „Zeige mir, was Käse von einer weißen Ziege und was von einer schwarzen Ziege ist!"; (= GenR 89,10) אן הוא רבכון „Wo ist euer Lehrer?"; zu 1,16 = 4,19 = EsthR zu 1,1 אנא הוא נשרא „Ich bin der Adler"; AD 18,20; 20,7; 28,17; vgl. Dalman 107. 111f. 119ff., Odeberg 398. 464. 472; außerdem sehr selten nachgestellt: jKil 31c ייסי ערקי בר נש דטור הוא והוא חיי מן טיבורייה „Jisi ʿArqi ist ein Bergmensch, der sich durch den Nabel ernährt"; jMQ 81b אגרא וקרנא קרן הוא „Gewinn und Grundkapital bilden zusammen das Kapital"; AD 17,20 דבני ירושלם חכימין סגין = KlglR zu 1,1 (öfters) (oder: חכימין אינון סגין (סגיא אנון „daß die Jerusalemer sehr klug sind"; und zwischengestellt in Traumdeutungen zwischen dem jeweils gedeuteten Stück des Traumes und der Deutung, wenn ersteres ein vollständiger Satz ist, vgl. in jMŠ 55b.c; KlglR zu 1,1 u.ö.; sowie einige Male auch sonst: jPea 20b הדין תורא דאת סבר הוא סגולא „Der Stier, den du meinst, ist die Traube!"; jBik 65c (zit. S. 136); PredR zu 7,12a לית את מוקיר לי אלא אורייתי היא מוקרא לי „Nicht du ehrst mich, sondern meine (Beschäftigung mit der) Tora ehrt mich"; sowie nach לית: jTaan 66d חייוי דההוא גברא שמייא מיעבד ניסין ושתא מצלחא וההוא גברא לית הוא מיחי „Bei deinem Leben! Der Himmel wird Wunder tun und das Jahr wird gut sein, aber du wirst nicht am Leben bleiben!"; AD 17,24f. מרי דביתא לית הוא בריה דאבוי „Der Hausherr, der ist nicht der Sohn seines Vaters"; und z.T. nach בריך o.ä.: jPea 17d בריך הוא אלההון דיהודאי דלא שבקון ולא שביק להון „Gepriesen sei der Gott der Juden, denn nicht haben sie ihn verlassen und nicht verläßt er sie!" (dass. HhldR zu 7,2 ohne הוא); jSanh 28b בריך הוא אלההון דצדיקייא דמקיים מילי דצדיקא „Gepriesen sei der Gott der Gerechten, der die Worte des Gerechten bestätigt!" (dagegen בריך ohne הוא: jBM 8c.d, GenR 34,21); LevR 5,6 עלובה היא מדינתא דאסיא פודגריס „Unglücklich ist die Stadt, deren Arzt an der Podagra

ἂν αἰτήσητε ἐν τῷ ὀνόματί μου, τοῦτο ποιήσω. Mk 10,9 Θ; ταῦτα[1] steht: Joh 5,19b; Gal 2,18; 5,17; Phil 4,8 (dazwischen noch εἴ τις ἀρετή). Für diese Stellen ist also die Wahrscheinlichkeit semitischen Einflusses noch geringer als für die unter II. genannten. In Joh 6,39 D ist τούτου zu ergänzen (vgl. S. 164) oder μή — μηδέν als starke Negation „unter keinen Umständen" zu verstehen, was auch semitisch ist, vgl. Neuhebräisch לא—כלום (Schles S. 153 Anm. 1), Jüdisch-Palästinisch לא—כלום (jSanh 25d חד אבא גבר סב אית לי וגזר על נפשיה דלא נפק

---

leidet!"; 34,3 והדין נפשא עלובתה לאו אכסניא היא בגו גופא „Diese arme Seele, ist sie nicht ein Gast im Leibe?"; jKet 35b ריגלוי דבר נש אינון מובלין יתיה כל הן דמיתבעי „Die Füße des Menschen, die tragen ihn überallhin, wo er gebraucht wird" stammt es aus bSuk 53a (jüd.-pal: jKil 32c: zit. S. 36 Anm.)! Doch liegt bei den zuletzt genannten Beispielen z. T. sicher reichsaram. (bei der Abfassung) oder neuhebr. bzw. bab.-talmud. (durch die Abschreiber) Einfluß vor. Auch wird ein klares Urteil dadurch sehr erschwert, daß, wie die Varianten zeigen, die Personalpronomina neben anderem besonders oft aus Formen von הוה „sein" verschrieben wurden. Im Bab.-Talmud. (Margolis 63, Schles 9.11), Syr. (Nöld 311, 312), Mand. (Nöld 405—9) und Christl.-Pal. (Schulthess 182.1, 184.1) wird das Personalpron. häufig als Copula gebraucht, und zwar folgt es fast immer dem Prädikat enklitisch nach (wodurch es das [als Träger des neu Berichteten gegenüber dem Subjekt immer betonte] Prädikat des Nominalsatzes kennzeichnet und betont), vgl. bBM 86a גברא דקא בעינא הכא הוא „Der Mann, den ich suche, ist hier". (Da diese Copula öfters am Ende eines Relativsatzes steht — so Gen 7,2; 17,12; Num 17,5; Dt 17,15; 20,15; jBer 5a אהן מלכא משיחא אין מן חייא הוא דוד שמיה ואין מן דמכייא הוא דוד שמיה „Wenn der König Messias unter den Lebenden ist, heißt er David, und wenn er unter den Toten ist, heißt er auch David"; jSanh 27d אהן מוצא דבגויה הוא מרעדא כתליא „Die Spreu, die darin ist, wird die Wände erschüttern" —, kann es u. U. zweifelhaft sein, ob sie noch in den Relativsatz oder schon in den folgenden Hauptsatz gehört, vgl. 1Kön 9,20f. = 2Chr 8,7f.; Ps 16,3; Ez 42,13.) Nach dem vorgelegten Material ist es zweifelhaft, ob im Jüd.-Pal. der Zeit Jesu das Personalpron. außer nach einem Pron. als (zwischen Subj. und Prädikat stehende) Copula gebraucht wurde. Aber selbst wenn dies der Fall gewesen sein sollte, ist es, nach der Art, wie LXX die pronom. Copula übersetzt, zu schließen, unwahrscheinlich, daß davon im Griech. noch etwas zu sehen ist, so daß die von Burney Joh 64f. und Black 36 gesammelten ntl. Stellen — soweit es sich um einen Nominalsatz handelt — höchstens von der LXX-Sprache beeinflußt, wenn nicht sogar (außer αὐτός) in diesem Punkt ausgesprochen griech. formuliert sind. Das gilt auch für die vier ntl. Stellen, an denen anaphor. αὐτός bzw. οὗτος nach einem kond. Relativsatz in einem Nominalsatz steht: Mk 3,35 οὗτος ἀδελφός μου... ἐστίν, dafür Mt 12,50 unter LXX-Einfluß αὐτός μου ἀδελφός... ἐστίν. Mt 18,4 οὗτός ἐστιν ὁ μείζων. Joh 1,33b οὗτός ἐστιν ὁ βαπτίζων ἐν πνεύματι ἁγίῳ.

[1] Vgl. S. 144 Anm. 3. Ein plur. Beispiel Schulthess 184.1 (Gräzismus?).

מן הדא קיטונא כלום עד דייחמי לחכמי ישראל „Ich habe einen alten Vater, und der hat geschworen, daß er unter keinen Umständen diese Kammer verläßt, bis er die Weisen Israels gesehen hat"; PredR zu 5,14 בעא למיפק ולא יכיל מיעבר כלום „Als der Fuchs wieder herausgehen wollte, konnte er einfach nicht [durch das Loch im Zaun] hindurchkommen"), Babylonisch-Talmudisch לא—מידי (bŠab 147a אנן לא קפדינן מידי „Wir halten das für ganz unbedeutend"; bTem 19a; Schles S. 153). Doch bei den meisten der hierher gehörigen ntl. Beispiele steht als Anaphoron ein obliquer Kasus von αὐτός: Dies macht semitischen Einfluß so gut wie sicher: 1) Nach einfachem Relativsatz: Mk 4,25 ὃς γὰρ ἔχει, δοθήσεται αὐτῷ· καὶ ὃς οὐκ ἔχει, καὶ ὃ ἔχει ἀρθήσεται ἀπ' αὐτοῦ[1]. Mt 5,39 ὅστις σε ῥαπίζει εἰς τὴν δεξιὰν σιαγόνα σου, στρέψον αὐτῷ καὶ τὴν ἄλλην. 5,41 μετ' αὐτοῦ; 10,33 αὐτόν. 42 D αὐτοῦ; 12,32a.b αὐτῷ; 13,12a[1] αὐτῷ. b ἀπ' αὐτοῦ; 18,6 αὐτῷ; 21, 44b Bא αὐτόν; Mk 8,38 αὐτόν; 9,42 αὐτῷ; 11,23 αὐτῷ; Lk 8,18a[1] αὐτῷ. b ἀπ' αὐτοῦ; 12,48c αὐτόν; 20,18b αὐτόν. Act 11,2 D ὃς καὶ κατήντησεν αὐτοῖς καὶ ἀπήγγειλεν αὐτοῖς τὴν χάριν τοῦ θεοῦ scheint verderbtes Griechisch zu sein. Zwar ist α) Wiederaufnahme eines kollektiven (oder distributiven) Sing. durch einen Plur. im Semitischen möglich[2], auch könnte β) καί Apodoseos nach kond.

---

[1] Mt 13,12 = Mk 4,25 = Lk 8,18 ist im Sem. ebenso zweimal ein zusammengesetzter Nominalsatz üblich, obwohl das logische Subjekt von יֵשׁ, אית (neg. אַיִן, לית) = ἔχειν im Dativ steht, also למאן דאית יהבין denkbar wäre. Denn das dativische (+ לְ) Nomen und bes. Pronomen steht so gut wie immer nach יֵשׁ bzw. אית; vgl. auch die Rückübersetzung bei Dalman JJ 205f.

[2] VglGr 37c. 49b. 99h. 100e. 101f. 102b. 103d. 129b. 131. 360a. 385a, GKa 135p. 145a—g, Kö 346c—q, Brockelmann 50e, Kropat 28—30, 1QS 8,11; CD 8,19; 20,8f.; Segal 448; BLA 99l, AD 3,2 צמו עמא; jBer 5a סנאיהון דישראל „der Feind Israels"; jŠab 10c = jJeb 2c מילין דכל עלמא מודיי בהון „Worte, zu denen sich alle Welt bekennt"; jŠab 5b = PredR zu 3,2 אין חמיתינון לציבורא מצליין למיטרא „Wenn du die Gemeinde um Regen bitten siehst"; jŠeq 48d והוון כל עמא עללין לגביה בעיין מנחמתיה „Und alles Volk kam zu ihm (und) wollte ihn trösten"; PredR zu 10,3 טפשא סבר דכל עמא טפשין כוותיה והוא לא ידע דהוא טפשא וכל עמא חכימין „Der Dumme glaubt, daß alle Menschen so dumm seien wie er, aber er weiß nicht, daß (nur) er dumm ist, alle (anderen) Menschen aber klug"; jBQ 5c מאן הוא דלא ידע דכל מאי דאית לאריסיה דבר זיזא לבר זיזא אינון „Alles was dem Pächter des B. Z. gehört, gehört dem B. Z. selbst"; bBQ 27a רובא קרו לכדא כדא „Die meisten Menschen nennen den Eimer כדא"; Margolis 65b, Schles S. 50f.; Nöld Syr 318. 319, Mand 412; Schulthess 184.1; vgl. bes. Dt 14,12 וְזֶה אֲשֶׁר לֹא־תֹאכְלוּ מֵהֶם, LXX ταῦτα οὐ φάγεσθε ἀπ' αὐτῶν. Obwohl mir ein Act 11,2 D entsprechendes sem. Beispiel nicht bekannt ist, sondern nur die Verbindung von sing. kond. Relativsatz mit plur. Verb.

Relativsatz semitisch (aber nur hebräisch oder durch LXX[1]) beeinflußt sein; aber α) ist Constructio ad sensum in allen Perioden des Griechischen, und zwar besonders bei den Pronomina, sehr verbreitet (vgl. S. 176 Anm. 2), und β) Act 11,2 D neben Mk 11,23 Δ der einzige ntl. Beleg für καί Apodoseos nach kond. Relativsatz und daher wohl Nachlässigkeit wie öfters ähnlich in D (vgl. Black 50, und dazu Mayser 1, S. 343); dazu ist γ) ein kond. Relativsatz mit präteritalem Sinn im Semitischen seltener[2] und δ) das erste αὐτοῖς sicher falsch (statt „ihm"?)[3]; 1Joh 3,17 ἐν αὐτῷ; 4,15 ἐν αὐτῷ (unsemitisch vor dem Verb. fin.). 2) Nach πᾶς + Relativsatz: Mt 10,32 ἐν αὐτῷ[4]; Lk 12,8 ἐν αὐτῷ[4]. 10a αὐτῷ[4.5]. 48b Bℵ παρ' αὐτοῦ .D ἀπ' αὐτοῦ; Joh 6, 39 Bℵ[6] ἐξ αὐτοῦ; 17,2 ℵ αὐτῷ. B αὐτοῖς nach πᾶν ὅ ist semitischer als Act 11,2 D[7]. Davon haben griechisch ungewöhnlich[8] πᾶς ὅστις: Mt 10,32; πᾶς ὃς ἄν Lk 12,8.10a D.

b) Irgendeine Person oder Sache (außer der durch das Relativpronomen bezeichneten) ist dem konditionalen Relativsatz und dem Nachsatz gemeinsam. Diese Konstruktion ist sowohl semitisch als auch griechisch: Joh 12,50b[9] ἃ οὖν ἐγὼ λαλῶ, καθὼς εἴρηκέν μοι ὁ πατήρ, οὕτως λαλῶ. 1Kor 15,37; 1Joh 5,14 A (umgekehrt in V. 15). Dagegen

---

fin. (vgl. S. 157 und 202), wäre dies sem. doch nicht ausgeschlossen. Zum Griech. vgl. K-G 359.1—3, 371.5, Schwyzer 608f., Mayser 3 S. 25.37f., Bl-Debr 134. 282. 296, vgl. etwa Xenoph Anab 2.5,32 ᾧτινι ἐντυγχάνοιεν, πάντας ἔκτεινον.

[1] Vgl. S. 66ff., 143f.

[2] Wenn nicht כל = πᾶς davorsteht, vgl. S. 192f.

[3] Αὐτοῖς als Rückweis zu verstehen und wörtliche Übersetzung eines sem. אֲשֶׁר־לָהֶם „welchen (er begegnete)" anzunehmen, ist nicht möglich, da 1. das persönliche Relativpron. eines selbständigen voranstehenden Relativsatzes im Sem. nicht durch plur. Rückweis komplementiert wird, und 2. nach LXX (Thackeray 46) und den entsprechenden ntl. Stellen (vgl. Black 75) οἷς — αὐτοῖς zu erwarten ist.

[4] Ebenso wie in Mt 10,32f. = Lk 12,8f. und Lk 12,10 (= Mk 3,28f.?). 48b.c steht auch im Sem. öfters nur vor dem ersten zweier paralleler Sätze כל = πᾶς, vgl. S. 152 Anm. 1. Wahrscheinlicher jedoch ist das zweite כל erst im Griech. als unschöne Wiederholung weggelassen wie in Jos 2,19 LXX, denn Peš setzt es öfters auch vor dem zweiten Relativsatz wieder: Lk 14,11; 16,18; 18,14; 20,18.

[5] Ebenso wird Mk 3,29 an Stelle von ἔχει (vgl. S. 168 Anm. 1) im Sem. gelautet haben. Zu Mk 3,28 vgl. S. 166 Anm. 4.

[6] Vgl. S. 190 Anm.

[7] Vgl. S. 176f. zu Act 11,2 D, bes. S. 176 Anm. 2.

[8] Vgl. S. 166. 167.

[9] Das zweite λαλῶ ist wohl intransitiv gemeint: „so rede ich".

ist Mt 7,12 πάντα οὖν ὅσα ἐὰν θέλητε ἵνα ποιῶσιν ὑμῖν οἱ ἄνθρωποι, οὕτως καὶ ὑμεῖς ποιεῖτε αὐτοῖς „Wenn ihr etwas (Gutes) von den (anderen) Menschen erfahren wollt, behandelt sie auch so!" eindeutig semitisch beeinflußt, wie die Häufung πάντα ὅσα ἐάν[1] und das anaphorische οὕτως zeigen[2]; Lk 6,31 glättet den Satz vom Nachsatz (καθώς), Act 15,20 D. 29 D; Did 1,2 (negative Fassung) vom Relativsatz her, Lk und Act lassen außerdem das πᾶς weg.

c) Die Handlung des konditionalen Relativsatzes an sich bedingt den Hauptsatz, dabei fehlt in der Regel eine beiden gemeinsame Person oder Sache. Diese Ausdrucksweise ist gut semitisch, aber auch im Griechischen belegt[3]. Da jedoch im Griechischen dieser Relativsatz fast immer nachsteht, ist bei den folgenden ntl. Beispielen semitischer Einfluß so gut wie sicher[4]: Mt 23,16b ὃς ἂν ὀμόσῃ ἐν τῷ ναῷ, οὐδέν ἐστιν „Wenn jemand beim Tempel schwört, so ist das nichts" = „Der Schwur beim Tempel ist nichts". 18a ὃς ἂν ὀμόσῃ ἐν τῷ θυσιαστηρίῳ, οὐδέν ἐστιν. Auch Mt 12,32a ὃς ἐὰν εἴπῃ λόγον κατὰ τοῦ υἱοῦ τοῦ ἀνθρώπου, ἀφεθήσεται αὐτῷ = Lk 12,10a πᾶς ὃς ἐρεῖ λόγον εἰς τὸν υἱὸν τοῦ ἀνθρώπου, ἀφεθήσεται αὐτῷ, Mt 12,32b ὃς δ' ἂν εἴπῃ κατὰ τοῦ πνεύματος τοῦ ἁγίου οὐκ ἀφεθήσεται αὐτῷ müssen hier noch einmal genannt werden, da als Subjekt zu ἀφεθήσεται wohl nicht λόγος, sondern die ganze Handlung zu betrachten ist: „Wenn jemand etwas gegen den Menschensohn sagt, kann ihm das vergeben werden; wenn aber jemand gegen den heiligen Geist redet, kann ihm das nicht vergeben werden" = „Lästerung des Menschensohnes ist vergebbar, aber Lästerung des heiligen Geistes ist unvergebbar" (von Mt 12,31a.b ausgezeichnet gräzisiert, recht gut auch von Mk 3,28.29).

b) Der von einem Substantiv abhängige konditionale Relativsatz

α) Der von einem Substantiv abhängige konditionale Relativsatz im Semitischen

An die Stelle einer ein indefinites Substantiv enthaltenden Protasis tritt im Semitischen entsprechend dieses Substantiv (determiniert

---

[1] Vgl. S. 166. 167.

[2] Vgl. auch die Rückübersetzung bei Dalman JJ 203.

[3] Ungriech. ist dagegen ein absoluter kond. Relativsatz, bei dem weder die Handlung Thema des Nachsatzes, noch das Verallgemeinernde betont ist, sondern der einfach an Stelle eines Konditionalsatzes mit indefinitem Subjekt steht, wie etwa bBQ 87a (zit. S. 163).

[4] Gut griech. etwa: 1Petr 2,19 (nachgestelltes εἴ τις).

oder indeterminiert), gefolgt von einem abhängigen konditionalen Relativsatz.

I. Das Substantiv ist im Hauptsatz und das Relativpronomen im Relativsatz grammatisches Subjekt

1) Hebräisch[1]: Lev 20,20 אִישׁ אֲשֶׁר יִשְׁכַּב אֶת־דֹּדָתוֹ עֶרְוַת דֹּדוֹ גִּלָּה, LXX ὃς ἂν κοιμηθῇ . . . „Wenn ein Mann . . .“; 5,2; 7,19; 17,13; 20,2.9.11. 15; 21,17; 22,4—6; Num 5,30; 15,30 u.ö. (LXX meist ἄνθρωπος, ὃς ἄν . . .); 1QS 7,4.13.18f.; CD 9,9f. Neuhebräisch: AZ 2,5 כוהן שדעתו יפה שורפה חיה „Wenn ein Priester das schön findet, schlürft er ihn roh“; Pea 2,7; 4,6; 5,2.4.7; 6,2.3.6.7; 7,2.5.6; 8,9; Kil 5,1.2; Chal 1,5.7; 2,2.7; 3,6; Orl 1,3.4.5; 2,8f.14.15.16.17; 3,1.4; Pes 2,3; 7,9; 8,1; Suk 1,1; Beṣ 1,1; BQ 2,3; 3,10; 4,1.2.3.4.6.8; 5,4; 8,1.4; 10,10; Ab 5,16 u.ö.; mit pluralischem Subjekt: BB 1,1 השתפין שרצו לעשות מחיצה בחצר בונין את הכותל באמצע „Wenn irgendwelche gemeinsamen Besitzer die Teilung des Hofplatzes vornehmen wollen, sollen sie die Mauer auf der Mitte bauen“; Ber 7,1.4.5; Pea 3,4; 6,1; Pes 7,13; MQ 1,3; BQ 3,6.8; BM 3,4; zwei verschiedene Subjekte: Pea 1,6 כוהן ולוי שלקחו את הגורן המעשרות שלהם עד שימרחו „Wenn ein Priester oder Levit (Korn von der) Tenne kauft, darf er den Zehnten für sich behalten, solange man noch nicht geglättet hat“; RŠ 1,7; BQ 2,3; BB 10,1; Subst. + Relativsatz + Subst. + Relativsatz + sing. Verb. fin.: Meg 2,3. Reichsaramäisch: Aḥiqar 83f., 196; Kraeling 10,11ff. Jüdisch-Palästinisch: jBer 5c בר נש דאימיה מבסרא ליה ואיתתיה דאבוהי מוקרא ליה להן ייזיל ליה „Wenn ein Mensch von seiner Mutter verachtet, aber von seiner Stiefmutter geehrt wird, wohin soll er dann gehen?“; jŠab 10c הדא איתתא דשרקא אפה חייבא „Wenn eine Frau (am Sabbat) ihr Gesicht bestreicht, ist sie schuldig“; ההן חייטא דיהב חוטא גו פומיה חייב „Wenn ein Schneider (am Sabbat) den Faden in seinen Mund steckt, ist er schuldig“; jBB 17d בר נש דהוה צייד לחבריה בשוקא אתא חד ומר שבקיה ואנא יהב מן אהן גביי ומן אהן לא גביי „Wenn ein Mensch einem anderen (der ihm etwas schuldet) auf der Straße nachjagt (und) jemand herbeikommt und sagt: ‚Laß ihn los, ich werde es bezahlen!‘, so hält er sich an letzteren und nicht an ersteren“; jMak 32a (zitiert S. 261); GenR 7,2.3 = NumR 19,3 (2mal) = PredR zu 7,23 (2mal, ילקי [passender

[1] In den folgenden Beispielen wird אֲשֶׁר kaum „gesetzt daß“ heißen (so jedoch Kö 341n), da es in dieser Bedeutung im AT nur Lev 4,22 (LXX ἐάν); Num 5,29 (ᾧ ἐάν); Dt 11,27 (ἐάν); Jos 4,21 (ὅταν) zweifelsfrei vorkommt. Auch LXX übersetzt fast immer relativisch.

als Partz.]) בר אינש דאמר מילתא מן אורייתא לקי „Wenn ein Mensch etwas gemäß der Tora lehrt, soll er bestraft werden?“; NumR 9,11 = HhldR zu 6,11 מתלא אמר תרעא דלא פתיח למצוותא פתיח לאסיא „Das Sprichwort sagt: Wenn eine Tür nicht für Wohltaten geöffnet ist, ist sie für den Arzt geöffnet“; TrgJer I Gen 24,43f.; Lev 7,18b; Num 19,22b וּבר נש דכי דיקרב ביה יהי מסאב עד רמשא[1]. Babylonisch-Talmudisch: bBer 55a = b חלמא דלא מפשר כאגרתא דלא מקריא „Wenn ein Traum nicht gedeutet wird, gleicht er einem Brief, der nicht gelesen wird“; bŠab 140b בר בי רב דזבין כיתוניתא ליזבין מדנהר אבא „Wenn ein Schüler sich einen Leibrock kauft, soll er ihn von den Bewohnern von Nehar Abba kaufen“; בר בי רב דזבין ירקא ליזבין אריכא „Wenn ein Schüler Gemüse kauft, soll er lange Bündel kaufen“; בר בי רב דזבין אומצא ליזבן אונקא „Wenn ein Schüler rohes Fleisch (zum Essen) kaufen will, kaufe er den Hals“; bTaan 24a גברא דעל בריה ועל ברתיה לא חס עלי דידי היכי חייס „Wenn ein Mann sogar seinen Sohn und seine Tochter nicht verschont hat, sollte er mich verschonen?“; bJeb 78b ממזרא דידיע חיי דלא ידיע לא חיי דידיע ולא ידיע עד תלתא דרי חיי טפי לא חיי „Wenn ein Bastard als solcher bekannt ist, bleibt er am Leben, wenn nicht, nicht; wenn er als solcher z.T. bekannt ist, pflanzt er sich noch drei Generationen fort, mehr aber nicht“; bKet 105b האי דיינא דשאיל שאילתא פסיל למידן דינא „Wenn ein Richter sich etwas leiht, ist er untauglich zum Gericht“; bGit 33b מילתא דמתעבדא באפי עשרה צריכה בי עשרה למישלפה „Wenn eine Sache in Gegenwart von 10 Personen festgesetzt wurde, hat sie wiederum 10 nötig, um aufgelöst zu werden“; bBQ 85a אסיא דמגן מגן שוי „Wenn ein Arzt umsonst behandelt, ist er auch nichts wert“; bBM 92b (zitiert S. 172 Anm.); bSanh 44a אמרי אינשי אסא דקאי ביני חילפי אסא שמיה ואסא קרו ליה „Man sagt: Wenn eine Myrthe auch zwischen Riedgräsern steht, heißt sie doch Myrthe und wird Myrthe genannt“; bŠebu 30b האי צורבא מרבנן דידע בסהדותא וזילא ביה מילתא למיזל לבי דיינא דזוטר מיניה לאסהודי קמיה לא ליזיל „Wenn es einem Gelehrten, der ein Zeugnis weiß, als Geringschätzung erscheint, vor ein Gericht zu treten, das niedriger ist als er, um vor ihm auszusagen, so braucht er nicht hinzugehen“; bBek 8b גברא דאוזיף וטריף מאי חזא דהדר אוזיף „Wenn ein Mann Geld, das er verliehen hat, nur mit Mühe wiederbekommt, wie kommt es, daß er wieder etwas verleiht?“; beim Femininum genügt das Partizip fem.: bBeṣ 30a דמליא בחצבא רבא תמלי בחצבא זוטא „Wenn eine Frau (sonst) in einen großen Krug füllt, soll

[1] Im hebr. Text steht überall Subst. + kond. Partizip.

sie (am Feiertag nur) in einen kleinen Krug füllen"; bKet 62a דמלפא תכלא לא בהתא ,,Wenn eine Frau gewöhnt ist, kinderlos zu sein, schämt sie sich dessen nicht mehr"; ebenso beim Neutrum: bSot 22b דמטמרא מטמרא ודמגליא מגליא ,,Wenn eine Sache verborgen geschieht, bleibt sie verborgen, wenn eine Sache aber offenbar geschieht, wird sie bekannt". Syrisch: Peš Lk 12,47[1]. Mandäisch: RGinza 218,4 סאכלא דשדיק בהאכימיא מהאשיב ,,Wenn ein Tor schweigt, wird er zu den Weisen gezählt"; 216,15—25 u.ö.

2) Zum Ausdruck der Verallgemeinerung und Unbestimmtheit wird öfters noch כל ,,jeder" vorangestellt: Hebräisch: Lev 21,18 כָּל־אִישׁ אֲשֶׁר־בּוֹ מוּם לֹא יִקְרָב, LXX πᾶς ἄνθρωπος, ᾧ ἂν ᾖ ἐν αὐτῷ μῶμος, οὐ προσελεύσεται. 21; 23,29; Jos 1,18; 1QS 6,12; 7,22ff.; 8,16ff.; CD 9, 2—4; 12,2f.15f.17f. u.ö. Neuhebräisch: GenR 26,8 כל פרצה שאינה מן הגדולים אינה פרצה ,,Wenn eine Übertretung nicht von den Vornehmen verübt wird, ist sie keine Übertretung"; LevR 6,6 כל נביא שנתפרש שמו ונתפרש שם אביו נביא ובן נביא ,,Wenn bei einem Propheten auch der Name seines Vaters genannt wird, war auch sein Vater ein Prophet"; bBer 44a כל סעודה שאין בה מלח (שריף) אינה סעודה ,,Wenn einer Mahlzeit Salz (die Suppe) fehlt, ist sie keine (richtige) Mahlzeit"; bSot 38b כל כהן שמברך מתברך שאינו מברך אין מתברך ,,Wenn ein Priester segnet, wird er gesegnet, und umgekehrt"; Pea 7,1; Pes 6,2; RŠ 4,2; BM 2,7; BB 3,3 u.ö. Reichsaramäisch: Dan 3,29 כָּל־עַם אֻמָּה וְלִשָּׁן דִּי־יֵאמַר שָׁלָה עַל־אֱלָהֲהוֹן דִּי־שַׁדְרַךְ מֵישַׁךְ וַעֲבֵד נְגוֹא הַדָּמִין יִתְעֲבֵד, Theod πᾶς λαός, φυλή, γλῶσσα, ὃ ἂν εἴπῃ βλασφημίαν κατὰ τοῦ θεοῦ Σεδραχ, Μισαχ, Αβδεναγω, εἰς ἀπώλειαν ἔσονται ,,Wenn irgend ein Volk . . ."; 3,10; 5,7; 6,13. Jüdisch-Palästinisch: jBeṣ 61c כל גומרא דלא כוויה בשעתה לא כוויה ,,Wenn eine Kohle nicht zu ihrer Zeit anbrennt, wird sie überhaupt nicht anbrennen"; AD 27,6 כל אתתא דידעה מלחוש לעינה תיתי תלחוש ,,Wenn irgendeine Frau ein (krankes) Auge zu besprechen versteht, so komme sie (und) bespreche es"; HhldR zu 1,6 כל מדינה ומדינה דלית אבא קולון לא תיתקרי מדינה ,,Wenn eine Stadt nicht einen Abba Qolon besitzt, sollte sie nicht ‚Stadt' heißen"; KlglR zu 2,2 דכל איתתא דהות תמן הות ילדה בנין דכרין וכל איתתא דהות בעיא למילד נקבה הות נפקא לבר מן קרתא והות ילדה נקבה וכל איתתא אחריתא דהות בעיא למילד בר דכר הות אתיא תמן והות ילדה זכר ,,Denn wenn eine Frau dort war, gebar sie (nur) Söhne; und wenn eine Frau ein Mädchen gebären wollte, verließ sie diesen Ort und gebar ein Mädchen; und wenn eine fremde Frau einen Sohn gebären

[1] Im griech. Text steht überall Subst. + kond. Partizip.

wollte, ging sie dorthin und gebar einen Sohn"; TrgJer I Dt 14,6[1]. Babylonisch-Talmudisch: bŠab 77a u.ö. כל חמרא דלא דרי על חד תלת מיא לאו חמרא ,,Wenn ein Wein nicht das Dreifache an Wasser verträgt, ist er kein (richtiger) Wein"; bChag 15b כל מאן דהוה נקי אגב אימיה סליק כל דלא הוה נקי אגב אימיה לא סליק ,,Wenn ein Stoff an seiner Mutter (dem Schaf als Wolle) rein war, kommt er (auch rein aus dem Färberkessel) heraus, wenn er aber schon an seiner Mutter nicht rein war, kommt er nicht (rein) heraus"; bBB 3b כל עבדא דמריד השתא מצלח ,,Wenn ein Knecht jetzt meutert, wird er Glück haben"; bŠebu 41b כל מילתא דלא רמיא עליה דאיניש לאו אדעתיה ,,Wenn jemandem an einer Sache nichts gelegen ist, bleibt sie nicht in seinem Gedächtnis"; bChul 141a.b כל מתניתא דלא תניא בי רבי חייא ובי רבי אושעיא משבשתא היא ,,Wenn eine Baraita nicht im Lehrhaus von R. Ḥ. oder R. O. gelehrt wurde, ist sie fehlerhaft"; bTem 4b (zitiert S. 83). Syrisch: Peš Mt 3,10; 7,19; 12,25; Lk 3,9; 6,47; 11,17; 18,14b; Joh 3,15[2]. Mandäisch: RGinza 228,5ff.; 229,2ff. u.ö.

II. Das Substantiv ist Objekt des Hauptsatzes oder das Relativpronomen Objekt des Relativsatzes oder beides

Hebräisch: Dt 20,20 רַק עֵץ אֲשֶׁר־תֵּדַע כִּי־לֹא־עֵץ מַאֲכָל הוּא אֹתוֹ תַשְׁחִית וְכָרָתָּ, LXX ἀλλὰ ξύλον, ὃ ἐπίστασαι ὅτι οὐ καρπόβρωτόν ἐστιν, τοῦτο ἐξολεθρεύσεις καὶ ἐκκόψεις ,,Nur wenn du von einem Baum weißt, daß . . ."; Lev 21,3; Num 22,35.38; 23,3 u.ö.; + כֹּל: 1Kö 8,38f. = 2Chr 6,29f.; CD 14,11 u.ö. Neuhebräisch: Pes 7,12; BB 2,13.14 אילן שהוא נוטה לרשות הרבים קוצץ כדי שיהא גמל עובר ורוכבו ,,Wenn ein Baum über öffentliches Gebiet ragt, darf man ihn beschneiden, so daß ein Kamel mit seinem Reiter vorbeigehen kann" u.ö. Reichsaramäisch: Cowley 8,16f. ספרא זי יהנפקון עליכי כדב יהוה ,,Wenn sie gegen dich irgendeinen Vertrag (solchen Inhalts) vorlegen, so ist dieser gefälscht". Jüdisch-Palästinisch: KlglR zu 3,17 ברי פטיליק דאת מייתי לן חד זמן קדמיי לא תייתי לן זמן אחורי ,,Mein Sohn, wenn du uns eine Schüssel schon einmal vorgesetzt hast, setze sie uns nicht noch ein zweites Mal vor!". GenR 74,2 מתלא אמר בחקל דאית ביה איזגדין לא תימר מילה דמסטירין ,,Das Sprichwort sagt: Auf einem Feld, wo Boten sind, sage kein Geheimnis!". Babylonisch-Talmudisch: bKet 50a האי בר שית דטרקיה עקרבא ביומא דמישלם שית לא חיי ,,Wenn ein sechsjähriges Kind an seinem 6. Geburtstag von einem Skorpion gebissen wird,

[1] Vgl. S. 180 Anm. 1.
[2] Vgl. S. 181 Anm. 1.

bleibt es nicht am Leben" u. ebd. ö.ä.; bQid 49a Var. מסאנא דרב מכרעאי לא בעינא „Wenn ein Schuh größer ist als mein Fuß, will ich ihn nicht"; bBQ 91b Var. דיקלא דטעין קבא אסור למקצצא „Wenn eine Palme ein Qab (Datteln) trägt, ist es verboten, sie umzuhauen"; bBM 95a.b מילתא דכתיבא בהדיא קתני דאתיא מדרשא לא קתני „Wenn eine Sache ausdrücklich aufgeschrieben ist, tradiert er sie; wenn sie nur aus einer Schriftauslegung gefolgert ist, nicht"; bTem 23b מילתא דפסיקא ליה קא תני מילתא דלא פסיקא ליה לא קתני „Wenn eine Sache seiner Meinung nach festgesetzt ist, tradiert er sie, wenn nicht, nicht".

III. Das dem konditionalen Relativsatz vorangehende Substantiv steht dem Hauptsatz als „Casus pendens" absolut voran

a) Es wird im Hauptsatz durch ein Suffix wiederaufgenommen (dieses ist jedoch z.T. zu ergänzen): Hebräisch: Dt 18,19 וְהָיָה הָאִישׁ אֲשֶׁר לֹא־יִשְׁמַע אֶל־דְּבָרַי אֲשֶׁר יְדַבֵּר בִּשְׁמִי אָנֹכִי אֶדְרֹשׁ מֵעִמּוֹ, LXX καὶ ὁ ἄνθρωπος, ὃς ἐὰν μὴ ἀκούσῃ ὅσα ἐὰν λαλήσῃ ὁ προφήτης ἐπὶ τῷ ὀνόματί μου, ἐγὼ ἐκδικήσω ἐξ αὐτοῦ. Jer 27,8.11; Ez 14,4; 1QS 7,15f.17.24f.; + כֹּל: Ex 9,19b כָּל־הָאָדָם וְהַבְּהֵמָה אֲשֶׁר־יִמָּצֵא בַשָּׂדֶה וְלֹא יֵאָסֵף הַבַּיְתָה וְיָרַד עֲלֵהֶם הַבָּרָד וָמֵתוּ, LXX πάντες γὰρ οἱ ἄνθρωποι καὶ τὰ κτήνη, ὅσα ἂν εὑρεθῇ ἐν τῷ πεδίῳ καὶ μὴ εἰσέλθῃ εἰς οἰκίαν, πέσῃ δὲ ἐπ' αὐτὰ ἡ χάλαζα, τελευτήσει „..., wird der Hagel auf sie fallen..."; 2Sam 15,2b; Esth 4,11 כָּל־אִישׁ וְאִשָּׁה אֲשֶׁר יָבוֹא־אֶל־הַמֶּלֶךְ אֶל־הֶחָצֵר הַפְּנִימִית אֲשֶׁר לֹא־יִקָּרֵא אַחַת דָּתוֹ לְהָמִית, LXX πᾶς ἄνθρωπος ἢ γυνή, ὃς εἰσελεύσεται πρὸς τὸν βασιλέα εἰς τὴν αὐλὴν τὴν ἐσωτέραν ἄκλητος, οὐκ ἔστιν αὐτῷ σωτηρία. 1QS 8,21ff.; CD 9,1.13.16ff.; 10,12f.; 11,16f.; 16,7f. LXX übersetzt meist wörtlich durch oblique Casus von αὐτός[1]. An Stelle des Suffixes kann auch dasselbe oder ein anderes Substantiv stehen: Jer 23,34 וְהַנָּבִיא וְהַכֹּהֵן וְהָעָם אֲשֶׁר יֹאמַר מַשָּׂא יהוה וּפָקַדְתִּי עַל־הָאִישׁ הַהוּא, LXX καὶ ὁ προφήτης καὶ ὁ ἱερεὺς καὶ ὁ λαός, οἳ ἂν εἴπωσιν Λῆμμα κυρίου, καὶ ἐκδικήσω τὸν ἄνθρωπον ἐκεῖνον. Lev 17,3f. 10; 20,6.16; BQ 3,9; 6,6; + כֹּל: Lev 23,30. Das Substantiv kann auch im plur. Subjekt des Hauptsatzes mit einbegriffen sein: Lev 20,10.12.13.18, oder im Hauptsatz wiederholt oder durch ein ähnliches Substantiv im Nominativ ersetzt sein: Gen 17,14; Lev 7,20; Num 9,13; 19,20; Dt 17,12; 18,20; + כֹּל: Lev 7,27; 22,3. Neuhebräisch: Kil 6,6.7; 7,6; Chal 4,4.7; Šab 3,1.2; 16,6; 18,2;

[1] LXX beseitigt das Anakoluth in Ex 9,19; 2Sam 15,2 und bringt Dan 5,7 von sich aus eines (στολιεῖ αὐτόν statt aram. יִלְבַּשׁ); vgl. S. 157 Anm. 1.

22,1; Jom 8,5; BB 1,4; 9,6; jBB 17a אדם שמצא מציאה אחיו חולקין עמו „Ein Mensch, der etwas findet: seine Brüder teilen es mit ihm (=Wenn ein Mensch...)"; NumR 22,4 המשל אומר בור ששתית ממנו אל תזרוק בו אבן „Das Sprichwort sagt: Ein Brunnen, aus dem du schon getrunken hast: wirf keinen Stein hinein!"; Fiebig Nr 44; plur. Subst.: Ter 3,3; + כל: Pes 4,6; Ab 2,2; 4,11; bBeṣ 5a כל דבר שבמנין צריך מנין אחר להתירו „Jede Bestimmung, die durch Abstimmung (festgesetzt wurde): eine andere Abstimmung ist nötig, um sie aufzuheben" u.ö. Reichsaramäisch: Esr 6,11 כָּל־אֱנָשׁ דִּי יְהַשְׁנֵא פִּתְגָמָא דְנָה יִתְנְסַח אָע מִן־בַּיְתֵהּ וּזְקִיף יִתְמְחֵא עֲלֹהִי, LXX πᾶς ἄνθρωπος, ὃς ἀλλάξει τὸ ῥῆμα τοῦτο, καθαιρεθήσεται ξύλον ἐκ τῆς οἰκίας αὐτοῦ καὶ ὠρθωμένος παγήσεται ἐπ' αὐτοῦ. Jüdisch-Palästinisch: GenR 60,11 (= bBQ 92b) מילתא דאית בך מגניא קדים ואומרה „Eine Sache, die bei dir häßlich ist: sage sie lieber gleich!"; + כל: jChag 77b כל תלמיד דהוה חמי ליה משכח באוריתא הוה קטיל ליה „Jeder Schüler, von dem er sah, daß er kundig war in der Tora: er ließ ihn töten"; jBer 4c כל מילא דלא מחוורא מסמכין לה מן אתרין סגי „Ein Lehrsatz, der nicht klar ist: man muß ihn durch viele Beweisstellen stützen"; jTaan 68d כל קירייא דהוון עלין בה הוה טב קרתא מיית „Jede Ortschaft, die sie betraten: der Vornehmste der Stadt war gerade gestorben"; GenR 65,2 אזלון יהבו יתיה על איגרא וכל עוף דשכן על גביה מן מיניה הוא „Setzt ihn (den gefundenen Star) auf das Dach (um festzustellen, ob er zu einer reinen oder unreinen Gattung gehört), und jeder Vogel, der sich zu ihm gesellt: er gehört zu dessen Gattung!". Babylonisch-Talmudisch: bPes 112b ביתא דלית ביה שונרא לא ניעול ביה איניש בהכרא „Ein Haus, in dem keine Katze ist: man trete dort nicht im Dunkeln ein"; bTaan 11b האי בר בי רב דיתיב בתעניתא ליכול כלבא לשירותיה „Ein Gelehrtenschüler, der fastet: der Hund möge sein Mahl fressen!"; bMeg 26b האי תיבותא דאירפט מיעבדה תיבה זוטרתי שרי כורסייא אסיר „Ein Schrein, der zerbrochen ist: ihn zu einem kleineren Schrein zu machen ist erlaubt, aber zu einem Vorlesepult ist verboten"; bKet 60b.61a דאכלה גרגשתא הוו לה בני מכערי „Wenn eine (Frau während der Schwangerschaft) Erde ißt, hat sie häßliche Kinder", דאכלה מוניני הוו לה בני מציצי עינא „Wenn sie kleine Fische ißt, hat sie kleinäugige Kinder", דאכלה ביעי הוו לה בני עייני „Wenn sie Eier ißt, hat sie großäugige Kinder", דשתיא שיכרא הוו לה בני אוכמי „Wenn sie Bier trinkt, hat sie schwarze (= häßliche) Kinder", דאכלה בישרא ושתיא חמרא הוו לה בני בריי „Wenn sie Fleisch ißt und Wein trinkt, hat sie kräftige Kinder" u. ebd. ö.ä.;

bBQ 92b מילתא דאמרי אינשי בירא דשתית מיניה לא תשדי ביה קלא „Ein Sprichwort, das man sagt: Ein Brunnen, aus dem du schon getrunken hast: wirf keinen Stein hinein"; bChul 18a האי טבחא דלא סר סכינא קמי חכם משמתינן ליה „Ein Schlachter, der sein Fleischmesser nicht in Gegenwart eines Gelehrten untersucht: wir tun ihn in den Bann"; + כל: bRŠ 22b כל מילתא דעבידא לאיגלויי לא משקרי בה אינשי „Jede Sache, die bekannt zu werden pflegt: man lügt dabei nicht"; bTaan 20b כל אשיתא דהוות רעיעתא הוה סתר לה „Jede Wand, die baufällig war: er ließ sie niederreißen"; bMeg 22a כל פסוקא דלא פסקיה משה אנן לא פסקינן ליה „Jeder Vers, den Mose nicht abgetrennt hat: wir dürfen ihn nicht abtrennen"; bŠebu 34b כל מלתא דלא רמיא עליה דאינש עביד לה ולאו אדעתיה „Jede Sache, woran dem Menschen nichts gelegen ist: er tut sie, ohne daran zu denken"; bAr 15b כל מילתא דמיתאמרא באפי מרה לית בה משום לישנא בישא „Jedes (verleumderische) Wort, das in Gegenwart des Verleumdeten ausgesprochen wird: nicht liegt auf ihm (ein Vorwurf) wegen Verleumdung" und ganz ähnlich bBB 39a.b. Syrisch: Peš Joh 15,2[1]. Mandäisch: RGinza 223,16 כול תארמידא דשלאמא יאהיבלון רוגזא מן הייא משאואי עלה̄ „Jeder Jünger, der ihnen einen Gruß entbietet: auf ihn ist der Zorn vom Leben gelegt" u.ö.

b) Die Verbindung von konditionalem Relativsatz und Hauptsatz ist dadurch hergestellt, daß ein Satzteil des konditionalen Relativsatzes mit Ausnahme des Relativpronomens im Hauptsatz wieder-aufgenommen wird, bzw. leicht zu ergänzen ist (wie bErub 40b): Hebräisch: Lev 22,18f. אִישׁ אִישׁ מִבֵּית יִשְׂרָאֵל וּמִן־הַגֵּר בְּיִשְׂרָאֵל אֲשֶׁר יַקְרִיב קָרְבָּנוֹ ... לִרְצֹנְכֶם תָּמִים זָכָר בַּבָּקָר, LXX ἄνθρωπος ἄνθρωπος ἀπὸ τῶν υἱῶν Ισραηλ ἢ τῶν υἱῶν τῶν προσηλύτων τῶν προσκειμένων πρὸς αὐτοὺς ἐν Ισραηλ, ὃς ἂν προσενέγκῃ τὰ δῶρα αὐτοῦ..., δεκτὰ ὑμῖν ἄμωμα ἄρσενα ἐκ τῶν βουκολίων „Wenn jemand darbringt..., so (soll es sein) ein fehlerloses Tier...". Neuhebräisch: Orla 3,5; Šab 10,2; 13,6; 16,8; 23,4; Pes 2,3 נכרי שהלוה את ישראל על חמצו לאחר הפסח מתר בהניה „Ein Fremder, der einem Israeliten (Geld) auf sein Gesäuertes geliehen hat: nach dem Passa ist es zur Nutznießung erlaubt"; Šeq 7,6; Jeb 11,5; BQ 3,11; 4,1; 5,1.2; AZ 4,3.10 u.ö.; zwei Substantive: BM 10,1.3.4. Reichsaramäisch: Cowley 11,4f. וירחא זי לא אנתן לך בה מרבית יהוה ראש וירבה „Und der Monat, in welchem ich dir keine Zinsen gebe: sie sollen Kapital werden und verzinst werden (=Wenn ich dir in einem Monat keine Zinsen gebe, so sollen diese verzinsliches Kapital werden)".

[1] Vgl. S. 181 Anm. 1.

Babylonisch-Talmudisch: bErub 40b בר בי רב דיתיב בתעניתא במעלי שבתא מהו לאשלומי „Ein Schüler, der einen Fasttag am Freitag hält: soll er zu Ende gefastet werden?“; bMQ 16a (plur. Subjekt) הני בי תלתא דשמיתו לא אתו תלתא אחריני ושרו ליה „Drei Gelehrte, die jemanden gebannt haben: nicht durften drei andere kommen und ihn lösen“; bAZ 38a האי נכרי דחריך רישא שרי למיכל מיניה „Ein Nichtjude, der einen Kopf abgesengt hat: es ist erlaubt, davon zu essen“.

c) Die Handlung des konditionalen Relativsatzes an sich bedingt den Hauptsatz; dabei fehlt in der Regel eine beiden gemeinsame Person oder Sache: Hebräisch: Lev 20,14 אִישׁ אֲשֶׁר יִקַּח אֶת־אִשָּׁה וְאֶת־אִמָּהּ זִמָּה הִוא, LXX ὃς ἐὰν λάβῃ γυναῖκα καὶ τὴν μητέρα αὐτῆς, ἀνόμημά ἐστιν. 20,17.21. Neuhebräisch: bPes 112a.b גרוש שנשא גרושה ארבע דיעות במיטה „Ein Geschiedener, der eine Geschiedene heiratet: (da sind) vier Gedanken im Bett“; Pea 5,1.2 שבלת של לקט שנתערבה בגדיש מעשר שבלת אחת ונותן לו „Eine Ähre aus der Nachlese, die in den Getreidehaufen geraten ist: man verzehntet eine (andere) Ähre und gibt sie ihm“; Kil 7,7; Orl 2,11.13; BQ 6,6; plur.: Chal 3,9; zwei Substantive: Kil 9,1; MŠ 2,5. Jüdisch-Palästinisch: jPes 30c.d = jTaan 64c נשייא דנהיגן דלא למיעבד עובדא באפוקי שובתא אינו מנהג „Frauen, die den Brauch haben, nach Ausgang des Sabbats keine Arbeit zu verrichten: das ist kein (richtiger) Brauch“; jPes 30d = jTaan 64c נשייא דנהגן דלא למישתייא מן דאב עליל מנהג „Frauen, die den Brauch haben, nicht zu spinnen, nachdem der Ab begonnen hat: das ist ein (echter) Brauch“. Babylonisch-Talmudisch: bŠab 133b האי אומנא דלא מייץ סכנתא הוא „Ein Beschneider, der (das Blut) nicht aussaugt: das ist eine Gefährdung“; 134a האי ינוקא דלא מייץ מיקר דקר פומיה „Ein Kind, das nicht saugt: (das geschieht,) weil sein Mund kalt ist“; bKet 105b האי צורבא מרבנן דמרחמין ליה בני מתא לאו משום דמעלי טפי אלא משום דלא מוכח להו במילי דשמיא „Ein Gelehrter, der von den Leuten des Orts geliebt wird: das ist nicht, weil er besonders gut ist, sondern weil er sie nicht zurechtweist in religiösen Dingen“; bBM 97a גברא דנשי קטלוה לא דינא ולא דיינא „Ein Mann, der von Frauen getötet wird: (dafür) gibt es weder Recht noch Richter“; bAZ 38a האי נכרי דשדא סיכתא לאתונא וקבר בה ישראל קרא מעיקרא שפיר דמי „Ein Nichtjude, der einen Scheit in den Herd geworfen hat, und ein Jude hatte vorher einen Kürbis hineingesteckt: es schadet nicht“, und ganz ähnlich in 38b; bBQ 8b (Schles S.286)[1].

---

[1] Ebenso kann durch Subst. + Relativsatz auch ein Subjektsatz ersetzt werden: bBer 6a הני ברכי דשלהי מינייהו הני מאני דרבנן דבלו מחופיא דידהו הני

Auch der von einem Substantiv abhängige konditionale Relativsatz ist also im Hebräischen, Neuhebräischen und allen aramäischen Sprachen in gleicher Weise verbreitet.

β) Der von einem Substantiv abhängige konditionale Relativsatz im Griechischen

Während die unter I. und II. erwähnten Konstruktionen im Griechischen genau so vorkommen, vgl. Xenoph Anab 1.3,15 τῷ ἀνδρί, ὃν ἂν ἕλησθε, πείσομαι, gibt es für das absolut im Nominativ vorangestellte Substantiv mit folgendem Relativsatz kaum griechische Parallelen. Anakoluthische Wiederaufnahme durch einen obliquen Kasus von αὐτός ist immerhin noch möglich, vgl. etwa Xenoph Anab 1.9,29 καὶ οὗτος δὴ ὃν ᾤετο πιστόν οἱ εἶναι, ταχὺ αὐτὸν ηὗρε Κύρῳ φιλαίτερον ἢ ἑαυτῷ. Cyrop 8.8,16 καὶ μὴν τὰ πεττόμενα ἐπὶ τράπεζαν ὅσα τε πρόσθεν ηὕρητο, οὐδὲν αὐτῶν ἀφήρηται, ἄλλα τε ἀεὶ καινὰ ἐπιμηχανῶνται. ZenPap 59186,15 (255 v.) τὴν δὲ ἐπιστολήν, ἣν ἔγραψας 'Αμμωνίωι, ἠπίθηκεν αὐτῆς[1]. Gänzliche Unabhängigkeit des Hauptsatzes jedoch, wobei diesen das Geschehen des konditionalen Relativsatzes als Ganzes bedingt, ist im Griechischen nur möglich, wenn das Substantiv in den Relativsatz hineingenommen ist, vgl. PRevL 21,11 (259 v.) ὅσα δ' ἐγκλήματα γίνεται ἐκ τῶν νόμων τῶν τελωνικῶν, ἔστω καλεῖσθαι „Wenn auf Grund der Steuergesetze Anklagen erhoben werden, soll es zulässig sein, jemanden vorzuladen". Deshalb läßt auch LXX in Lev 20,14.17.21 das אִישׁ = ἄνθρωπος vor dem Relativsatz aus.

γ) Der von einem Substantiv abhängige konditionale Relativsatz im Neuen Testament

1) Von den ntl. Stellen ist das Substantiv wie gut griechisch auch Subjekt des Hauptsatzes in: 1Kor 7,13 B𝔎 γυνὴ ἥτις ἔχει ἄνδρα ἄπιστον, καὶ οὗτος συνευδοκεῖ οἰκεῖν μετ' αὐτῆς, μὴ ἀφιέτω τὸν ἄνδρα. Alle übrigen

כרעי דמנקפן מינייהו „Die Kniee, die matt werden (= daß die Kniee matt werden): das kommt von ihnen (den Dämonen); die Kleider der Gelehrten, die fadenscheinig werden (= daß die Kleider fadenscheinig werden): das kommt von ihrem Reiben; die Beine die wanken: das kommt von ihnen (den Dämonen)" (vgl. Schles S. 220); oder ein Vergleichsatz: RtR Einl 2 u.ö. כאינש דאמר לחבריה „Wie ein Mensch, der zu seinem Genossen sagt (=Das ist, wie wenn jemand zu einem anderen sagt)".

[1] Öfters wird jedoch ein durch Attractio inversa im Kasus an das folgende Relativ assimiliertes Subst. im Hauptsatz durch das Demonstrativ im eigentlich gemeinten Kasus wiederaufgenommen, vgl. Aristoph Plutos 200 τὴν δύναμιν ἣν ὑμεῖς φατὲ ἔχειν με, ταύτης δεσπότης γενήσομαι. Weitere Beispiele K-G 555.4, Mayser 3 S. 198f.

Stellen ohne vorangestelltes πᾶς stammen aus der synoptischen Aussendungsrede (Huck[9] Nr. 58). Bei ihnen allen ist griechischem Satzbau entsprechend[1] das Substantiv in den konditionalen Relativsatz hineingenommen und im Nachsatz durch adjektivisches (+ Präposition) oder adverbiales[2] Pronomen wiederaufgenommen, bzw. dieses leicht zu ergänzen: Mt 10,11 Bℵ[3] εἰς ἣν δ' ἂν πόλιν ἢ κώμην εἰσέλθητε, ἐξετάσατε τίς ἐν αὐτῇ ἄξιός ἐστιν. Lk 9,4 εἰς ἣν ἂν οἰκίαν εἰσέλθητε, ἐκεῖ μένετε. 10,5 εἰς ἣν δ' ἂν εἰσέλθητε οἰκίαν, πρῶτον λέγετε (erg. αὐτῇ oder αὐτοῖς)· εἰρήνη τῷ οἴκῳ τούτῳ. 8 εἰς ἣν ἂν πόλιν εἰσέρχησθε καὶ δέχωνται[4] ὑμᾶς, ἐσθίετε τὰ (erg. ὑπ' αὐτῶν) παρατιθέμενα ὑμῖν. 10 εἰς ἣν δ' ἂν πόλιν εἰσέλθητε καὶ μὴ δέχωνται[4] ὑμᾶς ἐξελθόντες εἰς τὰς πλατείας αὐτῆς εἴπατε. Mk 6,11 ὃς ἂν τόπος μὴ δέξηται ὑμᾶς μηδὲ ἀκούσωσιν[4] ὑμῶν, ἐκπορευόμενοι ἐκεῖθεν ἐκτινάξατε τὸν χοῦν τὸν ὑποκάτω τῶν ποδῶν ὑμῶν. Im Semitischen müßte das Substantiv im Nominativ vor dem Relativsatz stehen wie in Mt 10,11 D (28)**d** ἡ πόλις εἰς ἣν ἂν εἰσέλθητε εἰς αὐτήν, ἐξετάσατε τίς ἐν αὐτῇ ἄξιός ἐστιν, was Wort für Wort dem im Semitischen zu erwartenden entspricht[5]. Obwohl bei diesen Stellen also (außer Mt 10,11 D) die ursprüngliche semitische Konstruktion nicht mehr sichtbar ist (wie dagegen in LXX!), ist semitischer Einfluß (nach IIIa) wahrscheinlich, da im Griechischen ein ἐάν-Satz den beabsichtigten Sinn wesentlich eleganter wiedergegeben hätte: „Wenn (sooft) ihr in eine Stadt oder in ein Dorf kommt, ...“ In Mt 10,14 ist das Substantiv aus dem Relativsatz herausgenommen und erst anaphorisch im Hauptsatz gebracht, von wo es im Relativsatz zu ergänzen ist. Dies Verfahren ist aber se-

---

[1] Vgl. K-G 556, Schwyzer 641, Mayser 3 S. 98ff., Bl- Debr 294.5.

[2] Auch im Sem. wird an Stelle einer Präpos. mit Suffix gern das Ortsadverb (שָׁם, תמן) anaphorisch gebraucht, vgl. VglGr 357bβ. 382b. 383b, GKa 138c, Brockelmann 152b, jTaan 68d כל קירווא דהוינן עלין תמן „Jede Stadt, die wir betraten“ (gleich danach dafür בה), Stevenson 7.8, Schles S. 217, Nöld Syr 346, Mand 451. Beides nebeneinander findet sich (wohl irrtümlich) 1QGen Apoc 21,1. Doch fehlt im Jüd.-Pal. dieser Rückweis meist ganz.

[3] Auch im Sem. können mehrere Substantive vor dem kond. Relativsatz stehen.

[4] Constructio ad sensum ist sem. und griech. nicht selten, vgl. S. 176 Anm. 2.

[5] Der ursprüngliche Mt-Text kann hier aber unmöglich vorliegen, da die Bezeugung viel zu schwach ist. Vielleicht handelt es sich um eine selbständige alte Fassung dieses Logions. Doch muß man bei der stilistischen Sorglosigkeit von D mit dergleichen Hypothesen sehr vorsichtig sein; vgl. auch das zu Act 11,2 D auf S. 176f. Bemerkte.

mitisch nicht möglich. Vom Semitischen her kann nur „wenn euch jemand nicht aufnimmt ...“ verstanden werden. Dagegen wäre Lk 9,5 semitisch denkbar, da hier ein notwendig pluralisches Subjekt (vgl. S. 144), die Einwohner, durch ἡ πόλις ἐκείνη sinnentsprechend wiederaufgenommen wird[1].

2) Mit großer Wahrscheinlichkeit kann jedoch semitischer Einfluß angenommen werden, wenn dem Substantiv noch πᾶς vorangestellt ist[2]. Dies ist im NT an folgenden Stellen der Fall:

I. Das Substantiv ist im Hauptsatz und das Relativpronomen im Relativsatz grammatisches Subjekt: Act 3,23 ἔσται δὲ πᾶσα ψυχὴ ἥτις ἐὰν μὴ ἀκούσῃ τοῦ προφήτου ἐκείνου ἐξολεθρευθήσεται ἐκ τοῦ λαοῦ ist aus Lev 23,29 (Rahmen) und Dt 18,19 (Inhalt) M = LXX zusammengesetzt[3]; 1Joh 4,2 πᾶν πνεῦμα ὃ ὁμολογεῖ Ἰησοῦν Χριστὸν ἐν σαρκὶ ἐληλυθότα ἐκ τοῦ θεοῦ ἐστιν. 3 καὶ πᾶν πνεῦμα ὃ μὴ ὁμολογεῖ τὸν Ἰησοῦν ἐκ τοῦ θεοῦ οὐκ ἔστιν[4]. In Lk 14,33 Bא πᾶς ἐξ

---

[1] Dem Relativpron. eines voranstehenden selbständigen Relativsatzes mit oder ohne korrelativisches Interrogativpron. kann im Sem. auch ein plur. Verb. fin. folgen (= „diejenigen, welche“), vgl. bBeṣ 30a דדרו בדוחקא לדרו בדגלא „Diejenigen, die mit einem Joch tragen, sollen (am Feiertag) mit einer Tragstange tragen“ u. ebd. ö.; bBB 73b דמו כמאן דמיבסמי וגנו „Sie glichen solchen, die berauscht waren und schliefen“.

[2] Besonders wenn der folgende kond. Relativsatz durch ὃς (ἐ)άν oder auch ὅστις eingeleitet wird; vgl. S. 166f. Dabei ist das Subst. nach sem. und griech. Sprachgebrauch immer indeterminiert, vgl. S. 222 Anm. 3 und 4.

[3] Ausführlich: S. 64.

[4] Πᾶς vor dem (Subst. +) kond. Relativsatz und לא im Hauptsatz kann, wie die Reihenfolge כל-לא = πᾶς — οὐ überhaupt, auch in allen aram. Sprachen in der Bedeutung „keiner“ (versehentlich) vorkommen, da כל als zum kond. Relativsatz gehörig empfunden wird, und in gesprochener Rede von der Negation unmißverständlich getrennt werden kann. (Dies wird besonders an den Stellen deutlich, wo כל, wenn zum positiven Verb. fin. des Hauptsatzes gezogen, sinnlos ist, da nur Einer zur Lösung der gestellten Aufgaben nötig ist, wie etwa Dan 5,7; AD 27,6; GenR 48,5; 64,8; 65,2; oder der Lohn überhaupt nur einmal vorhanden ist wie Dan 5,7; jAZ 39c כל מלכות שתאמר לשר צבא שלה פול על חרבך וישמע לה תתפוס המלכות תחלה „Dasjenige von beiden Reichen, dessen Feldherr, wenn es zu ihm sagt: Stürze dich in dein Schwert! ihm gehorcht, soll zuerst die Herrschaft erhalten“; PredR zu 1,8 נעביד בנינן דכל בר נש דנצח חבריה יהא פצע מוחיה דחבריה בקורנס „Wir wollen unter uns ausmachen, daß derjenige von uns beiden, der den anderen besiegt, dessen Schädel mit der Axt spalten soll“; GenR 86,5; bŠab 10b; bHor 14a [alle oben zitiert]; vgl. auch jŠab 8c הכין כל עמא לא אקים לבר נש אלא לי „So hat noch niemand jemanden aufzustehen genötigt außer mich!“; ebenso bei kond.

Partz.: Gen 4,14.15; 1Chr 11,6.) Sonst ist כל = „irgendein" und לא־כל = οὐ—πᾶς (also in umgekehrter Reihenfolge!) = „gar keiner" (absolute Negation) auf das Arab. (Synt Verh 427, Syntax 154f.), Hebr. (GKa 152bp, Kö 352s, sowie in Qumran: 1QS 1,13.14f.17; 3,5; 5,15f.16.18; 6,11; 7,1.9; 8,23.25; 9,20f. 25; 11,4.17; 1QH 1,37; 7,29; 9,14f.; CD 10,18; 11,1f.; 12,7f.11f.; 14,11), Neuhebr. (sehr selten כל = „irgendein": AZ 3,1 [vgl. Segal 435] und לא־כל = „kein": bSanh 98b אין לך כל ארון וארון שבארץ ישראל שאין סוס מדי אוכל בו תבן „Es gibt keinen Sarg in Israel, aus dem nicht ein medisches [= römisches] Pferd Stroh frißt"; bChul 123a שאין לך כל ליגיון וליגיון שאין לו כמה קרקפלין „Denn es gibt keine Legion, die nicht mehrere Skalpe mit sich führt"; Tos Ket VII, 5 למחר תהא מוטלת ואין כל בריה סופנה „Sie könnte schon morgen tot daliegen, ohne daß sie jemand begräbt"; GenR 10,7 אין לך כל עשב ועשב שאין לו מזל ברקיע שמכה אותו ואומר לו גדל „Es gibt kein Kraut, das nicht seinen Planeten im Himmel hat, der es schlägt und ihm zuruft: Wachse!". Nur die Redensart לא־כל עיקר „überhaupt nicht[s]" ist im Neuhebr. öfters belegt: Erub 3,6 אינו מערב כל עיקר „Er vermengt überhaupt nichts"; bSanh 22a כתב זה לא נשתנה כל עיקר „Diese Schrift wurde überhaupt nie verändert"; jDam 21d אינו מפריש כל עיקר „Er entrichtet gar nichts"; jŠebi 39d לא חתמנו כל עיקר „Wir haben überhaupt nicht gesiegelt"; jBik 65c לא יקום כל עיקר „Er braucht überhaupt nicht aufzustehen"; jSuk 55b לא היו טועמין טעם שינה כל עיקר „Sie merkten überhaupt nichts von Schlaf"; jMŠ 56a [öfters]; LevR 37,1 וטוב משניהם מי שאינו נודר כל עיקר אלא מביא כבשתו לעזרה „Und besser als beide ist der, der überhaupt nicht gelobt, sondern sein Lamm in die Halle bringt"; Beṣ 3,6 [vgl. Segal 473] sowie sehr selten im Jüd.-Pal. [wohl vom Neuhebr. eingedrungen]: LevR 37,2 וחד מנהון לא עבד כל עיקר „Der andere von ihnen tat jedoch überhaupt nichts"; EsthR zu 3,9 אלההון לא שביק לון כל עיקר „Ihr Gott verläßt sie nie", vgl. das gleichfalls formelhafte jRŠ 59c [2mal] לית כל עמא תמן „niemand war da") und Reichsaram. (BLA 25e. 104c, 1QGen Apoc 2,15f. די מנך זרעא דן ... ולא מן כול זר ולא מן כול עירין ולא מן כול בני שמ[ין] „Denn von dir stammt dieser Same . . . und nicht von irgendeinem Fremden und nicht von irgendeinem der Engel und nicht von irgendeinem der Himmlischen"; 19,23; 21,13 ואשגה זרעך כעפר ארעא די לא ישכח כול בר אנוש לממניה „Und ich mache deine Nachkommenschaft zahlreich wie der Staub der Erde, daß sie niemand zählen kann", Targume) beschränkt, kann also gegen Burney Joh 98 im Jüd.-Pal. der Zeit Jesu nicht vorausgesetzt werden. Im Griech. kann πᾶς nur nach negativen Begriffen wie „ohne", „außer", „entbehren" u.ä., nicht aber in der Nähe von Negationen oder sogar in positiven Sätzen „irgendein" heißen (in 2Kor 1,4 ist πάσῃ² unachtsame rhetorische Wiederholung von πάσῃ¹); οὐ — πᾶς oder πᾶς — οὐ = „keiner" ist nur möglich, wenn die Negation mit dem Verbum Einen Begriff bildet (etwa: μὴ δεδοικέναι = „mutig sein" in Aristoph Vesp 1091); vgl. Mayser 2, 97, Bl-Debr 275.3 A, 302, Moulton 126f., Raderm 219f., Colwell 71f. πᾶς + kond. Relativsatz vor negiertem Hauptsatz findet sich im NT: Lk 14,33; Joh 6,39; 1Joh 4,3; πᾶς + kond. Partz. vor negiertem Hauptsatz: Mt 12,25b (+ Subst.); Joh 3,16; 11,26; 12,46; Röm 9,33 𝔎 (≠ LXX); 10,11 (≠ LXX); Eph 5,5; 1Joh 2,23a; 3,6a.b.9.10.15b; 5,18; 2Joh 9. Die Häufigkeit von πᾶς + kond. Partz. + negativer Haupt-

ὑμῶν[1] ὃς οὐκ ἀποτάσσεται πᾶσιν τοῖς ἑαυτοῦ ὑπάρχουσιν οὐ δύναταί εἶναί μου μαθητής[2] bleibt es dabei gleich, ob man für ἐξ ὑμῶν (בר) נש מנכון oder einfach מנכון[3] „jemand von euch" voraussetzt.

II. Das Relativpronomen ist Objekt des Relativsatzes: Mt 15,13 πᾶσα φυτεία ἣν οὐκ ἐφύτευσεν ὁ πατήρ μου ὁ οὐράνιος ἐκριζωθήσεται. Auch Mt 18,19 gehört sicher hierher, wie das im Griechischen auffällige παντὸς οὗ ἐάν erweist[4]: Ein ursprüngliches πᾶν πρᾶγμα, ὃ ἐὰν αἰτήσασθαι δύο ἐξ ὑμῶν συμφωνήσωσιν, γενήσεται αὐτοῖς (jüdisch-palästinisch: כל מילתא דמשתויין תרין מינכון למישאלינה תהא להון) wurde bei der Verwandlung in einen konjunktionalen Konditionalsatz (ἐάν) umgestellt[5]. Denn so wie Mt 18,19 dasteht, könnte es höchstens auf ein hebräisches oder neuhebräisches (oder reichsaramäisches) Original zurückgehen oder unter LXX-Einfluß formuliert sein, da im Aramäischen (außer dem Reichsaramäischen) כל nicht „irgendein" heißen kann (vgl. S. 189 Anm. 4).

III. Das dem Relativsatz vorangehende Substantiv steht als Casus pendens absolut voran und wird im Hauptsatz durch αὐτοῦ wiederaufgenommen: Mt 12,36 πᾶν ῥῆμα ἀργὸν[6] ὃ λαλήσουσιν (𝔎 ὃ ἐὰν λαλή-

---

satz bei Joh und 1—2Joh (11mal gegenüber 10mal ohne πᾶς) macht es jedoch wahrscheinlich, daß dies unter hebr. Einfluß absichtlich gebraucht wurde, da πᾶς — οὐ auch 1Joh 2,21 noch einmal vorkommt (wahrscheinlich Hebraismus oder LXXismus); außerdem findet sich das hebr. und reichsaram. (bzw. LXX) οὐ — πᾶς! bzw. (weniger hart und auch im jüngeren Aram. versehentlich möglich): πᾶς — οὐ = „kein" im NT: Mt 24,22! = Mk 13,20! (vgl. Gen 9,11); Lk 1,37!; Act 10,14!; Röm 3,20 (LXX)!; 1Kor 1,29!; Gal 2,16 (LXX)!; Eph 4,29; 2Petr 1,20; Apc 7,1 אP!. 16!; 9,4!; 18,(12).22; 21,27!; 22,3.

[1] D gräzisiert καὶ ἐξ ὑμῶν πᾶς, um von V. 32 einen besseren Übergang zu schaffen. Zu πᾶς ἐξ vgl. Bl-Debr 164.1.

[2] Vgl. S. 190 Anm.

[3] מן + plur. Suffix oder Nomen = „einer von" findet sich Ex 6,25; Lev 11,32 (LXX ἀπό).39; 1Sam 14,45; Dan 11,5 (εἷς ἐκ); 1Chr 5,2 (ἐξ); 2Chr 26,11 (in den nicht bezeichneten Fällen hat LXX partitiven Genitiv); vgl. VglGr 251, Odeberg 360. 363, Nöld Syr 249 C, Mand 357. Cowley 5,10.

[4] Vgl. S. 166. 167.

[5] In Mk 3,28 ist gleichfalls eine Umstellung des ursprünglichen Textes wahrscheinlich, vgl. S. 166 Anm. 4.

[6] Πᾶν ῥῆμα ἀργόν muß vom Sem. her als Nominativ aufgefaßt werden. Doch ist vom Griech. her Attractio inversa (das Bezugswort wird im Kasus an das Relativpron. assimiliert, wie wenn es in den Relativsatz hineingenommen wäre), also Akkusativ, nicht unwahrscheinlich, vgl. Bl-Debr 466.3; zur Attr. inv. vgl. K-G 555.4, Schwyzer 641, Mayser 3 S. 107f., Bl-Debr 295.

σωσιν, CΘ ὃ ἐὰν λαλήσουσιν!) οἱ ἄνθρωποι[1], ἀποδώσουσιν περὶ αὐτοῦ λόγον ἐν ἡμέρᾳ κρίσεως. Allerdings ist der Relativsatz hier mehr eine (entbehrliche) Erläuterung und ἀργόν das entscheidende Wort.

c) Einige Besonderheiten der konditionalen Relativsätze[2]

α) Der semitische konditionale Relativsatz ist zwar der Natur der Sache nach singularisch, da er „wenn jemand" ersetzt — soweit nicht mehrere handelnde Personen sachlich notwendig sind —, doch übersetzt ihn LXX öfters pluralisch (und läßt dadurch seinen konditionalen Charakter zugunsten des attributiven zurücktreten), so etwa: Ex 9,19 (zitiert S. 183); Jos 2,19b (כֹּל אֲשֶׁר, ὅσοι ἐάν); Ri 11,24b B (אֵת כָּל־אֲשֶׁר, τοὺς πάντας οὓς); Jer 15,2 (אֲשֶׁר, ὅσοι: 4mal) und Dan 5,19 Theod (zitiert S. 156); besonders wenn das Verbum finitum des Hauptsatzes im Hebräischen im Plural stand: 1Chr 29,8 (zitiert S. 157); Jes 55,1 (אֲשֶׁר אֵין־לוֹ, ὅσοι μὴ ἔχετε). Ebenso gibt Apc 3,19 (Spr 3,12: zitiert S. 155) und 13,15 (Dan 3,6 = 11: zitiert S. 147) in M und LXX singularische konditionale Relativsätze pluralisch wieder. Im Griechischen sind nämlich pluralische verallgemeinernde Relativsätze sehr häufig. Aus diesen Gründen ist auch an den entsprechenden ntl. Stellen semitischer Einfluß möglich, dergestalt daß ein semitischer, ursprünglich singularischer, konditionaler Relativsatz erst im Griechischen pluralisiert wurde, besonders in Joh 1,12; Gal 6,16, wo der anakoluthische Relativsatz durch αὐτοῖς bzw. αὐτούς wiederaufgenommen wird[3]. Außerdem steht pluralisches Relativ in Joh 10,8; Röm 2,12a.b; 8,14 (+ οὗτοι[4]); Gal 3,10a; 1Tim 6,1; dazu in präteritalem Satzgefüge (also noch weniger typisch semitisch[5]): Mt 14,36b; Mk 6,56b; Lk 4,40; Act 4,34; Röm 8,29; 8,30a.b.c (+ τούτους[4]).

β) Der konditionale Relativsatz und sein Hauptsatz können im Semitischen (meist + כל) natürlich auch präterital-iterativ sein, vgl. etwa: 2Sam 15,2; PredR zu 11,9 כל דעבר אמר ליה „Wenn jemand vorbeiging, sagte er zu ihm"; bSanh 110a כל דאתא חזייה „Wenn

[1] Hier dürfte wie in Mk 3,28 (vgl. S. 166 Anm. 4), ursprünglich ein Singular (בר נש) gestanden haben.

[2] Vgl. die entsprechenden Punkte beim kond. Partz. S. 223ff.

[3] Vgl. zu Lk 9,5, S. 189.

[4] Die Hinzufügung von οὗτος in Röm 8,14.30a.b.c ist nach S. 171 Anm. 2 aller Wahrscheinlichkeit nach Gräzismus.

[5] Vgl. das Folgende.

jemand kam, sah er sie“; RGinza 65,13 כול מאן דארהאבה היא ,,Wenn ihn (den Baum) jemand gerochen hat, ist er aufgelebt“; weitere Beispiele sind unter den auf S. 146—163 und 179—186 zusammengestellten semitischen konditionalen Relativsätzen zu finden. Im Griechischen ist ein solcher Iterativ der Vergangenheit häufig (im Relativsatz klassisch: Optativ, hellenistisch: Augmentindikativ mit oder ohne ἄν). Aus dem NT gehören hierher: Mt 25,40.45; Act 11,2 D, sowie die S. 192 genannten pluralischen Stellen.

γ) Zwischen konditionalem Relativsatz und Hauptsatz kann im Semitischen eine Parenthese eingeschoben sein[1], so etwa: Ber 8,7 בית שמאי אומרים; Pea 4,9; 7,6 רבי אליעזר אומר; Beṣ 1,1, vgl. Segal 444. Dasselbe findet sich Mt 10,42 = Mk 9,41 ἀμὴν λέγω ὑμῖν.

δ) Die Auslassung des zweiten Hauptsatzes von zwei verbundenen, entgegengesetzten oder parallelen, Konditionalgefügen ist semitisch wegen der Liebe zur Paronomasie[2] ungewöhnlich (Ri 7,5b ist wohl durch Versehen ausgefallen), aber nach ,,sondern“ wie in 2Kor 10,18b noch am wahrscheinlichsten.

d) Der lokale konditionale Relativsatz

α) An die Stelle von ,,wenn irgendwo“ tritt im Semitischen entsprechend[3] ,,wo auch immer“: Hebräisch: Neh 4,14 בִּמְקוֹם אֲשֶׁר תִּשְׁמְעוּ אֶת־קוֹל הַשּׁוֹפָר שָׁמָּה תִּקָּבְצוּ אֵלֵינוּ, LXX ἐν τόπῳ, οὗ ἐὰν ἀκούσητε τὴν φωνὴν τῆς κερατίνης, ἐκεῖ συναχθήσεσθε πρὸς ἡμᾶς ,,Wenn ihr (von) irgendwo die Posaune blasen hört, so versammelt euch dort um uns!“; Num 9,17 וּלְפִי הֵעָלֹת הֶעָנָן מֵעַל הָאֹהֶל וְאַחֲרֵי־כֵן יִסְעוּ בְּנֵי יִשְׂרָאֵל וּבִמְקוֹם אֲשֶׁר יִשְׁכָּן־שָׁם הֶעָנָן שָׁם יַחֲנוּ בְּנֵי יִשְׂרָאֵל, LXX καὶ ἡνίκα ἀνέβη ἡ νεφέλη ἀπὸ τῆς σκηνῆς, καὶ μετὰ ταῦτα ἀπῆραν οἱ υἱοὶ Ισραηλ· καὶ ἐν τῷ τόπῳ, οὗ ἂν ἔστη ἡ νεφέλη, ἐκεῖ παρενέβαλον οἱ υἱοὶ Ισραηλ ,,Und jedes Mal, wenn die Wolke sich vom Zelt erhob, brachen die Israeliten auf; und jedesmal, wenn sich die Wolke irgendwo niederließ, lagerten sich die Israeliten dort“; Ex 20,24b בְּכָל־⟨⟩מָקוֹם אֲשֶׁר, LXX ἐν παντὶ τόπῳ, οὗ ἐάν ,,Nur wenn ich irgendwo meinen Namen kundtue“; Hi 39,30b בַּאֲשֶׁר חֲלָלִים

[1] Im Sem. wie im Griech. kann ein Hauptsatz (bes. Verben des Sagens) in einen anderen Satz ohne Einfluß auf dessen Konstruktion eingeschoben werden: VglGr 463, vSoden 182, Synt Verh 514f., Syntax 319. 321f. 382f., Wagner 343, Brockelmann 175, BLA 112b, Nöld Syr 380, Neusyr 374, Duval 417; K-G 548.3, Schwyzer 705f., Mayser 3, S. 186ff., Bl-Debr 465.

[2] Vgl. S. 97 Anm. 1.

[3] Vgl. S. 142.

שָׁם הוּא, LXX οὗ δ' ἂν ὦσι τεθνεῶτες, παραχρῆμα εὑρίσκονται „Wenn irgendwo Erschlagene sind, so ist er da" (der Adler oder Geier, bzw., wenn נֶשֶׁר in Hi 39,27 Glosse aus Jer 49,16 ist [Duhm], ursprünglich der Falke); Rt 1,16f. בַּאֲשֶׁר, LXX οὗ ἐάν, (אֶל־אֲשֶׁר, LXX ὅπου ἐάν); 1QS 6,3f. (= CD 13,2) בכול מקום אשר יהיה שם עשרה אנשים מעצת היחד אל ימש מאתם איש כוהן „Wenn irgendwo (auch nur) zehn Männer vom Rat der Gemeinde sind, darf unter ihnen ein Priester nicht fehlen"[1]. Neuhebräisch: Ber 1,4 מקום שאמרו להאריך אינו רשאי לקצר „Wenn sie irgendwo gesagt haben, er solle eine längere Form benützen, ist er nicht berechtigt, dort zu kürzen"; Ab 2,5 במקום שאין אנשים השתדל להיות איש „Wo keine Männer sind, bemühe dich, ein Mann zu sein" (Hillel); Pes 4,1.3.4.5; Suk 3,11; BM 7,1; BB 1,1.2; AZ 1,6; bBer 17b; bBQ 113b; jŠebi 35b unten; jAZ 41d מקום שאין פת ישראל מצויה בדין הוא שתהא פת גוים מותרת „Wenn irgendwo kein Brot von Juden vorhanden ist, wäre es recht, daß dort das Brot der Heiden erlaubt ist" u. ebd. ö. ä.; + כל: Ter 1,2; Pes 1,1; bŠab 39b; bErub 54a; 82a כל מקום שאמר רבי יהודה אימתי וגו' אינו אלא לפרש דברי חכמים „Wenn R. J. irgendwo ‚wann etc.' sagt, so will er nur die Worte der Weisen erklären"; 96a; bKet 29a כל מקום שיש מכר אין קנס וכל מקום שיש קנס אין מכר „Wenn irgendwo Verkauf möglich ist, ist dort keine Bestrafung möglich, und umgekehrt"; bSanh 52b; bŠebu 4a; 30b; jŠab 12c כל מקום ששנו באמת הלכה למשה מסיני „Wenn irgendwo in der Mischna באמת steht, so handelt es sich dort immer um einen Rechtssatz des Mose vom Sinai"; jSoṭ 24a; GenR 8,8; 30,3; 78,12; 79,6; ExR 30,2; RtR zu 1,2 u.ö. Reichsaramäisch: 1QGenApoc 19,20 בכול [אתר] די [נתה לתמן אמרי] עלי די אחי הוא ואחי בטליכי ותפלט נפשי בדיליכי „Wo auch immer wir hinkommen werden, sage von mir: Er ist mein Bruder!, so werde ich durch dich am Leben bleiben und mein Leben wird durch dich gerettet werden". Jüdisch-Palästinisch: jBQ 6d oben = jBM 8b unten = jBB 14b oben u.ö. ...הן דתימר „Wenn es irgendwo heißt..."; LevR 27,1 אן דאת יהיב את משפע אן דאת מחי את מדקדק „Wenn du irgendwo gibst, gibst du reichlich; wo du aber schlägst, zermalmst du" (= GenR 33,1); KlglR zu 1,16 אן דאית יהודאי ייתי דמלכא בעי למיתן ליה מילא „Wenn irgendwo ein Jude ist, komme er herbei, denn der König will ihm etwas geben"; jBer 12a unten; + כל: jŠebi 38d וכל הן דהוה מיתא הוה טייף וסליק ליה מן לעיל = GenR 79,6 וכל אתרא דהוה קטילא סליק = PredR zu 10,8 וכל הן דהוה

---

[1] LXX übersetzt sonst (בְּ)מְקוֹם אֲשֶׁר immer ganz wörtlich (ἐν) (τῷ) τόπῳ οὗ (ἐάν) o.ä., בַּאֲשֶׁר meist durch οὗ (ἐάν).

מית טייף וסליק ליה „Und wenn irgendwo ein Toter begraben war, stieg der daraufhin empor"; jBB 14b oben; jSanh 24c כל אתר דתימר ערירים יהיו הווין בלא וולד וכל אתר דתימר ערירים ימותו קוברין את בניהן „Wenn es (in der Schrift) irgendwo heißt: Sie werden kinderlos sein(, so soll das bedeuten): Sie werden keine Kinder haben; wenn es aber irgendwo heißt: Sie werden kinderlos sterben(, so soll das bedeuten): Sie werden ihre Kinder begraben"; jSanh 25b = jKil 28c כל הן דאנא משכח וי׳׳ו אנא מחיק ליה „Überall wo ich וי׳׳ו finde, lösche ich es aus"; mit anaphorischem (?) תמן (reichsaramäisch?): bBer 63a דרש בר קפרא באתר דלית גבר תמן הוי גבר אמר אביי שמע מינה באתר דאית גבר תמן לא תהוי גבר „Bar Qappara (um 200 n. Chr. in Palästina) predigte: Wenn irgendwo kein Mann ist, so sei du dort Mann! Da sagte Abaje: Entnimm daraus: Wenn irgendwo ein Mann ist, sei dort nicht Mann!"; bBB 58b באתר דלית חמר תמן מתבעו סמנין „Wenn es irgendwo keinen Wein gibt, so braucht man dort Heilmittel"; bSuk 53a (Schles S. 217f.), vgl. KlglR zu 1,1 ובאתרא דישלים מנין עשרין שריין תמן את משכח ליה „Und an der Stelle, wo die Zahl von 20 Balken voll ist, dort wirst du es finden". Babylonisch-Talmudisch: bAr 19a באתרא דתקלי שמכי פטר נפשיה אפילו בשמכי „Wenn man irgendwo Zwiebeln nach Gewicht verkauft, kann er sich dort sogar durch Zwiebeln lösen" u. ebd. ö. ä.; bChul 11b היכא דאפשר אפשר היכא דלא אפשר לא אפשר „Wenn es irgendwo möglich ist (eine Satzung zu befolgen), ist es möglich (=soll man es tun), wo aber nicht, nicht"; + כל: bBeṣ 7a כל היכא דאיכא זכר לא ספנא מארעא „Wenn irgendwo ein Hahn vorhanden ist, scharrt sie (die Henne) sich nicht in die Erde ein"; bJeb 84b כל היכא דהוא מוזהר היא מוזהרת וכל היכא דהוא לא מוזהר היא לא מוזהרא „Wenn er irgendwo gewarnt ist, ist auch sie dort gewarnt, wenn er irgendwo nicht gewarnt ist, auch sie nicht" u. ö. כל היכא ד: bŠab 34a; bChag 7a; bTem 15b; 27a; bKer 7a.

β) Aber auch im Griechischen ist ὅπου, ὅπου ἐάν im Sinne von εἴ που, ἐάν που nicht selten, vgl. Xenoph Hell 3.4,18 ὅπου (= εἴ που) γὰρ ἄνδρες θεοὺς μὲν σέβοιντο, τὰ δὲ πολεμικὰ ἀσκοῖεν, πειθαρχεῖν δὲ μελετῷεν, πῶς οὐκ εἰκὸς ἐνταῦθα πάντα μεστὰ ἐλπίδων ἀγαθῶν εἶναι; Cyrop 5.1,24 ὅπου δ' ἂν (= ἐάν που) μένῃ (ὁ τῶν μελιττῶν ἡγεμών), οὐδὲ μία ἐντεῦθεν ἀπέρχεται· ἐὰν δέ που ἐξίῃ, οὐδὲ μία αὐτοῦ ἀπολείπεται. PRevL 53,27 (259—258 v.) ὅπου δ' ἂν (= ἐάν που) χρείαν ἔχωμεν ἐλαίου, προκηρύξομεν. Weitere Beispiele K-G 565.3.4, Bauer s. v. ὅπου.

γ) Der lokale konditionale Relativsatz ist innerhalb des NT besonders in den Synoptikern auffallend häufig[1]. Im einzelnen läßt sich

[1] Er wird in Mt 18,20; 2Kor 3,17 durch οὗ, sonst durch ὅπου (ἄν) eingeleitet.

jedoch nichts Sicheres sagen, da die Konstruktion genau so auch im Griechischen vorkommt: Mt 18,20 Bא οὗ γάρ εἰσιν δύο ἢ τρεῖς συνηγμένοι εἰς τὸ ἐμὸν ὄνομα, ἐκεῖ εἰμι ἐν μέσῳ αὐτῶν „Wenn irgendwo nur zwei oder drei versammelt sind ...“ wird formal bestätigt durch OxyrhPap 1,5 [λέγ]ει [Ἰησοῦς· ὅπ]ου ἐὰν ὦσιν [β', οὐκ] ε[ἰσὶ]ν ἄθεοι, καὶ [ὅ]που ε[ἷς] ἐστιν μόνος, λέ]γω· ἐγώ εἰμι μετ' αὐτ[οῦ], so daß die Lesart von Mt 18,20 Ddg¹sy^sCl aus einem als οὐ mißverstandenen οὗ hervorgegangen sein dürfte[1]; Mt 24,28 (ähnlich Lk 17,37) ὅπου ἐὰν ᾖ τὸ πτῶμα, ἐκεῖ συναχθήσονται οἱ ἀετοί „Wenn irgendwo ein Aas ist, sammeln sich dort die Geier“; 26,13 = Mk 14,9 ὅπου ἐὰν κηρυχθῇ τὸ εὐαγγέλιον ...[2]. Mk 6,10.56a (präterital: „jedesmal wenn“); 9,18 (iterativ: „Jedesmal wenn der ihn irgendwo packt ...“); 1Kor 3,3(?); 2Kor 3,17; Hebr 9,16; 10,18; Jak 3,16 (die letzten fünf und Lk 17,37 ohne ἐάν und Verbum). An einigen der genannten Stellen wird ὅπου bzw. οὗ im Nachsatz durch ἐκεῖ wiederaufgenommen: Mt 18,20 Bא; 24,28 = Lk 17,37; (Mt 6,21 = Lk 12,34)[3]; 2Kor 3,17 𝔎; Jak 3,16 (nicht Mk 6,10, da sich hier ἐκεῖ auf οἰκίαν bezieht und erst ἐκεῖθεν auf ὅπου ἐάν). Dieses ἐκεῖ dürfte kaum auf ein jüdisch-palästinisches תמן zurückgehen, wahrscheinlicher ist schon hebräischer (שָׁם) bzw. LXX-Einfluß, wenn es nicht einfach griechischem Gebrauch entsprechend gesetzt ist[4].

e) Das konditionale Partizip

α) Das konditionale Partizip im Semitischen

An Stelle eines konditionalen Relativsatzes wird im Hebräischen und Neuhebräischen häufiger ein konditionales Partizip gebraucht[5].

---

[1] Wellh Mt 89f. hält dagegen diese Lesart für ursprünglich, da sem., und Bא für Korrektur. Aber sem. würde nach dem hier notwendigen לית ד an Stelle von παρ' οἷς οὐκ entweder parataktisches καὶ οὐκ (ולא) oder εἰ μή (אלא) stehen.

[2] J. Jeremias ZNW 44 (1952—53), 103—7 (vgl. Abendm 242 Anm. 4): „Wenn (Gottes Engel) die Siegesbotschaft aller Welt verkündigen wird ...“ Aber ὅπου ἐάν kann nur eventual-iterativ verstanden werden; auch Mk hat es sicher so verstanden. Sehr unwahrscheinlich ist auch, daß ein eventueller sem. Urtext einen wesentlich anderen Sinn hatte.

[3] In Mt 6,21 ≈ Lk 12,34 handelt es sich um gewöhnliche Relativsätze („da, wo“). Im Sem. ist das nicht zu unterscheiden, außer wenn כל zugesetzt ist (= kond.).

[4] Dalman JJ 209 läßt ἐκεῖ in seiner Rückübersetzung von Mt 24,28 unübersetzt.

[5] Das kond. Partz. ist jedoch in keiner aram. Sprache üblich. Deshalb werden auch alle hebr. und griech. kond. Partizipien des AT und NT in den

Targumen (vgl. S. 147 Anm. 1, S. 154 Anm. 1, S. 180 Anm. 1 usw.), in Peš (vgl. S. 147 Anm. 2, S. 181 Anm. 1 usw.) und im Christl.-Pal. (vgl. Schulthess 190.2) durch Relativsätze wiedergegeben. Das Partz. hat sich nämlich im Aram. zu einem selbständigen Tempus (für Präsens und Futurum, seltener Partz. passiv + ל für Perfekt) entwickelt (ähnlich wie in einem früheren Stadium des Sem. der Stativ [akkadisch] zum „Perfekt" [alle übrigen sem. Sprachen]), wobei es das „Imperfekt" weitgehend (bis auf den Ausdruck des Modalen) verdrängt hat (vgl. VglGr 74a. 77bβ. 81—85, BLA 81, Dalman 289, Stevenson S. 56f., Odeberg 432—455, Margolis 58, Schles 27—30, Nöld Syr 269—80, Mand 373—85, Schulthess 173). Deshalb wurde es nichtprädikativ immer seltener gebraucht: Im Reichsaram. ist das adjektivische Partz. noch recht häufig, so Dan 2,28; 3,6 u.ö.; 7,8.9.20 (aber vgl. 5,5 Ende); ebenso das substantivische: Cowley 7,2; 8,2; Dan 2,21; 4,32; 7,16; Esr 4,15; 7,24. Abgesehen vom Reichsaram. jedoch ist die nominale Verwendung des Partz. nur noch im Syrischen häufiger belegt, und zwar wird es — bes. das passivische — meist substantivisch, selten adjektivisch gebraucht (VglGr 68aγ. 69b. 220d, Margolis 44c. 58k, Schles 38e. 55, Nöld Syr 282—84, Neusyr 165, Mand 317 und Anm. 3). Im Jüd.-Pal. scheint adjektivischer Gebrauch nur bei passivischem Partz. vorzukommen, vgl. jChal 60b עבר חד טעין מובל דקיסין „Es ging einer vorüber, der mit einem Bündel Hölzer beladen war"; jSanh 23c (zit. S. 262); GenR 80,7 הוה חד מנהון עליל לעיר טעין מובילתיה „Einer von ihnen ging in die Stadt, beladen mit seinem Bündel"; HhldR zu 3,4 = KlglR zu 1,13 קמחא טחינא טחנת ואריא קטילא קטלת ודרא יקידא יקדת „(Schon) gemahlenes Mehl hast du gemahlen, einen getöteten Löwen getötet und ein verbranntes Haus verbrannt"; KlglR zu 1,1 הדין מדוכא תבירא „dieser zerbrochene Mörser"; AD 15,15 הוה נגיד תלת מאון גמלין טעינין פלפלין „Er führte mit sich 300 Kamele beladen mit Pfeffer"; (doch liegen hier z. T. wohl schon Zustandsakkusative vor wie sicher: LevR 25,5 = PredR zu 2,20 חד סבא קאים על תרע פלטין טעין מלא מרעליה תינין „Ein Greis steht am Tor des Palastes, beladen mit einem Korb voll Feigen"); daneben substantivisch-passivisch: GenR 79,6 אתון חמון הדין קטילא „Seht diesen Getöteten!"; PredR zu 10,7 (zit. S. 159); substantivisches aktives Partz. ist sehr selten (nur + Suffix): Ab 2,6 סוף מטייפך יטופון „Die dich ertränkten werden schließlich ertrinken"; jNed 40b קרבייא לאו בשר ואכליהון לאו אינש „Die Eingeweide sind kein Fleisch und der sie Essende ist kein Mensch"; LevR 25,5 u. ö. ברייה „sein Schöpfer"; AD 22,19 ברין „unser Schöpfer"; 25,16 בריך, EsthR zu 1,4 (= 1,22) ברייך „dein Schöpfer"; מצוותא דבריי „Gebote meines Schöpfers"; zu 3,6 (zit. S. 235); LevR 34,14 משבקתי, משבקתך, משבקתיה „meine, deine, seine Geschiedene"; (das einzige Beispiel ohne Suffix [jChag 78a: zit. S. 153] ist sicher ein Versehen); vgl. TrgJer I Gen 27,29 לייטך-מברכך „die dir fluchen — die dich segnen". — (Dagegen handelt es sich in den folgenden Beispielen [immer indeterminiert] nicht um adjektivische Partzz., sondern um Zustandsakkusative [„indem er aß, trank" u.ä.], als welche die Prädikate in Abhängigkeit gekommener partizipialer Nominalsätze erscheinen, also eine Art Akk. c. Partz.: jBer 2d הוה משכח לדוד דמיך „Er fand David schlafend"; 12a חמא יתיה אכל בהתם „Er sah ihn dort essen"; חמא כהניא אכלין בהתם „Er sah die Priester dort essen; jPea 21b נפק ואשכח חד מסכן אכל קופד ושתי חמר

„Er ging und fand einen Armen Fleisch essen und Wein trinken"; 21b = LevR 34,11 אשכחוניה מית „Sie fanden ihn tot" [RtR zu 2,18 דמית]; jMŠ 55b חמית בחילמי עיני נשקה חבירתה „Ich sah in meinem Traum mein eines Auge das andere berühren"; חמית בחילמאיברייתא ערקין מן קומי „Ich sah in meinem Traum die Menschen vor mir fliehen"; 55c חמית בחילמי כרמיה דההוא גברא מסיק חסין „Ich sah in meinem Traum meinen Weinberg Lattich hervorbringen", u. ebenso oft in der Parallele KlglR zu 1,1; jŠab 5b אין חמיתינון לצבורא מצליין למיטרא „Wenn du die Gemeinde um Regen bitten siehst"; jPes 31c כבר אתינן ושמעינן קליה דטלייא אמר לך מה ניזבון לך יומא דין ואמרת ליה „Wir waren schon gekommen, als wir den Knaben sagen hörten: Was soll ich dir heute einkaufen? Und du ihm sagtest" [Fortsetzung zit. S. 136]; jTaan 65a כל זמן דהוינא חמי לון עבדין כן הוה גופי רעד „Sooft ich sie so handeln sah, zitterte mein Körper"; 68d אשכח רבי אלעזר המודעי קאים מצלי „Er fand R. E. aus M. betend"; jMeg 74a חמא חד בר נש משזיג ידוי וריגלוי מן גורנה „Er sah jemanden seine Hände und Füße in einem Eimer waschen"; jMQ 81d חמת חד ספר מחי לחד מיינוק יתיר מן צורכיה „Sie sah, daß ein Lehrer ein Kind mehr als nötig schlug"; jChag 77d [מ' om. jSanh 23c] בתר יומין חמא ההוא חסידא לחסידא חבריה מטייל גו גנין „Nach einigen Tagen sah jener Fromme seinen [verstorbenen] frommen Freund [im Traum] in Gärten spazierengehen"; jSanh 25d אשכחון מיינוקיא עבדין גבשושין „Sie fanden Kinder Hügel aufschütten"; חזית חד מיניי נסיב צרור וזרק ליה לרומא והוה נחת ומתעביד עגל... וחמית חד מיניי נסב חדא גולגלא וזרקה לרומא והיא נחתא ומתעבדא עגל „Ich sah, wie ein Minäer einen Stein [Schädel] nahm und ihn in die Höhe warf und der sich beim Herunterfallen in ein Kalb verwandelte"; jMak 31b חמיין חבריהון נפקין מיקטלא „Sie sehen, wie ihre Mitmenschen zum Richtplatz geführt werden"; jŠebu 37b אשכחון תרין דינרייא עריכין גו עיגולא „Sie fanden die zwei Denare im Brot eingeknetet"; GenR 79,6 = PredR zu 10,8 = jŠebi 38d חמא חד צייד קאים וצייד ציפרין „Er sah einen Jäger Vögel fangen"; LevR 9,9 = NumR 9,19 אשכחת בוצינא טפי „Sie fand das Licht [schon] erloschen"; LevR 21,7 שמע קולהון דטליותא אמרין „Er hörte die Mädchen sagen"; vgl. GenR 59,16 שמע קל כלביא מנבחין „Er hörte die [Stimme der] Hunde bellen"; LevR 22,2 = PredR zu 5,8 [vgl. GenR 10,8] חמא חדא אורדען טענא חד עקרב „Er sah einen Frosch einen Skorpion tragen"; אשכחון יתיה טעין כתבין בישין „Sie fanden, daß er böse Edikte trug"; וחמא תרתין צפרין מתנציין חדא עם חדא וקטלת חדא מנהון חברתה „Und er sah, wie sich zwei Vögel miteinander zankten und einer den anderen tötete"; חמא חד ארי קטיל ומקלק באורחא „Er sah einen Löwen tot auf dem Wege liegen"; LevR 26,2 וחמא יתיה קאים גחין וסייח יתה „Und er sah ihn sich bücken und ihr zureden"; 37,2 אשכחון לההוא גברא יתיב על סקא „Sie fanden den Mann auf einem Sacke sitzend"; RtR zu 1,17 = PredR zu 9,4 חמי תננא סליק מן רחיק „Er sah in der Ferne Rauch aufsteigen"; KlglR zu 2,12 וחמא אבוהי מית „Er sah seinen Vater tot"; PredR zu 3,2 אשכחון קל טלייא קיימין מדחכין קומי חדא דרתא „Sie fanden Kinder vor einem Gehöft laut lachen"; AD 15,16.19; 16,14; 25,13; 28,3.4f.; 34,10f. 15 u. ö. u. ö.; solche Zustandsakkusative können ebensogut auf das Subjekt bezogen sein: jTaan 66d עבד שקיע בשינתיה שובעין שנין „Er verbrachte in Schlaf versunken 70 Jahre"; LevR 18,1 כל תלתא יומין נפשא טייסה על גופה סברא דהיא חזרה ליה „Drei volle Tage [nach dem Tode] fliegt die Seele über ihrem Körper

Dieses hat im Hebräischen meist keinen Artikel[1] — wobei es allerdings öfters eindeutig als Status constructus vokalisiert ist[2] —, im Neuhebräischen dagegen immer einen[3]. LXX übersetzt meistens durch Partizip mit Artikel (dieser fehlt von den unten genannten Belegen nur bei Pred und selten nach πᾶς), öfters durch Relativsatz (ungefähr an einem Fünftel der Stellen) oder auch durch ein Adjektiv (vgl. S. 225f.). Im Hebräischen und Neuhebräischen werden weitere

---

hoffend, daß sie in ihn zurückkehren werde"; PredR zu 3,6 עבד גרמיה מצהיב עם בריה „Er stellte sich zankend mit seinem Sohn" u.ö. [Reichsaram.: Dan 3,25; 6,12; Cowley 30,14, vgl. BLA 100k; ebenso im Hebr.: VglGr 230cd, GKa 117h, Kö 410c, Kropat 37, Brockelmann 103a, M. Johannessohn KZ 64 (1937), 146—57; Arab.: Synt Verh 113f., Syntax 89ff.]) — Im Bab.-Talmud. kommt echtes Partz. nicht adjektivisch vor (Schles 65, vgl. dazu bSanh 96b עמא קטילא קטלת היכלא קליא קלית קימחא טחינא טחינת „Ein getötetes Volk hast du getötet, einen verbrannten Tempel verbrannt, gemahlenes Mehl gemahlen"; bPes 110b גברא קטילא [M דקטיל]). Nach dem Gesagten ist im Jüd.-Pal. der Zeit Jesu in der Regel an Stelle eines nominalen Partz. (bes. eines adjektivischen, transitiven) ein Relativsatz zu erwarten. Das bekannteste Beispiel dafür ist die Wiedergabe des hebr. הָעוֹלָם הַבָּא durch aram. עָלְמָא דְאָתֵי = ὁ αἰὼν ὁ ἐρχόμενος (Belege Bill IV, 815ff.), vgl. auch דברא (etwa jBer 10b u. jNed 40a: zit. S. 260f.) für בורא (Ber 6,1) „der Schöpfer". Es verwundert auch auf Grund des Tatbestandes im Aram. nicht, daß die „Mischkonstruktion" nominales (substantivisches oder adjektivisches) Partz. + ו „und" + Verb. fin. nur im Hebr. und im Neuhebr. zu belegen ist (vgl. GKa 116x, GBe 8e.9e, Kö 413k, Albrecht 107f, Charles I 144*ff., Bl-Debr 468.3) und allenfalls noch im Reichsaram., wenn Aḥiqar 92 nach Cowley zu ergänzen und zu verstehen ist ש[תה] חמרא ויניקנהי — wofür allerdings 93 זי ישתה חמרא ולא [יניקנהי] dasteht (doch ist Aḥiqar möglicherweise eine Übersetzung!) —, so daß es im Jüd.-Pal. der Zeit Jesu nicht vorausgesetzt werden darf (gegen Burney Joh 96f.). Die hierher gehörenden ntl. Beispiele können also (außer nach ἰδεῖν o.ä.: Joh 1,32; Apc 7,2; 9,1; 10,2; 20,12, was auch aram. möglich), wenn sie nicht griech. Ursprungs sind, wie sicher Lk 8,27 Bא (ἔχων!); 15,4 B (ἔχων!); 24,22f. (γενόμεναι!); 1Kor 7,37 (μὴ ἔχων!), nur auf hebr. Einfluß (weniger wahrscheinlich LXX, da LXX oft nicht wörtlich übersetzt) zurückgehen: Mt (13,22); Mk (4,18f.); 13,34; Lk 8,(12).14; Joh 5,44; 15,5; Act 9,21; 11,5; 15,8f.?; 2Kor 6,9; Kol 1,26 Bא; 2Joh 2; 3Joh 10; Apc 1,5f.18; 2,2b.9b.20.23b; 3,7b.c.9; 7,14; 12,2 אC; 14,2f.; 15,2f.

[1] Artikel findet sich nur im älteren Hebr., so Gen 26,11; Lev 7,17.29.33; 11,39; 14,46.47a.b; 15,6.7; 16,28; Num 19,11; Jer 21,9 = 38,2 und meistens nach כֹּל.

[2] So Ex 21,12; Lev 24,18; Ps 15,5.

[3] Auch wenn das Partz. ein Suffix hat: Pes 3,5 (Objektsuffix an determ. Partz. ist auch hebr.: Dt 20,1 u.ö.). Wenn der Artikel vor dem Partz. im Neuhebr. fehlt, wie etwa Ab 5,11—14, ist es als Verb. fin. (prädikativ) gemeint.

Prädikate immer in Form von Verba finita (+ ו) angeschlossen[1]. Wenn noch ein konditionales Partizip folgt, ist immer ein anderes Subjekt gemeint „Wenn jemand ... oder wenn jemand ...“, vgl. Spr 17,15; Pes 7,11; 8,6; Jom 8,2; Sot 4,3; Sanh 9,6; Ab 3,4 u.ö.

I. Das konditionale Partizip ist grammatisches Subjekt des Hauptsatzes

1) Hebräisch: Ex 21,12 מַכֵּה אִישׁ וָמֵת מוֹת יוּמָת, LXX ἐὰν δὲ πατάξῃ τίς τινα καὶ ἀποθάνῃ, θανάτῳ θανατούσθω. 17 מְקַלֵּל אָבִיו וְאִמּוֹ מוֹת יוּמָת, LXX ὁ κακολογῶν πατέρα αὐτοῦ ἢ μητέρα αὐτοῦ τελευτήσει θανάτῳ. Spr 26,27a כֹּרֶה־שַׁחַת בָּהּ יִפֹּל, LXX ὁ ὀρύσσων βόθρον τῷ πλησίον ἐμπεσεῖται εἰς αὐτόν. Gen 26,11; Ex 21,15; 22,19; Lev 7,17.29; 11,39; 14, 46.47; 15,6.7; 16,28; 24,16.18.21a.b; Num 19,11.21b; 2Sam 23,3f.; Jes 28,16b; Jer 21,9a.b = 38,2a.b; Ez 3,27; Ps 15,5; Spr 1,33; 6,32; 8, 35.36; 9,7a.b; 10,5a.b. (8a.b Adjektiv). 9a.b; 10a.b. 17.18b. 19b; 11,13a.b. 15b. 19a.b. 25b. 27a. 28a. 29a; 12,11a.b. 15b. 16b. 17; 13,3a. 11b. 13a.b. 24a.b; 14,2a.b. 21a. 31a.b; 15,5b. 10b. 27. 32a.b; 16,20a. 30a.b; 17,5a.b. 9a.b. 14. 19a.b. 20a.b. 27a.b; 18,9; 19,16a.b. 26; 20,2b. 19; 21,6.13.17a.b. 21.23; 22,5b.8; 23,24b; 27,18a.b; 28,7a.b. 8. 10. 13a.b. 18a.b. 19a.b. 20b. 23. 24. 26a.b. 27b; 29,3a.b. 21. 24; Pred 5,9; 10,8a. 9a.b; 11,4a.b; Sir 3,26b. 27b. 31; 4,15; 6,14; 14,4. 5. 9b; 15,1; 19,1; 31,5; 32,15. 24; 1QS 7,15; 9,1. 1f.; CD 4,18; 5,14; 9,12 u.ö. Neuhebräisch: Peš 7,11 השובר את העצם בפסח הטהור הרי זה לוקח ארבעים „Wenn jemand einen Knochen von einem reinen Passalamm zerbricht, erhält er 40 Geißelhiebe“; Ber 1,2; 2,3; 4,4; 5,4; 6,8; 9,1.4; Pea 2,1.5; 3,2; 5,5; 7,3.4; Kil 1,9; 2,6.9; 4,8; 5,5.8; 6,3; 7,4; Chal 1,2.9; 2,7; 3,8; Orl 1,1.2; Bik 1,6.11; Šab 2,5; 7,1; 9,7; 10,1.2.3.4.5; 11,2.3—6; 12,1.2.3.4; 13, 1.2.5; 14,1.4; 22,5; Pes 2,4; 3,5.7; 4,2; 5,4; 7,11; 8,2; 9,7; Jom 7,2; 8,2; Suk 2,1.2; RŠ 4,8; BQ 3,2.3.7; 5,5; 6,1.4.5; 7,2.5; 8,1.3.4.5.6; 9,1.9.11; 10,5.6—8; BM 3,12; 4,7.8; 5,2; 6,3.4.5.8; 7,1.2; 8,2.3.4.6.9; 9,1.3.5—10.13; 10,5; BB 4,1—8; 5,1—6; 6,1.4.8; 8,5.7; 9,7; 10,7.8; AZ 3,3; 5,12; Ab 3,4; 4,7.11.20; Fiebig Nr 116, 123, 146, 169, 218, 243, 245, 322, 329, 334 u.ö. u.ö. u.ö.

2) Zum Ausdruck der Verallgemeinerung und Unbestimmtheit kann dem konditionalen Partizip noch כל „jeder“ vorangestellt

---

[1] VglGr 329e, GKa 112k. 116x, Kö 413k—p, Driver 117, Brockelmann 140, Albrecht 107f, Segal 331; etwa (mit gleichem oder verschiedenem Subj.): Ex 21,16; Num 21,8 und sehr oft im Neuhebr.

werden[1]: Hebräisch: Num 19,14 כָּל־הַבָּא אֶל־הָאֹהֶל וְכָל־אֲשֶׁר בָּאֹהֶל יִטְמָא שִׁבְעַת יָמִים, LXX πᾶς ὁ εἰσπορευόμενος εἰς τὴν οἰκίαν καὶ ὅσα ἐστὶν ἐν τῇ οἰκίᾳ ἀκάθαρτα ἔσται ἑπτὰ ἡμέρας. Gen 4,14; 21,6; Ex 22,18; 30,14; 33,7; Lev 15,10; Num 19,13; 21,8; Ri 19,30; 2Sam 5,8; 20,12; 1Kön 9,8; Spr 21,5b; 1Chr 11,6; 2Chr 13,9; 1QS 2,25f.; 5,7f.; 9,24; CD 11,21f. Neuhebräisch: Sifre zu Num 15,23 (§ 111) כל המודה בעבודה זרה כופר בעשרת הדברות וכל הכופר בעבודה זרה מודה בכל התורה כולה „Jeder sich zum Götzendienst Bekennende verleugnet die zehn Gebote und umgekehrt"; Šab 7,1; 12,1; 23,5; BQ 3,3; Ab 6,1.6; Kel 12,2; Fiebig Nr 12, 89, 132 u.ö.

II. Das konditionale Partizip ist grammatisches Objekt des Hauptsatzes

Spr 15,9b מְרַדֵּף צְדָקָה יֶאֱהָב, LXX διώκοντας δὲ δικαιοσύνην ἀγαπᾷ. Ex 22,17; 1Kön 14,11a.b = 16,4 = 21,24; 19,17; Sir 33,1 (dagegen 1QS 7,9.9.10; 9,1 emphatisches ל beim Nominativ[2]). Dieser Fall ist sehr selten. In der Regel bleibt das Partizip im Nominativ und wird durch ein Suffix am Hauptverbum wiederaufgenommen.

III. Das konditionale Partizip steht dem Hauptsatz als „Casus pendens" absolut voran[3]

a) Es wird im Hauptsatz an der syntaktisch passenden Stelle durch ein Suffix wiederaufgenommen[4]. LXX bildet die hebräische Konstruktion z.T. genau nach[5], z. T. beseitigt sie das Anakoluth, und zwar meistens, indem sie das Partizip zum Subjekt des Nachsatzes macht, seltener durch Attraktion des Partizips an das Hauptverbum:

[1] Nach πᾶς fehlt in LXX der Artikel vor dem Partz., griech. Sprachgebrauch bei πᾶς entsprechend, öfters — aber nicht immer —, wenn er auch im Hebr. fehlt: Ex 22,18; Num 35,30; 1Sam 3,11; 2Sam 5,8; 1Chr 11,6. Manchmal läßt LXX auch πᾶς aus: Gen 4,14; 21,6; Jes 55,1 oder setzt πᾶς zu: Gen 26,11.

[2] Wie öfters im Hebr., vgl. VglGr 56b, GKa 119u. 143e, Kö 271. 351d, Kropat 4ff., Brockelmann 31a, GBu s. v., zu weit geht F. Nötscher, Zum emphatischen Lamed, VT 3 (1953), 372—80.

[3] Vgl. S. 156f. Dabei ist der Subjektswechsel oft nur vom Sinn her, nicht grammatisch, zu erkennen (in Klammern: kond. Relativsätze): Gen 4,15; Num 35,30; (Ps 25,12); Spr 29,9; 26,27b LXX; Pea 3,9; Kil 4,5.6; (7,7); 7,8; Ter 4,4; Chal 4,1; Šab (13,6); RŠ 3,7; Pes (2,3); BQ 3,1.(9); (5,1.2); 6,3(.6); 8,7; 9,10; BM 3,1.6.9.10.11; 9,2; BB 5,7.8; 6,2; 10,8; AZ 4,12; 5,4; Miqw 9,3; (ExR 21,3); (Cowley 11,4f.); (jKil 32a; PredR zu 7,9); (bKer 5b).

[4] Dieses Suffix fehlt z.T. und ist zu ergänzen: Spr 28,27a (לוֹ); Hi 41,18 (חַרְבוֹ); 1Sam 2,13f. (כִּיּוֹרוֹ); Spr 27,7b (לוֹ).

[5] Ex 22,18 hat LXX sogar gegen das Hebr. Anakoluth.

Hebräisch: Gen 9,6 שֹׁפֵךְ דַּם הָאָדָם בָּאָדָם דָּמוֹ יִשָּׁפֵךְ, LXX ὁ ἐκχέων αἷμα ἀνθρώπου ἀντὶ τοῦ αἵματος αὐτοῦ ἐκχυθήσεται. Lev 7,33 הַמַּקְרִיב אֶת־דַּם הַשְּׁלָמִים וְאֶת־הַחֵלֶב מִבְּנֵי אַהֲרֹן לוֹ תִהְיֶה שׁוֹק הַיָּמִין לְמָנָה, LXX ὁ προσφέρων τὸ αἷμα τοῦ σωτηρίου καὶ τὸ στέαρ ἀπὸ τῶν υἱῶν Ααρων, αὐτῷ ἔσται ὁ βραχίων ὁ δεξιὸς ἐν μερίδι. Ps 32,10b וְהַבּוֹטֵחַ ביהוה חֶסֶד יְסוֹבְבֶנּוּ, LXX τὸν δὲ ἐλπίζοντα ἐπὶ κύριον ἔλεος κυκλώσει. Spr 11,27b ודרשׁ רָעָה תְבוֹאֶנּוּ, LXX ἐκζητοῦντα δὲ κακά, καταλήμψεται αὐτόν. 17,13 מֵשִׁיב רָעָה תַּחַת טוֹבָה לֹא־תָמוּשׁ רָעָה מִבֵּיתוֹ, LXX ὃς ἀποδίδωσιν κακὰ ἀντὶ ἀγαθῶν, οὐ κινηθήσεται κακὰ ἐκ τοῦ οἴκου αὐτοῦ. 26,27b וְגוֹלֵל אֶבֶן אֵלָיו תָּשׁוּב, LXX ὁ δὲ κυλίων λίθον ἐφ᾽ ἑαυτὸν κυλίει. Jes 44,20; Spr 11,26a; 13,3b; 14,21b; 16,20b; 17,21; 18, 13; 20,20; 24,8.24; 28,9; Pred 10,8b; + כֹּל: 1Sam 3,11 = 2Kön 21,12 = Jer 19,3 כָּל־שֹׁמְעוֹ תִּצַּלְנָה שְׁתֵּי אָזְנָיו, LXX παντὸς ἀκούοντος αὐτὰ ἠχήσει ἀμφότερα τὰ ὦτα αὐτοῦ. Esr 1,4; 1QS 6,13f. (= CD 13,11) כול המתנדב מישראל להוסיף על עצת היחד ודורשהו האיש הפקיד ברואש הרבים לשכלו ולמעשיו „Wer willens ist aus Israel, sich dem Rat der Gemeinde anzuschließen: es prüft ihn der Aufseher an der Spitze der Vielen in bezug auf seine Einsicht und Werke"; 8,21ff.; CD 9,10f. כל האובד ולא נודע מי גנבו ⟨מעמד⟩ המחנה אשר גנב בו ישביע בעליו בשבועת האלה „Alles was verloren gegangen ist, ohne daß bekannt ist, wer es gestohlen hat: in Anwesenheit des ganzen Lagers, in welchem es gestohlen wurde, lasse man seinen Besitzer einen Fluch aussprechen"; vgl. 1QS 5,18 (plur.). An die Stelle des wiederaufnehmenden Suffixes kann auch dasselbe oder ein ähnliches Partizip treten: Num 35,30 כָּל־מַכֵּה־נֶפֶשׁ לְפִי עֵדִים יִרְצַח אֶת־הָרֹצֵחַ, LXX πᾶς πατάξας ψυχήν, διὰ μαρτύρων φονεύσεις τὸν φονεύσαντα. Das konditionale Partizip kann auch durch ein im Nominativ stehendes Substantiv wiederaufgenommen werden: Ex 12,15b; 31,14; BM 3,2; 8,5.7; BB 5,9, oder durch Substantiv und dasselbe Partizip: Lev 7,25, oder mit einem pluralischen Verbum finitum verbunden sein: 2Sam 2,23b; Jes 55,1 (alle + כֹּל); CD 15,5f. Neuhebräisch: Pes 9,7 המפריש פסחו ומת לא יביאנו בנו אחריו לשם פסח אלא לשם שלמים „Wer sein Passalamm abgesondert hat und stirbt: nicht darf es sein Sohn nach ihm als Passaopfer darbringen, sondern nur als Mahlopfer"; Ber 4,4; 5,3; Pea 3,8; 5,5.8; 6,11; Orl 3,2; Šab 13,3; 22,2 (10,6; 11,1; 12,6); Pes 4,1; Jom 8,6.9; MQ 3,5; BM 2,4; 3,12; 6,1; 8,8; 10,5; Sanh 9,5; Ab 3,6.7; 4,5; mehrere konditionale Partizipien werden z. T. durch pluralisches Suffix wiederaufgenommen: Pes 8,4.6; Sanh 9,6; vgl. noch Pea 5,6 המוכר את שדהו

המוכר מתר והלוקח אסור „Jemand, der sein Feld verkauft: der Verkäufer ist erlaubt, der Käufer aber verboten"; + כל: Qid 1,10 כל העושה מצוה אחת מטיבין לו ומאריכין לו ימיו „Jeder, der Ein Gebot tut: man (= Gott) tut ihm Gutes und verlängert ihm seine Tage"; Chag 2,1; Sanh 6,2; BM 6,2; 7,11; Ab 3,5.8; 4,4.6.9; bŠab 12b כל השואל צרכיו בלשון ארמי אין מלאכי השרת נזקקין לו שאין מלאכי השרת מכירין בלשון ארמי „Jeder, der, was er nötig hat, in aramäischer Sprache erbittet: die Dienstengel geben sein Gebet nicht weiter, weil die Dienstengel kein Aramäisch verstehen"; Fiebig Nr 10, 23, 25, 51, 145, 161, 327, 354.

b) Konditionales Partizip und Hauptsatz haben einen Satzteil mit Ausnahme des Partizips gemeinsam: Hebräisch: Gen 4,15 כָּל־הֹרֵג קַיִן שִׁבְעָתַיִם יֻקָּם, LXX πᾶς ὁ ἀποκτείνας Καιν ἑπτὰ ἐκδικούμενα παραλύσει „Wenn jemand den Qain tötet, wird dieser (Qain) siebenfach gerächt werden"[1] bzw. „Die Ermordung Qains wird siebenfach gerächt". Neuhebräisch: Pea 3,5 המוכר קלחי אילן בתוך שדהו נותן פאה מכל אחד ואחד „Jemand, der Baumstämme auf seinem Felde verkauft: er (der Käufer) gibt Pea von jedem einzelnen". 8.9 הכותב נכסיו לעבדו יצא בן חורין „Jemand, der seine Güter seinem Sklaven verschreibt: er (der Sklave) wird frei"; 7,8; Kil 4,5.6.7.9; 6,4; 7,8; Ter 4,4 האומר לשלוחו צא ותרום תורם כדעתו של בעל הבית „Wer zu seinem Boten sagt: Entrichte die Priesterhebe!: er (der Bote) entrichtet sie mit Wissen des Hausherrn"; Chal 2,4.5; 3,4.5.7.10; Suk 1,8.9.11; 2,1.3.4; BQ 3,1; 6,3.4; 9,10; 10,1.2.3; BM 3,1.6; 7,7; 9,2; BB 1,3; 7,1.4; 9,2.4.5; 10,7; Ned 1,4; AZ 3,2; 4,12; 5,4.7; Pes 8,3 u.ö.; + כל: bŠab 105b כל המוריד דמעות על אדם כשר הקדוש ברוך הוא סופרן ומניחן בבית גנזיו „Jeder, der Tränen herabrinnen läßt wegen eines frommen Mannes: Gott zählt sie und legt sie in sein Schatzhaus"; ganz unabhängig: RŠ 3,7; 4,7; BQ 8,7.

c) Die Handlung des konditionalen Partizips an sich bedingt den Hauptsatz; dabei fehlt in der Regel eine beiden gemeinsame Person oder Sache: Ber 5,4 האומר יברכון טובים הרי זה דרכי מינות „Wer sagt: Segnen dürfen nur Gute (= Zu sagen ...): das ist Ketzerei"; 9,3 הצועק לשעבר הרי זו תפלת שוא „Wer klagt über das Vergangene: das ist ein unnützes Gebet"; Kil 1,9; 3,4; 4,9; 5,6; 9,10; Jom 8,2 האוכל ושותה אין מצטרפין „Wer ißt und trinkt: die werden nicht zusammen-

---

[1] So dürfte es der Jahwist nach V. 24 gemeint haben, doch ist die übliche Deutung dieses Qal passiv „der Rache verfallen", also נָקַם + Akk. „an jemandem Rache üben" nach Jos 10,13 nicht unmöglich.

gerechnet (= Gegessenes und Getrunkenes wird nicht addiert)"; BM 5,1; vgl. bei כאלו: Suk 1,2; Fiebig Nr 50, 119, 145, vgl. auch Nr 51, 114. Mit Wiederaufnahme des Partizips: Spr 18,13 מֵשִׁיב דָּבָר בְּטֶרֶם יִשְׁמָע אִוֶּלֶת הִיא־לוֹ וּכְלִמָּה ,,Wenn jemand antwortet, bevor er gehört hat, so bedeutet das für ihn Torheit und Schande", LXX ὃς ἀποκρίνεται λόγον πρὶν ἀκοῦσαι, ἀφροσύνη αὐτῷ ἐστιν καὶ ὄνειδος. Ber 5,5 המתפלל וטעה סימן רע לו ,,Wer betet und dabei versehentlich einen Fehler macht: ein schlimmes Zeichen ist es für ihn"; bBer 24b המתעטש בתפלתו סימן רע (יפה) לו ,,Wer während des Betens niest: ein schlimmes (gutes) Zeichen ist es für ihn".

β) Das konditionale Partizip im Griechischen

I.II. Auch im Griechischen sind konditionale substantivische Partizipien üblich: 1) Platon leges 730d τίμιος μὲν δὴ καὶ ὁ μηδὲν ἀδικῶν, ὁ δὲ μηδ' ἐπιτρέπων τοῖς ἀδικοῦσι ἀδικεῖν πλέον ἢ διπλασίας τιμῆς ἄξιος ἐκείνου. 767e ὁ δὲ ὀφλὼν τὴν τοιαύτην δίκην ὑπεχέτω μὲν τοῦ βλάβους τῷ βλαφθέντι τὸ ἥμισυ τίνειν. 768b ὁ γὰρ ἀκοινώνητος ὢν ἐξουσίας τοῦ συνδικάζειν ἡγεῖται τὸ παράπαν τῆς πόλεως οὐ μέτοχος εἶναι. 774b ὁ δὲ μὴ ἐκτίνων κατ' ἐνιαυτὸν δεκαπλάσιον ὀφειλέτω. Xenoph Anab 7.7,42 ὁ ἀρετὴν ἔχων πλουτεῖ μὲν ὄντων φίλων πολλῶν. PTeb 35,11 (111 v.) ὁ παρὰ ταῦτα ποιῶν ἑαυτὸν αἰτιάσεται. Allerdings stehen sie meist nicht im Nominativ sing. voran, sondern in einem obliquen Kasus an irgendeiner anderen, gerade passenden Stelle des Satzes[1], wie etwa in Platon leges 774b πᾶς τῷ ἀδικουμένῳ βοηθείτω καὶ ἀμυνέτω oder Xenoph Anab 6.5,18 οὐκ ἔστιν μὴ νικῶσιν σωτηρία. 2) Vor das Partizip kann auch πᾶς treten. Dabei wird der Artikel oft beibehalten, obwohl sonst nach πᾶς = ,,jeder" kein Artikel steht[2]: Soph Ajax 151f. πᾶς ὁ κλύων τοῦ λέξαντος χαίρει μᾶλλον. Menander FabInc 195 (A. Meineke Fragm. Com. Graec. IV 277) πᾶς ὁ μὴ φρονῶν ἀλαζονείᾳ καὶ ψόφοις ἁλίσκεται. Demosth 23,97 πᾶς γὰρ ὁ μήτε δι' ἔχθραν μήτε δι' εὔνοιαν μήτε δι' ἄλλην ἄδικον πρόφασιν μηδεμίαν παρ' ἃ γιγνώσκει θέμενος τὴν ψῆφον εὐσεβεῖ.

III. Anakoluthischer Nominativus absolutus, an Stelle eines Genitivus absolutus oder eines Partizipium conjunctum stehend und im Hauptsatz durch ein Pronomen wiederaufgenommen, kommt im klassischen und Koine-Griechisch öfters vor, und zwar entweder mit Absicht (um das logische Subjekt auch grammatisch hervorzuheben), oder aus Nachlässigkeit (weil der Schreiber zunächst eine andere

[1] Vgl. S. 167 Anm. 3.

[2] Vgl. K-G 465.6, Mayser 2 S. 96f., Bl-Debr 275,3.6.

Fortsetzung im Sinne hatte): Z 510f. ὁ δ' ἀγλαΐηφι πεποιθώς, ῥίμφα ἑ γοῦνα φέρει μετά τ' ἤθεα καὶ νομὸν ἵππων. Herodot 8,87 ἡ οὐκ ἔχουσα διαφυγεῖν (ἔμπροσθε γὰρ αὐτῆς ἦσαν ἄλλαι νέες φίλιαι, ἡ δὲ αὐτῆς πρὸς τῶν πολεμίων μάλιστα ἐτύγχανε ἐοῦσα), ἔδοξέ οἱ τόδε ποιῆσαι, τὸ καὶ συνήνεικε ποιησάσῃ. Platon leges 769c θνητὸς ὢν σμικρόν τινα χρόνον αὐτῷ πόνος παραμενεῖ πάμπολυς (= θνητὸς ὢν πόνον ἔχει). Xenoph Hell 4.1,24 ἐπιπεσὼν τῇ Φαρναβάζου στρατοπεδείᾳ, τῆς μὲν προφυλακῆς αὐτοῦ Μυσῶν ὄντων πολλοὶ ἔπεσον erg. ὑπ' αὐτοῦ (= πολλοὺς ἀπέκτεινε). ZenPap 59140,5 (256 v.) μεταπεμψάμενος Χαρίδημον ἐρωτώμενος ἔφασεν „Als ich den Ch. kommen ließ, sagte er auf meine Frage"; PBU II 385,7 (2.—3. Jahrh. n.) ὁ ἐνιγών (= ἐνεγκών) σοι τὴν ἐπιστολήν, δὸς αὐτῷ ἄλλην. Mt 4,16 D; 17,2 D. 9 D. 14 D; Mk 9,20; Act 19,34. Auch kann ein Genitivus absolutus oder ein Partizipium conjunctum konditionalen Sinn haben: Xenoph Ages 10,2 τίς γὰρ ἂν θεοσεβῆ μιμούμενος ἀνόσιος γένοιτο; in der Koine im Verhältnis zu den überaus häufigen konjunktionalen Konditionalsätzen selten: Epiktet III 15,10 δοκεῖς, ὅτι ταῦτα ποιῶν δύνασαι φιλοσοφεῖν; ZenPap 59272,5 (251 v.) τοῦτο [ποιήσ]ας ἔσει ἡμῖν βεβοηθηκώς. PSI IV 340,20 (257 v.) πεπείσμεθα σοῦ βουλομένου πάντ' ἔσεσθαι. Lev 18,5 LXX; Mt 21,22; Lk 9,25 κερδήσας für Mt 16,26 ἐὰν κερδήσῃ (Bl-Debr 418.2); 1Kor 11,29b u.ö. Aber ein absolut voranstehendes konditionales Partizip ist im Griechischen ganz selten: Aelian De natura animalium III. 41 (Raderm 219) καὶ εἴ τις ἐς αὐτὰ ἐμβάλοι φάρμακον θανατηφόρον, ὁ πιὼν οὐθὲν ἐπιβουλῇ λυπήσει αὐτόν.

γ) Das konditionale Partizip im Neuen Testament

Im NT kommt substantivisches konditionales Partizip 266 mal vor (gegenüber 158 konditionalen Relativsätzen)[1]. Da das konditionale Partizip im Gegensatz zum konditionalen Relativsatz nur im Hebräischen und Neuhebräischen üblich ist, könnte bei Annahme wörtlicher Übersetzung aus dem Semitischen in allen diesen Fällen nur ein hebräisches bzw. neuhebräisches Original angenommen werden, jedoch kein aramäisches[2]! Aber dieser Schluß ist nicht zwingend! Es

---

[1] Vgl. die Tabelle auf S. 230—32.

[2] Wie S. 196 Anm. 5 nachgewiesen wurde, ist im Jüd.-Pal. der Zeit Jesu nichtprädikativer Gebrauch auch des nicht-kond. Partz. nur noch in einigen, wenigen Fällen zu erwarten. In der Regel ist deshalb bei Rückübersetzung ntl. Texte für ein griech. substantivisches oder adjektivisches Partz. ein aram. Relativsatz einzusetzen (so Mt 11,28 D it, Lk 15,4 D it). In diesem Relativsatz ist dann allerdings als Prädikat meistens ein Partz. („prädikatives

läßt sich nämlich zeigen, daß das kond. Partizip z. T. gar nicht ursprünglich sein kann, da in bestimmten Fällen auch im Hebräischen und Neuhebräischen das Partizip nicht gebraucht werden kann, vielmehr auch hier, wie in den aramäischen Sprachen, nur ein Relativsatz möglich ist:

1. Im Semitischen wird ein nichtprädikatives (substantivisches oder adjektivisches) Partizip nicht negiert[1]; vielmehr muß in diesem Fall

---

Partz.") zu erwarten, so daß das etwa von Burney Joh 94f., Joüon Aramaismes 221f. 229, Jeremias Abendm 170f. = Black 254, Jeremias ThWNT IV 871 Anm. 216 über die Zeitlosigkeit des sem. Partz. richtig Bemerkte für die betr. Stellen gültig bleibt, wenn auch kein nicht-prädikatives Partz. vorausgesetzt werden darf; nur jussivischer Sinn (Jeremias Gleichnisse 57, Anm. 1 zu κεκλημένους Mt 22,3) müßte aram. durch Impf. — und das ist unzweideutig — ausgedrückt werden. Aus diesem Grunde läßt sich auch die doppelte Form des Täuferspruches Mk 1,7 (= Lk 3,16; vgl. Joh 1,30; Act 13,25) ἔρχεται ὁ ἰσχυρότερός μου ὀπίσω μου und Mt 3,11 (vgl. Joh 1,15.24) ὁ δὲ ὀπίσω μου ἐρχόμενος ἰσχυρότερός μού ἐστιν nicht auf ein gemeinsames aram. Original zurückführen, etwa: אתי בתריי תקיף מיני, da dieses höchstens im Sinne von Mk verstanden werden kann, während ὁ ὀπίσω μου ἐρχόμενος דאתי בתריי (gegen Black 106—8) heißen muß (nur im Hebr. [nicht im Neuhebr.] ist eine solche doppeldeutige Formulierung, bei der unklar ist, ob das Partz. Subj. oder Prädikat ist, möglich, vgl. Spr 14,31 עֹשֵׁק דָּל חֵרֵף עֹשֵׂהוּ וּמְכַבְּדוֹ חֹנֵן אֶבְיוֹן „Wer den Geringen bedrückt, lästert dessen Schöpfer, doch ehrt ihn, wer sich des Armen erbarmt", LXX versteht den zweiten Halbvers umgekehrt: ὁ συκοφαντῶν πένητα παροξύνει τὸν ποιήσαντα αὐτόν, ὁ δὲ τιμῶν αὐτὸν ἐλεᾷ πτωχόν. Spr 10,17; 13,24a; 15,27; 17,9.19. 27a; 19,16.17; 20,19; 21,17.23; 26,6; 28,7; Sir 3,11b; 32,24). Dabei dürfte die Mk-Fassung ursprünglich sein, da bei Mt der anschließende Relativsatz für das Sem. auffällig, wenn auch nicht ganz ungewöhnlich (vgl. VglGr 369, Kö 414r, Schles 139) von seinem Beziehungswort getrennt ist. Vgl. auch K. Grobel JBL 1941, 397—401.

[1] In Jes 54,1 עֲקָרָה לֹא יָלָדָה, לֹא־חָלָה; Hos 1,6.8; 2,25 לֹא רֻחָמָה (אֶת־) — zit. nach LXX: Gal 4,27; Röm 9,25; 1Petr 2,10 — und öfter (Jes 62,12; Ez 22,24 text. emend.) handelt es sich im Hebr. nicht um Partizipia (so Bl-Debr 430.3), sondern um Perfekta, vor denen für unser Gefühl das Relativpron. אֲשֶׁר zu ergänzen ist, also um (z. T. substantivierte) asynd. Relativsätze (vgl. dazu GKa 155, Kö 380c–f, Kropat 66, Brockelmann 146. 147). Bl-Debr 430.3 muß also richtig lauten: „Wenn LXX einen hebr. durch לֹא negierten asynd. Relativsatz durch ein Partz. wiedergibt (Wiedergabe durch Relativsatz etwa: Dt 32,17; Jer 6,8; Ps 81,6; Hi 29,12.16), behält sie z. T. (+ Hab 1,14; vgl. Ps 38,15) die objektive Negation(לֹא = οὐ) bei (dagegen μή: Jes 65,1; Ez 13,3; Hi 18,21)". Negiertes adjektiv. Partz. scheint jedoch poetisch sehr selten — indeterminiert nach indet. Subst. — vorzukommen: + לֹא: Jer 2,2 (LXX om.); 18,15 (LXX οὐκ ἔχοντας ὁδόν); + בְּלִי: 2Sam 1,21 (?, LXX selbständiger Satz); Hos 7,8

an seine Stelle ein Relativsatz mit negiertem Verb. fin. treten. Deshalb findet man im Hebräischen und Neuhebräischen öfters, daß in antithetischen Sätzen die These als konditionales Partizip, die negierte These als konditionaler Relativsatz formuliert ist, so Ex 9,20f. הַיָּרֵא אֶת־דְּבַר יהוה מֵעַבְדֵי פַּרְעֹה הֵנִיס אֶת־עֲבָדָיו וְאֶת־מִקְנֵהוּ אֶל־הַבָּתִּים וַאֲשֶׁר לֹא־שָׂם לִבּוֹ אֶל־דְּבַר יהוה וַיַּעֲזֹב אֶת־עֲבָדָיו וְאֶת־מִקְנֵהוּ בַּשָּׂדֶה, LXX ὁ φοβούμενος τὸ ῥῆμα κυρίου τῶν θεραπόντων Φαραω συνήγαγεν τὰ κτήνη αὐτοῦ εἰς τοὺς οἴκους· ὃς δὲ μὴ προσέσχεν τῇ διανοίᾳ εἰς τὸ ῥῆμα κυρίου, ἀφῆκεν τὰ κτήνη ἐν τοῖς πεδίοις. Qid 1,10 כל העושה מצוה אחת מטיבין לו ומאריכין לו ימיו ונוחל את הארץ וכל שאינו עושה מצוה אחת אין מטיבין לו ואין מאריכין לו ימיו ואינו נוחל את הארץ „Jeder Ein Gebot Erfüllende: man (= Gott) tut ihm wohl und verlängert ihm seine Tage, und er wird das Land erben. Und jeder, der Ein Gebot nicht erfüllt: man tut ihm nicht wohl und verlängert ihm seine Tage nicht, und er wird das Land nicht erben"; Miqw 9,3 = 7 כל המקפיד עליו חוצץ ושאינו מקפיד עליו אינו חוצץ „Jeder auf etwas Wert Legende: es scheidet; wer nicht auf etwas Wert legt: es scheidet nicht"; bŠab 151b רבי גמליאל ברבי אומר כל המרחם על הבריות מרחמין עליו מן השמים וכל שאינו מרחם על הבריות אין מרחמין עליו מן השמים „Rabbi Gamliel b^eribbi sagt: Jeder sich über die Geschöpfe (= Mitmenschen) Erbarmende: man erbarmt sich über ihn vom Himmel. Und jeder, der sich nicht über die Geschöpfe erbarmt: man erbarmt sich nicht über ihn vom Himmel"; vgl. Jes 55,1 (LXX οἱ διψῶντες — ὅσοι μὴ ἔχετε ἀργύριον); b Qid 31a גדול המצווה ועושה ממי שאינו מצווה ועושה „Größer ist der ein ihm aufgetragenes Gebot Erfüllende als der, welcher ein ihm nicht aufgetragenes Gebot erfüllt"; jJom 44c חט ידוע חט שאינו ידוע „Eine bekanntgewordene Sünde, eine Sünde, die nicht bekannt wurde". Dasselbe findet sich 1Joh 4,6 ὁ γινώσκων τὸν θεὸν ἀκούει ἡμῶν, ὃς οὐκ ἔστιν ἐκ τοῦ θεοῦ οὐκ ἀκούει ἡμῶν. Hier muß, wenn kein Zufall vorliegt, hebräischer Spracheinfluß angenommen werden[1]. Das negierte konditionale Partizip kann jedoch

---

(LXX οὐ μεταστρεφόμενος); vgl. Driver 162 Anm. 1, wenn es sich hier nicht auch um asynd. Relativsätze handelt.

[1] Öfters wird jedoch, um das kond. Partz. in dem parallelen Satz beibehalten zu können, der so beliebten Paronomasie (Wiederholung gleicher Wörter) zum Trotz an Stelle des negierten ein wenn auch nicht ganz passendes negatives Verbum benutzt: Lev 7,10 (LXX Partz. + μή!, zit. S. 219); Ab 3,5 כל המקבל עליו על תורה מעבירין ממנו על מלכות ועל דרך ארץ וכל הפורק ממנו על תורה נותנים עליו על מלכות ועל דרך ארץ „Jeder das Joch der Tora auf sich Nehmende: man läßt an ihm vorübergehen das Joch der Regierung und das Joch weltlicher

an allen ntl. Stellen nur griechischen Ursprungs sein: Mt 12,30 = Lk 11,23 ὁ μὴ ὢν μετ᾽ ἐμοῦ κατ᾽ ἐμοῦ ἐστιν, καὶ ὁ μὴ συνάγων μετ᾽ ἐμοῦ σκορπίζει. Mt 25,29b = Lk 19,26b; Lk 12,48a; 22,36b; Joh 3,18b; 5,23b; (9,39b); 10,1; 14,24; Röm 4,5; 14,3b.6c.(22b); 1Kor 7,38b; 1Joh 3,10b.14; 4,8.20b; 5,10b.12b; + πᾶς: 1Joh 3,10a[1].

2. Griechisches ἔχειν „haben" hat im Semitischen kein verbales Äquivalent, sondern muß umschrieben werden. Das geschieht im Hebräischen und Neuhebräischen in der Regel durch יֵשׁ לִי, negiert אֵין לִי (aramäisch אִית, לית) = ἐστί μοι „mir ist", seltener durch einen Zustandssatz (Gen 24,15.45 u.ö.)[2]. Substantivisches ὁ ἔχων kann im

Tätigkeit. Jeder das Joch der Tora von sich Abwerfende (für richtiger: „Nicht auf sich Nehmende"): man legt ihm das Joch der Regierung und das Joch weltlicher Tätigkeit auf"; 4,6 כל המכבד את התורה-כל המחלל את התורה „Jeder die Tora Ehrende — jeder die Tora Entweihende (= nicht Ehrende)"; 4,9 כל המקים את התורה-כל המבטל את התורה „Jeder die Tora Erfüllende — jeder die Tora Aufhebende (= nicht Erfüllende)" u.a., vgl. im NT Lk 10,16 ὁ ἀκούων ὑμῶν — ὁ ἀθετῶν ὑμᾶς. 16,10 ὁ πιστὸς ἐν ἐλαχίστῳ — ὁ ἐν ἐλαχίστῳ ἄδικος. Joh 3,36 ὁ πιστεύων εἰς τὸν υἱόν — ὁ δὲ ἀπειθῶν τῷ υἱῷ. 12,25 ὁ φιλῶν τὴν ψυχὴν αὐτοῦ — ὁ μισῶν τὴν ψυχὴν αὐτοῦ. 47f. ἐάν τίς μου ἀκούσῃ τῶν ῥημάτων — ὁ ἀθετῶν ἐμέ. 1Joh 2,10f. ὁ ἀγαπῶν τὸν ἀδελφὸν αὐτοῦ — ὁ δὲ μισῶν τὸν ἀδελφὸν αὐτοῦ, also besonders bei Joh!

[1] Ein folgendes Partz., das das erste weiterführt und sich meist auf dasselbe Subj. bezieht, kann dagegen ruhig negiert sein, da ihm im Hebr. und Neuhebr. ein durch ו „und" angeschlossenes Verb. fin. entspricht: Ber 2,3 הקורא את שמע ולא השמיע לאזנו יצא „Wer das Šma rezitiert und es dabei seinem Ohr nicht hörbar macht, hat seiner Pflicht genügt", u.ö., vgl. S. 200 Anm. 1. Im NT: Mt 7,26 = Lk 6,49; Mt 13,19; Lk 12,47 (+ Subst.); Joh 12,48; Jak 4,17; 1Joh 2,4; 2Joh 9a. Ebenso entspricht natürlich auch ein folgendes positives Partz. im NT einem durch „und" angeschlossenen Verb. fin. im Hebr. und Neuhebr. (vgl. S. 199f.): Mk 16,16a; Lk 9,62; Joh 5,24; 6,54.56; (10,1); 14,21a; (15,5: Subjektswechsel innerhalb der Protasis ist auch sem. möglich); Act 10,35; Röm 4,5 (δέ); 1Kor 11,29; Jak 1,25; 1Joh 2,9; + πᾶς: Lk 6,47; 16,18a; Joh 6,40.45; 11,26. Dagegen liegen 2 kond. Partzz. vor („wenn jemand . . . oder wenn jemand . . .", vgl. S. 199f.), die beide nicht negiert werden können, in Jak 4,11 (dazwischen Bא ἤ, 𝔎 καί „oder"); Apc 2,26 (καί „d. h."); 1Kor 11,4.5 (ἤ).

[2] So verwundert es nicht, daß in LXX kein einziges kond. Partz. ὁ ἔχων vorkommt. Aber auch das Verbum ἔχειν überhaupt ist in LXX auffallend selten, etwa im Vergleich zum NT (LXX ist 4mal so umfangreich wie das NT): ἔχειν in LXX: 500mal, im NT: 650mal (d. h. $^1/_5$ des NT); das Partz. aktiv. von ἔχειν = „haben" (also außer ἐν γαστρί, κακῶς ἔχειν u.ä.) in LXX 115mal (davon in 1Makk 9mal, in 2—4Makk 51mal!), im NT 190mal (d. h. weniger als $^1/_6$ des NT!); vgl. H. Hanse ThWNT II 817. Im Syr. und Christl.-Pal. wird ntl. ἔχειν entsprechend umschrieben.

Semitischen nur durch einen Relativsatz (= ᾧ ἐστιν „wem ist") wiedergegeben werden, muß also an den folgenden ntl. Stellen griechische Bildung sein: Mt 25,29 (ähnlich Lk 19,26) τῷ ἔχοντι παντὶ δοθήσεται καὶ περισσευθήσεται· τοῦ δὲ μὴ ἔχοντος καὶ ὃ ἔχει ἀρθήσεται ἀπ' αὐτοῦ. Lk 3,11a.b; 22,36a.b (dazu negiert!); Joh 14,21a; (1Kor 7,29); (1Tim 6,2); 1Joh 5,12a.b (negiert!); Apc 13,18; + πᾶς: 1Joh 3,3; sowie in der stereotypen Formel ὁ ἔχων ὦτα ἀκουέτω in Mt 13,9 = Lk 8,8; Mt 13,43; 25,29c HM. 30c ΓΩφ bzw. ὁ ἔχων οὖς ἀκουσάτω τί τὸ πνεῦμα λέγει ταῖς ἐκκλησίαις in Apc 2,7a. 11a. 17a. 29; 3,6.13.22[1].

3. Dem griechischen Partizip ὁ ὤν (bzw. ὁ ὑπάρχων) „der Seiende, der sich Befindende" mit folgender näherer lokaler oder qualitativer Bestimmung entspricht im Semitischen ein Relativsatz, dessen Copula entweder fehlt oder im Hebräischen das unkonjugierbare יֵשׁ „ist", „sind" (ursprünglich ein Substantiv mit der Bedeutung „Existenz") oder אֵין „ist nicht", „sind nicht" (ursprünglich „wo" in rhetorischer Frage = „nirgends"), im Aramäischen אית (= hebr. יֵשׁ), לא אית bzw. kontrahiert לית ist, da das Partizip von hebr. הָיָה, aram. הוה „sein" so nicht gebraucht wird[2]. Daher können auch die folgenden ntl. Beispiele, bei denen ὤν (bzw. ὑπάρχων) steht oder zu ergänzen ist, in diesem Punkt nur griechisch formuliert sein: Mt 12,30a = Lk 11, 23a (dazu negiert!) ὁ μὴ ὢν μετ' ἐμοῦ κατ' ἐμοῦ ἐστιν. Joh 3,31b; 8,47 (semitisch: 1Joh 4,6!); (Röm 8,8); + πᾶς: Joh 18,37; 1Joh 3,10a Ψ (negiert!); Lk 9,48c ὁ γὰρ μικρότερος ἐν πᾶσιν ὑμῖν ὑπάρχων (D om.), οὗτός ἐστιν μέγας (statt ὁ μικρότερος ὑπάρχων wäre hebräisch ein bloßes Adjektiv möglich, vgl. Spr 27,7a LXX). ὤν ist zu ergänzen in Mk 13,15 = Mt 24,17 ὁ ἐπὶ τοῦ δώματος μὴ καταβάτω. Mk 13,16 = Mt 24,

---

[1] Vgl. aber Ez 3,27 הַשֹּׁמֵעַ יִשְׁמָע.

[2] Im AT kommt das Partz. הֹוָיה (fem. sing.) Ex 9,3 vor, הֹוֶה Pred 2,22; Neh 6,6 (überall prädikativ!); außerdem 1QS 3,15 (11,11) = 1QM 17,5 כול הווה ונהייה „alles Seiende und Geschehende"; 1QS 11,4.5 (CD 2,10) הווא עולם „der ewig Seiende", 1QH 12,9; in LXX ὁ ὤν nur 4mal: Ex 3,14 (2mal, für אֶהְיֶה); Jer 1,6; 14,13; 32,17 (fälschlich für אֲהָהּ „ach", Rahlfs konj. ὦ), ὁ ὑπάρχων Hi 42,17d; Ps 55,20 (für יֹשֵׁב); vgl. außerdem τὰ ὑπάρχοντα αὐτοῦ für אֲשֶׁר לוֹ o.ä. (öfter jedoch für hebr. Substantive) Gen 39,5b (a hat auch LXX Relativsatz!); 45,11; Dt 21,16; Jos 7,24 (vgl. Mk 10,21 = Lk 18,22 ὅσα ἔχεις. Mt 19,21 σοῦ τὰ ὑπάρχοντα); sonst findet sich der Nom. sing. + Artikel dieser beiden Partzz. in LXX nicht, dagegen ὁ ὤν öfters im NT. Vgl. dazu Num 19,14 (zit. S. 201).

18 = Lk 17,31b (vgl. plur. Lk 21,21) ὁ εἰς τὸν ἀγρὸν (Mk AWΘ + ὤν) μὴ ἐπιστρεψάτω εἰς τὰ ὀπίσω.

Außerdem sind verschiedene synoptische Worte, die konditionales Partizip haben, bei einem oder mehreren Seitenreferenten noch als kond. Relativsätze erhalten: Mt 10,39a.b (Relativsatz: Lk 17,33a.b; Mt 16,25a.b = Mk 8,35a.b = Lk 9,24a.b); Mt 10,40a.b (Mt 18,5 = Mk 9,37a.b = Lk 9,48a.b); Mt 12,30a.b = Lk 11,23a.b (vgl. Mk 9,40 = Lk 9,50); Mt 13,9.43; 25,29c.30c = Lk 8,8 (Mk 4,9 ὃς ἔχει ὦτα ἀκούειν ἀκουέτω); Mt 24,17 = Mk 13,15 ὁ ἐπὶ τοῦ δώματος μὴ καταβάτω (Lk 17,31a ὃς ἔσται ἐπὶ τοῦ δώματος καὶ τὰ σκεύη αὐτοῦ ἐν τῇ οἰκίᾳ, μὴ καταβάτω ἆραι αὐτά); Mt 25,29a.b = Lk 19,26a.b (Mt 13,12a.b = Mk 4, 25a.b = Lk 8,18a.b); Lk 6,29a[1] τῷ τύπτοντί σε ἐπὶ τὴν σιαγόνα πάρεχε καὶ τὴν ἄλλην (Mt 5,39 ὅστις σε ῥαπίζει εἰς τὴν δεξιὰν σιαγόνα σου, στρέψον αὐτῷ καὶ τὴν ἄλλην); 6,47 (Mt 7,24); 12,9 (Mt 10,33). 10b (Mt 12, 32b); 14,11 = 18,14 (Mt 23,12; vgl. 18,4); 16,18b (Mt 5,32b אWΘ; 19,9 = Mk 10,11); vgl. Lk 22,26a.b (Mt 20,26.27 = Mk 10,43.44).

Manchmal stehen auch in einer Spruchreihe neben konditionalen Partizipien noch kond. Relativsätze: Mt 5,21f. ὃς δ᾽ ἂν φονεύσῃ, πᾶς ὁ ὀργιζόμενος, ὃς δ᾽ ἂν εἴπῃ, ὃς δ᾽ ἂν εἴπῃ. 5,32a.b.39f.; 7,24—26; Lk 12,8f.10; 17,31a.b; 20,18a.b; Joh 4,13f.; 1Joh 2,4ff.

Daß konditionales Partizip und konditionaler Relativsatz im Griechischen vertauscht werden konnten, beweisen die Handschriften an verschiedenen Stellen: Mt 5,28 (Relativsatz: Orig); 7,26 (Θ); 10,32 Epiph (rell.); 20,27 Orig (rell.); Joh 4,14 אD (rell.).

Schließlich ist noch zu beachten, daß auch LXX öfters einen hebräischen bzw. aramäischen konditionalen Relativsatz durch ein konditionales Partizip wiedergibt, so Ex 21,13; 22,8; Lev 21,3; Esth 4,11; Esr 7,25 (negiert!); Sir 38,15.

Da also an einer Reihe von ntl. Stellen das konditionale Partizip sicher nicht bis auf eine semitische Vorlage zurückgeht (so am häufigsten bei Lk, Joh, 1—3Joh, Apc), an anderen wahrscheinlich nicht, entsteht auch bei den übrigen der Verdacht, daß das konditionale Partizip erst durch die Formulierung im Griechischen (wie z. T. bei LXX) entstanden ist, sei es in Ausnutzung dieser Möglichkeit der griechischen Sprache, sei es z. T. vielleicht als Nachahmung von LXX.

[1] Lk 6,29a; 12,9.10b stammen die kond. Partzz. mit großer Wahrscheinlichkeit erst von Lk, da es sich hier ursprünglich — wie Mt zeigt — um anakoluthe kond. Relativsätze gehandelt hat; 19,26b hat Lk ein anak. kond. Partz. (Mt 25,29b) gebessert.

Aus dem Vorhandensein eines konditionalen Partizips darf also nur mit großer Zurückhaltung (evtl. zusammen mit anderen Indizien) *für die einzelne Stelle* auf eine hebräische bzw. neuhebräische Grundlage geschlossen werden. *Aufs Ganze gesehen*, fällt jedoch auf, daß im Gegensatz zu den Synoptikern, wo die konditionalen Relativsätze überwiegen, bei allen übrigen ntl. Schriften (außer Act, wo aber die geringe Zahl der Belege die statistische Methode ausschließt), besonders aber bei Joh, 1—3Joh und Apc, die Zahl der konditionalen Partizipien ein Vielfaches von der der konditionalen Relativsätze beträgt (Briefe: Das Doppelte; Joh, 1—3Joh und Apc: Das Sechsfache!!)[1], und daraus muß man schließen, daß aufs Ganze gesehen der aramäische Einfluß bei den Briefen und noch viel mehr bei Joh, 1—3Joh und Apc im Verhältnis zu den Synoptikern gering ist[2].

Anschließend werden die im Hebräischen bzw. Neuhebräischen *möglichen* konditionalen Partizipien des NT im einzelnen besprochen. Dabei ist für die Stellen, wo aus sachlichen Gründen ein aramäisches Original wahrscheinlich ist (wie bei den meisten synoptischen Belegen), zu beachten, daß im Semitischen das konditionale Partizip und der konditionale Relativsatz die gleichen Konstruktionsweisen zeigen, d. h. das zum konditionalen Partizip Gesagte auch für einen evtl. konditionalen Relativsatz gelten würde, besonders was die Wahrscheinlichkeit semitischen Einflusses betrifft[3].

I. Das konditionale Partizip ist grammatisches Subjekt des Hauptsatzes

1) Dieser Fall ist im NT wie im Semitischen weitaus am häufigsten: Mt 5,32b B ὁ ἀπολελυμένην γαμήσας μοιχᾶται. 7,8b.21b; 10,22b. 37a.b ℵ𝔎. 39a.b.40a.b.41a.b; 15,4b (aus Ex 21,17); 19,12d; 20,27 Orig; 21,44a Bℵ; 23,20.21.22; 24,13; Mk 4,9b D it; 7,10b (= Mt 15,4b aus LXX); 13,13b; 16,16a.b; Lk 6,49; 10,16a.b.c Bℵ. D; 11,10b; 12,9; 14,11b; 16,10a.b.15b (an den drei letzten Stellen ein Adjektiv). 18b BD. (26); 18,14c; 22,26a.b (Adjektiv); Joh 3,6a.b (neutr.). 18a. 21.31a.c B𝔎. 33.36a.b; 4,14 ℵD; 5,4 𝔎. 24; 6,35b.c.47.54.56.57.58b; 7,18a.b; 8,7 𝔎D (Adjektiv). 12; 10,2; 11,25; 12,25a.b.35b.44.45.48; 13,10.20a.b; 14,9b.12.21b; 15,5.23; Act 10,35; Röm 6,7; 9,33 BD (aus Jes 28,16b הַמַּאֲמִין לֹא יָחִישׁ, LXX καὶ ὁ πιστεύων ἐπ᾿ αὐτῷ οὐ μὴ καταισχυνθῇ); 12,7a ℵ^{3}. b. 8a.b.c.d; 13,2a.(b). 8b; 14,3a. 6a.b. 18. 23a; 1Kor 1,31 (frei

---

[1] Die genauen Zahlen entnehme man der Tabelle auf S. 230—32.

[2] Vgl. S. 163 Anm. 1.

[3] Vgl. den parallelen Aufbau der beiden entsprechenden Abschnitte.

nach Jer 9,23 בְּזֹאת יִתְהַלֵּל הַמִּתְהַלֵּל הַשְׂכֵּל וְיָדֹעַ אוֹתִי כִּי אֲנִי יהוה, LXX ἐν τούτῳ καυχάσθω ὁ καυχώμενος, συνίειν καὶ γινώσκειν, ὅτι ἐγώ εἰμι κύριος); 6,16.17.18b; 7,22a.b.(30a.b.c.31).33.38a; (9,13a.b); 10,12; 11,29; 14, 2.3.4a.b.13; 2Kor 9,6a.b; 10,17 (frei nach Jer 9,23, vgl. zu 1Kor 1,31); Gal 3,12 Bא (frei nach Lev 18,5, wo es sich nicht um einen konditionalen Relativsatz bzw. Partizip [LXX] handelt); (5,21); 6,8a.b; Eph 4,28; 5,28; Kol 3,25; 1Thess 4,8; 1Tim (3,13); (6,9); Hebr 4,10; (11,14); Jak 1,6.25; 4,11; 5,20; 1Petr 2,6 (= Jes 28,16b LXX, vgl. zu Röm 9,33 BD); 3,10 (frei, aber sinngemäß nach Ps 34,13f., vgl. S. 291); 4,1.(19); 1Joh 2,4.6.9.10.11.17.23b; 3,7.8.24; 4,6a.16.18.21; 5,10a.18b א𝔎; 2Joh 9b.11; 3Joh 11a.b; Apc 2,11b; 3,5; 21,7 אA; 22,17a.b.c.

2) Die Wahrscheinlichkeit semitischen Einflusses ist noch größer, wenn dem konditionalen Partizip πᾶς vorangestellt ist[1]. Dabei behält das Partizip im NT immer den Artikel, wie meist auch in LXX[2] und im klassischen Griechisch: Mt 5,22a πᾶς ὁ ὀργιζόμενος τῷ ἀδελφῷ αὐτοῦ ἔνοχος ἔσται τῇ κρίσει. 5,28.32a; 7,8a.26 Bא; (26,52); Lk 6,47; 11,10a; 14,11a; 16,18a.b אA; 18,14b; 20,18a; Joh (3,8 nachgestellt: „So geht es, wenn einer aus dem Geist geboren ist" [Wellh Joh 136], ebenso Lk 12,21, vgl. Bl-Debr 434.1); 3,15.16.20; 4,13; 6,40.45; 8,34; 11,26; 12,46; (auch 15,2b); 16,2; 19,12; Act 13,38f. (doch würde πᾶς ὁ πιστεύων δικαιοῦται ἐν τούτῳ semitisch vor V. 38c ἀπὸ πάντων etc. stehen); Röm 9,33 𝔎 (Jes 28,16b + πᾶς, vgl. zu 9,33 BD); 10,11 (= 9, 33 𝔎); 1Kor 9,25; Eph 5,5 (Substantiv, Adjektive ohne Artikel). 14 (neutr.); (2Tim 3,12); Hebr 5,13; 1Joh 2,23a.29; 3,4.6a.b.9.15a.b (Substantiv ohne Artikel); 4,7; 5,1a.b.4 (neutr.).18a; 2Joh 9a. An manchen der genannten Stellen hat nur der erste von mehreren zusammengehörigen Sprüchen πᾶς: Mt 5,22.32; 7,8.17.21; 25,29; Lk 6, 30; 11,10; 14,11 = 18,14; 16,18; 19,26; 20,18; Joh 4,13f.; 1Joh 2,23; 3,10; 2Joh 9. Das ist semitisch ungewöhnlich[3], so daß man annehmen muß, daß in einer evtl. semitischen Vorlage auch vor den folgenden Sprüchen כל = πᾶς gestanden hat[4].

---

[1] Πᾶς ist z.T. in den synoptischen Parallelen wie in den Handschriften nicht einhellig bezeugt, vgl. πᾶς in Lk 6,30 gegen Mt 5,42; in Lk 20,18a gegen Mt 21,44a Bא; in Mt 7,26 gegen Lk 6,49. Auch in LXX wird πᾶς manchmal ausgelassen, seltener zugesetzt (vgl. S. 201 Anm. 1).

[2] Vgl. S. 201 Anm. 1. [3] Vgl. S. 152 Anm. 1.

[4] Dalman JJ 204 braucht es dagegen in seiner Rückübersetzung von Lk 14,11 nur einmal.

Auch in Lk 9,62 οὐδεὶς ἐπιβαλὼν τὴν χεῖρα ἐπ' ἄροτρον καὶ βλέπων εἰς τὰ ὀπίσω εὔθετός ἐστιν τῇ βασιλείᾳ τοῦ θεοῦ „Wenn jemand, nachdem er die Hand bereits an den Pflug gelegt hat, hinter sich blickt, taugt er nicht für das Reich Gottes"; 2Tim 2,4 οὐδεὶς στρατευόμενος ἐμπλέκεται ταῖς τοῦ βίου πραγματείαις und Jak 1,13 μηδεὶς πειραζόμενος λεγέτω ist im Semitischen ein konditionales Partizip bzw. ein konditionaler Relativsatz mit oder ohne כל zu erwarten, wobei die Negation hinter das konditionale Partizip bzw. den konditionalen Relativsatz zum Hauptsatz tritt (so auch Burney Poetry 132 in seiner Rückübersetzung von Lk 9,62; nur im Hebräischen selten nicht: BQ 7,1b), da im Semitischen ebenso wie τὶς auch οὐδείς keine Entsprechung hat[1] und durch „jemand — nicht", „jeder — nicht" (Hebraismus, aber in der Reihenfolge „jeder — nicht" auch im Neuhebräischen und Aramäischen möglich[2]) umschrieben werden muß, so daß die Negation isoliert wird und nach semitischem Brauch direkt vor das zu negierende Verbum tritt (vgl. VglGr 105—109, GKa 152e, Kö 352i, BLA 104a, Schles 93, Nöld Syr 328.329, Mand 429, Bl-Debr 433): (πᾶς) ὁ ἐπιβαλὼν κτλ. οὐκ εὔθετός ἐστιν. Nicht wahrscheinlich ist hier (zumindest in Lk 9,62, da dann nicht deutlich ist, wo die Apodosis anfängt, aber auch in Jak 1,13 wegen des Jussivs) die Wiedergabe von οὐδείς durch hebräisch אֵין + Partizip, aramäisch לית ד = „es gibt keinen, der"; in diesem Falle müßte der Nachsatz durch „und" an den Relativsatz angeschlossen werden (vgl. Peš Lk 9,62), eine semitische Konstruktion, welche sich noch genau erhalten hat in Mk 9, 39 οὐδείς ἐστιν ὃς ποιήσει δύναμιν ἐπὶ τῷ ὀνόματί μου καὶ δυνήσεται ταχὺ κακολογῆσαί με „Keiner, der in meinem Namen ein Wunder tut, kann sobald von mir übel reden"[3]. In 2Kor 10,18 wäre die Voranstellung der Negation wegen der Antithese οὐ — ἀλλά auch semitisch möglich. Dagegen muß die Negation voranstehen — und zwar direkt vor dem zu negierenden Wort — wenn sie sich nicht auf das Verbum finitum, sondern auf „jeder" beziehen soll wie in Mt 7,21 οὐ πᾶς ὁ λέγων μοι κύριε κύριε εἰσελεύσεται εἰς τὴν βασιλείαν τῶν οὐρανῶν, ἀλλ' ὁ ποιῶν τὸ θέλημα τοῦ πατρός μου τοῦ ἐν τοῖς οὐρανοῖς, vgl. Ber 2,8 לא כל הרוצה ליטול את השם יטול „Nicht jeder, der Lust hat, den Namen zu gewinnen, ge-

[1] Vgl. S. 110f. und 142.

[2] Vgl. S. 189 Anm. 4.

[3] So auch Peš, anders Black 128. Vgl. auch oben S. 119f. zu Mk 10,29f. Zur kond. Hypotaxe vgl. S. 259ff.

winnt ihn"; bKer 5b לא כל דבעי מלכא מורית ליה מלכותא „Nicht jeder, den der König will: er kann ihm die Herrschaft vererben"[1].

II. Das konditionale Partizip ist grammatisches Objekt o.ä. des Hauptsatzes

Da im Hebräischen und Neuhebräischen das konditionale Partizip nur sehr selten nicht Subjekt des folgenden Hauptsatzes ist, wird mit großer Wahrscheinlichkeit bei allen hierhergehörigen ntl. Belegen im Hebräischen ein absolut voranstehendes Partizip anzunehmen sein, das im Hauptsatz an der syntaktisch passenden Stelle durch ein Suffix wiederaufgenommen wird (vgl. III.). Eine solche Gräzisierung ist in LXX öfters belegt: Ps 32,10b; Spr 23,24b und 29,3a (+ Substantiv) wurde M so mißverstanden. Aber sie ist auch noch innerhalb des NT erfolgt: Mt 25,29b τοῦ δὲ μὴ ἔχοντος καὶ ὃ ἔχει ἀρθήσεται ἀπ' αὐτοῦ zu Lk 19,26b ἀπὸ δὲ τοῦ μὴ ἔχοντος καὶ ὃ ἔχει ἀρθήσεται. Mt 5,40 B zu Orig. Wenn man allerdings ein aramäisches Original für wahrscheinlich hält, kann diese Konstruktion eher ursprünglich sein, da es im Aramäischen nur konditionale Relativsätze gibt und diese öfters an das Verbum finitum des Nachsatzes attrahiert werden[2], vgl. Esr 7,25 LXX (negiertes [!] dativisches Partizip statt aramäischen akkusativischen kond. Relativsatzes!). Doch kann auch im Aramäischen ein absoluter Relativsatz vorgelegen haben, da sich auch innerhalb des NT noch Beispiele dafür finden, daß ein anakoluther konditionaler Relativsatz in ein attrahiertes obliques konditionales Partizip verwandelt wurde: Mt 5,39 ὅστις σε ῥαπίζει . . ., στρέψον αὐτῷ zu Lk 6,29a τῷ τύπτοντί σε πάρεχε. Mt 12,32b ὃς δ' ἂν εἴπῃ . . ., οὐκ ἀφεθήσεται αὐτῷ zu Lk 12,10b τῷ δὲ . . . βλασφημήσαντι οὐκ ἀφεθήσεται. Mt 13, 12a.b = Mk 4,25a.b = Lk 8,18a.b ὃς ἔχει, δοθήσεται αὐτῷ· καὶ ὃς οὐκ ἔχει, . . . ἀρθήσεται ἀπ' αὐτοῦ zu Mt 25,29a = Lk 19,26a.b παντὶ τῷ ἔχοντι δοθήσεται, ἀπὸ δὲ τοῦ μὴ ἔχοντος . . . ἀρθήσεται. Im Griechischen ist obliques konditionales Partizip nämlich am häufigsten. Im NT kommt vollständig[3] attrahiertes konditionales Partizip nicht sehr oft vor. Dabei fällt besonders auf, daß es in Joh, 1—3Joh wie bei

[1] Solche Stellen (+ Mt 15,11 D) lassen sich auch vom Hebr. her nicht als absolute Negation „keiner" verstehen („keiner, der [bloß] sagt . . ."), da dann die Negation beim Verb. fin. stehen müßte. Verallgemeinerndes כל vor kond. Partz. oder Relativsatz und לא vor dem Verb. fin. des Hauptsatzes im Sinne einer uneingeschränkten Verneinung kommt aber auch neuhebr. und aram. vor (vgl. S. 189 Anm. 4).

[2] Vgl. S. 155f. und 168f.

[3] Zum teilweise attrahierten anak. Partz. siehe III.!

hebräischem konditionalem Partizip ganz selten ist (nur einmal) im Gegensatz zu Mt und Lk.

Das konditionale Partizip steht: α) Im Akkusativ: Mt 5,42b Bא τὸν θέλοντα ἀπὸ σοῦ δανείσασθαι μὴ ἀποστραφῇς. Joh 6,37b; Röm 14,1; (1Tim 5,20); (Tit 1,15). β) Im Dativ: Mt 5,42a τῷ αἰτοῦντί σε δός. 5,40 (א) Orig. 42b D; 7,8c; 25,29a DW (ἔχων); Lk 6,29a Bא; 11,10c; 12,10b Bא; Röm 4,4.5 (negiert); (8,8.28); 14,14[1]; Apc 2,7b א; 21,6 אA (das voranstehende, von δώσω getrennte ἐγώ ist hier griechisch!); + πᾶς: Mt 25,29a Bא; Lk 6,30a; 19,26a (ἔχων). γ) Wird von einer Präposition regiert: Lk 6,30b ἀπὸ τοῦ αἴροντος τὰ σὰ μὴ ἀπαίτει. 6,29b; 19,26b Bא (negiert, ἔχων).

III. Das konditionale Partizip steht dem Hauptsatz als Casus pendens absolut voran

a) Das konditionale Partizip steht im Hebräischen und Neuhebräischen oft absolut im Nominativ voran und wird danach im Hauptsatz an der syntaktisch passenden Stelle durch ein Suffix wieder-aufgenommen. Bei wörtlicher Wiedergabe muß diesem Suffix im Griechischen die entsprechende Form von αὐτός als unbetontem Demonstrativ an tonschwacher Stelle[2] entsprechen, und so übersetzt auch LXX — soweit sie nicht an Stelle des konditionalen Partizips einen Relativsatz gebraucht oder das Anakoluth beseitigt —, obwohl das eine für griechisches Empfinden sehr harte Konstruktion ergibt. Die hierher gehörigen ntl. Beispiele stehen deshalb fast mit Sicherheit unter hebräischem bzw. neuhebräischem (oder auch unter aramäischem, da man das konditionale Partizip als Wiedergabe eines semitischen konditionalen Relativsatzes ansehen kann, vgl. S. 210) Einfluß (weniger wahrscheinlich ist LXX-Einfluß, da diese Konstruktion in LXX wesentlich seltener ist als im Hebräischen). Eine sinnentsprechende, glatte deutsche Übersetzung läßt sich in jedem Fall dadurch erreichen, daß man das konditionale Partizip durch „wenn jemand" wiedergibt: Mt 5,40 D ὁ θέλων σοι κριθῆναι καὶ τὸν χιτῶνά σου λαβεῖν, ἀφήσεις αὐτῷ καὶ τὸ ἱμάτιον[3]. Joh 7,38 ὁ πιστεύων εἰς ἐμέ, καθὼς εἶπεν ἡ γραφή, ποταμοὶ ἐκ τῆς κοιλίας αὐτοῦ ῥεύσουσιν ὕδατος ζῶντος (so mit Origines u. a. griech. Vätern; Westcott-Hort, Tischendorf, B. Weiß, v. Soden, Souter, Vogels; Tholuck, Ewald, Wendt, Holtz-

[1] Vgl. S. 217 Anm. 1.

[2] Vgl. S. 169 f.

[3] Vgl. S. 188 Anm. 5.

mann, Wellhausen, Heitmüller, Zahn, Weizsäcker, J. Weiß, Bernard, Bl-Debr, Billerbeck, Bauer, Hirsch, Schlatter, Odeberg, Strathmann Rengstorf ThWNT VI 606f. u. a. gegen Cyprian u. a. lat. Väter d, e; Stier, Gess, Hahn, Steinmeyer, Franke, Spitta, Burney, Torrey Barrett, Hoskyns, Dodd, Bultmann u. a.)[1], doch braucht sich αὐτοῦ vom Semitischen aus nicht auf ὁ πιστεύων zu beziehen, sondern es könnte „für ihn" zu ergänzen sein[2] oder das konditionale Partizip ganz isoliert stehen; 1Joh 5,18b BA ὁ γεννηθεὶς ἐκ τοῦ θεοῦ τηρεῖ αὐτόν καὶ ὁ πονηρὸς οὐχ ἅπτεται αὐτοῦ „Wer aus Gott gezeugt wurde, den bewahrt er (Gott), so daß ihm der Böse nichts anhaben kann"[3] ist die einzig mögliche Übersetzung, da im NT γεννᾶσθαι ἐκ τοῦ θεοῦ o. ä. nur vom Glaubenden ausgesagt wird (diese Bedeutung stand auch später allein zur Diskussion, wie die Konjektur ἑαυτόν der meisten Handschriften erweist), und τηρεῖν τινα „eine Person bewahren" nur von Gott oder Christus als Subjekt (nie als Objekt) gebraucht wird. Die verschiedenen in 1Joh 5,18 gebrauchten Partizipien drücken verschiedene Aspekte aus: ὁ γεγεννημένος (Partizip Perf., d. h. konfektiv-

[1] Daß ὁ πιστεύων εἰς ἐμέ zum Folgenden gehört, läßt sich nicht beweisen, doch spricht die Wahrscheinlichkeit dafür: 1. Steht sonst im NT bei zwei parallelen kond. Partzz. (oder Relativsätzen) die zweite Protasis nie chiastisch nach, doch kommt dies in sem. Poesie gelegentlich vor, so Spr 14,31; vgl. 12,16; Röm 3,19b; bzw. mit Nachstellung der ersten Protasis und Voranstellung der zweiten: Gen 12,3a; Spr 10,17; 15,10.27; 21,17; Sir 6,16 vgl. Ex 16,18 (meist synd.). 2. Joh hätte sonst den Parallelismus schlecht zum Ausdruck gebracht, da ἐάν τις zu einem kond. Partz. in Parallele stände, wo doch sem. zweimal kond. Partz. (bzw. Relativsatz) vorauszusetzen wäre. 3. Joh und 1—3Joh stellen parallele kond. Partzz. (bzw. Relativsätze) meist asynd. nebeneinander; nur einige Male werden sie durch καί oder δέ verbunden. Überhaupt ist asynd. Satzanschluß für Joh besonders typisch (vgl. Abbott 69f., Burney Joh 49ff., E. Schweizer, Ego eimi 91f., Black 38ff., Bl-Debr 462). 4. Eine „grotesk-komische" Vorstellung (Bultmann Joh 228 Anm. 6, ähnlich Spitta 176) ergibt sich nur dann, wenn man V. 37 und 38 als einheitliches Bild betrachtet. Ein anschauliches Gesamtbild ist aber in sem. Poesie meist gar nicht beabsichtigt, wofür bes. die apokalyptische Literatur reichlich Beispiele liefert, vielmehr stimmen erst die mit den Bildern gemeinten Tatsachen vernünftig zusammen. Außerdem findet sich in Joh 4,14 eine ganz ähnliche Vorstellung. Dazu hat der Glaubende nach Joh 6,35 gar keinen Durst mehr.

[2] Vgl. S. 201 Anm. 4.

[3] Hier liegt sicher sem. (wohl hebr.) Einfluß vor, denn LXXismus ist sehr unwahrscheinlich, da LXX solche Konstruktionen meist unmißverständlich übersetzt. Vgl. S. 201 Anm. 3, ähnlich Act Thom 106 (Raderm 219). Die Lesarten der übrigen Handschriften sind Konjekturen des ihnen unverständlichen Textes.

infektiv = jetziger Zustand als Folge einer früheren Handlung) heißt „einer der gezeugt wurde und jetzt ein Gezeugter ist", dagegen ὁ γεννηθείς (Partizip Aor., d. h. konfektiv = Vorgang als Ereignis betrachtet) „einer, der gezeugt wurde (jetzt aber schon wieder tot sein kann)", wobei der Blick des Erzählers auf dem Augenblick der Zeugung ruht, so daß man pointiert übersetzen kann: „Von dem Zeitpunkt an, wo jemand aus Gott gezeugt wurde" o. ä. Von Jesus als dem, der jetzt der Sohn ist, könnte also in diesem Zusammenhang in richtig gebrauchtem Griechisch nur ὁ γεγεννημένος gesagt sein; Apc 2,26 ὁ νικῶν καὶ ὁ τηρῶν ἄχρι τέλους τὰ ἔργα μου, δώσω αὐτῷ ἐξουσίαν ἐπὶ τῶν ἐθνῶν. 3,12 ὁ νικῶν, ποιήσω αὐτὸν στῦλον ἐν τῷ ναῷ τοῦ θεοῦ μου. 21 ὁ νικῶν, δώσω αὐτῷ καθίσαι μετ' ἐμοῦ ἐν τῷ θρόνῳ μου. 21,7 𝔎.

Bei der Mehrzahl der ntl. Stellen ist jedoch die Härte des Ausdrucks dadurch gemildert, daß — wie z. T. auch in LXX: 1Sam 3,11 = 2Kön 21,12 = Jer 19,3; Spr 11,27b; 27,7b; 29,3a; Pred 10,8b; vgl. 1Kön 12,17 — das konditionale Partizip im Kasus der folgenden Form des anaphorischen αὐτός attrahiert ist[1]: Mt 5,40 B τῷ θέλοντί σοι κριθῆναι καὶ τὸν χιτῶνά σου λαβεῖν, ἄφες αὐτῷ καὶ τὸ ἱμάτιον. 25,29b τοῦ δὲ μὴ ἔχοντος καὶ ὃ ἔχει ἀρθήσεται ἀπ' αὐτοῦ. Lk 6,29a D πάρεχε αὐτῷ (aus Mt 5,39); 12,10b G οὐκ ἀφεθήσεται αὐτῷ (aus Mt 12,32); Apc 2,7b A. 17b τῷ νικῶντι δώσω αὐτῷ κτλ. 21,6 𝔎 ἐγὼ τῷ διψῶντι δώσω αὐτῷ ἐκ τῆς πηγῆς τοῦ ὕδατος τῆς ζωῆς δωρεάν (das voranstehende, von δώσω getrennte ἐγώ ist hier unsemitisch!); + πᾶς: Mt 13,19 Bℵ παντὸς ἀκούοντος τὸν λόγον τῆς βασιλείας καὶ μὴ συνιέντος ἔρχεται ὁ πονηρὸς καὶ ἁρπάζει τὸ ἐσπαρμένον ἐν τῇ καρδίᾳ αὐτοῦ (vgl. 1Sam 2,13 LXX und 3,11 usw. LXX). D αὐτῶν ist semitisch auch möglich. Vielleicht als

---

[1] Wenn jedoch ein dativisches Partz. durch τούτῳ (Mt 5,40 ℵ statt αὐτῷ rel.) oder ἐκείνῳ (Röm 14,14) wiederaufgenommen wird, liegt allenfalls Hebraismus oder LXXismus (vgl. S. 170 Anm. 1), wahrscheinlich aber Gräzismus (vgl. S. 171 Anm. 2) vor. Ebenso handelt es sich wahrscheinlich noch um einen Hebraismus bzw. LXXismus, wenn nominativisches Partz. durch αὐτός im verbalen Hauptsatz wiederaufgenommen wird: Mt 7,21b WΘΦ; 1Joh 2,6 (καὶ αὐτός nicht am Satzanfang). Dagegen liegt eher ein Gräzismus vor, wenn οὗτος oder ἐκεῖνος ein nominativisches kond. Partz. wiederaufnehmen, sei es im Verbalsatz: οὗτος: Mt 10,22b = 24,13 = Mk 13,13b ὁ δὲ ὑπομείνας εἰς τέλος, οὗτος σωθήσεται. Mt 7,21b C[2] 33; Joh 15,5; 2Joh 9b (ἔχων!); Apc 3,5 𝔎; ἐκεῖνος: Joh 6,57 (κἀκεῖνος); 14,12 (κἀκ. nicht am Satzanfang); sei es im Nominalsatz: οὗτος: Lk 9,48c ὁ γὰρ μικρότερος ἐν πᾶσιν ὑμῖν ὑπάρχων, οὗτός ἐστιν μέγας. Joh 7,18b; Jak 1,25; ἐκεῖνος: Joh 10,1 (negiert); 14,21a (ἔχων!); 2Kor 10,18a; vgl. S. 171 Anm. 2.

absoluter Akkusativ der Beziehung[1] ist gemeint Mt 5,40 Δ τὸν θέλοντα . . . ἄφες αὐτῷ. Versehentliche Wiederholung liegt vor Lk 19,26b ADR ἀπὸ δὲ τοῦ μὴ ἔχοντος . . . ἀρθήσεται ἀπ' αὐτοῦ (aus Mt 25,29).

c) Die Handlung des konditionalen Partizips an sich bedingt den Hauptsatz in Jak 4,17 εἰδότι οὖν καλὸν ποιεῖν καὶ μὴ ποιοῦντι, ἁμαρτία αὐτῷ ἐστιν (ohne Artikel wie immer bei griech. Partizipium conjunktum, meist hebr., selten LXX, nie neuhebr.!) „Wenn jemand weiß, Gutes zu tun, es aber nicht tut, so ist das Sünde für ihn" = „Gutes, obwohl man es weiß, nicht zu tun, ist für den Betreffenden Sünde". Dieser Spruch hat höchstwahrscheinlich ein hebräisches Original (im Griechischen müßte ein Infinitiv oder ein konjunktionaler Konditionalsatz gebraucht werden, vgl. 1Kor 11,14f.). Außerdem ist hier noch Lk 12,10b τῷ δὲ εἰς τὸ ἅγιον πνεῦμα βλασφημήσαντι οὐκ ἀφεθήσεται zu nennen, obwohl kein Anakoluth mehr vorhanden ist: „Dem, der den heiligen Geist lästert, kann das nicht vergeben werden" = „Lästerung des heiligen Geistes ist unvergebbar" (Griechisch: Mt 12,31b).

f) Das von einem Substantiv abhängige konditionale Partizip

α) Das von einem Substantiv abhängige konditionale Partizip im Semitischen

An die Stelle einer Protasis mit einem indefiniten Substantiv als Subjekt kann im Hebräischen und Neuhebräischen dieses Substantiv (determiniert oder indeterminiert) gefolgt von einem abhängigen konditionalen Partizip treten. Substantiv und konditionales Partizip haben im älteren Hebräisch in der Regel den Artikel (außer nach כל), im jüngeren nicht; im Neuhebräischen hat das Substantiv meistens keinen, das Partizip immer den Artikel. LXX hält sich in diesem Punkt, soweit sie nicht einen Relativsatz gebraucht, meistens genau an die hebräische Vorlage.

I. Das dem konditionalen Partizip vorangehende Substantiv ist Subjekt des Hauptsatzes

1) Hebräisch: Num 19,22b הַנֶּפֶשׁ הַנֹּגַעַת תִּטְמָא עַד־הָעָרֶב, LXX ἡ ψυχὴ ἡ ἁπτομένη ἀκάθαρτος ἔσται ἕως ἑσπέρας. Spr 20,21 נַחֲלָה מְבֹחֶלֶת בָּרִאשֹׁנָה וְאַחֲרִיתָהּ לֹא תְבֹרָךְ, LXX μερὶς ἐπισπουδαζομένη ἐν πρώτοις ἐν τοῖς τελευ-

[1] Vgl. K-G 412.3, Schwyzer 87f. So etwa Xenoph Cyrop 2.3,4 τοὺς μὴ θέλοντας ἑαυτοῖς προστάττειν ἐκπονεῖν τἀγαθὰ ἄλλους αὐτοῖς ἐπιτακτῆρας δίδωσι (ὁ θεός).

ταίοις οὐκ εὐλογηθήσεται „Wenn ein Besitz anfänglich schnell erworben wurde, wird er später nicht gesegnet sein"; Gen 24,43f.; Lev 7,18b; Ez 18,4b; Spr 15,31; 17,22a.b; 21,16.28b; 27,7a; 28,17; 29,3a.5 u.ö.; 1QS 6,10f. הכתוב לפניו האיש הנשאל ידבר בתרו „Wenn jemand gefragt wird, spreche er nach dem, der vor ihm in der Liste steht"; 7,10f. (emphatisches ל beim Nominativ, vgl. S. 201 Anm. 2). Neuhebräisch: BB 2,6 נפול הנמצא בתוך חמשים אמה הרי הוא של בעל השובך „Wenn ein (aus dem Taubenschlag) gefallenes (Tier) innerhalb von 50 Ellen gefunden wird, gehört es dem Besitzer des Schlages"; Sanh 7,11 המכשף העושה מעשה חייב „Wenn ein Zauberer wirklich (nicht nur scheinbar) zaubert, ist er schuldig"; bSuk 7b סוכה העשויה כשובך פסולה לפי שאין לה זויות „Wenn eine Festhütte nach Art eines Bienenkorbes gemacht ist, ist sie unbrauchbar, weil sie keine Winkel hat" u. ebd. ö.ä. bKet 3a.b בתולה הנישאת ביום הרביעי תיבעל לטפסר תחילה „Wenn eine Jungfrau am Mittwoch verheiratet wird, soll sie zuvor vom Feldherrn beschlafen werden"; RŠ 2,5; dabei kann jedoch das Substantiv אשה „Frau" ausgelassen werden, da die feminine Form des Partizips den Sinn sicherstellt: Sot 4,3 מעברת חברו ומינקת חברו לא שותה ולא נוטלת כתבה „Wenn eine (Frau) von seinem Nächsten schwanger ist, oder wenn eine (Frau) das Kind von seinem Nächsten säugt, trinkt sie nicht und bekommt die Hochzeitssumme nicht"; vgl. Suk 2,2; Sot 1,3; 4,5.

2) Zum Ausdruck der Verallgemeinerung und Unbestimmtheit kann dem Substantiv noch כל „jeder (irgendeiner)" vorangestellt werden: Hebräisch: Lev 7,10 כָּל־מִנְחָה בְלוּלָה־בַשֶּׁמֶן וַחֲרֵבָה לְכָל־בְּנֵי אַהֲרֹן תִּהְיֶה אִישׁ כְּאָחִיו, LXX πᾶσα θυσία ἀναπεποιημένη ἐν ἐλαίῳ καὶ μὴ ἀναπεποιημένη πᾶσι τοῖς υἱοῖς Ααρων ἔσται, ἑκάστῳ τὸ ἴσον „Auch wenn ein Speiseopfer mit Öl angemacht ist oder trocken ist, soll es allen Söhnen Aarons gehören, einem wie dem anderen"; 15,9; CD 9,14f. כל אבדה נ[מצ]את ואין לה בעלים והיתה לכהנים „Wenn etwas gefunden wird, ohne daß sich der Besitzer meldet, soll es den Priestern übergeben werden" (oder Relativsatz ohne Relativpronomen?). Neuhebräisch: Chul 3,6 כל עוף הדורס טמא „Wenn ein Vogel sein Futter mit den Krallen von der Erde aufnimmt, ist er unrein"; bSanh 52b כל מיתה האמורה בתורה סתם אינה אלא חנק „Wenn irgendwo in der Tora eine Todesstrafe ohne weitere Bezeichnung vorkommt, ist das Erwürgen gemeint"; bBB 16b כל חולה הרואה אותה מיד מתרפא „Wenn ein Kranker ihn (den Edelstein an Abrahams Hals) ansah, wurde er sofort geheilt"; bNid 13a (Fiebig Nr 149).

II. Das dem konditionalen Partizip vorangehende Substantiv ist Objekt des Hauptsatzes

Dt 14,6; 1Sam 15,9b (beide + כֹּל); Sir 4,2.

III. Das dem konditionalen Partizip vorangehende Substantiv steht dem Hauptsatz als „Casus pendens“ absolut voran

a) Es wird im Hauptsatz an der syntaktisch passenden Stelle durch ein Suffix wiederaufgenommen: 1QS 8,11f. כול דבר הנסתר מישראל ונמצאו לאיש הדורש אל יסתרהו מאלה מיראת רוח נסוגה „Wenn eine Sache, die bisher vor Israel verborgen war, von einem Forscher gefunden wird, so soll er sie vor ihnen nicht verbergen aus Furcht vor einem abtrünnigen Geist“; Kil 6,8.9 הפרח היוצא מן העריס רואין אותו כאלו מטטלת תלויה בו „Ein Sproß, der aus dem Spalier herausragt: man sieht ihn an, als ob ein Senkblei an ihm aufgehängt wäre“; Dere<u>k</u> ’ereṣ zoṭa IX (zitiert S. 144 Anm. 5). Dieses Suffix ist z.T. zu ergänzen: 1Sam 2,13f. כָּל־אִישׁ זֹבֵחַ זֶבַח וּבָא נַעַר הַכֹּהֵן . . . וְהִכָּה בַכִּיּוֹר, LXX παντὸς τοῦ θύοντος καὶ ἤρχετο τὸ παιδάριον τοῦ ἱερέως . . . καὶ ἐπάταξεν αὐτὴν εἰς τὸν λέβητα τὸν μέγαν „Jedesmal, wenn jemand ein Opfer geschlachtet hatte, kam der Bursche des Priesters . . . und stocherte in (dessen) Topf herum“; Spr 27,7b נֶפֶשׁ רְעֵבָה כָּל־מַר מָתוֹק, LXX ψυχῇ δὲ ἐνδεεῖ καὶ τὰ πικρὰ γλυκεῖα φαίνεται „Eine hungrige Seele: alles Bittere ist (ihr) süß“. Das Substantiv kann auch im gleichen Kasus im Hauptsatz wiederholt sein: 1QS 6,12f. האיש השואל את עצת היחד ועמד האיש על רגליהו ואמר יש אתי דבר לדבר לרבים „Wenn jemand den Rat der Gemeinde etwas fragen möchte, so soll er aufstehen und sagen: Ich habe der Gesamtheit etwas zu sagen!“.

b) Das Objekt o.ä. des konditionalen Partizips ist Subjekt des Hauptsatzes: Spr 29,9 אִישׁ־חָכָם נִשְׁפָּט אֶת־אִישׁ אֱוִיל וְרָגַז וְשָׂחַק וְאֵין נָחַת „Ein Weiser, der mit einem Toren rechtet: er (der Tor) tobt und lacht, und es gibt keine Ruhe“ (= „Wenn ein Weiser mit einem Toren rechtet, so tobt der und lacht)“, LXX hat den Satz nicht verstanden: ἀνὴρ σοφὸς κρίνει ἔθνη, ἀνὴρ δὲ φαῦλος ὀργιζόμενος καταγελᾶται καὶ οὐ καταπτήσσει. bChul 123a ליגיון העובר ממקום למקום ונכנס לבית הבית טמא „Eine Legion, die von einem Ort zum anderen zieht und ein Haus betritt: das Haus ist unrein“.

c) Die Handlung des konditionalen Partizips an sich bedingt den Hauptsatz; dabei fehlt in der Regel eine beiden gemeinsame Person oder Sache: jJeb 7c = 8b אף הפנוי הבא על הפנוייה שלא לשם אישות הרי זו בעילת זנות „Ein Unverheirateter, der einer Unverheirateten ohne die

Absicht, sie zu heiraten, beiwohnt: das ist Buhlerei"; bŠab 67b המרקדת והמונה שבעים ואחד אפרוחין בשביל שלא ימותו יש בו משום דרכי האמורי ,,Eine die tanzt und 71 Küken abzählt, damit sie nicht sterben: das ist eine emoritische Sitte" u. ebd. ö.ä.; bTaan 21a עיר המוציאה חמש מאות ואלף רגלי כגון כפר עכו ויצאו הימנה תשעה מתים בשלשה ימים זה אחר זה הרי זה דבר ,,Eine Stadt, die 1500 Mann stellen kann wie etwa K., und neun Tote verlassen sie nacheinander in drei Tagen: das ist eine Pest" u. ebd. ö.ä.

β) Das von einem Substantiv abhängige konditionale Partizip im Griechischen

Im Griechischen steht der Nominativ eines Substantivs mit einem Partizip entweder mit Absicht oder aus Nachlässigkeit manchmal anakoluthisch anstatt eines Gen. abs. voran: Herodot 7,157 ἁλὴς γενομένη πᾶσα ἡ Ἑλλὰς χεὶρ μεγάλη συνάγεται (= χεῖρα μεγάλην συνάγει); Xenoph Cyrop 6.3,2 ὄπισθεν δὲ ἡ φάλαγξ ἐφεπομένη, εἴ τι τῶν σκευοφόρων ὑπολείποιτο, οἱ προστυγχάνοντες τῶν ἀρχόντων ἐπεμέλοντο, ὡς μὴ κωλύοιντο πορεύεσθαι (ἡ φάλαγξ wird durch οἱ προστυγχάνοντες als Subjekt verdrängt). In den vulgärgriechischen Papyri, deren Verfasser teilweise nicht die elementarsten griechischen Sprachkenntnisse besaßen, finden sich grammatische Entgleisungen aller Art, vgl. Mayser 3, S. 189ff.

γ) Das von einem Substantiv abhängige konditionale Partizip im Neuen Testament

Unter den ntl. Beispielen für Substantiv mit konditionalem Partizip finden sich gleichfalls einige, die unmöglich auf ein semitisches konditionales Partizip zurückgeführt werden können[1], nämlich die negierten Partizipien in Mt 3,10 = 7,19 = Lk 3,9 und Joh 15,2a. Daher muß auch für die übrigen einem Substantiv angeschlossenen konditionalen Partizipien die Möglichkeit zugestanden werden, daß ihnen im Semitischen ein (auch im Aramäischen üblicher) konditionaler Relativsatz entsprochen hat, so daß nur mit großer Zurückhaltung auf ein hebräisches bzw. neuhebräisches Original geschlossen werden darf.

I. In den meisten Fällen ist das meist indeterminierte Substantiv wie auch gut griechisch Subjekt des Hauptsatzes: 1) Mt 15,14 Θφ (sy$^{c.s}$) τυφλὸς δὲ τυφλὸν ὁδηγῶν σφαλήσεται. Lk 12,47 ἐκεῖνος[2] ὁ δοῦλος ὁ

[1] Vgl. S. 205ff.

[2] Ἐκεῖνος (om. sy) ist wahrscheinlich redaktionell: Es verknüpft Lk 12,47f. mit dem Vorangehenden und macht dadurch das eigentlich kond. (wie der

γνοὺς τὸ θέλημα τοῦ κυρίου αὐτοῦ καὶ μὴ ἑτοιμάσας[1] πρὸς τὸ θέλημα αὐτοῦ δαρήσεται πολλάς. OxyrhPap 1,7 λέγει Ἰησοῦς· πόλις οἰκοδομημένη ἐπ' ἄκρον [ὄ]ρους ὑψηλῦς καὶ ἐστηριγμένη οὔτε πε[σ]εῖν δύναται οὔτε κρυ[β]ῆναι „Wenn eine Stadt auf dem Berge liegt . . .“ steht in seiner Wortstellung dem Semitischen noch näher, als Mt 5,14b (kond. Substantiv + Partizip nachgestellt) οὐ δύναται πόλις κρυβῆναι ἐπάνω ὄρους κειμένη. In Röm 10,5 = Gal 3,12 ℜ ist der hebräische Text von Lev 18,5 (zitiert S. 259) mißverstanden worden, als ob es sich um einen konditionalen Relativsatz handelte, dessen Leitwort in denselben hereingenommen wurde[2], was aber semitisch unmöglich ist; LXX hat אֲשֶׁר–אֹתָם richtig auf die vorangehenden Substantive bezogen: ἃ ποιήσας ἄνθρωπος ζήσεται ἐν αὐτοῖς. 1Kor 7,34a B ἡ γυνὴ ἡ ἄγαμος καὶ ἡ παρθένος μεριμνᾷ τὰ τοῦ κυρίου, doch auch V. 34a אℜD und V. 34b gehören hierher, da hier — wie das fem. Partizip zeigt — ἡ γυνή zu ergänzen ist: b ἡ δὲ γαμήσασα μεριμνᾷ τὰ τοῦ κόσμου „Wenn eine Frau aber verheiratet ist, sorgt sie sich um die Dinge der Welt“; (1Tim 5,17: Plural, griech. Wortstellung). 2) Nach πᾶς „jeder“ ist das Substantiv nach semitischem[3] und griechischem[4] Sprachgebrauch immer indeterminiert: Mt 3,10 = 7,19 = Lk 3,9 (negiert!) πᾶν δένδρον μὴ ποιοῦν καρπὸν καλὸν ἐκκόπτεται καὶ εἰς πῦρ βάλλεται. Mt 12,25a = Lk 11,17a πᾶσα βασιλεία μερισθεῖσα καθ' ἑαυτῆς ἐρημοῦται. In Mt 12,25b

---

parallele V. 48a zeigt) Partz. zu einer überflüssigen Erläuterung. Immerhin könnte es auch ursprünglich sein, wenn hier ein aram. kond. Relativsatz als Original angenommen werden kann, da im Aram. öfters vor dem Subst. (+ kond. Relativsatz) noch ein korrelativ. (hier eigentlich überflüssiges, vgl. S. 149ff.) Demonstrativ steht, vgl. die Beispiele auf S. 179—86 und Schles S. 85.

[1] Diese Lesung (LWφitsy) ist aus textkritischen Gründen und vom Sem. her allein wahrscheinlich.

[2] Vgl. S. 188 Anm. 1.

[3] VglGr 172b. Immer arab.: Synt Verh 139f., Syntax 154f.; fast immer hebr.: GKa 127bc, GBu s.v. כל 3, Kö 78, Kropat 11, Brockelmann 78; und reichsaram.: BLA 25e; und so wird es auch noch im Jüd.-Pal. der Zeit Jesu gewesen sein. Erst in den jüngeren aram. Sprachen beginnt der Status absol. durch den Status emphat. verdrängt zu werden, so daß auch determiniertes Subst. nach כל „jeder“ vorkommt, so verschiedentlich schon im Jüd.-Pal. (Dalman 123, Odeberg 335. 355. 381), öfter im Christl.-Pal. (Schulthess 159.1b), noch öfter im Syr. (Nöld 202 D. 218) und Mand. (Nöld 301f. 323), und immer im Bab.-Talmud. (Schles 58). Vgl. J. A. Fitzmyer, Biblica 38 (1957), 170—84.

[4] Πᾶς „jeder einzelne“ (dagegen ἕκαστος „jeder für sich“): K-G 465.6, Mayser 2 S. 96f., Bl-Debr 275.3, Raderm 112f. 117, B. Reicke, ThWNT V 885f.

καὶ πᾶσα πόλις ἢ οἰκία μερισθεῖσα καθ' ἑαυτῆς οὐ σταθήσεται[1] sind wahrscheinlich zwei Varianten zusammengeflossen, da das doppelte Substantiv vor sing. Partizip semitisch sehr hart ist[2]; 1Kor 11,4.5 πᾶς ἀνὴρ προσευχόμενος ἢ προφητεύων — πᾶσα δὲ γυνὴ προσευχομένη ἢ προφητεύουσα. In (1Kor 9,14 und) Gal 5,3 ist das Substantiv + konditionales Partizip einem übergeordneten Hauptsatz attrahiert. Ein Adjektiv an Stelle eines Partizips steht Mt 7,17a.b; Eph 4,29a[1]; Jak 1,17.

III. Das vom konditionalen Partizip gefolgte Substantiv steht absolut im Nominativ[3] voran und wird im Hauptsatz durch αὐτό wiederaufgenommen: Joh 15,2a (negiert!) πᾶν κλῆμα ἐν ἐμοὶ μὴ φέρον καρπόν, αἴρει αὐτό. b (+ Artikel[4], κλῆμα zu ergänzen) καὶ πᾶν τὸ καρπὸν φέρον, καθαίρει αὐτό. Subjekt und Objekt des konditionalen Partizips werden im Hauptsatz durch pluralisches Suffix (ἀμφότεροι = hebräisch שְׁנֵיהֶם, jüdisch-palästinisch תריהון) und plur. Verbum finitum zusammengefaßt in Mt 15,14 Epiph Cypr τυφλὸς δὲ τυφλὸν ὁδηγῶν ἀμφότεροι εἰς βόθυνον ἐμπεσοῦνται[5].

g) Einige Besonderheiten der konditionalen Partizipien[6]

α) Das semitische konditionale Partizip ist zwar der Natur der Sache nach singularisch, da es statt „wenn jemand" gebraucht wird, doch übersetzt es LXX öfters pluralisch (und läßt dadurch seinen konditionalen Charakter zugunsten des attributiven zurücktreten): Spr 8,36; 10,18b; 12,11b; 15,9b.10b, zumal wenn das Verbum finitum des Hauptsatzes im Hebräischen im Plural stand: Jes 55,1. Daher könnten auch die ntl. pluralischen Partizipien auf ein semitisches sing. kond. Partizip zurückgehen, müssen also hier erwähnt werden: Lk 16,26; 21,21; Joh 9,39b.c; Röm 8,8.28; 13,2b; 1Kor 7,29b.30a.b.c.31; 9,13a.b.14; Gal 5,21; 1Tim 3,13; 5,17 (+ Substantiv). 20; 6,2.9; Tit

---

[1] Zu πᾶς — οὐ vgl. S. 189 Anm. 4.

[2] Bei Relativsatz ist es grammatisch möglich, vgl. S. 188 Anm. 3, doch kaum poetisch, besonders im Parallelismus zu V. a.

[3] Doch könnte πᾶν κλῆμα vom Griech. her auch als Akk.-Objekt verstanden werden, das ungewöhnlich (vgl. S. 169f. und S. 217 Anm. 1) durch αὐτό wiederaufgenommen wird, vgl. Bl-Debr 466.3.4.

[4] Vgl. S. 212.

[5] So ähnlich könnte das sem. Original ausgesehen haben, obwohl es sich hier höchstwahrscheinlich nur um eine Mischlesart aus Bא und Θφ handelt.

[6] a—d kamen auch beim kond. Relativsatz vor, vgl. S. 192f.

1,15; Hebr 11,6b.14; 1Petr 4,19; + πᾶς: Mt 26,52; 2Tim 3,12. Es fällt allerdings auf, daß fast alle Belege aus den Briefen stammen.

β) Das konditionale Partizip und sein Hauptsatz können im Hebräischen präterital sein (Iterativ der Vergangenheit): Ex 33,7b; Ri 19,30; 2Sam 2,23; 20,12; 2Chr 13,9 (alle + כֹּל); oder die Haupthandlung kann dem konditionalen Partizip zeitlich vorangehen: Spr 16,30b (ergänze: „macht dadurch offenbar, daß ...“[1]). Ersteres findet sich im NT: Joh 5,4 𝔎 (dagegen in 14,9b präsent. Perfekt); Hebr 4,10; letzteres: 1Joh 2,29; 3,6b; 4,7; 5,1a; 3Joh 11b; während das Präteritum in Mt 5,28; Joh 3,33; Röm 13,8b doch wohl nur die absolute Koinzidenz beider Handlungen betonen soll (komplexiver Aorist bzw. Perfekt [vgl. S. 89], da das kond. Partizip hier kaum präterital gemeint ist), wie auch in Lev 20,20; Num 19,13 M. LXX; CD 9,10 u.ö., vgl. 1Kor 7,28.

γ) Zwischen konditionalem Partizip und Hauptsatz kann im Semitischen eine Parenthese[2] eingeschoben werden, so etwa Pea 3,2 רבי עקיבה אומר; Sot 1,1. Im NT findet sich Entsprechendes: Lk 6,47 (von Lk, vgl. 12,5); Joh 7,38.

δ) Die Auslassung des zweiten Hauptsatzes von zwei verbundenen, entgegengesetzten oder parallelen, Konditionalgefügen ist semitisch wegen der Liebe zur Paronomasie[3] ungewöhnlich, aber nicht ausgeschlossen: Mt 7,21b (außer WΘ it); Eph 4,29b; 1Joh 3,10b.

ε) Um den konfektiven (punktuellen) Charakter (ingressiv oder effektiv) der Handlung hervorzuheben, gibt LXX das hebräische Partizip, das bekanntlich wie das Partizip in allen semitischen Sprachen einen Aspekt sowenig wie eine (relative) Zeitlage zum Ausdruck zu bringen vermag, öfters durch ein Partizip Aor. wieder: Gen 4,15; Num 35,30; Spr 24,24. Auch im NT ist in diesem Punkt griechisches Sprachgefühl wirksam: Mt 5,28 K. 32b B; 10,22b. 39a.b; 21,44a Bא; 23,20.21.22; 24,13 = Mk 13,13b; Mk 16,16a.b; Lk 6,49 (Mt: Präsens); 12,9 (Mt: ὅστις). 10b (Mt: ὃς ἄν). 47 (+ Subst.). 48a; Joh 3,33; Röm 6,7; (1Kor 7,33.34b [+ Subst.]); Gal 3,12; Jak 1,25; 5,20; 1Petr 4,1; +πᾶς: Lk 20,18a; Joh 6,45; 16,2[4]. Dagegen meint das semitische

[1] Vgl. S. 84ff.

[2] Vgl. S. 193 Anm. 1.

[3] Vgl. S. 97 Anm. 1.

[4] Doch ist das Partz. Präsentis zum Ausdruck der Dauer der Handlung wohl begründet in Eph 4,28 „wer ein Dieb ist“ = „wer bisher stahl“ (Bl-Debr 339.3); Kol 3,25. Diese Beispiele zeigen, wie wenig die Kategorie der relativen Zeit (gleichzeitig, vorzeitig) dem griech. Partz. gerecht wird, vgl. Schwyzer 257.

passive Partizip in der Regel eine in der Vergangenheit abgeschlossene Handlung, so daß es mit Recht im Griechischen durch ein Partizip Aor. (Punktual): 1Kor 7,22a.b; 1Joh 5,18b; oder ein Partizip Perfekti (Zustand als Resultat einer vergangenen Handlung) wiedergegeben wird: Joh 3,6a.b; 13,10; + πᾶς: 1Joh 3,9; 5,4.18a.

ζ) In den semitischen Sprachen gibt es kein Neutrum. Daher erscheinen neutrisch gemeinte Adjektive oder Partizipien entweder als Maskulinum oder häufiger mit Femininendung (dies besonders, wenn mehr die einzelne Erscheinungsform gemeint ist, wie „etwas Gutes" o.ä., da die Femininendung im Semitischen ursprünglich ein Nomen unitatis bezeichnete)[1]. So steht maskulin. kond. Partizip: Lev 7,17 הַנּוֹתָר מִבְּשַׂר הַזָּבַח ... יִשָּׂרֵף, LXX τὸ καταλειφθὲν ἀπὸ τῶν κρεῶν τῆς θυσίας . . . κατακαυθήσεται. 1QS 9,24; CD 9,10f. (zitiert S. 202); Kel 12,2 כל המחובר לטמא טמא „Alles, was mit Unreinem verbunden ist, ist (auch) unrein". Außerdem gibt LXX aber auch ein persönliches konditionales Partizip manchmal neutrisch wieder: Ex 22,18 כָּל־שֹׁכֵב עִם־בְּהֵמָה מוֹת יוּמָת, LXX πᾶν κοιμώμενον μετὰ κτήνους, θανάτῳ ἀποκτενεῖτε αὐτούς. Die ntl. neutrischen konditionalen Partizipien können also, ganz gleich, ob sie persönlich oder sächlich gemeint sind, ohne Schwierigkeiten auf ein (bei persönlicher Bedeutung immer maskulin.) hebräisches Partizip zurückgehen: Lk 16,15b (Adjektiv; sächlich?); Joh 3,6a τὸ γεγεννημένον ἐκ τῆς σαρκὸς σάρξ ἐστιν. b (persönlich); + πᾶν: Eph 5,14 (sächlich); 1Joh 5,4 (persönlich); vgl. die neutrischen Relativsätze Joh 6,37a.39; 17,2.

η) Hebräische Partizipien, die eine Eigenschaft bezeichnen, werden von LXX öfters durch Adjektive wiedergegeben, so Spr 11,13a.b.25b; 17,20; 21,28b; 28,20b; Sir 3,27b. Daher mußten auch die ntl. konditional gemeinten Adjektive berücksichtigt werden: (Mt 7,17a.b);

---

[1] Zum Ersatz des Neutrums von Adjektiven, Partzz. oder Pronomina durch Fem. oder Mask. vgl.: VglGr 26, GKa 122q, Kö 244.245, Brockelmann 16, Albrecht 85de, BLA 94cd, Aḥiqar 123; Dalman 107.3, so etwa: jPea 18b היא גיטין היא קידושין „Von Scheidung und Eheschließung gilt dasselbe"; jTer 42b היא הדא היא הדא „Das ist ein- und dasselbe"; jŠab 14c טב לבישתא וביש לטבתא „(Der Essig ist) gesund für Schädliches, aber schädlich für Gesundes"; LevR 33,1 מיניה טבתא ומיניה בישתא כד הוה טב לית טבא מיניה וכד ביש לית בישא מיניה „Von der Zunge kommt das Gute und das Böse; ist sie gut, gibt es nichts Besseres als sie, ist sie aber schlecht, gibt es nichts Schlechteres als sie"; RtR zu 2,14 (zit. S. 98 Anm.); KlglR zu 1,1 (zit. S. 136); oft היא ד „das, was"; bJom 11b לאו כלום היא „Es ist nichts", Margolis 42, Schles 35, Nöld Syr 201, Mand 299, Schulthess 155, Bl-Debr 138.2.

Lk 16,10a.b.15b; 22,26a.b; Joh 8,7 ℜD; 1Kor 7,32.34a; Eph 4,29a; 5,5; (Jak 1,17); 1Joh 3,15b (Subst.).

ϑ) Alle von einem hebräischen bzw. neuhebräischen konditionalen Partizip abhängigen Satzteile — Objekte oder adverbiale Bestimmungen — folgen diesem nach. Auch Zwischenstellung zwischen Artikel und Partizip ist unmöglich, da beide fest miteinander verbunden sind (sie werden ja auch immer zusammengeschrieben). Deshalb können die folgenden ntl. Stellen nicht wörtlich ein semitisches Original wiedergeben; entweder ist die Wortstellung oder das konditionale Partizip nicht ursprünglich. Doch auch bei Annahme eines konditionalen Relativsatzes oder eines konjunktionalen Konditionalsatzes ist diese Wortstellung (außer bei starker Betonung des entsprechenden Satzteils) auffallend, so daß griechischer Einfluß wahrscheinlich ist: Mt 5,32b B ὁ ἀπολελυμένην γαμήσας; 10,40b ὁ ἐμὲ δεχόμενος; 15,14 Θφ Epiph (+ Subst.) τυφλόν; Lk 10,16c Bא ἐμέ. D ἐμοῦ; 11,17a BCℜ (+ Subst.) ἐφ' ἑαυτήν; 16,10b ἐν ἐλαχίστῳ. 15b ἐν ἀνθρώποις. 18b (אA + πᾶς) ἀπολελυμένην ἀπὸ ἀνδρός; Joh 3,20 (+ πᾶς) φαῦλα. 31a ἄνωθεν. c ἐκ τοῦ οὐρανοῦ; 5,4 ℜ πρῶτος. 24 τὸν λόγον μου; 7,18a ἀφ' ἑαυτοῦ; 13,20b ἐμέ; 15,2a ἐν ἐμοί (negiert!). b καρπόν (beide + Subst.). 23 ἐμέ; 19,12 πᾶς ὁ βασιλέα ἑαυτὸν ποιῶν; Röm 14,18 ἐν τούτῳ; 1Kor 7, 22a ἐν κυρίῳ. b ἐλεύθερος; (9,13a.b); 2Kor 10,18a ἑαυτόν; (Gal 5,21; 1Tim 3,13; 5,17; 6,2; Hebr 11,14); 1Joh 3,6a (+πᾶς) ἐν αὐτῷ. Es fällt auf, daß über die Hälfte der Belege aus Joh und 1Joh stammen, relativ ebenso groß ist der Anteil bei Lk (12%), kleiner bei den Briefen (7%).

h) Der konjunktionale Konditionalsatz mit indefinitem Subjekt

Die übliche Konstruktion zum Ausdruck von „wenn jemand" ist also im Semitischen der konditionale Relativsatz bzw. das konditionale Partizip, im Griechischen εἴ τις, ἐάν τις[1]. Aber ebenso wie im Griechischen konditionaler Relativsatz bzw. Partizip gar nicht selten vorkommt, kann umgekehrt auch „wenn jemand" im Semitischen durch einen konjunktionalen Konditionalsatz mit einem Indefinitersatz[2] als Subjekt wörtlich umschrieben werden[3]. Man darf also auf Grund des

[1] So wird etwa im griech. Zivil- und Strafrecht meistens ἐάν τις, seltener kond. Relativsatz gebraucht, vgl. W. Larfeld, Griechische Epigraphik, 3. Aufl., München 1914, 316ff.

[2] Vgl. S. 142.

[3] Vgl. S. 142 Anm. 4.

Vorkommens von εἴ τις, ἐάν τις an irgendeiner ntl. Stelle nicht ein semitisches Original bestreiten. Außerdem ist auch öfters damit zu rechnen, daß durch εἴ τις, ἐάν τις ein semitischer konditionaler Relativsatz bzw. Partizip gräzisierend übersetzt wurde. Das findet sich nämlich schon öfters in LXX, etwa statt Relativsatz εἴ τις: Gen 19, 12; Ex 32,24.33; ἐάν τις: Ex 24,14; Lev 15,32; 20,11.12; statt Partizip ἐάν τις: Ex 21,12 (Hi 41,18)[1]. Außerdem sind im NT zu verschiedenen Stellen mit εἴ τις, ἐάν τις noch Parallelen vorhanden, die konditionalen Relativsatz bzw. Partizip zeigen: Mt 16,24 = Mk 8,34 Bא = Lk 9,23 εἴ τις (Mt 10,38 = Lk 14,27 Relativsatz)[2]; Mt 18,3 ἐὰν μὴ στραφῆτε (Mk 10,15 = Lk 18,17 Relativsatz); Mt 21,21 κἂν τῷ ὄρει τούτῳ εἴπητε (Mk 11,23 Relativsatz), vgl. Mt 18,19; Mk 3,24 ἐὰν βασιλεία ἐφ' ἑαυτὴν μερισθῇ (Mt 12,25a = Lk 11,17a πᾶσα βασιλεία μερισθεῖσα καθ' ἑαυτῆς); Mk 3,25 ἐὰν οἰκία (Mt 12,25b πᾶς + Subst. + Partizip); Mk 4,15 ὅταν (Mt 13,19 πᾶς + Partizip); Mk 4,23 = 7,16 ADW𝔎 und Apc 13,9 εἴ τις ἔχει ὦτα bzw. οὖς (Mk 4,9 ὃς ἔχει ὦτα; Mt 13,9.43 = Lk 8,8 und Apc 2,7a ὁ ἔχων ὦτα bzw. οὖς); Mk 7,11 ἐὰν εἴπῃ ἄνθρωπος (Mt 15,5f. Relativsatz); Mk 9,35 εἴ τις (Mk 10,43f. = Mt 20,26f. Relativsatz; Lk 22,26 Adjektiv); Lk 14,26 εἴ τις (Mt 10,37 Partizip); Joh 14,14 ἐάν τι, vgl. 16,23b ἄν τι (14,13 Relativsatz); Joh 20,23a.b ἄν τινων (Mt 18, 18a.b Relativsatz); Jak 1,23 εἴ τις (vgl. 1,25 Partizip). Dazu konnten εἴ τις, ἐάν τις und konditionaler Relativsatz bzw. Partizip u. U. auch vertauscht werden, wie die Handschriften zeigen: Mt 5,39 **471** ἐάν τις

[1] Im ganzen ist jedoch, wie zu erwarten, εἴ τις (ca. 30mal) und ἐάν τις (ca. 50mal) in LXX sehr selten: Sie kommen zusammen nur ca. 80mal vor — dagegen im NT 125mal — d. h. (vgl. S. 208 Anm. 2) sie sind relativ kaum 1/6 so häufig wie im NT!

[2] Mk 8,34 parr. ist wahrscheinlich statt οὐκ ἔστιν μου ἄξιος (Mt 10,38) oder οὐ δύναταί εἶναί μου μαθητής (Lk 14,27) dem Relativsatz ungeschickt ὀπίσω μου ἐλθεῖν entnommen (besser Joh 12,26) und als Protasis vorangestellt (und außerdem ἀπαρνησάσθω ἑαυτόν zugefügt?) worden, so daß καὶ ἀκολουθείτω μοι jetzt überflüssig nachhinkt (vgl. Mt 12,29 = Mk 3,27 [S. 119 Anm. 1] und das zweimalige προσεύχεσθαι in Mt 6,6!). Einen verschiedenen Sinn können die beiden Verben ursprünglich auch nicht gehabt haben, da „folgen" im Hebr. und Aram. immer durch „gehen hinter" ausgedrückt wird, vgl. Dalman JJ 172, Black 277f. Als Nachsatz zu den beiden vorangehenden Jussiven („so wird er mir nachfolgen") kann der Jussiv καὶ ἀκολουθείτω μοι allerdings vom Sem. her auch verstanden werden (vgl. S. 240 und S. 252 Anm. 2). Daß in dieser Weise das Verb des kond. Relativsatzes als Apodosis des folgenden Jussivs wiederholt wird, ist im Sem. gar nicht so selten: jŠebi 34c (zit. S. 150); jSot 23c (zit. S. 251); KlglR zu 2,2 (zit. S. 181f.); bBer 6a und bŠab 134a (zit. S. 251).

(rell. ὅστις); 13,12a **1194** εἴ τις (rell. ὅστις); 15,14 Bא ἐάν (Θφ Partizip); Mk 6,10 **111.330** om. ὅπου (rell. Relativsatz); 6,23 D εἴ τι ἄν (rell. ὅτι [ὃ] ἐάν); 8,34 Bא εἴ τις (ℜΘ ὅστις); 10,11 Θλφ ἐὰν ἀνήρ (Bא Relativsatz); vgl. 3,29 D ὃς ἂν δέ τις; Joh 8,51 Bא ἐάν τις (D sy ὃς ἄν); 1Kor 7,13 אD εἴ τις (Bℜ ἥτις); Eph 6,8 Bא ἐάν τι (AD ὃ ἐάν); 1Joh 5,14 Bא ἐάν τι (A ὅ τι ἄν); beides nebeneinander steht 1Kor 7,36f.; 2Kor 2,10b; Eph 4,29; Phil 4,8; Apc 14,11.

α) Wenn also aus der jeweils vorliegenden Konstruktion auch kein sicherer Schluß gezogen werden kann, so muß doch die Wahrscheinlichkeit eines semitischen Originals für eine ntl. Stelle, deren vorangestellte Protasis durch εἴ τις, ἐάν τις o.ä. eingeleitet ist, wesentlich geringer veranschlagt werden[1]: Mt 16,24 (εἴ τις); 18,12; 21,3; 22,24 (nicht aus M oder LXX); 24,23 (ἐάν τις); Mk 4,23; 7,16 ℜD; 8,34 Bא; 9,35 (εἴ τις); 11,3; 12,19 (nicht aus M oder LXX); 13,21 (ἐάν τις); Lk 9,23; 14,26; 19,8 (εἴ τις); 16,30.31; 19,31; 20,28 (nicht aus M oder LXX, ἐάν τις); Joh 3,3.5; 6,51; 7,17.37; 8,51 Bא. 52; 9,22.31; 10,9; 11,9.10.57; 12,26a.b.47; 14,14.23; 15,6 (ἐάν τις); 16,23; 20,23a.b (ἄν τις); Act 13,15; 19,39; 25,5 (εἴ τις); Röm 8,9; 13,9 (εἴ τις); 1Kor 3,12.14. 15.17.18; 7,12.13 אD. 36; 8,2.3; 10,27; 11,16.34; 14,35.37.38; 16,22 (εἴ τις); 8,10; 10,28 (ἐάν τις); 3,4 (ὅταν τις); 2Kor 2,5.10b ℜ; 5,17; 7,14; 10,7 (εἴ τις); Gal 1,9; 6,3 (εἴ τις); Eph 4,29b (εἴ τις); 6,8 Bא (ἐάν τι); Phil 3,4.15; 4,8 (εἴ τις); 2Thess 3,10.14 (εἴ τις); 1Tim 3,1.5; 5,4.8.16; 6,3 (εἴ τις); 2Tim 2,5.21 (ἐάν τις); Phlm 18 (εἴ τις); vgl. Hebr 10,28 ἀθετήσας τις; Jak 1,5.23.26; 3,2 (εἴ τις); 5,19 (ἐάν τις); 1Petr 4,11a.b (εἴ τις); 1Joh 2,1.15; 4,20a; 5,14 Bא. 16 (ἐάν τις); 2Joh 10 (das einzige εἴ τις in Joh und 1—3Joh, da mit Beziehung auf eine vorhandene Wirklichkeit: „Wenn wieder einer zu euch kommt . . .“; dagegen wird in Apc beides unterschiedslos gebraucht!); Apc 11,5a.b; 13,9.10a.b; 14,9f.; 20,15 (εἴ τις); 3,20; 22,18.19 (ἐάν τις).

β) Doch ein Gräzismus liegt fast sicher vor, wenn die durch εἴ τις, ἐάν τις eingeleitete Protasis der Apodosis nachgestellt ist[2], wie Mt 18, 28; Mk 11,25; Joh 5,19a; 13,20a; Act 13,41 (= LXX, M passiv); 24, 19; 1Kor 5,11; 2Kor 2,10b BA; 11,20; Kol 3,13; 1Tim 1,8.10; Tit 1,6; Jak 2,14; 1Petr 2,19; Apc 14,11.

γ) An den ntl. Stellen, an denen nach εἰ, ἐάν, ὅταν ein indeterminiertes Nomen ohne τὶς folgt, wäre semitisch eher ein indeter-

---

[1] Davon ist allerdings Lk 16,30.31 im Griech. ein kond. Relativsatz bzw. Partz. ganz unmöglich, ebenso 1Kor 14,7.8.

[2] Vgl. S. 75ff.

miniertes Substantiv mit folgendem konditionalen Relativsatz bzw. Partizip zu erwarten: Mt 12,43; 15,14 Bא; 18,19; Mk 3,24.25; 7,11; 10,12; Lk 11,21.22.24; Joh 5,43b; 12,24a.b; 16,21; Röm 14,23a (semitisch wäre καί statt ἐάν); 1Kor 7,11.28b; 11,14.15; 14,7.8; Jak 2,15f. 17; Apc 9,5.

i) Statistik über die konditionalen Relativsätze und Partizipien im Neuen Testament

Vergleicht man das Zahlenverhältnis der drei eben genannten Satztypen, deren Protasis aus εἰ, ἐάν, ὅταν mit τὶς oder einem indeterminierten Nomen besteht, mit den konditionalen Relativsätzen bzw. Partizipien in den einzelnen ntl. Schriften, so fällt die geringe Zahl der εἰ — ἐάν — ὅταν-Belege bei den Synoptikern und hier besonders bei Mt auf[1], während die johannäischen Schriften auch in diesem Punkt einen wesentlich griechischeren Eindruck machen.

Die folgende Tabelle faßt die Ergebnisse dieses Abschnitts (S. 141ff.) zusammen[2]. Da es sich um verhältnismäßig große Zahlen handelt, lassen die einzelnen Prozentzahlen schon recht genaue Schlüsse zu über das sprachliche Verhältnis der einzelnen ntl. Schriften zueinander.

---

[1] Doch sind sie bei Mt immer noch mehr als doppelt so häufig wie in LXX (6:2,5)! Vgl. S. 227 Anm. 1.

[2] Es wurden jeweils nur die in den Nestle-Text aufgenommenen Lesarten gezählt, da die Mitzählung von Varianten ein falsches Bild von der absoluten und relativen Häufigkeit gegeben hätte.

	Relativsatz	πᾶς + Relativsatz	Substantiv + Relativsatz	πᾶς + Substantiv + Relativsatz	Summe	davon: Anakoluth	= %	davon: Kasus obliquus	= %	davon: aus AT	= %
Mt	47	6	1	2	56	16	28,6	17	30,4		
Mk	26	1	1		28	5	17,9	5	17,9		
Lk	21	3	4	1	29	7	24,1	12	41,4		
Joh	11	3			14	3	21,4	13	92,9	1	7,1
Act	3	1		1	5			3	60,0	2	40,0
Röm	6	2			8			6	75,0	1	12,5
1Kor	5		1		6	1	16,6	3	50,0		
2Kor	4				4			3	75,0		
Gal	2				2			2	100,0		
Eph											
Phil	1				1			1	100,0		
Kol	1	1			2			2	100,0		
1Thess											
2Thess											
1Tim											
2Tim											
Tit											
Phlm											
Hebr	3				3			1	33,3	1	33,3
Jak	4				4						
1Petr											
2Petr	2				2			2	100,0		
1Joh	5			2	7	2	28,6	1	14,3		
2Joh											
3Joh											
Briefe ohne Jak, 1—3 Joh	24	3	1		28	1	3,6	20	71,4	2	7,1
Apc											
Summe	141	17	7	6	171	34	19,9	71	41,5	5	2,9

Partizip	πᾶς + Partizip	Substantiv + Partizip	πᾶς + Substantiv + Partizip	Summe	davon: Anakoluth	= %	davon: aus AT	= %	davon: Kasus obliquus	= %	davon: unsemitisch	= %
28	8		4	40	3	7,5	1	2,5	7	17,5	10	25,0
6				6			1	16,7			2	33,3
30	8	1	2	41					8	19,5	13	31,7
46	12		2	60	3	5,0			1	1,7	9	15,0
1	1			2								
20	1	1		22			3	13,6	4	18,2	3	13,6
16	1	2	2	21			1	4,8			1	4,8
4				4			1	25,0				
3			1	4								
2	2			4								
1				1								
1				1								
1				1								
1	1			2								
6				6	1	16,7			1	16,7		
3				3			2	66,7				
23	15			38	1	2,6					9	23,7
2	1			3								
2				2								
52	5	3	3	63			7	11,1	4	6,3	4	6,3
20				20	5	25,0			3	15,0	8	40,0
216	50	4	11	281	13	4,6	9	3,2	24	8,6	55	19,8

	Summe aller kond. Relativsätze und Partizipien	εἴ τις	ἐάν τις	εἴ τις und ἐάν τις nachgestellt	εἰ und ἐάν + indeterm. Substantiv	Summe aller Gräzismen	Verhältnis der Gräzismen zu den Semitismen in %
Mt	96	1	4	1	3	9	9,4
Mk	34	3	3	1	4	11	32,4
Lk	70	3	4		3	10	14,3
Joh	74		22	2	4	28	37,8
Act	7	3		2		5	71,4
Röm	30	2			1	3	10,0
1Kor	27	16	3	1	6	26	96,3
2Kor	8	4		2		6	75,0
Gal	6	2				2	33,3
Eph	4	1	1			2	50,0
Phil	1	3				3	300,0
Kol	3			1		1	33,3
1Thess	1						200,0
2Thess		2				2	
1Tim		6		2		8	
2Tim	1		2			2	1100,0
Tit				1		1	
Phlm		1				1	
Hebr	5	(1)				1	20,0
Jak	10	4	1	1	2	8	80,0
1Petr	3	2		1		3	100,0
2Petr	2						
1Joh	45		5			5	
2Joh	3	1				1	12,0
3Joh	2						
Briefe ohne Jak, 1—3 Joh	91	40	6	8	7	61	67,0
Apc	20	7	3	1	1	12	60,1
Summe	452	62	48	16	24	150	33,2

B Konjunktionslose Hypotaxe

1. Asyndetische Gegenüberstellung von Protasis und Apodosis

VglGr 301. 419, Syntax 493, GKa 159c.h.dd, Kö 390r, Driver 154. 155, Kropat 69, Brockelmann 134c. 164a, Albrecht 19b, Segal 310—12. 484, Schles 174, Nöld Mand 480 (§ 315 und Anm. 1), Neusyr 293f. 372, Dillmann 205; K-G 516.9, Schwyzer 634 Anm. 1, Bl-Debr 471.3, 494, Raderm 220ff., Bultmann Diatribe 14ff. 69, Thumb Handbuch 277 Anm. 3.

Im Hebräischen und Aramäischen können Protasis und Apodosis, ohne als solche äußerlich gekennzeichnet zu sein, einander einfach asyndetisch folgen (die Apodosis kann auch ein Fragesatz, Jussiv u.a. sein, doch ist die Zeitlage immer das [allgemeine] Präsens). Dabei sind Protasis und Apodosis oft parallel gebaut, z. T. werden dieselben Wörter gebraucht, oder es treten in beiden Sätzen dieselben Personen auf; vor allem stehen dergleichen Sätze niemals in erzählendem Zusammenhang, sondern heben sich immer von ihrer Umgebung ab, so daß ihr konditionaler Charakter auch in schriftlich überlieferten Texten nicht zu verkennen ist. Diese Konstruktion ist auf Sprichwörter, juristische Sätze und allgemeingültige oder pointierte Aussagen beschränkt. Das bedeutet, daß es sich nicht um eine primitive, sondern um eine rhetorische, bewußt gebrauchte, abgekürzte, lapidare Ausdrucksweise handelt, wenn sie auch ursprünglich, vor Einführung der konditionalen Konjunktionen, einmal ein weiteres Anwendungsgebiet besaß[1].

Das Hebräische bietet dafür folgende Beispiele: Spr 18,22 מָצָא אִשָּׁה מָצָא טוב, LXX ὃς εὗρεν γυναῖκα ἀγαθήν, εὗρεν χάριτας. Pred 1,18b יוֹסִיף דַּעַת יוֹסִיף מַכְאוב, LXX ὁ προστιθεὶς γνῶσιν προσθήσει ἄλγημα. Ps 104,28f. תִּתֵּן לָהֶם יִלְקֹטוּן תִּפְתַּח יָדְךָ יִשְׂבְּעוּן טוב : תַּסְתִּיר פָּנֶיךָ יִבָּהֵלוּן תֹּסֵף רוּחָם יִגְוָעוּן, LXX δόντος σου αὐτοῖς συλλέξουσιν, ἀνοίξαντος δέ σου τὴν χεῖρα τὰ σύμπαντα πλησθήσονται χρηστότητος. ἀποστρέψαντος δέ σου τὸ πρόσωπον ταραχθήσονται· ἀντανελεῖς τὸ πνεῦμα αὐτῶν, καὶ ἐκλείψουσιν. Ex 4,23 (lies וַתְּמָאֵן, LXX + εἰ); 21,36; Lev 10,19b; 15,3b; Num 12,14 (LXX + εἰ); Ri 11,36 (LXX A + εἰ); Am 3,8a.b (LXX verbindet durch καί);

[1] Vgl. S. 75.

Ps 17,3 (LXX + καί); 104,22.30 (LXX beide + καί); 109,25b; 51, 18; 139,9f. (LXX + ἐάν).11f. 18a (LXX + καί); 141,5 (LXX + καί); 146,4 (LXX + καί); 147,18b (LXX + καί); Spr 22,29; 25,16 (LXX Partz. conj.); Hi 7,20 (LXX + εἰ wie im Hebr. 35,6); 10,16; 20,24; 21,31b; 23,10b; Sir 7,23.24.26 (LXX = Hebr.); 13,23 (LXX + καί); Neh 1,8 (LXX + ἐάν). Der Konditionalsatz kann auch elliptisch durch יֵשׁ vertreten werden: 2Kön 10,15 (LXX εἰ ἔστιν), oder durch die Negation allein: 1Sam 20,12 (LXX anders); 2Sam 13,26 (LXX εἰ μή); 2Kön 5,17 (LXX εἰ μή).

Im Neuhebräischen ist diese Konstruktion außerordentlich häufig: Ber 2,3 קרא וטעה יחזור למקום שטעה „Jemand sagt auf und macht einen Fehler: er soll zu der Stelle zurückkehren, wo er gefehlt hat"; 4,5 היה רכוב על החמור ירד ויתפלל „Jemand reitet auf einem Esel: er steige zum Gebet herab"; 6,2 ברך על פירות האילן בורא פרי האדמה יצא „Jemand preist über Baumfrüchten den Schöpfer der Bodenfrucht: er ist frei"; Jom 8,7 מצאוהו חי מפקחין עליו „Man findet, daß er noch lebt: man räumt weiter über ihm weg"; Pes 9,9 אין ידוע אי זה מהן נשחט ראשון הם אוכלים משלהם והוא אינו אוכל עמהם „Es ist nicht bekannt, welches von ihnen zuerst geschlachtet wurde: sie essen von dem ihrigen, er aber darf nicht mit ihnen essen"; Ab 2,7 קנה שם טוב קנה לעצמו „Jemand hat sich einen guten Namen erworben: er hat sich (etwas Gutes) erworben", מרבה תורה מרבה חיים מרבה חכמה מרבה ישיבה מרבה צדקה מרבה שלום „Viel Tora: viel Leben; viel Weisheit: viel Schüler; viel Wohltätigkeit: viel Frieden"; BQ 3,5 u.ö. u.ö. u.ö.

Auch im Aramäischen ist diese Konstruktion sehr verbreitet:

Reichsaramäisch: Cowley 15,17.20.22.26; Kraeling 2,9; 7,21f.

Jüdisch-Palästinisch: Ab 1,13 נגד שמא אבד שמא „Breitet der Name sich aus, so geht der Name zugrunde"; jTaan 65b נפח צפונה יצף לבניך „Weht der Nordwind, so decke deine Ziegel auf!"; jMQ 80d עלת כלתא נפקת טרחותא „Tritt die Braut ins Haus, zieht die Mühsal aus"; jJeb 12d היא טליתא והוא סב אמרין ליה טליתא היא והיא מכלמה עלך. הוא טלייא והיא סבתא אמרין לה טלייא הוא והוא מכלם עלך „Ist sie jung, er aber alt, so sagt man zu ihm: Sie ist noch sehr jung, so daß sie dir Schande bringen wird. Ist er jung, sie aber alt, so sagt man zu ihr: Er ist noch sehr jung, so daß er dir Schande bringen wird"; jChag 77d. 78a דעיסקיה דהדין חרשא טלטלתניה מן ארעא לא יכיל עבד כלום „Denn mit einem Zauberer verhält es sich so: Hast du ihn von der Erde emporgehoben, kann er nichts mehr machen"; (NumR 19,3 =) bNed

41a (palästin. Sprichwort) דא קני מה חסר דא לא קני מה קני „Hat er dies erworben, was fehlt ihm? Hat er dies nicht erworben, was hat er erworben?“; GenR 19,11 קלקלת עובדך סב חוט וחייט „Hast du deine Sache verdorben, so nimm einen Faden und nähe (sie wieder)!“; 48,16 מתלא אמר עלת לקרתא הלך בנימוסה „Das Sprichwort sagt: Hast du eine Stadt betreten, benimm dich nach ihrer Sitte!“; 53,12 ראובן בשמחה שמעון מה איכפת ליה „Hat Ruben eine Freude (hebr.), was geht es Simeon an?“; 70,7 אוסיפתא מיא אוסיף קמחא „Hast du Wasser hinzugetan, so füge auch noch Mehl hinzu!“; 81,2 מהולתך חרשה אקיש עלה „Ist dein Sieb taub, so klopfe darauf!“; 96,5 משל הדיוט אומר מית בריה דרחמך טעון מית רחמך פרוק „Ein gewöhnliches Sprichwort lautet: Starb der Sohn deines Freundes, so lade auf (nimm Trauer auf dich), starb aber dein Freund, so lade ab!“; LevR 14,3 במתלא אמר אשתרי חד חבלא אשתרו תרין חבלין „Es heißt im Sprichwort: Löst sich ein Seil ab, so lösen sich zugleich zwei Seile ab (nämlich, wenn ein Knoten aufgeht)“; 22,2 ברייתא אמרין טב לביש עבדת בישא עבדת „Die Menschen sagen: Hast du dem Bösen etwas Gutes getan, so hast du etwas Böses getan“ (vgl. PredR zu 5,8 אין עבדת); HhldR zu 1,4 צריך יהודאה לחרובא עביד תתובא „Bedarf der Jude des Johannisbrotes, tut er Buße“; KlglR zu 1,7 רבנין דהתם אמרין נפל תורא סגין טבחוי ורבנין דהכא אמרין נפל תורא תחדדון סכיני „Die Gelehrten von dort (Babylonien) sagen: Ist der Ochse gestürzt, so sind der Schlachter viele; die Gelehrten von hier (Palästina) sagen: Ist der Ochse gestürzt, so schärft die Schlachtmesser!“; PredR zu 12,9 לבא לפומא לא גלי פומא למאן גלי „Hat es das Herz dem Mund nicht offenbart, wem kann es der Mund offenbaren?“; EsthR zu 3,6 נפל כיפא על קידרא ווי לקידרא נפל קידרא על כיפא ווי לקידרא בין כך ובין כך ווי לקידרא „Fällt der Stein auf den Topf, wehe dem Topf! Fällt der Topf auf den Stein, wehe dem Topf! So oder so, wehe dem Topf!“; פורפורא דמלכא מיזדבנא בשוקא ווי ליה למזבניה ווי ליה לזבוניה „Wird der Purpur des Königs öffentlich verkauft, dann wehe seinem Verkäufer, wehe seinem Käufer“; AD 25,3 את בעי עשרין סב לך „Begehrst du zwanzig (Denare), sollst du sie haben“ (LevR 5,8 dass. + אם [besser!]).

B a b y l o n i s c h - T a l m u d i s c h: bŠab 32a נפל תורא חדד לסכינא „Ist der Ochse gestürzt, so schärfe das Schlachtmesser!“; 65b מטרא במערבא סהדא רבה פרת „Regnet es in Palästina, so ist der Euphrat ein wichtiger Zeuge“; bErub 86a נבח בך כלבא עול נבח בך גורייתא פוק „Bellt dich ein Hund an, so geh nur hinein; bellt dich aber eine Hündin an, so geh weg!“; bPes 111b אמרי אינשי תלא סילתיה תלא מזוניה „Das Sprichwort sagt: Hat jemand seinen Korb hochgehängt, so hat er seine

Nahrung hochgehängt"; 113a סלקת לאיגרא שירותך בהדך „Steigst du auch nur aufs Dach, sei dein Proviant bei dir!" תמרא בחלוזך לבית סודנא רהוט „Sind Datteln in deiner Kiste, so lauf zum Brauer!"; bJom 20b אמרי אינשי איתגרת ליה פוץ עמרא „Hast du dich jemandem vermietet, so mußt du ihm sogar die Wolle hecheln"; bTaan 6b אמרי אינשי במפתח בבי מיטרא בר חמרא מוך שקך וגני „Regnet es (morgens) beim Öffnen (Substantiv) der Türen, so, Eseltreiber, lege deinen Sack hin und schlaf!" (bBer 59a כד מפתח); 10a אמרי במערבא נהור ענני זעירין מוהי חשוך ענני סגיין מוהי „In Palästina gilt das Sprichwort: Sind die Wolken hell, haben sie wenig Wasser, sind die Wolken dunkel, haben sie viel Wasser"; bNed 8a ידע מאן שמתיה מהו דלישרי ליה „Wenn er weiß, wer ihn in den Bann getan hat, kann man (ihn) ihm dann lösen?"; bSoṭ 48a זמרא בביתא חורבא בסיפא „Ist Gesang im Hause, ist am Ende Zerstörung da"; bBQ 92b חברך קרייך חמרא אוכפא לגביך „Nennt dich dein Nächster Esel, so lege dir den Sattel auf"; bBM 32b אבל מסיימי קראי אמרינן קל וחמר „Wären aber die Verse deutlich, würden wir dann das Q. w. Ḥ. sagen?"; 51a אמרי אינשי זבנת קנית זבין אוביד „Das Sprichwort sagt: Hast du gekauft, so hast du erworben. Verkaufe, so verlierst du"; 59a אמרי אינשי איתתך גוצא גחן ותלחוש לך „Das Sprichwort sagt: Wenn deine Frau klein ist, bücke dich, daß sie dir Rat zuflüstere"; 69a אמרי אינשי גביל לתורא גביל לתורי „Das Sprichwort sagt: Wird für Einen Ochsen (das Futter) angerührt, kann (es auch gleich) für mehrere Ochsen angerührt werden"; bBB 16b אמרי אינשי אידלי יומא אידלי קצירא „Das Sprichwort sagt: Erhebt sich der Tag, so erhebt sich der Kranke"; bSanh 22a חסריה לגנבא נפשיה לשלמנא נקיט „Fehlt dem Dieb (die Gelegenheit), spielt er den Ehrlichen"; 95a אמרי אינשי בת דינא בטל דינא „Das Sprichwort sagt: Hat ein Prozeß über Nacht gestanden, so ist er nichtig"; bChul 127a נרשאה נשקיך מני ככיך נהר פקודאה לוייך מגלימא שפירא דחזי עלך פומבדיתאה לוייך אשני אושפיזך „Wenn ein Einwohner von Nars dich geküßt hat, zähle deine Zähne, wenn ein Einwohner von Nehar-Pequda dich begleitet hat, so nur wegen des schönen Mantels, den er auf dir gesehen hat, wenn ein Einwohner von Pumbedi̱ta dich begleitet hat, wechsle deine Herberge!"; bAr 19a אמרי אינשי סבא בביתא פאחא בביתא סבתא בביתא סימא בביתא „Das Sprichwort sagt: Ist ein Greis im Haus, ist Verderben im Haus; ist eine Greisin im Haus, ist ein Schatz im Haus".

Syrisch: Isaak (ed. Bedjan) I 266 V. 337 לא מצית דתצום מן לחמא צום מן בזתא דמסכנ̈א „Kannst du dich des Brotes nicht enthalten, so enthalte dich wenigstens des Raubes der Armen!"; Apost apocr

307.7 דאָמַר למלכא מָחא לך ודאָמַר לה קָטל לך „Daß, sag ich's dem König, er dich schlägt, sage ich es ihm, er dich tötet".

Mandäisch: RGinza 218,1 אכפינתה לסאכלא קאלילאך „Hast du den Toren hungern lassen, so brennt es dich"; LGinza 103,13 אשכית כאפנא סאבית „Fand ich einen Hungrigen, so sättigte ich ihn".

Außerdem gibt es im Äthiopischen, Neusyrischen und Neuarabischen Belege.

Im Griechischen wird asyndetische Gegenüberstellung von Protasis und Apodosis gleichfalls häufig angewandt — sei es in Einzelsätzen oder in ganzen Reihen —; dieses rhetorische Mittel soll die Rede lebendiger und eindrucksvoller machen und ist deshalb besonders bei den Rednern und Popularphilosophen sehr beliebt: Demosth 18, 274 ἀδικεῖ τις ἑκών· ὀργὴν καὶ τιμωρίαν κατὰ τούτου. ἐξήμαρτέ τις ἄκων· συγγνώμην ἀντὶ τῆς τιμωρίας τούτῳ. Teles 6,14 εὐδία γαλήνη· ταῖς κώπαις πλέουσιν. κατὰ ναῦν ἄνεμος· ἐπῆραν τὰ ἄρμενα. ἀντιπέπνευκεν· ἐστείλαντο, μεθείλαντο. καὶ σὺ πρὸς τὰ παρόντα χρῶ· γέρων γέγονας· μὴ ζήτει τὰ τοῦ νέου. ἀσθενὴς πάλιν· μὴ ζήτει τὰ τοῦ ἰσχυροῦ . . . ἄπορος πάλιν γέγονας· μὴ ζήτει τὴν τοῦ εὐπόρου δίαιταν, ἀλλ' ὡς πρὸς τὸν ἀέρα φράττῃ . . . εὐπορία· διάστειλον. ἀπορία· σύστειλον. PTebt II 421,8 (3. Jahrh. n.) θέλ(ε)ις αὐτὸ πωλῆσα(ι)· πώλησον. θέλ(ε)ις αὐτὸ ἀφεῖναι τῇ θυγατρί σ(ου)· ἄφες. Neugriechisch: θέλετε ξένη γλῶσσα· πάρτε τὴν καθαρεύουσα „Wollt ihr eine fremde Sprache, so nehmt die Reinsprache!".

Über die Herkunft der ntl. Belege (alle mit Imperativ im Nachsatz), ob semitisch oder griechisch, läßt sich also nichts sagen: Mt 27,42 (Lk 23,35 + εἰ) βασιλεὺς Ἰσραήλ ἐστιν· καταβάτω νῦν ἀπὸ τοῦ σταυροῦ. Lk 17,23 (an Stelle von ἐάν in Mt 24,26) καὶ ἐροῦσιν ὑμῖν· ἰδοὺ ἐκεῖ, ἰδοὺ ὧδε· μὴ ἀπέλθητε μηδὲ διώξητε. Röm 13,3b θέλεις δὲ μὴ φοβεῖσθαι τὴν ἐξουσίαν· τὸ ἀγαθὸν ποίει. 1Kor 7,18a.b.21.27 δέδεσαι γυναικί· μὴ ζήτει λύσιν. λέλυσαι ἀπὸ γυναικός· μὴ ζήτει γυναῖκα. Jak 5,13 κακοπαθεῖ τις ἐν ὑμῖν· προσευχέσθω. εὐθυμεῖ τις· ψαλλέτω. 14 ἀσθενεῖ τις ἐν ὑμῖν· προσκαλεσάσθω τοὺς πρεσβυτέρους τῆς ἐκκλησίας.

Die Ähnlichkeit der Satzmelodie der Protasis mit der eines Fragesatzes (es fehlt aber der Frageton!) darf nicht dazu verführen, die Protasis als Fragesatz zu verstehen und zu interpungieren[1].

---

[1] In Mt 24,40 τότε ἔσονται δύο ἐν τῷ ἀγρῷ, εἷς παραλαμβάνεται καὶ εἷς ἀφίεται. 41 δύο ἀλήθουσαι ἐν τῷ μύλῳ, μία παραλαμβάνεται καὶ μία ἀφίεται = Lk 17,34 ταύτῃ τῇ νυκτὶ ἔσονται δύο ἐπὶ κλίνης μιᾶς, ὁ εἷς παραλημφθήσεται καὶ ὁ ἕτερος

2. Imperativ + καί + Futurum

VglGr 292b. 302c. 304b. 306b, SyntVerh 680—82, Syntax 491f., GKa 108d. 109f. 110f, GBe 10c^{a}. k^{c}, Kö 193d. 363a. 364k—q, Driver 150—52, Kuhr 55—59, Kropat 20, Brockelmann 135c. 176c, Gordon 13. 54, BLA 106g, Odeberg

---

ἀφεθήσεται. 35 ἔσονται δύο ἀλήθουσαι ἐπὶ τὸ αὐτό, ἡ μία παραλημφθήσεται ἡ δὲ ἑτέρα ἀφεθήσεται. Lk 12,52f. Bא (P^{45} D) ἔσονται γὰρ ἀπὸ τοῦ νῦν πέντε ἐν ἑνὶ οἴκῳ (διαμεμερισμένοι), τρεῖς ἐπὶ δυσὶν καὶ δύο ἐπὶ τρισὶν διαμερισθήσονται liegt dagegen gar kein Konditionalverhältnis vor (gegen Nyberg, Conject. Neotest. 2 [1936] 22ff.), da der erste Satz den zweiten ja gar nicht bedingt, sondern dessen psychologisches Subjekt ist. Denn es kann doch nur übersetzt werden: „(Dabei kann sogar folgendes geschehen:) Von zwei Männern, die auf demselben Acker arbeiten (die nachts auf demselben Bett schlafen), wird der eine angenommen und der andere nicht angenommen werden. Von zwei Frauen, die an derselben Mühle mahlen, wird die eine angenommen und die andere nicht angenommen werden.“ „Von fünf Personen, die zusammen in einem Haus wohnen, werden sich drei gegen zwei und zwei gegen drei entzweien.“ Dem kann im Sem. nur ein zusammengesetzter Nominalsatz entsprochen haben. Dieser ist auch in Mt 24,41 noch erkennbar, da er hier beibehalten wurde, weil er sich genau mit der griech. partitiven Apposition (μετάβασις ἀπὸ ὅλου εἰς μέρη) deckte (vgl. schon H. A. W. Meyer, ferner H. Riesenfeld, Zum Partizip Mt 24,41, Conject. Neotest. 13 (1949), 12—16, K-G 406.8 Anm. 11, Schwyzer 616f., vgl. auch Mayser 1 S. 343, 3 S. 65). An den übrigen Stellen wurde dagegen zur Vermeidung des Anakoluthes das Subj. des zusammenges. Nominalsatzes (der Casus pendens) durch Zusatz eines Verb. fin. (ἔσονται) in einen selbständigen Satz verwandelt, wie es Lk 17,35 gegenüber Mt 24,41 ja noch deutlich zeigt. In Lk 12,52f. wurde außerdem noch διαμεμερισμένοι das Verb. fin. vorwegnehmend zugesetzt (darauf könnte auch noch die andere Stellung dieses Wortes in P^{45} D hinweisen; Zusetzung von διαμερισθήσονται wäre ganz unverständlich). Ein solcher zusammenges. Nominalsatz liegt nämlich auch vor an der von Bill I 966 verglichenen Stelle bRŠ 18a שנים שעלו למיטה וחוליין שוה וכן שנים שעלו לגרדום לידון ודינן שוה זה ירד וזה לא ירד זה ניצל וזה לא ניצל „(Folgendes ist schon vorgekommen:) Zwei, die sich ins Bett legten, wobei ihre Krankheit die gleiche war; ebenso zwei, die zur Richtstätte geführt wurden, wobei ihre Rechtssache die gleiche war (von ihnen gilt): der eine stand wieder auf und der andere nicht; der eine wurde freigesprochen und der andere nicht“; vgl. Pea 5,5. Immerhin kann die sem. Vorlage von Mt 24,40 = Lk 17,34 und Lk 12,52f. sogar doppeldeutig gewesen sein (: δύο ἐν τῷ ἀγρῷ 1. appositionell: „Zwei, die auf einem Acker sind“, 2. als Nominalsatz: „Zwei sind auf einem Acker“), konnte also als aus zwei Sätzen bestehend aufgefaßt werden, da eine präpositionale Apposition im Sem. nicht unbedingt in Form eines Relativsatzes (δύο οἱ ἐν τῷ ἀγρῷ) zugesetzt zu werden braucht, sondern auch adjektivisch folgen kann, vgl. VglGr 187. 367h, Synt Verh 263ff., Syntax 229ff., GKa 131t (Gen 2,7; 3,6; 9,16 u.ö.), Kropat 58f., BLA 91, Odeberg 360. 361. 396, AD 20,18; 25,11f., Schles 64 (wenn indeterminiert), Nöld Syr 355, Mand 456 (im klassischen Griech. werden präpositionale Attribute bei einem artikellosen

439. 541, Margolis 57a.d, Nöld Syr 272 Ende, Dillmann 200; K-G 397.2, 516.8, 521.5, Schwyzer 344, Mayser 3, S. 145, Bl-Debr 387.2, 442.2, Bultmann Diatribe 32f., Bauer s. v. καί 2f, Fiebig Erz 13—16.

Subst. der Deutlichkeit halber vermieden, auch im NT sind sie sehr selten, nur in den Papyri etwas häufiger, vgl. K-G 462m, Schwyzer 26, Mayser 2 S. 167f., Bl-Debr 272). Dagegen kann an Stelle der Partizipien in Mt 24,41 = Lk 17,35 in der vorauszusetzenden sem. Konstruktion nur im Hebr. ein ebenso doppeldeutiges (nichtprädikativ oder prädikativ) Partz. gestanden haben (vgl. S. 206 Anm.), während im Jüd.-Pal. der Zeit Jesu dafür ein Relativsatz gebraucht werden mußte (vgl. S. 205 Anm. 2), der nicht so leicht zusammen mit seinem Bezugswort als ein vollständiger Satz mißverstanden werden konnte. Doch gibt es im Hebr., Neuhebr. und Aram. eine Konstruktion, die eine solche Übersetzung verständlich machen könnte: Im Unterschied zu den Fällen, in denen das Relativpron. mit folgendem verneinten nominalen Prädikat das Prädikat eines Nominalsatzes bildet, wie Ps 10,6 לְדֹר וָדֹר אֲשֶׁר לֹא־בְרָע „Geschlechter lang (bin ich) nicht im Unglück"; bNaz 20a u.ö. מתניתין דלא כי האי תנא „Unsere Mischna ist nicht wie dieser Tanna" (Schles S. 149f.), wird das Prädikat eines Verbalsatzes in einen Relativsatz gestellt, der Verbalsatz also in einen Nominalsatz verwandelt, wenn dieses Prädikat hervorgehoben werden soll: Hebr.: Gen 44,5 הֲלוֹא זֶה אֲשֶׁר יִשְׁתֶּה אֲדֹנִי בּוֹ „Ist das nicht der, aus welchem mein Herr trinkt?" = „Daraus trinkt doch mein Herr!"; 2Sam 2,4 אַנְשֵׁי יָבֵישׁ גִּלְעָד אֲשֶׁר קָבְרוּ אֶת־שָׁאוּל „Die Männer von Jabeš Gilʿad haben Saul begraben!"; Ps 124,1f. (2mal) לוּלֵי יהוה שֶׁהָיָה לָנוּ „Wenn J. nicht für uns gewesen wäre"; Ex 29,38; Neuhebr.: jŠebu 35b הם שיודעין „Sie sind solche, die es wußten" = „Sie wußten es!"; vgl. Segal 427; Reichsaram.: AD 5,9 ודן די יהוי ליכי מני ספר תרוכין „Dies ist das, was dir von mir der Scheidebrief sein soll" = „Dies soll dir mein Scheidebrief sein!"; Jüd.-Pal.: AD 17, 12 דאלין בניא דנפקין מנה „Denn Söhne sind es, die aus ihr hervorgehen werden" = „Denn Söhne werden aus ihr hervorgehen!" (KlglR zu 1,1 anders, ohne ד); HhldR zu 1,1 = AD 38,1 ⟨סדנא⟩ דאקים תאינתא „Der Baumstumpf ist einer, der einen Ölbaum wachsen ließ" = „Der Baumstumpf ließ einen Ölbaum wachsen!" (Dalman JJ 207 u. a. übersetzen: „Ein B., der den Ö. wachsen läßt", aber auch die beiden anderen an dieser Stelle genannten Sprichwörter sind ganze Sätze!); Bab.-Talmud.: bPes 103b אנא דעבדי כתלמידי דרב „Ich bin einer, der wie die Schüler Rabs gehandelt hat" = „Ich habe wie die Schüler Rabs gehandelt!"; bNaz 44a רב דאמר כי האי תנא „Rab hat wie dieser Tanna gesagt!"; sowie besonders am Anfang einer Erzählung: bNed 50b ההוא גברא דיהב עבדא לחבריה „Ein Mann gab einem anderen einen Sklaven"; vgl. Schles 141. Soll umgekehrt der vor dem Relativsatz stehende Satzteil betont werden, wird dem Relativpron. noch הוא vorangestellt: Neuhebr: GenR 79,6 ולא אתה הוא שהתרת „Hast du es nicht selbst erlaubt?"; Jüd.-Pal.: jTaan 65b לא דא הוא דנבייא מקנתר לן „Das schilt doch wohl der Profet an uns!"; GenR 42,14 אתרא הוא דשמיה ממרא „Ein Ort ist das Mamre Genannte!"; גברא הוא דשמיה ממרא „Ein Mann ist das Mamre Genannte!"; LevR 16,1 נדע דמן הוא דקיימא דילן או דיליה „Wir wollen sehen, wessen (Wille) bestehen

Auch nach der Entwicklung der konditionalen Konjunktionen[1] blieben in den semitischen Sprachen die ursprünglichen konjunktionslosen hypotaktischen Konstruktionen z. T. weiter im Gebrauch. Eine der häufigsten davon ist die hier zu erörternde: Die Stelle des bedingenden Satzes nimmt ein Imperativ ein, indem in primitiver Ausdrucksweise die Aufforderung, einen Tatbestand zu schaffen (= Imperativ), für die Aufforderung eintritt, einen Tatbestand nur anzunehmen (= Bedingung). An diesen Imperativ wird sodann die Folge, die sich aus dem durch ihn gesetzten Tatbestand ergibt, futurisch angeschlossen, und zwar im Arabischen meist asyndetisch, in den übrigen semitischen Sprachen syndetisch. Daß es sich hier für semitisches Empfinden um echte Hypotaxe handelt, geht neben dem Zeugnis der arabischen Nationalgrammatiker eindeutig aus folgendem hervor:

a) Die enge Zusammengehörigkeit von Imperativ und Futurum für das Sprachbewußtsein kommt im Arabischen noch zum Ausdruck, und zwar dadurch, daß das asyndetisch nachfolgende Imperfekt dem Imperativ fast immer als Apokopat angeglichen wird. Im Hebräischen erscheint entsprechend noch manchmal im Nachsatz syndetisches Kurzimperfekt (Jussiv), häufiger Kohortativ oder sogar ein zweiter Imperativ, und auch im Aramäischen wird gelegentlich das Partizip des Nachsatzes dem vorangehenden Imperativ als Imperfekt oder Imperativ angeglichen.

b) Dazu sind beide Sätze in allen semitischen Sprachen noch dadurch eng verknüpft, daß fast immer das Subjekt der Protasis auch an irgendeiner Stelle (meist als Suffix) der Apodosis erscheint, umgekehrt das Subjekt des Nachsatzes schon an der Handlung des Vordersatzes beteiligt ist, oder beide Sätze das gleiche Objekt o.ä. haben.

c) Die Folge Imperativ — Futurum ist wörtlich genommen sinnlos, da an eine Aufforderung nicht ein zukünftiges Ereignis logisch bruch-

---

wird, der unsrige oder der seinige!"; Bab.-Talmud.: bMQ 18b אויבים הוא דאפקוה לקלא „Die Feinde haben das Gerücht aufgebracht!"; bNed 6a אביי הוא דאמר „Abaje hat gesagt!"; bŠebu 22b אריא הוא דרביע עילווה „Ein Löwe lagert darauf!"; vgl. Schles 142. Ähnliches auch im Deutschen (Relativpron. oder anaphor. Demonstrativpron.): „Flieder, der duftet!" = „Flieder duftet!". Zusammenfassung: Den besprochenen ntl. Stellen liegt ein sem. zusammengesetzter Nominalsatz zugrunde, dessen „Casus pendens" als vollständiger Satz mißverstanden werden konnte.

[1] Vgl. S. 75.

los angeschlossen werden kann, und weist deshalb auf ein komplizierteres logisches Verhältnis. Natürlich kann der Imperativ streng genommen nur dann als konditionale Protasis bezeichnet werden, wenn er nicht direkt einen Befehl erteilt, sondern nur uneigentlich-rhetorisch gemeint ist oder zumindest mehr einen allgemeinen Gedanken ausdrückt. Das ist besonders dann der Fall, wenn der Imperativ gar nicht ausgeführt werden soll, wie Arabisch: Tabari Annales Kairo III 64.14 سَمِّنْ كَلْبَكَ يَقْتُلْكَ „Mäste deinen Hund, so wird er dich fressen". Hebräisch: 1Sam 14,12 עֲלוּ אֵלֵינוּ וְנוֹדִיעָה אֶתְכֶם דָּבָר, LXX ἀνάβητε πρὸς ἡμᾶς καὶ γνωριοῦμεν ὑμῖν ῥῆμα. Jes 8,10 עֻצוּ עֵצָה וְתֻפָר דַּבְּרוּ דָבָר וְלֹא יָקוּם, LXX καὶ ἣν ἂν βουλεύσησθε βουλήν, διασκεδάσει κύριος, καὶ λόγον ὃν ἐὰν λαλήσητε, οὐ μὴ ἐμμείνῃ ὑμῖν. Aramäisch: GenR 53,20 (zitiert S. 248); ExR 9,8 (zitiert S. 248); bBer 5b (zitiert S. 246); 43b (zitiert S. 249); bMQ 28b (zitiert S. 249). In der Regel wird jedoch die Ausführung dem Angeredeten angeraten oder sogar aufgetragen. Ja, man wird sagen dürfen, daß sich diese Konstruktion gerade deshalb im Semitischen neben den durch Konjunktionen eingeleiteten Nebensätzen gehalten hat und bis in die jüngeren semitischen Sprachen hinein gern gebraucht wurde, weil sich hier persönliche Anrede (2. Person!) und Ermahnung oder Befehl (Imperativ!) mit sachlicher Feststellung (Bedingung!) verbinden ließen. Das bedeutet allerdings, daß mit der Zeit innerhalb dieser Konstruktion der konditionale Charakter des Imperativs zugunsten seines eigentlichen, des befehlenden, zurückgedrängt wurde, so daß der Imperativ psychologisch jetzt zum Teil schon als Hauptsatz und der Nachsatz als (final-konsekutiver) Nebensatz empfunden werden kann[1].

Unsere Konstruktion ist neben dem Arabischen besonders im Hebräischen üblich. Dabei erscheint im Nachsatz z. T. reines Imperfekt: 1Sam 25,8 שְׁאַל אֶת־נְעָרֶיךָ וְיַגִּידוּ לָךְ, LXX ἐρώτησον τὰ παιδάριά σου καὶ ἀπαγγελοῦσίν σοι. Spr 9,9a תֵּן לְחָכָם וְיֶחְכַּם־עוֹד, LXX δίδου σοφῷ ἀφορμὴν καὶ σοφώτερος ἔσται. 3,6 בְּכָל־דְּרָכֶיךָ דָעֵהוּ וְהוּא יְיַשֵּׁר אֹרְחֹתֶיךָ, LXX ἐν πάσαις ὁδοῖς σου γνώριζε αὐτήν, ἵνα ὀρθοτομῇ τὰς ὁδούς σου. Gen 20,7; Ex 2,9; Num 10,35; Dt 32,7; Jos 18,4; Ri 16,5; 17,10; 1Sam 30,15; 1Kön 22,6 = 2Chr 18,5; Ps 59,14; Spr 3,9f.; 4,10; 16,3;

---

[1] Es werden also alle Belege dieser Art hier besprochen, ohne daß jeweils zwischen fingiertem und eigentlichem Befehl unterschieden wird.

22,10; Hi 6,24a; Sir 4,10; 6,37; 7,36; 31,21; 51,28; CD 2,2.14; daneben Perfectum consecutivum: Num 10,29 לְכָה אִתָּנוּ וְהֵטַבְנוּ לָךְ, LXX δεῦρο μεθ' ἡμῶν καὶ εὖ σε ποιήσομεν. Ri 1,24 הַרְאֵנוּ נָא אֶת־מְבוֹא הָעִיר וְעָשִׂינוּ עִמְּךָ חָסֶד, LXX δεῖξον ἡμῖν τὴν εἴσοδον τῆς πόλεως καὶ ποιήσομεν μετὰ σοῦ ἔλεος. Gen 29,27; Ex 17,6; Num 11,18; 21,8; 22,8; Jos 18,6; 2Sam 13,5; 16,21; 19,34; Hi 22,24f.; oder auch ein futurischer Nominalsatz: 2Sam 3,12 כָּרְתָה בְרִיתְךָ אִתִּי וְהִנֵּה יָדִי עִמָּךְ לְהָסֵב אֵלֶיךָ אֶת־כָּל־יִשְׂרָאֵל, LXX διάθου διαθήκην σου μετ' ἐμοῦ καὶ ἰδοὺ ἡ χείρ μου μετὰ σοῦ τοῦ ἐπιστρέψαι πρὸς σὲ πάντα τὸν οἶκον Ισραηλ. Sir 4,28; 51,30 (beide Partizip). Außerdem wird im Hebräischen ebenso wie im Arabischen das futurische Imperfekt des Nachsatzes öfters dem Imperativ der Protasis als Jussiv oder Kohortativ (also als Begehrungsform) formal angeglichen, ohne daß es dadurch einen ausgesprochen begehrenden Sinn erhält[1]. LXX übersetzt auch in diesen Fällen, wie sonst, fast immer durch Imperativ + καί + Futurum: Kohortativ: Gen 47,16 הָבוּ מִקְנֵיכֶם וְאֶתְּנָה לָכֶם ⟨לֶחֶם⟩ בְּמִקְנֵיכֶם, LXX φέρετε τὰ κτήνη ὑμῶν καὶ δώσω ὑμῖν ἄρτους ἀντὶ τῶν κτηνῶν ὑμῶν. Mal 3,7 שׁוּבוּ אֵלַי וְאָשׁוּבָה אֲלֵיכֶם, LXX ἐπιστρέψατε πρός με καὶ ἐπιστραφήσομαι πρὸς ὑμᾶς. Gen 45,18; Ex 8,4; 9,28; 20,19; 33,5b (final); 2Sam 20,21; 1Kön 21,2; 2Kön 6,19; Ps 2,8; 80,4b; 119,17.117 (1. final, 2. kond.); dafür energisches Suffix: 1Sam 11,1 כְּרָת־לָנוּ בְרִית וְנַעַבְדֶךָּ, LXX διάθου ἡμῖν διαθήκην καὶ δουλεύσομέν σοι. 1Sam 12,10; 1Kön 12,4 = 2Chr 10,4; Jer 33,3; auch konzessiv: Gen 34,12 הַרְבּוּ עָלַי מְאֹד מֹהַר וּמַתָּן וְאֶתְּנָה „Möget ihr von mir noch so viel Kaufgeld verlangen, ich werde es bezahlen";

---

[1] Nun dienen aber im Hebr. der synd. Jussiv und Kohortativ im Nachsatz (meist nach anderen Begehrungsformen) in der Regel dazu, konjunktionslose hypotaktische Finalsätze zum Ausdruck zu bringen (vgl. Kuhr 46ff.; LXX übersetzt oft ἵνα!). Diese lassen sich jetzt also formal nicht mehr von Begehrungsformen unterscheiden, die durch die oben beschriebene Assimilation entstanden sind. Das bedeutet, daß das logische Verhältnis von Imp. + synd. Jussiv oder Kohortativ (ob nämlich kond. oder final) nur aus dem Zusammenhang zu entnehmen ist. Ja, auch das indifferente und sogar das reine Impf. kann finale Hypotaxe an Stelle der Begehrungsformen kennzeichnen (vgl. Kuhr 38ff.), so daß sogar beim Impf. finaler Sinn nicht ausgeschlossen ist. Das Hebr. hat also glückliche Ansätze zu einer eindeutigen Kennzeichnung der verschiedenen konjunktionslosen Hypotaxen durch zu vielseitige Anwendung und — als Folge davon — Überschneidung der Gebiete der zur Verfügung stehenden Formen weitgehend wieder zunichte gemacht, so daß man am Ende doch wieder sehr auf logische Gründe angewiesen ist. Vgl. auch S. 53 Anm. 1.

Jussiv: Spr 9,9b הוֹדַע לְצַדִּיק וְיוֹסֶף לֶקַח, LXX γνώριζε δικαίῳ καὶ προσθήσει τοῦ δέχεσθαι. 1Sam 7,3; 2Chr 30,6.8; Sir 7,2 (dagegen 7,1 wohl final); dafür energisches Suffix: Spr 9,8b הוֹכַח לְחָכָם וְיֶאֱהָבֶךָּ, LXX ἔλεγχε σοφὸν καὶ ἀγαπήσει σε.

Um die enge syntaktische Verbindung beider Verben hervorzuheben, kann das futurische Imperfekt des Nachsatzes dem vorangehenden Imperativ sogar vollkommen angeglichen werden, so daß jetzt zwei syndetische Imperative dastehen[1], die von einfach parataktischen Imperativen formal nicht zu unterscheiden sind, sondern nur logisch, indem nämlich bei konditionaler Hypotaxe der zweite Imperativ eigentlich verstanden in der Regel sinnlos ist (wie etwa: „lebe!")[2]. LXX behält die beiden Imperative z.T. bei, öfter jedoch setzt sie anstatt des zweiten Imperativs das Futurum: Gen 42,18 זֹאת עֲשׂוּ וִחְיוּ, LXX τοῦτο ποιήσατε καὶ ζήσεσθε. 2Kön 5,13 רְחַץ וּטְהָר, LXX λοῦσαι καὶ καθαρίσθητι. 10,16 לְכָה אִתִּי וּרְאֵה בְּקִנְאָתִי לַיהוה, LXX δεῦρο μετ᾽ ἐμοῦ καὶ ἰδὲ ἐν τῷ ζηλῶσαί με τῷ κυρίῳ. Ps 37,27 סוּר מֵרָע וַעֲשֵׂה־טוֹב וּשְׁכֹן לְעוֹלָם, LXX ἔκκλινον ἀπὸ κακοῦ καὶ ποίησον ἀγαθὸν καὶ κατασκήνου εἰς αἰῶνα αἰῶνος. 2Chr 20,20 הַאֲמִינוּ בַיהוה אֱלֹהֵיכֶם וְתֵאָמֵנוּ הַאֲמִינוּ בִנְבִיאָיו וְהַצְלִיחוּ, LXX ἐμπιστεύσατε ἐν κυρίῳ θεῷ ὑμῶν καὶ ἐμπιστευθήσεσθε· ἐμπιστεύσατε ἐν προφήτῃ αὐτοῦ καὶ εὐοδωθήσεσθε. 1Kön 22,12. 15 = 2Chr 18,11.14; Jes 36,16; 45,22; 55,2b; Jer 6,16; 25,5; 35,15; Am 5,4.6; Spr 3,3f.; 4,4; 7,2; 13,20; Sir 6,27; 12,2; auch konzessiv: Jes 8,9 רֹעוּ עַמִּים וָחֹתּוּ ... הִתְאַזְּרוּ וָחֹתּוּ הִתְאַזְּרוּ וָחֹתּוּ, LXX γνῶτε ἔθνη καὶ ἡττᾶσθε ,...ἰσχυκότες ἡττᾶσθε. ἐὰν γὰρ πάλιν ἰσχύσητε, πάλιν ἡττηθήσεσθε „Wenn ihr auch tobt, ihr werdet verzagen; wenn ihr auch rüstet, ihr werdet verzagen!". Poetisch auch asyndetisch: Hos 10,12; Spr 20,13b.

Im Neuhebräischen erscheint im Nachsatz meistens Partizip, seltener Imperfekt: BM 5,10; 6,6; BB 10,8; Eduj 5,6 חזור בך בארבעה דברים שהיית אומר ונעשך אב בית דין לישראל „Widerrufe die vier Dinge, die du gesagt hast, so machen wir dich zum zweiten Oberhaupt des Synhedriums"; jBer 9b לך והחזר את הנרתק שכל מיני רפואות נתונים בו ואני

[1] Auch sonst kann sich ein Impf. nach Begehrungsformen durch Assimilation in einen Imp. verwandeln, wenn im selben Satz schon vorher ein Imp. stand, wie etwa Gen 20,7; 34,12; 45,17bf.; 1Kön 1,12; vgl. Kö 364i, Kuhr 56. 58.

[2] Deshalb ist die Entscheidung manchmal schwierig, wie etwa Gen 17,1b.

מרפא את בנך „Gib mir die Büchse zurück, in welcher alle Arten von Arzeneien aufbewahrt sind, so werde ich deinen Sohn heilen“; jSanh 28c אם ראית חלומות קשים או חזיונות קשים קפוץ לג' דברים ואת ניצול ואילו הן לתפילה ולצדקה ולתשובה „Wenn du schlimme Träume oder schlimme Erscheinungen gesehen hast, eile zu drei Dingen, so wirst du gerettet werden, nämlich zum Gebet, zu Almosen und zur Buße“; jAZ 39c שמע לן ואנו עושין בניך דוכוסין „Gehorche uns, so werden wir deine Söhne zu duces machen“; bBer 17a שמור פיך מכל חטא וטהר וקדש עצמך מכל אשמה ועון ואני אהיה עמך „Bewahre deinen Mund vor jeglicher Sünde und reinige und heilige dich von jeder Schuld und Übertretung, so werde ich mit dir sein“; 40a אחר כל אכילתך אכול מלח ואחר כל שתייתך שתה מים ואי אתה נזוק „Immer wenn du gegessen hast, iß Salz, und immer wenn du getrunken hast, trinke Wasser, so wirst du keinen Schaden leiden“; bBB 174a הלוהו ואני ערב הלוהו ואני פורע הלוהו ואני חייב „Borgst du ihm, so bin ich Bürge; borgst du ihm, so werde ich es bezahlen; borgst du ihm, so schulde ich es“; bSanh 91b בא והרכיבני ונביאם לאכלם „Komm, laß mich auf dir reiten, so werden wir die Früchte holen, um sie zu essen“; GenR 46,1 העבר אותו ובטל המום „Entferne sie, so wird die Unreinheit aufhören“; 67,6 אם ראית אחיך פורק עולה של תורה מעליו גזור עליו שמדים ואתה שולט בו „Wenn du deinen Bruder das Joch der Tora zerbrechen siehst, verhänge über ihn Religionsverfolgung, so wirst du Macht über ihn haben“; 98,3 בואו ואגלה לכם מסטירין של מלך „Kommt, damit ich euch das Geheinnis des Königs kundtue“; DtR 7,10 לבוש פורפורה שלי ותן עטרה שלי בראשך וידעו הכל שאתה בני „Bekleide dich mit meinem Purpur und setze meine Krone auf dein Haupt, damit alle erkennen, daß du mein Sohn bist“; KlglR zu 1,16 השתחוה לצלם ואעשה בך טובות „Bete das Bild an, so tue ich dir wohl“; Midr Tillim zu Ps 38 Ende העבר המשוי מעליך ואתה שולף את רגליך „Wirf die Last von dir, so wirst du deine Füße herausziehen können“; PredR zu 3,11 תן לנו חרבות ורמחים ונשחק בהם „Gib uns Schwerter und Spieße, damit wir uns damit belustigen“; Dereḵ 'ereṣ zoṭa III הוי קטן בעיני נפשך שש בחלקך ונאה במיעוטך ויהי חלקך מבורך לעולם עין טובה ונפש שבעה „Sei klein in deinen eigenen Augen, dich freuend an deinem Anteil und schön in deiner Geringheit, so wird dein Anteil gesegnet für immer, das Auge gut und die Seele gesättigt sein“; auch die syndetische Verbindung zweier Imperative kommt vor: bŠab 32a הבא זכות והפטר (ותפטר M) „Zeige deine Verdienste, so wirst du frei sein“; bRŠ 18a לכו ועסקו בתורה וחיו „Befaßt euch mit dem Gesetz, so werdet ihr leben“; ExR 16,2 טול מן האשרה ועשה בהן קמיע והתרפא „Nimm etwas von der

Aschere und mache daraus ein Amulett, so wirst du geheilt werden"; DtR 2,15 מוץ אותה ומות „Sauge ihn aus (den mit Gift gefüllten Ring), so wirst du sterben"; (dagegen etwa rein parataktisch: bTaan 24a בא וראה מה עשה לך אוהבך „[Komm und] sieh an, was Gott dir getan hat!").

Auch im Aramäischen ist die Verbindung von Imperativ und syndetischem Futurum zu einem zusammengesetzten Satz ganz üblich, wenn sie auch weniger fest ist, als im Arabischen und Hebräischen. Das Futurum wird dabei im Reichsaramäischen noch durch das Imperfekt ausgedrückt; doch da das Kurzimperfekt (Jussiv), obwohl noch in einigen Formen erhalten (BLA 26d, E. Y. Kutscher, The Language of the Genesis Apocryphon, Scripta Hierosolymitana IV, Jerusalem 1958, S. 5), meist mit dem Vollimperfekt zusammengefallen ist, läßt sich eine konditionale Apodosis formal nicht von einem hypotaktischen Finalsatz unterscheiden. In den anderen aramäischen Sprachen wird dagegen zum Ausdruck des Futurums fast nur noch das Partizip verwandt[1]. Das Imperfekt, das sich fast ganz auf den Ausdruck des Modalen beschränkt hat, wird daher in der Regel als Kennzeichen eines hypotaktischen finalen Nachsatzes zu betrachten sein[2].

Assimilation der Apodosis an den Imperativ der Protasis wie im Arabischen und Hebräischen ist im Aramäischen wegen seiner loseren

---

[1] Vgl. S. 196 Anm. 5.

[2] So Imp. + Impf. mit finalem Sinn: Neuhebr.: bŠab 119a בואו ונצא לקראת שבת המלכה „Kommt, damit wir der Königin Sabbat entgegengehen"; bPes 112a (2mal) = 113a עשה שבתך חול ואל תצטרך לבריות „Begehe deinen Sabbat wie einen Werktag, damit du dich nicht von den anderen Menschen unterstützen lassen brauchst"; bTaan 25b תנו לו ואל אשמע קולו „Gebt ihm, damit ich seine Stimme nicht mehr höre"; Reichsaram.: 1QGen Apoc 19,18 אשתעי לי חלמך ואנדע „Sage mir deinen Traum, daß ich ihn wisse"; 20,28 צלי עלי ועל ביתי ותתגער מננה רוחא דא באישתא „Bitte für mich und für mein Haus, damit dieser böse Wind uns verlasse"; Jüd.-Pal.: jTaan 66d יבון לה מה דהיא בעייא ותיזיל לה „Gebt ihr, was sie begehrt, damit sie nur fortgehe"; jNaz 54b = GenR 91,3 אייתון ליה ויכול „Bringt ihm, daß er esse!" (in der Parallele jBer 11b = PredR zu 7,12a dass. als konjunktionaler Finalsatz: הבון ליה דליכול); RtR zu 4,15 אכעיס יצרך ולא תחטא „Erzürne deinen Trieb (gegen das Böse), damit du nicht sündigst"; PredR zu 11,1 הב לי זעיר כסות ואכסי ביה תתאי „Gib mir etwas anzuziehen, damit ich meine Blöße bedecken kann" (ebd. dass. auch als konjunktionaler Finalsatz: הב לי תכסית דאכסי בה תתאי); Bab.-Talmud.: bBer 28a שלח מדך ואנא אלבשיה „Ziehe dein Ehrenkleid aus, damit ich es wieder anziehen kann"; bŠab 110b אושלן גלימיך ואיגני ביה קלי „Leihe mir deinen Mantel, damit ich darauf ein wenig schlafe"; bErub 54a הב לי ואימזגיה אנא „Gib ihn mir, damit ich ihn mische"; bBM 59a (zit. S. 236).

Satzfügung weniger zu erwarten. Immerhin wird das jüdisch-palästinisch selten, babylonisch-talmudisch häufiger im Nachsatz erscheinende Imperfekt als partielle Angleichung an den vorangehenden Imperativ verstanden werden müssen. Auch totale Angleichung in Form zweier syndetischer Imperative kommt öfters vor: Reichsaramäisch: 1QGen Apoc 21,9f. שקול עיניך וחזי למדנחא ולמערבא ולדרומא ולצפונא וחזי כול ארעא דא די אנה יהב לך „Erhebe deine Augen und sieh nach Osten und Westen und Süden und Norden, so wirst du das ganze Land sehen, das ich dir geben werde"; 22,29f. כען בקר ומני כול די איתי לך וחזי כמן כפלין שגיו מן כול די נפקו עמך ביום מפקך מן חרן „Jetzt prüfe und zähle all deine Habe, so wirst du sehen, wieviel mal sich vermehrt hat alles, was mit dir auszog am Tage deines Ausziehens aus Haran". Jüdisch-Palästinisch: jQid 64a (ähnlich jBM 10b) הב לי קיתונא וסב דינרא „Gib mir den Pokal, so wirst du den Denar erhalten"; LevR 34,12 קרי הדא כתבא ואשכח דאפקן שית מאה דינרין חסר שית דינרין „Lies diese Aufzeichnung, so wirst du finden, daß wir 600 Denare weniger sechs ausgegeben haben". Babylonisch-Talmudisch: bBer 5b בתר גנבא גנוב וטעמיה טעום „Stiehl dem Dieb (das dir von ihm Gestohlene) wieder, so wirst du den Geschmack (des Stehlens) schmecken (= so begehst du auch einen Diebstahl)"; bMeg 26b זיל זבניה משבעה טובי העיר במעמד אנשי העיר וזרעה „Kaufe ihn von den sieben Repräsentanten der Stadt in Gegenwart der Einwohner, so darfst du ihn besäen"; bKet 15a אייתי ראיה דישראל את ושקול „Beweise, daß du ein Jude bist, so wirst du (den Schadenersatz) erhalten"; bBM 97a אייתי סהדי דלא שנית ביה ואיפטר „Bring Zeugen bei, daß du mit dem Eimer nicht ungewöhnlich verfahren bist, so brauchst du keinen Ersatz zu leisten"; bBB 171b הב לי שטראי ושקול זוזך „Gib mir meinen Schein zurück, so erhältst du dein Geld"; bChul 141b. 142a זיל טרוף אקן דליתגבהו וקנינהו „Klopfe auf das Nest, damit sie (die jungen Vögel) sich erheben, so wirst du sie erwerben"; bNid 31a פוץ מלחא ושדי בשרא לכלבא „Entferne das Salz, so mußt du das Fleisch dem Hund vorwerfen"; bBer 29b לא תרוי ולא תחטי „Betrinke dich nicht, so wirst du nicht sündigen". Mandäisch: RGinza 18,9f. רהום ואזבאר הדאדיא ועוברויא ליאמא רבא דסוף „Liebet und ertraget einander, so werdet ihr das große Sūf-Meer überschreiten".

Imperativ + „und" + Futurum findet sich:

Reichsaramäisch: Dan 2,4 אֱמַר חֶלְמָא לְעַבְדָיךְ וּפִשְׁרָא נְחַוֵּא, LXX ἀνάγγειλον τὸ ἐνύπνιόν σου τοῖς παισί σου καὶ ἡμεῖς σοι φράσομεν τὴν σύγκρισιν αὐτοῦ. 24 הַעֵלְנִי קֳדָם מַלְכָּא וּפִשְׁרָא לְמַלְכָּא אֲחַוֵּא, LXX εἰσάγαγε δέ με πρὸς τὸν βασιλέα καὶ ἕκαστα τῷ βασιλεῖ δηλώσω, dagegen 2,9b wohl final (LXX aber ἐάν!, vgl. Gen 42,34); Aḥiqar 57; 118 אתי ואכסנכי משכי „Komm, so werde ich dich mit meinem Fell zudecken"; AD 4,3f. הוי לי לאנתו כדת משה וישראל ואנא אפלח ואוקיר ואזון ואפרנס יתיכי „Heirate mich nach dem Gesetz Moses und Israels, so werde ich dir dienen, dich ehren, nähren und unterhalten"; 1 QGen Apoc 19,20 (zitiert S. 194); Pell 9,1f. זך פתפא הב לה ולנשי ביתה כאחרנן גרד בדיכרן זילי ויעבד פתכרן זי פרש „Gib ihm und den Frauen seines Hauses denselben Unterhalt wie den anderen, die zu meinem künstlerischen Personal gehören, so wird er Reiterstandbilder anfertigen".

Jüdisch-Palästinisch: jBer 11b = GenR 91,3 אלא יהב את פלגא מן דידך ואנא פלגא מן דידי „Aber bezahle du die eine Hälfte, so werde ich die andere bezahlen"; jBer 14b = jSot 20c פרוש ניקפי אקיף לי ואנא עביד מצוה „Der Pharisäer des Leihens (sagt): Gib mir ein Darlehen, so werde ich ein Gebot erfüllen"; jŠebi 35b = 36a חרוש לה טבאות ואנא נסב לה מינך בתר שמיטתא „Pflüge es schön, so werde ich es von dir nach dem Erlaßjahr übernehmen"; jMŠ 55b (= GenR 68,15; KlglR zu 1,1; vgl. bBer 56b) חד בר נש אתא לגבי דרבי יוסי בן חלפתא. אמר ליה חמית בחילמאי מיתמר לי איזיל לקפודקיא ואת משכח מדלא דאבוך. אמר ליה אזל אבוי דההוא גברא לקפודקיא מן יומוי. אמר ליה לא. אמר ליה איזיל מני עשר (GenR, KlglR: עשרין) שריין גו בייתיך ואת משכח מידלא דאבוך „Jemand kam zu Rabbi J. b. Ḥ.; er sagte zu ihm: Ich habe in meinem Traum gesehen, daß zu mir gesagt wurde: Geh nach Kappadokien, so wirst du den Nachlaß deines Vaters finden! Er sagte zu ihm: Kam denn dein Vater überhaupt jemals nach Kappadokien? Er sagte zu ihm: Nein! Er sagte zu ihm: Dann geh, zähle in deinem Hause zehn (zwanzig) Balken ab (= κάππα δόκοι bzw. decuria nach Levy IV 351b), so wirst du den Nachlaß deines Vaters finden!"; Fortsetzung in GenR 68,15 ואם לית ביה עשרין מני מן ראשהון לסופהון ומסופהון לראשהון ואם דאת משכח עשרין את משכח לה „Wenn dein Haus aber keine zwanzig Balken hat, zähle immer hin und zurück, so wirst du, wenn du zwanzig erreichst, den Nachlaß deines Vaters finden"; jŠebi 38d ואי בעית מיבדקא אייתי טביין ושלחון לארעא דרחיקא ובסוף אינון חזרין לאתריהון „Wenn du aber prüfen willst (ob alle Wesen in ihre Heimat zurückkehren), bring Gazellen und verschicke sie in ein fernes Land, so werden sie schließlich in ihre Heimat zurückkehren"; 39a חמי לך תלתא רחמין ואבקרה קומיהון „Ersieh dir drei Freunde aus, so werde ich es vor ihnen freigeben“ (Impf.); jBeṣ 60d שרי וייב לי ואנא שתי „Es ist erlaubt (Gewürz für Wein am Feiertag zu zerreiben); gib mir, so werde ich trinken“; jMŠ 55c (3mal) הב לי אגרי ואנא אמר לך „Gib mir meinen Lohn, so werde ich dir (die Traumdeutung) sagen“; jJom 40d (2mal) איתא ואנא מסר ליה לך „Komm, so werde ich es dir mitteilen“; jMQ 81d שרי לן ונן שריי לך „Löse uns, so werden wir auch dich (vom Bann) lösen“; jChag 77d הב ידך על עיינך ואפקה וחזרה והיא חזרה „Führe deine Hand an dein Auge und reiß es aus; danach setze es wieder ein, so wird es wieder angewachsen sein“; jBB 17d שבקיה ואנא יהב „Laß ihn los, (denn) ich werde zahlen“; jSanh 25d שרי ואנן שריי „Löse du, so lösen auch wir (den Zauber)“; jAZ 41a אייתי ואנא שתי ליה „Bring es her, daß ich es trinke“; GenR 7,2.3 רביע ואנא מודע לך „Wirf dich nieder, so werde ich es dir mitteilen“; 53,20 (vgl. 86,7) זרוק חוטרא לאוירא ועל עיקריה הוא קאים „Wirf die Rute in die Luft, so kommt sie auf ihre Wurzel zu stehen“; 67,6 עול חרבא ואת חיי „Stecke dein Schwert ein (oder: Geh in die Wüste), so wirst du am Leben bleiben“ (Var. תחי); 78,15 (2mal) לא תיסב מן בר נש כלום ולית את יהיב כלום „Nimm von niemandem etwas an, so brauchst du auch nichts herzugeben“; 91,7 (2mal) ואם אמר לכון בר נש יהבון לי בכפלא ואנא יהיב יתיה לכון אתון עבדין „Wenn jemand zu euch sagte: Gebt mir das Doppelte (des Kaufpreises), so werde ich ihn euch zurückgeben!, würdet ihr das tun?“; ExR 9,8 משל הדיוט אומר מחי אלהיא ויבהתון כומריא „Ein gewöhnliches Sprichwort lautet: Schlage die Götter, so zittern die Priester (Impf.)“; LevR 6,3 צור הדין קניא בידך ואנא משתבע לך „Nimm diesen Stab in deine Hand, so werde ich dir schwören“; 22,2 טב לביש לא תעביד וביש לא מטי לך „Tue dem Bösen nichts Gutes, so wird dir nichts Böses widerfahren“ (statt מטי in GenR 22,17 = PredR zu 5,8: ימטי); 30,6 הב לי מה דקפחתני ואנא מליף עליך זכו קדם מלכא „Gib mir zurück, was du mir geraubt hast, so werde ich dich vor dem König verteidigen“; 34,12 הבו לי שית דינרין ואנא מפקא לכון „Gebt mir 6 Denare, so werde ich es euch bestreiten“; 6,2 (z.T. neuhebr.) אל תפרסמני ואנא יהיב לך פלגא „Verrate mich nicht, so werde ich dir die Hälfte (des Gestohlenen) geben“; 37,2 אכול מן אילין אתרוגין דיהודאי מצלין עמהון ביום הושענא ואת מתסי „Iß von den Orangen, die die Juden am 7. Tage des Laubhüttenfestes beim Gebet in der Hand halten, so wirst du geheilt werden“; KlglR zu 1,1 קום והב מדלי דאפקד אבא גבך ואיזיל לאלתר „Auf, gib mir mein Eigentum, das mein Vater bei dir hinterlegt hat, so werde ich sofort abreisen“ (Imperfekt); אלא קום עביד קודמיי ואעבד אנא בתרך כותך „Aber wohlan, mache mir es vor, so werde ich es nach dir ebenso tun“

(Impf.); אפיק ליה איהו מלא קומציה חלא אמר ליה שזור לי חוטין ואנא חייט ליה „Er brachte ihm eine Handvoll Sand (und) sagte zu ihm: Zwirne mir hiervon Fäden, so werde ich den Mörser nähen“; הב לי אגרי ואנא פתר לך „Gib mir meinen Lohn, so werde ich dir deinen Traum deuten“; (= GenR 89,10 (מה ד אמרי לן מה את בעייא ואנן פתרין ליך „Erzähle uns, was du willst, so werden wir es dir deuten“; zu 2,11 כחולי מן כחלי ואת מנשמא „Schminke dich mit meiner Schminke, so wirst du gesund werden“; zu 4,2 (Anfang neuhebräisch) אל תביישני ואנא יהיב לך דמי דסעודתא „Beschäme mich nicht, denn ich werde dir die Kosten für das, was ich esse, ersetzen!“; PredR zu 10,10 אמור פירקך תלת זימנין והוא אתי לך „Sage deinen Abschnitt dreimal auf, so wirst du ihn behalten“; AD 20,27 (= LevR 37,2) שאיל לך שאילה ואנא עביד „Erbitte dir etwas, so werde ich es dir erfüllen“; 23,18 הב ליה מלה והוא אתי „Gib ihm Nachricht, so wird er kommen“; 27,7f.; mit futurischem Nominalsatz als Nachsatz: AD 27,9f. רוקין בגויה שבע זמנין והוא טב ליה „Spucke mir siebenmal ins Auge, so wird es gut sein“; dagegen rein parataktisch: GenR 65,18 עול (זמן תנינות) ומה דאת מפיק דידך „Geh (ein zweites Mal) hinein, (und) was auch immer du herausbringst, soll dein sein!“.

Samaritanisch: Memar Marqa 1. Buch (M. Hildesheimer S. 31) תקף רגליך ולא יקרב ליך נשש... יתב אדיך ויקרין... חיל לשנך ולא יקרב לה משתוק „Mache deine Füße stark, so wird sich dir Schwäche nicht nähern ... stütze deine Hände auf, so werden sie geehrt werden ... festige deine Zunge, so wird sich ihr Schweigen nicht nähern“ (Impf.).

Babylonisch-Talmudisch: bBer 43b (konzessiv) תלה ליה קורא לדבר אחר ואיהו דידיה עביד „Hänge einer anderen Sache (= Schwein) Palmkohl an, so wird es doch nach seiner Gewohnheit tun“; bMQ 28b גוד גרמא מככא ונמטי מיא לאנטיכי „Schneide den Knochen aus dem Gebiß, so dringt das Wasser in die Kochmaschine (so daß das Feuer ausgeht)“; bQid 39a ספק לי ואנא איכול „Mache mir (die Früchte) zweifelhaft, so werde ich sie essen“; bBQ 85a הב לי לדידי ואנא מסינא נפשי „Zahle mir, so werde ich mich selbst heilen lassen“; bBM 107b קוצו עילאי ותתאי והדר ניקוץ אנא „Hackt ihr die Zweige oben und unten ab, so werde auch ich (die von meinen Bäumen) abhacken“ (ebd. dasselbe auch mit „wenn“: אי קייצו קייצנא „Wenn sie abhacken, hacke auch ich ab“); bSanh 96a אמרי אינשי גרירתיה לארמאה שפיר ליה איתלי ליה נורא בדיקניה ולא שבעת חוכא מיניה „Das Sprichwort sagt: Hast du einen Aramäer geschoren (und) es gefällt ihm, so hänge ihm noch Feuer an seinen Bart, so wirst du dauernd über ihn lachen können“; טחין חד גריוא דקשייתא וניתן לך „Mahle ein Maß Fruchtkerne, so werden wir dir (die

Schere) geben"; bAZ 55a שחטו לי גברא ואייתי מטרא ,,Schlachtet mir einen Menschen, so werde ich Regen bringen".

Syrisch: Spicilegium 13,6 הדא חוני ומתטפיס אנא לך ,,Dies zeige mir, so lasse ich mich von dir überreden".

Die Stelle des Imperativs kann im Semitischen natürlich auch ein Jussiv einnehmen:

Hebräisch: Gen 41,35f. וְיִצְבְּרוּ־בָר תַּחַת יַד־פַּרְעֹה ⟨וְיִתְּנוּ⟩ אֹכֶל בֶּעָרִים וְשָׁמָרוּ וְהָיָה הָאֹכֶל לְפִקָּדוֹן לָאָרֶץ לְשֶׁבַע שְׁנֵי הָרָעָב, LXX καὶ συναχθήτω ὁ σῖτος ὑπὸ χεῖρα Φαραω, βρώματα ἐν ταῖς πόλεσιν φυλαχθήτω καὶ ἔσται τὰ βρώματα πεφυλαγμένα τῇ γῇ εἰς τὰ ἑπτὰ ἔτη τοῦ λιμοῦ. Lev 5,11ff.; 19,22; Jer 38,24.25; Sir 51,29 (aber final: 2Sam 13,6).

Neuhebräisch: jMak 31d יעשה תשובה ויתכפר לו ,,Er möge Buße tun, so wird ihm vergeben werden"; bŠab 35a הרוצה לראות בארה של מרים יעלה לראש הכרמל ויצפה ויראה כמין כברה בים וזו היא בארה של מרים ,,Wenn jemand den Mirjambrunnen sehen will, besteige er den Gipfel des Karmel und halte Ausschau, so wird er im Meer eine Art Sieb bemerken; das ist der Mirjambrunnen"; GenR 5,10 עץ מכם אל יכנס בי ואין אחד מכם ניזוק ,,Kein Holz von euch möge in mich (das Eisen) fahren, so wird keiner von euch Schaden leiden (= Wenn kein Holz von euch als Axtstiel dient . . .)"; LevR 25,1 יהי המקל הזה בידך ואי אתה מתיירא משום בריה ,,Dieser Stab sei in deiner Hand, so wirst du dich vor niemandem zu fürchten brauchen"; KlglR zu 2,10 ילך אצל חכם ומתיר לו את נדרו ,,Er soll zu einem Gelehrten gehen, denn der kann ihm sein Gelübde lösen"; zu 3,17 = PredR zu 1,8 ימתין אצלי חמש שנים ואני מלמדו מאה מינין בביצה ,,Er möge fünf Jahre bei mir bleiben, so werde ich ihn 100 Arten ein Ei zuzubereiten lehren" u. ebd. ö.ä.

Reichsaramäisch: Dan 2,7 מַלְכָּא חֶלְמָא יֵאמַר לְעַבְדוֹהִי וּפִשְׁרֵהּ נְהַחֲוֵה, Theod ὁ βασιλεὺς εἰπάτω τὸ ἐνύπνιον τοῖς παισὶν αὐτοῦ καὶ τὴν σύγκρισιν αὐτοῦ ἀναγγελοῦμεν. Cowley 30,24—27 אגרה מנך ישתלח עליהום על אגורא זי יהו אלהא למבניה ביב בירתא לקבל זי בנה הוה קדמין ומחתא ולבונתא ועלותא יקרבון על מדבחא זי יהו אלהא בשמך ונצלה עליך בכל עדן אנחנה ונשין ובנין ויהודיא כל זי תנה ,,Ein Brief möge von dir zu ihnen gesandt werden, den Tempel des Gottes Jahu betreffend, ihn (wieder) aufzubauen in der Festung Elephantine, wie er vorher gebaut war, und daß man auf dem Altar des Gottes Jahu in deinem Namen Speiseopfer, Weihrauch und Brandopfer darbringen dürfe, so werden wir für dich beten zu jeder Zeit, wir, unsere Frauen, unsere Kinder und die Juden, alle, die hier sind"; 1QGen Apoc 20,23 וכען אזל אמר למלכא וישלח אנתתה מנה

לבעלהא ויצלה עלוהי ויחה „Und jetzt geh und sage dem König, und er soll seine (Abrahams) Frau von sich ihrem Gatten zurückschicken, so wird der für ihn beten, daß er wieder gesund werde"; 20,25f. יתיבו נה לשרי לאברם בעלה ויתרך מנכה מכתשא דן „Man gebe Sara dem Abraham, ihrem Gatten, zurück, so wird diese Plage von dir weichen".

Jüdisch-Palästinisch: jSot 23c מאן דבעי דלא מתחכמה יהב סיפלני על נחיריה והוא לא מתחכם „Wenn jemand nicht erkannt werden möchte, soll er sich einen Verband auf seine Nase legen, so wird er nicht erkannt werden"; LevR 9,8 תהא פסטמא דילך טבא ולית את דחיל מיניה „Möge deine Treueversicherung gut sein, so wirst du dich vor ihm nicht zu fürchten brauchen"; KlglR zu 1,5 (zitiert S. 291 Anm. 1); zu 1,16 (2mal) אי משכח כלום מייתי ואנן אכלין „Wenn er etwas findet, soll er es bringen, daß wir es essen".

Babylonisch-Talmudisch: bBer 6a (M: למחזי) האי מאן דבעי למידע להו לייתי קיטמא נהילא ונהדר אפורייה ובצפרא חזי כי כרעי דתרנגולא „Wenn jemand die Dämonen sehen will, bringe er gesiebte Asche und streue sie um das Bett, so wird er am anderen Morgen (etwas) wie Fußspuren von einem Hahn bemerken"; האי מאן דבעי למחזינהו ליתי שליתא דשונרתא אוכמתא . . . וחזי להו „Wenn jemand die Dämonen sehen will, bringe er die Nachgeburt einer schwarzen Katze . . ., so wird er sie sehen"; bŠab 134a האי ינוקא דלא מעוי ליתו סליתא דאימיה ולישרקיה עילויה ומעוי „Ein Kind, das nicht schreit: man bringe die Nachgeburt seiner Mutter und bestreiche es damit, so wird es schreien" u. ebd. ö.ä.; bChul 105b ליקבע לי מר זימנא ואפרע „Der Herr setze mir einen Termin fest, so werde ich zahlen".

Syrisch: Afraat 384,3 נאזל אנש מן מִיתָא לותהון ותָיבִין „Einer von den Toten gehe zu ihnen, so werden sie sich bekehren".

Vor dem Imperativ steht manchmal schon ein konjunktionaler Konditionalsatz: Jos 17,18; 1Sam 7,3; (Rt 3,4); Sir 31,21; jSot 23c; jSanh 28c; GenR 67,6; KlglR zu 1,16; jŠebi 38d; GenR 68,15; bBer 6a; 40b; bŠab 35a; 134a; bSanh 96a.

Auch kann zwischen Imperativ und Futurum noch ein Nebensatz oder eine Parenthese eingeschoben sein: Ex 8,4; 9,28; Num 14,42; Ri 1,3; 16,5; 1Kön 21,2; Ps 59,14; 119,117; GenR 68,15; bChul 141b. 142a.

Auch im Griechischen (und Lateinischen) kann der Imperativ an Stelle eines bedingenden Satzes gebraucht werden; doch ist dies viel seltener belegt als im Semitischen: Soph Elektra 1207 πείθου λέγοντι κοὐχ ἁμαρτήσῃ ποτέ. Platon Theait 154c σμικρὸν λαβὲ παράδειγμα καὶ πάντα εἴσει ἃ βούλομαι. Demosth 18,112 δειξάτω κἀγὼ στέρξω καὶ σιωπήσομαι. UPZ 79,15 (159 v.) φέρε τὸ δέρμα τοῦ ποδός σου καὶ ἐγὼ δώσω σοι τὸ δέρμα τοῦ ποδός μου. Auch gibt es den ironischen Imperativ.

Die ntl. Belege für diese Konstruktion brauchen also nicht unter semitischem Einfluß zu stehen, doch ist dieser überall wahrscheinlich und, wo sie gehäuft vorkommen — d. h. in den Evangelien und bei Jakobus —, sogar so gut wie sicher. Eine Einzelstelle ist nur dann ausgesprochen semitisch, wenn der Imperativ uneigentlich gemeint ist, wie Joh 2,19 λύσατε τὸν ναὸν τοῦτον καὶ ἐν τρισὶν ἡμέραις ἐγερῶ αὐτόν „Wenn ihr diesen Tempel abbrecht, werde ich ihn in drei Tagen wieder aufrichten" und Mt 12,33a.b. An den übrigen Stellen rät der Imperativ zugleich zur Ausführung, sei es, daß er mehr einen allgemeinen Rat, sei es, daß er (weniger typisch semitisch) einen konkreten Befehl gibt: Mt 4,19 δεῦτε ὀπίσω μου καὶ ποιήσω ὑμᾶς ἁλεεῖς ἀνθρώπων. 6,6.17f. 33; 7,7 αἰτεῖτε καὶ δοθήσεται ὑμῖν, ζητεῖτε καὶ εὑρήσετε, κρούετε καὶ ἀνοιγήσεται ὑμῖν[1]. 8,8 ἀλλὰ μόνον εἰπὲ λόγῳ καὶ ἰαθήσεται ὁ παῖς μου[2]. 11,28.29; 17,27; 18,26.29; 19,21; 20,4.7 CNW; 21,2; Mk 1,17; 6,22; 10,21; 11,2.24.29 καὶ ἀποκρίθητέ μοι καὶ ἐρῶ ὑμῖν ἐν ποίᾳ ἐξουσίᾳ ταῦτα ποιῶ „Wenn ihr mir darauf antwortet, werde ich euch (auch) sagen, kraft welcher Vollmacht ich dies tue"; 14,13.14f.; Lk 6,35.37 καὶ μὴ κρίνετε καὶ οὐ μὴ κριθῆτε, καὶ μὴ καταδικάζετε καὶ οὐ μὴ καταδικασθῆτε („so werdet ihr sicher nicht gerichtet werden [Bl-Debr 365]"), ἀπολύετε καὶ ἀπολυθήσεσθε. 38; 8,50; 10,5f. 28 τοῦτο ποίει καὶ ζήσῃ. 11,9a.b.c[1]. 41 (fut. Nominalsatz:) πλὴν τὰ ἐνόντα δότε ἐλεημοσύνην καὶ ἰδοὺ πάντα καθαρὰ ὑμῖν ἐστιν (καὶ ἰδού ist so nur hebräisch oder aus LXX; jüdisch-palästinisch והא bedeutet immer „aber doch", vgl. S. 69 und Anm. 8); 12,31; 14,13f.; 18,22; 22,11f. Bא (D asynd.); Joh 1,39 ἔρχεσθε καὶ ὄψεσθε. 14,8 (fut. Nominalsatz:) δεῖξον ἡμῖν τὸν πατέρα καὶ ἀρκεῖ ἡμῖν. 15f. ℜDΘ; 15,4a.7; 16,24

---

[1] Mt 7,7 = Lk 11,9 (als Anrede formuliert). Im nächsten Vers folgt dasselbe als kond. Partz. (d. h. sachlich) formuliert!

[2] In der Lk-Parallele 7,7 steht καὶ ἰαθήτω: Das könnte als zu wörtliche Übersetzung eines hebr. (aber nicht aus LXX) oder aram. dem vorangehenden Imperativ assimilierten Futurums (hebr.: Jussiv statt Impf.; aram.: Impf. statt Partizip, vgl. S. 240) verstanden werden. Doch ist wahrscheinlich, besonders bei Annahme einer aram. Vorlage (vgl. S. 245 Anm. 2), ein konjunktionsloser hypotaktischer Finalsatz gemeint: „daß er geheilt werde", vgl. Kuhr 48. Zu Mk 8,34 parr. vgl. S. 227 Anm. 2.

αἰτεῖτε καὶ λήμψεσθε. 20,15; 21,6; Act 9,6; 16,31; 21,24. 22,10 kann wegen des ἐκεῖ semitisch nur final[1] oder kausal verstanden werden, ebenso wie OxyrhPap 1,5 ἔγειρον τὸν λίθον κἀκεῖ εὑρήσεις με, σχίσον τὸ ξύλον κἀγὼ ἐκεῖ εἰμι. Röm 13,3b; 2Kor 6,17; 13,11; Gal 5,16 (Bl-Debr 365); 6,2 BG und 4 ist οὕτως bzw. τότε unsemitischer Zusatz; Eph 5,14 ἔγειρε, ὁ καθεύδων, καὶ ἀνάστα ἐκ τῶν νεκρῶν καὶ ἐπιφαύσει σοι ὁ Χριστός. Phil 4,9 (= 2Kor 13,11); Jak 2,18; 4,7 ἀντίστητε δὲ τῷ διαβόλῳ καὶ φεύξεται ἀφ' ὑμῶν. 8 ἐγγίσατε τῷ θεῷ καὶ ἐγγίσει ὑμῖν. 10; 1Petr 5,2—4; Apc 2,10 γίνου πιστὸς ἄχρι θανάτου καὶ δώσω σοι τὸν στέφανον τῆς ζωῆς. Dagegen ist Apk 4,1 ἀνάβα ὧδε καὶ δείξω σοι ἃ δεῖ γενέσθαι μετὰ ταῦτα besser final zu übersetzen (im Hebräischen ist ein Kohortativ vorauszusetzen): „damit ich dir zeige“.

An Stelle des Imperativs steht ein Jussiv: Mt 6,3f.; 27,42 B𝔎D καταβάτω νῦν ἀπὸ τοῦ σταυροῦ καὶ πιστεύσομεν ἐπ' αὐτόν. 28,10 (vgl. zu Act 22,10); Mk 12,7 δεῦτε ἀποκτείνωμεν αὐτὸν καὶ ἡμῶν ἔσται ἡ κληρονομία „Wenn wir ihn jetzt töten, ist das Erbe unser!“; Act 2,38; Jak 1,5 αἰτείτω ... καὶ δοθήσεται αὐτῷ. 1Joh 5,16 αἰτήσει (Bl-Debr 362) καὶ δώσει αὐτῷ ζωήν.

Nur dreimal ist das konditionale Verhältnis durch zwei syndetische Imperative ausgedrückt: Joh 1,46 = 11,34 ἔρχου καὶ ἴδε „Komm (mit), so wirst du es sehen“[2]; 7,52 ἐρεύνησον καὶ ἴδε ὅτι ἐκ τῆς Γαλιλαίας προφήτης οὐκ ἐγείρεται „Wenn du nachforschst, wirst du sehen ...“.

Vor dem Imperativ steht schon ein, meist konditionaler, Nebensatz: Mt 6,3f.6.17; 17,27; 19,21; 27,42; Mk 11,24; Lk 14,13f.; Joh 14,15f. 𝔎DΘ; 15,7 (drei verschiedene Konditionalkonstruktionen!); 20,15; Röm 13,3b; Jak 1,5; 1Joh 5,16. Zwischen Imperativ und Futurum steht noch ein Nebensatz: Mt 6,3f. 17f.; 11,29; Lk 10,5f.; Act 21,24; 1Petr 5,2—4. Beides kommt auch semitisch vor.

Die Tatsache, daß die hier behandelte konjunktionslose Konstruktion im Griechischen nicht so gewohnt ist, ergibt sich auch daraus, daß sie innerhalb der Synoptiker öfters in eine konjunktionale o.ä. umgewandelt wurde oder zumindest eine solche Parallele hat. Dabei erscheint auffälligerweise am häufigsten ein Finalsatz (bei LXX nur selten, etwa Spr 3,6.9f.), nämlich zu Mt 6,6: vgl. Mk 11,25 ἵνα; Mt 27,42: Mk 15,32 ἵνα; Mk 12,7 δεῦτε ἀποκτείνωμεν αὐτὸν καὶ ἡμῶν

[1] Vgl. die Beispiele Kuhr 46ff.

[2] Die Bill II 371 zitierte gleichlautende rabbinische, eine wichtige Aussage einleitende Redensart hat den Sinn: „Gib acht auf das, was ich dir jetzt sagen werde!“ Sie liegt hier nicht vor.

ἔσται ἡ κληρονομία: Lk 20,14 ἀποκτείνωμεν αὐτόν, ἵνα ἡμῶν γένηται ἡ κληρονομία und Mt 21,38 καὶ σχῶμεν τὴν κληρονομίαν αὐτοῦ. Lk 6,35: Mt 5,44f. ὅπως; Lk 6,37a μὴ κρίνετε καὶ οὐ μὴ κριθῆτε: Mt 7,1 μὴ κρίνετε, ἵνα μὴ κριθῆτε. Lk 11,41: Mt 23,26 ἵνα γένηται καὶ τὸ ἐκτὸς αὐτοῦ καθαρόν (Mt sinnwidrig). Diese Verwandlung von konditionalen Gefügen in „ethische Finalsätze“ (E. Stauffer, ThWNT III 330ff.) hat sicher auch sachliche Gründe. Ein Konditionalsatz als Parallele findet sich zu Mk 11,24 πιστεύετε ὅτι ἐλάβετε καὶ ἔσται ὑμῖν: Mt 21,22 πιστεύοντες λήμψεσθε. Mk 11,29: Mt 21,24 ἐάν, Lk 20,3 om.; ein Gen. abs. zu Mk 14,13: Lk 22,10, Mt 26,18 om.; ein Relativsatz zu Mt 21,2 = Mk 11,2: Lk 19,30. Außerdem sind bei zwei Sprüchen nur noch jeweils eine konditionale und eine finale Umschreibung vorhanden: auch hier ist sicher als ursprüngliche Fassung ein Imperativ mit syndetischem Futurum vorauszusetzen: Mt 6,14 ἐὰν γὰρ ἀφῆτε τοῖς ἀνθρώποις τὰ παραπτώματα αὐτῶν, ἀφήσει καὶ ὑμῖν ὁ πατὴρ ὑμῶν ὁ οὐράνιος — Mk 11,25 ἀφίετε εἴ τι ἔχετε κατά τινος, ἵνα καὶ ὁ πατὴρ ὑμῶν ὁ ἐν τοῖς οὐρανοῖς ἀφῇ ὑμῖν τὰ παραπτώματα ὑμῶν und ebenso Mt 20,28 DΦ it ἐὰν δὲ ἀναπέσῃς εἰς τὸν ἥττονα τόπον καὶ ἐπέλθῃ σου ἥττων, ἐρεῖ σοι ὁ δειπνοκλήτωρ — Lk 14,10 ἀνάπεσε εἰς τὸν ἔσχατον τόπον, ἵνα ὅταν ἔλθῃ ὁ κεκληκώς σε ἐρεῖ σοι.

Schließlich gehört in diesen Abschnitt auch noch Mt 12,33 ἢ ποιήσατε τὸ δένδρον καλὸν καὶ τὸν καρπὸν αὐτοῦ καλόν, ἢ ποιήσατε τὸ δένδρον σαπρὸν καὶ τὸν καρπὸν αὐτοῦ σαπρόν. Wie er dasteht, ist dieser Vers gar nicht zu verstehen, doch hat schon Wellhausen (Einl 13, Mt) richtig gesehen, daß die Worte καὶ τὸν καρπὸν αὐτοῦ καλόν (σαπρόν) eigentlich selbständig sein und im Nominativ stehen müßten: καὶ ὁ καρπὸς αὐτοῦ καλός (σαπρός). Sie bilden dann als futurischer Nominalsatz den Nachsatz zum konditionalen Imperativ ποιήσατε. Eine solche versehentliche Attraktion eines selbständigen, nur aus Subjekt und nichtverbalem Prädikat (ohne Copula) bestehenden Nominalsatzes als Objekt an ein vorangehendes Verbum kommt nämlich auch schon in LXX vor, etwa Num 22,23 = 31 וַיַּרְא אֶת־מַלְאַךְ יהוה נִצָּב בַּדֶּרֶךְ וְחַרְבּוֹ שְׁלֻפָה בְּיָדוֹ „während sich sein gezücktes Schwert in seiner Hand befand“, LXX καὶ ὁρᾷ τὸν ἄγγελον κυρίου ἀνθεστηκότα ἐν τῇ ὁδῷ καὶ τὴν μάχαιραν ἐσπασμένην ἐν τῇ χειρὶ αὐτοῦ. Aber auch im NT gibt es noch weitere Stellen, bei denen man den Eindruck hat, daß der Übersetzer einen Nominalsatz, der eigentlich selbständig sein sollte, zum Akkusativobjekt eines vorangehenden Verbums gemacht hat (da die hier meist vorliegenden Zustandssätze im Griechischen keine Entsprechung haben — man braucht dafür am häufigsten Partz. abs. oder conj. — und deshalb leicht verkannt werden können): Mk 1,6 (= Mt 3,4) καὶ ἦν ὁ Ἰωάννης ἐνδεδυμένος τρίχας καμήλου καὶ ζώνην δερματίνην περὶ τὴν ὀσφὺν αὐτοῦ „während sich an seiner Hüfte ein lederner Lendenschurz befand"; 1,19 statt καὶ αὐτοὶ ... καταρτίζοντες „während diese ..." (Wellh Einl[1] 19)?; 10,30b selbständiger (durch Stichwortverknüpfung angeschlossener) Satz: „Jetzt gibt es Häuser etc. nur unter Verfolgungen, aber ..."?; Mt 11,9 = Lk 7,26 statt καὶ περισσότερος προφήτου „Hier ist mehr als ein Prophet!" (Eingliedriger Nominalsatz; ähnlich Wellh Mt 52: als Nominativ zu οὗτός ἐστιν); Lk 13,28 ὅταν ὄψησθε Ἀβραὰμ καὶ Ἰσαὰκ καὶ Ἰακὼβ καὶ πάντας τοὺς προφήτας ἐν τῇ βασιλείᾳ τοῦ θεοῦ, ὑμᾶς δὲ ἐκβαλλομένους ἔξω statt semitisch ὑμεῖς δὲ ἐκβαλλόμενοι ἔξω „während ihr hinausgestoßen werdet" (Black 63f.); 16,23 ὁρᾷ Ἀβραὰμ ἀπὸ μακρόθεν καὶ Λάζαρον ἐν τοῖς κόλποις αὐτοῦ statt καὶ Λάζαρος ἐν τοῖς κόλποις αὐτοῦ „während Lazarus sich in seinem Schoß befand"; Joh 20,7; Apc 20,1 statt καὶ ἅλυσις; 22,2a. Außerdem ist „machen" (עבד, ποιεῖν) in der Bedeutung „annehmen, den Fall setzen" sowohl aramäisch (jSot 23d u.ö.ä. מה את עביד לה כמחוסרת אבר או כבעלת מום „Als was siehst du es an, als eins, dem ein Glied fehlt, oder als ein mit einem Leibesfehler behaftetes [Kalb]?"; LevR 20,2 מאן דעביד להון תלת עשר עביד כל אבן יקרה מסוכתך תלת מאן דעביד להון חדסר עבד חדא מאן דעבד להון עשרה לא עבד חד מנהון „Wer sie [die Edelsteine aus Ez 28,13] als dreizehn ansieht, hält [den Ausdruck] ‚allerhand Edelsteine waren deine Decke' für [Umschreibung von] drei; wer als elf, für ein; wer im ganzen zehn zählt, zählt ihn gar nicht"; weitere Beispiele Black 237) als auch griechisch (Liddell-Scott, Bauer). Wir dürfen also den Vers nach Wellhausen übersetzen: „Gesetzt, ein Baum ist gut, so ist auch seine Frucht gut; gesetzt, ein Baum taugt nicht, so taugt auch seine Frucht nicht" (wörtlich: „Setzt einen Baum als gut voraus[, so ist zu sagen]: auch seine Frucht ist gut; setzt einen Baum als unbrauchbar voraus[, so ist zu sagen]: auch seine Frucht ist unbrauchbar")[1].

---

[1] Black 148f. möchte Mt 12,33 nach Mt 7,17f. = Lk 6,43 verstehen. Er nimmt an, daß in der aram. Vorlage עביד = ἐστὶν ποιοῦν in עבדו = ποιήσατε verlesen wurde. Der ursprüngliche Wortlaut sei also: „Ein guter Baum trägt gute Frucht". Aber die umgekehrte Verlesung wäre viel wahrscheinlicher; außerdem hätte sie gleich zweimal geschehen sein müssen. Dazu stören dann καί und αὐτοῦ.

3. Weitere Möglichkeiten konjunktionsloser konditionaler Hypotaxe

VglGr 304a. 423a; GKa 109h. 159d.e, GBe 13h[b], Kö 193. 201. 390m—o, Driver 152, Kuhr 19—21. 29f. 41. 49. 55, Brockelmann 135b. 164a, Nyberg 97e, Blake 50, Beer-Meyer 122.

Im Hebräischen gibt es außer den beiden schon genannten noch einige weitere Möglichkeiten, ein konditionales Verhältnis ohne Zuhilfenahme einer Konjunktion grammatisch auszudrücken (z. T. nur poetisch belegt):

a) Syndetische Verbindung zweier Kurzimperfekta (Jussive, Apokopate), ohne daß diese einen jussivischen Sinn haben, in einem abgegrenzten, kurzen Satz: Ps 104,20 תָּשֶׁת־חֹשֶׁךְ וִיהִי לָיְלָה „Wenn du Finsternis machst, wird es Nacht", LXX ἔθου σκότος καὶ ἐγένετο νύξ. Hi 22,28 וְתִגְזַר־אוֹמֶר וְיָקָם לָךְ „Beschließt du eine Sache, so gelingt sie dir", LXX ganz anders.

b) Asyndetische Verbindung (Syndese wäre natürlich ebenso möglich) von Kurzimperfekt und Kohortativ in einem abgegrenzten, kurzen Satz: 2Sam 18,22 וִיהִי מָה אָרֻצָה־נָּא גַם־אָנִי „Geschehe, was will, ich laufe auch" (konzessiv), LXX καὶ ἔστω ὅτι δράμω καί γε ἐγώ.

c) Syndetische Verbindung von Kurzimperfekt und Imperativ in einem abgegrenzten, kurzen Satz: Ps 45,12 וְיִתְאָו הַמֶּלֶךְ יָפְיֵךְ כִּי־הוּא אֲדֹנַיִךְ וְהִשְׁתַּחֲוִי־לוֹ „Und begehrt der König deine Schönheit — er ist ja dein Herr — so neige dich ihm", LXX ganz anders.

d) Asyndetische Verbindung (Syndese ebenso möglich) von Kurzimperfekt und Vollimperfekt in einem abgegrenzten, kurzen Satz: 2Sam 18,23 וִיהִי־מָה אָרוּץ „Geschehe, was will, ich laufe" (konzessiv), LXX τί γὰρ ἐὰν δραμοῦμαι.

e) Syndetische Verbindung von Kohortativ und Imperfekt in einem abgegrenzten, kurzen Satz: Hi 19,18b אָקוּמָה וַיְדַבְּרוּ־בִי „Stehe ich auf, so verspotten sie mich", LXX ὅταν ἀναστῶ, κατ᾿ ἐμοῦ λαλοῦσιν.

f) Syndetische Verbindung zweier Imperfekta, deren syntaktische Zusammengehörigkeit durch das vorangestellte, auf die Apodosis sich beziehende וְהָיָה bezeichnet ist: Jos 22,18b וְהָיָה אַתֶּם תִּמְרְדוּ הַיּוֹם בַּיהוה וּמָחָר אֶל־כָּל־עֲדַת יִשְׂרָאֵל יִקְצֹף „Wenn ihr euch heute gegen J. empört, so wird er morgen der ganzen Gemeinde Israel zürnen", LXX καὶ ἔσται ἐὰν ἀποστῆτε σήμερον ἀπὸ κυρίου, καὶ αὔριον ἐπὶ πάντα Ισραηλ ἔσται ἡ ὀργή. Natürlich könnte im Hebräischen u. U. auch die syndetische

Verbindung von Imperfekt und Imperfekt oder Perfekt consecutivum ohne vorangehendes וְהָיָה oder ein anderes Kennzeichen der Hypotaxe psychologisch als Unterordnung empfunden worden sein (aber nur in deutlich abgesetzten, kurzen Sätzen, nicht im gleichförmigen Flusse der Rede!), besonders in der Poesie. Doch läßt sich das heute nicht mehr erkennen, da uns das einzige, dann noch vorhandene Kriterium echter Hypotaxe — die Satzmodulation der gesprochenen Rede — fehlt.

g) Syndetische Verbindung von Nominalsatz und Verbalsatz: Ri 6,13 וְיֵשׁ יהוה עִמָּנוּ וְלָמָּה מְצָאַתְנוּ כָּל־זֹאת „Wenn J. wirklich mit uns ist, warum hat uns dann dies alles betroffen?“, LXX καὶ εἰ ἔστιν κύριος μεθ' ἡμῶν, ἵνα τί εὗρεν ἡμᾶς πάντα τὰ κακὰ ταῦτα;

h) Vor einem futurischen Partizipialsatz kann die demonstrative Interjektion הִנֵּה schon fast die Bedeutung einer konditionalen Konjunktion annehmen. Der Nachsatz folgt asyndetisch: Gen 50,5 הִנֵּה אָנֹכִי מֵת בְּקִבְרִי אֲשֶׁר כָּרִיתִי לִי בְּאֶרֶץ כְּנַעַן שָׁמָּה תִּקְבְּרֵנִי, LXX om. die Protasis; Ex 3,13 הִנֵּה אָנֹכִי בָא אֶל־בְּנֵי יִשְׂרָאֵל וְאָמַרְתִּי לָהֶם אֱלֹהֵי אֲבוֹתֵיכֶם שְׁלָחַנִי אֲלֵיכֶם וְאָמְרוּ־לִי מַה־שְּׁמוֹ מָה אֹמַר אֲלֵהֶם, LXX ἰδοὺ ἐγὼ ἐλεύσομαι πρὸς τοὺς υἱοὺς Ισραηλ καὶ ἐρῶ πρὸς αὐτούς Ὁ θεὸς τῶν πατέρων ὑμῶν ἀπέσταλκέν με πρὸς ὑμᾶς, ἐρωτήσουσίν με Τί ὄνομα αὐτῷ; τί ἐρῶ πρὸς αὐτούς; Jos 2,18 (LXX + καί); 2Kön 7,2 = 19 (konzessiv) הִנֵּה יהוה עֹשֶׂה אֲרֻבּוֹת בַּשָּׁמַיִם הֲיִהְיֶה הַדָּבָר הַזֶּה, LXX ἰδοὺ ποιήσει κύριος καταρράκτας ἐν οὐρανῷ, μὴ ἔσται τὸ ῥῆμα τοῦτο; statt eines Imperfekts kann auch Perfekt consecutivum stehen: Ri 7,17 וְהִנֵּה אָנֹכִי בָא בִּקְצֵה הַמַּחֲנֶה וְהָיָה כַאֲשֶׁר־אֶעֱשֶׂה כֵּן תַּעֲשׂוּן, LXX καὶ ἰδοὺ ἐγὼ εἰσπορεύομαι ἐν μέσῳ τῆς παρεμβολῆς, καὶ ἔσται ὡς ἐὰν ποιήσω, οὕτως ποιήσετε. 9,33 (aber wohl nicht Gen 48,21; Ex 7,17; 8,25, da hier konditionale Übersetzung auch gar nicht nötig ist. Anzeichen von Hypotaxe fehlen in Gen 49,29; 50,24; Ex 9,17f.; Ps 75,4).

i) Ein Verbalsatz vor einem syndetischen oder asyndetischen Fragesatz wird durch Zusatz von הִנֵּה (bzw. עַתָּה) als konditional gekennzeichnet: Ri 13,12 עַתָּה יָבֹא דְבָרֶיךָ מַה־יִּהְיֶה מִשְׁפַּט־הַנַּעַר, LXX νῦν δὴ ἐλθόντος τοῦ ῥήματός σου τί ἔσται τὸ κρίμα τοῦ παιδαρίου; 1Sam 9,7 וְהִנֵּה נֵלֵךְ וּמַה־נָּבִיא לָאִישׁ, LXX καὶ ἰδοὺ πορευσόμεθα, καὶ τί οἴσομεν τῷ ἀνθρώπῳ τοῦ θεοῦ; 2Sam 18,11 וְהִנֵּה רָאִיתָ וּמַדּוּעַ לֹא־הִכִּיתוֹ, LXX καὶ ἰδοὺ ἑόρακας· τί ὅτι οὐκ ἐπάταξας αὐτόν; poetisch auch ohne Partikel: Hi 23,13a (LXX εἰ); 34,29a.b (LXX ganz wörtlich).

Wie die Beispiele zeigen, übersetzt LXX entweder sinngemäß richtig, indem sie eine konditionale Konjunktion oder eine Partizipialkonstruktion gebraucht, oder falsch oder gibt die hebräische Konstruktion ganz wörtlich wieder. Doch auch in diesem dritten Falle sind die charakteristischen Merkmale der hebräischen Hypotaxe nicht mehr zu erkennen, so daß aus einer griechischen Übersetzung in diesem Punkt nichts über die syntaktischen Verhältnisse einer eventuellen hebräischen Vorlage auszumachen ist. Nur die die konditionale Protasis kennzeichnende Interjektion הִנֵּה = ἰδού ist auch noch in der griechischen Übersetzung sichtbar, doch ist diese Konstruktion im NT nicht belegt[1].

Im Neuhebräischen und Aramäischen gibt es außer den bereits behandelten, asyndetischer Gegenüberstellung von Protasis und Apodosis und syndetischer Verbindung von Imperativ und Futurum, überhaupt keine weiteren Möglichkeiten konjunktionsloser konditionaler Hypotaxe. Das hat seinen Grund z. T. darin, daß die Modi (Jussiv, Kohortativ, energisches Imperfekt) als Modi außer im Neuhebräischen und Reichsaramäischen, wo noch einige vorkommen, verlorengegangen sind, und z.T. darin, daß die psychologisch viel losere Satzverbindung derartige Konstruktionen unmöglich macht.

---

[1] In Lk 13,7; 15,29; 2Kor 12,14 leitet ἰδού nicht eine konzessive Hypotaxe ein („obgleich"), sondern es handelt sich um ἰδού vor Zeitangaben = „(es sind jetzt) schon", wie auch Lk 13,16, das aram. (1QGen Apoc 22,27f. הא עשר שנין שלמא מן יום די נפקתה מן חרן „Es sind jetzt schon zehn Jahre her, seit dem Tage, da du von Ḥaran ausgezogen bist"; bQid 81b הא כמה שני דפריש ליה מינאי „Es sind jetzt schon viele Jahre, daß er sich von mir absondert" = „Schon viele Jahre sondert er sich ab"; bBB 8b הא תליסר שנין דלא חזיא לי „Es sind jetzt schon 13 Jahre, daß ich ihn nicht gesehen habe"; Payne Smith I 959; Brockelmann Lex 169a) und Koine-griech. (Moulton-Milligan, Dt 2,7; 8,4; Sach 7,5 LXX für hebr. זֶה; Bl-Debr 144A) belegt ist.

C Grammatische Parataxe für logische Hypotaxe

1. Konditionale(-temporale) Parataxe im Nebensatz

Schles 177, NöldMand 445f. 477; K-G 516.9, Mayser 3, S. 185, Bl-Debr 369.3, 471.3 A, Wellh Joh 134, Joüon Notes 18, S. 359.

Das Hebräische und Aramäische vermeiden, wenn möglich, doppelte Unterordnung. Wenn deshalb eine aus Protasis und Apodosis bestehende Periode von einer Konjunktion abhängig gemacht werden soll, verzichtet man in der Regel auf den Ausdruck der innerhalb dieser Periode vorliegenden logischen Abhängigkeit und reiht ihre beiden Handlungen innerhalb des Nebensatzes einfach in ihrer zeitlichen Abfolge syndetisch aneinander. Je nachdem, ob das ganze in der Zukunft, Gegenwart oder Vergangenheit liegt, ist diese Parataxe konditional, temporal (iterativ) oder u. U. sogar kausal aufzulösen. Der Übergang vom Konditionalen zum Temporalen ist dabei fließend. Diese Konstruktion ist daran zu erkennen, daß sich die übergeordnete Konjunktion logisch erst auf die zweite der beiden parataktischen Handlungen bezieht. Dies ist im Hebräischen, Neuhebräischen und Aramäischen sehr oft belegt:

Hebräisch: Gen 24,14 וְהָיָה הַנַּעֲרָ אֲשֶׁר אֹמַר אֵלֶיהָ הַטִּי־נָא כַדֵּךְ וְאֶשְׁתֶּה וְאָמְרָה שְׁתֵה וְגַם־גְּמַלֶּיךָ אַשְׁקֶה אֹתָהּ הֹכַחְתָּ לְעַבְדְּךָ לְיִצְחָק ,,Das Mädchen, welches nun, wenn ich zu ihr sage: ‚Neige doch deinen Krug, damit ich trinke', antwortet: ‚Trinke du, und auch deine Kamele will ich tränken!', die hast du für deinen Knecht Isaak bestimmt", LXX καὶ ἔσται ἡ παρθένος, ᾗ ἂν ἐγὼ εἴπω Ἐπίκλινον τὴν ὑδρίαν σου, ἵνα πίω, καὶ εἴπῃ μοι Πίε καὶ τὰς καμήλους σου ποτιῶ, ταύτην ἡτοίμασας τῷ παιδί σου Ισαακ. 43f.; Ex 3,13 (zitiert S. 257) ,,Falls nun aber die Israeliten, wenn ich zu ihnen komme, mich fragen: ‚Wie heißt er denn?', was soll ich dann zu ihnen sagen?"; 20,25b; 21,22.29.33; 22,4.6.9.13; Lev 4,13f.; 17,3f. 8f.; 18,5 = Ez 20,11.13 וּשְׁמַרְתֶּם אֶת־חֻקֹּתַי וְאֶת־מִשְׁפָּטַי אֲשֶׁר יַעֲשֶׂה אֹתָם הָאָדָם וָחַי בָּהֶם ,,Deshalb beachtet meine Satzungen, durch welche der Mensch, wenn er sie tut, lebt", LXX Lev καὶ φυλάξεσθε πάντα τὰ προστάγματά μου καὶ πάντα τὰ κρίματά μου, ἃ ποιήσας ἄνθρωπος ζήσεται ἐν αὐτοῖς, LXX Ez ὅσα ποιήσει αὐτὰ ἄνθρωπος καὶ ζήσεται ἐν αὐτοῖς. Num 15,2f.;

19,13.20; 21,8; 30,12; Dt 19,4 אֲשֶׁר־יָנוּס שָׁמָּה וָחָי, LXX ὃς ἂν φύγῃ ἐκεῖ καὶ ζήσεται. 5; 20,5—7; 21,18 „Der auch, wenn sie ihn züchtigen, nicht gehorcht“; 22,13ff.; 25,5; Ri 12,5f. (4mal); 2Sam 13,28; 1Kön 8,31; Jes 55,10; Jer 7,13; Ez 14,13f.; 33,2—4; Mi 3,5 הַנֹּשְׁכִים בְּשִׁנֵּיהֶם וְקָרְאוּ שָׁלוֹם „Die, wenn sie etwas zu beißen haben, Heil rufen“, LXX τοὺς δάκνοντας ἐν τοῖς ὀδοῦσιν αὐτῶν καὶ κηρύσσοντας ἐπ᾽ αὐτὸν εἰρήνην. Sach 7,13 וְ⟨הָיָה⟩ כַּאֲשֶׁר־קָרָא וְלֹא שָׁמֵעוּ כֵּן יִקְרְאוּ וְלֹא אֶשְׁמָע, LXX καὶ ἔσται ὃν τρόπον εἶπεν καὶ οὐκ εἰσήκουσαν αὐτοῦ, οὕτως κεκράξονται καὶ οὐ μὴ εἰσακούσω. Spr 1,24 יַעַן קָרָאתִי וַתְּמָאֵנוּ, LXX ἐπειδὴ ἐκάλουν καὶ οὐχ ὑπηκούσατε. 2Chr 7,13f.; 1QS 7,22f.; 8,11f. (zitiert S. 220) u.ö. LXX übersetzt meistens ganz wörtlich, nur selten sinngemäß (1Kön 8,31; Jes 55,10; Ez 14,13f.: ἐάν; Lev 18,5 und Num 21,8: Partizip).

Neuhebräisch: Ber 2,3; 5,3; Pea 1,6; 3,2.8; 4,7; 5,2.4; 6,1—3. 6.7; 7,1.2 זית שיש בו סאתים ושכחו אינו שכחה „Wenn man einen Ölbaum, der zwei Sea trägt, vergißt, so ist das kein Vergessenes“; 8,9 (konzessiv); Chal 2,4 העושה עסתו קבים ונגעו זה בזה פטורים מן החלה „Wenn, falls jemand seinen Teig in einzelne Qab einteilt, diese einander berühren, so sind sie frei von der Teighebe“; Orl 1,4 אילן שנעקר ונשתיר בו שרש פטור „Wenn von einem Baum, der ausgerissen wurde, noch eine Wurzel übriggeblieben ist, so ist er frei“. 5; Bik 1,7.8; Šab 7,1 היודע שהיא שבת ועשה מלאכות הרבה בשבתות הרבה חייב על כל מלאכה ומלאכה „Wenn jemand, obwohl er weiß, daß Sabbat ist, mehrere Arbeiten an mehreren Sabbaten verrichtet, ist er für jede einzelne Arbeit schuldig“; 9,6; 10,1.4; 11,6; 13,6; 19,4; Pes 3,7; RŠ 1,9; 4,9; BQ 3,1—3; 4,6.8; 5,1.4. 5; 6,1.5.6; 9,5; 10,1.3.5.8; BM 6,2.3.4.8; 7,1; 8,9; 10,5; BB 5,9; 8,6; 9,5.6 u.ö.; außerdem sehr oft in den Protasen asyndetischer Konditionalsätze (B 1): Ber 2,1.3; 3,5; 4,7; 9,3; Kil 2,3.4; 3,3.6.7; Šab 1,1; BQ 4,9; 5,2.3.6; 7,2.3; 8,1; 9,1.2.3.4.6.7; BM 1,3; 2,9; 6,1 u.ö.

Reichsaramäisch: Pell 7,8f. הן מן גרדא או מן נכסיא אחרנן זילי מנדעם כסנתו יהוה ומן אתר אחרן לא תבעון ולא תהוספון על ביתא זילי חסין תשתאלון „Wenn ihr, falls mein Personal oder sonstiges Eigentum irgendeinen Verlust erleidet, nicht wo anders (welche) aufsucht und meinem Anwesen hinzufügt, werdet ihr vor Gericht gefordert werden“; 8,4f.; Aḥiqar 92f.

Jüdisch-Palästinisch: jBer 10b בגין דאנא אכל פיסתי ולא אנא חכים מברכא עליה ואנא אמר בריך דברא הדין פסא נפיק אנא ידי חובתי „Wenn ich mein Brot esse und nicht verstehe, den Segen darüber zu sprechen, und (deshalb einfach) sage: Gelobt sei der Schöpfer dieses Brotes!, habe ich dann meine Pflicht erfüllt?"; 10c (zitiert S. 150); jPea 15c סבא סבא אכול ואדיש דכלביא אכלין ומדשין ,,Alter, Alter, schweig beim Essen, denn auch die Hunde bellen nicht, wenn sie fressen"; 15d = GenR 35,4 ואנא שלחית לך מילה דאת דמך לך והיא מנטרה לך ,,Ich aber sandte dir einen Gegenstand, der dich behütet, wenn du schläfst (eine Türpfostenkapsel; ausführlicher S. 122 Anm. 2)"; jKil 27d כאינש דאית ביה תרין טעמין והוא מתיב חד מינהון ,,Wie jemand, der von seinen zwei Begründungen eine widerlegt"; 32d מותרות דהוא שנץ גרמיה והיא נחתא לה ,,Es ist erlaubt (ein wollenes Band auf einem Leinenkleid zu tragen), weil, wenn der so Bekleidete seinen Körper zusammenpreßt, das Band herunterfällt" (ebd. weiter oben dasselbe mit ד: דהיא נחתא לה ,,so daß es herunterfällt"); jŠebi 38c סבא דאי אנא שרי והוא אסר אנא אסר והוא שרי ,,Ein Gelehrter, welcher verbietet, wenn ich erlaube, und erlaubt, wenn ich verbiete"; 39d בר נש דתני חדא מיכלא והוא אזל לאתר ואינון מוקרין ליה בגין תרתיי צריך מימר לון אנא חדא מיכלא אנא בר נש דחכם חדא מיכלה ואזיל לאתר ואינון מייקרין ליה jMak 32a = חכם כד הוא חכם תרין מיכל⟨ן⟩ צריך לומר לון חדא מיכלא אנא חכים ,,Wenn jemand, der Einen Talmudtraktat gelernt hat, irgendwohin kommt und man ihn dort ehrt, als ob er zwei Traktate kennte, so muß er den Leuten sagen: Nur Einen kenne ich"; jPes 33c (zitiert S. 150); jMQ 81b אין ידע דלא מזבין והוא פחת מן אגרא יזבין ואי לא לא יזבין ,,Wenn jemand weiß, daß, wenn er (seine Ware an den Wochentagen des Festes) nicht verkauft, ein Verlust von seinem Gewinn eintritt, so darf er (sie) verkaufen, andernfalls aber nicht" u. ebd. ö.ä.; jChag 77b (2mal) ווי דמובדין ולא משכחין ,,Wehe denen, die, was sie verlieren, nicht wiederfinden!"; jBeṣ 60a מה איתיתון לי ההן סבא דאנא שרי והוא אסר ואסר והוא שרי ,,Warum habt ihr mir diesen Gelehrten gebracht, der verbietet, wenn ich erlaube, und erlaubt, wenn ich verbiete?"; jTaan 66d שמענן דהוה עליל לעזרה והיא מנהרה ,,Wir haben gehört, daß, wenn er den Hof des Tempels betrat, dieser sich erleuchtete"; jSanh 25d יכיל אנא נסיב קריין ואבטיחין ועביד לון איילין וטבין ,,Ich kann Flaschenkürbisse und Wassermelonen nehmen und daraus Hirsche und Gazellen machen"; jChag 77b (zitiert S. 122 Anm. 2); jNed 40a כן אורחיה דבר נשא מיחמי פיתא נקיה ומימר בריך דברא הדין חיטתא ,,Es ist die Art eines Menschen, wenn er feines Weißbrot vor sich sieht, zu sagen: Gelobt sei der Schöpfer dieses Weizens!"; jQid 60b = jAZ 45a ההן (אהן) דנגיד בזקה והיא מבזעא בידיה לא חייב בה ,,Wenn jemandem ein Weinschlauch beim Anfassen zerreißt, hat er keine Schuld?"; jQid 63c רבי זעירא מיקל להון (= להן) דחמי לחבריה זבין

זבינא ומעלי ליה עילוי ,,R.Z. verflucht den, der, wenn er seinen Genossen etwas kaufen sieht, schnell den Preis erhöht"; jSanh 23c (= jChag 78a) אית בי עביד נא צפר תרין זימנין ומעייל להכא תמנין גוברין בחירין לבושין מאנין נקיין ,,Ich vermag hier, wenn ich zweimal pfeife, 80 kräftige weißgekleidete Männer hereinzuführen"; jMak 31b אית נבולין סגין מאן אילין חמיין חבריהון נפקין מיקטלא ולא אמרין כלום ,,Es gibt viele schlechte Menschen, welche, wenn sie sehen, wie ihre Mitmenschen zum Richtplatz geführt werden, nichts (zu deren Entlastung) sagen"; jNid 49b כאינש דשמע מילה ומקשי עלה ,,Wie wenn jemand zu etwas, das er gehört hat, eine Frage stellt"; LevR 18,1 הדין סבא דצווחין ליה זיל לאתר פלן והוא שאיל ואמר אית תמן מסקין אית תמן מחתין ,,Der Greis, welcher, wenn man ihm zuruft: ‚Geh nach dem und dem Ort', ängstlich fragt: ‚Gibt es dort Anhöhen, gibt es dort Senken?'"; 22,2 = GenR 10,8 = PredR zu 5,8 לא דמי ההוא דעבד קרבא עם מלכא במדברא ונצח ליה לההוא דעבד קרבא עם מלכא בגו פלטין דידיה ונצח ליה ,,Nicht gleicht derjenige, welcher, wenn er mit einem Könige in der Wüste Krieg führt, diesen besiegt, demjenigen, der einen König besiegt, wenn er mit ihm in seinem eigenen Palaste Krieg führt" (PredR דעביד); LevR 26,2 אין יתרון לבעל הלשון דיתב ברומי וקטיל בסוריא בסוריא וקטיל ברומי ,,Es besteht kein Unterschied zum Verleumder, der, selbst wenn er in Rom sitzt, in Syrien tötet, und wenn in Syrien, in Rom tötet"; KlglR zu 1,5 אי הוה חד דכוותיה והוו עמך אוכלוסין בכיפלא לא הוית יכיל כביש ,,Wenn (nur noch) ein Mann wie dieser da wäre, könntest du (Jerusalem) nicht erobern, selbst wenn doppelt so viel Truppen bei dir wären"; PredR zu 3,11 דילמא תבע גבי בר נש כלום ולא יהיב ליה וכעס עילוי וקטל ליה ,,Es ist möglich, daß er, wenn jemand ihm etwas, das er von ihm verlangt, nicht gibt, diesen im Zorn tötet"; PesiktŠeq 11b הוא מדמה להדא סירתא דאת מפשר לה מן הכא והיא מתעריא מן הכא ,,Er gleicht einer Dornenhecke, die, wenn du sie hier losmachst, sich anderswo wieder anhängt"; AD 21,12 אמר ליה מהו חיליה אמר ליה דהוה אכיל חד פול ופשיט עליה מאה פרקין ,,Was vermag er? Daß er, wenn er nur Eine Bohne gegessen hat, damit 100 Abschnitte erklärte"; 26,2—5 (= LevR 27,1) אין את עביד קרבא עמן ונצחת לן שמך נפיק בעלמא דמחווא דנשיא חרבת ואין אנן עבדין עמך קרבא ונצחין לך שמך נפיק בעלמא דעבדת קרבא עם נשיא ונצחוך ,,(Die Einwohnerinnen von Karthago, das nur von Frauen bewohnt wird, sagen zu Alexander dem Großen:) Wenn du bei einem eventuellen Kampf mit uns uns besiegst, so wird die Kunde in die Welt gehen, du habest eine Frauenstadt vernichtet, wenn aber wir bei einem Kampf mit dir dich besiegen, so wird die Kunde in die Welt gehen, daß du im

Kampf mit Frauen besiegt wurdest“; 29,21; LevR 30,6 (zitiert S. 71 Anm.).

Babylonisch-Talmudisch: bBer 45b = bTaan 12b = bBB 167b u.ö. דקרו ליה ועני „Falls er antwortet, wenn man ihn ruft“; bŠab 129a (2mal: zitiert S. 151); 140b (zitiert S. 151); 153a הא דמחמו ליה ואחים הא דמחמו ליה ולא אחים „Dieses spricht davon, daß die Leute ergriffen werden, wenn man für ihn warm spricht, jenes, daß sie im gleichen Falle nicht ergriffen werden“; bErub 28b דהא קא חזינן דקטלינן לה להיזמתא ומייתא כשותא „Denn wir sehen doch, daß, wenn man den Dornstrauch abschneidet, der Hopfen abstirbt“; bPes 112a (4mal, Schles S. 217); 120b = bMeg 18b u.ö. כגון דקרי ליה ועני ולא ידע לאהדורי סברא וכי מדכרו ליה מדכר „Denn wenn er, wenn man ihn ruft, zwar antwortet, aber keine vernünftige Antwort zu geben weiß, sich aber besinnt, wenn man ihn erinnert“; bJom 23a דמפייסו ליה ומפייס „Der sich besänftigen läßt, wenn man ihn bittet“; bSuk 53b והא חזינן דכרינן פורתא ונפקי מיא „Wir sehen doch, daß, wenn wir nur ein wenig graben, das Wasser hervorkommt“; bTaan 21a (= bKet 69b) אי איכא דשאיל לי במתניתא דרבי חייא ורבי אושעיא ולא פשטינא ליה ממתניתין נפילנא מאסקריא דספינתא וטבענא „Wenn jemand hier ist, dem ich, falls er mich in Bezug auf eine Mischna des R. Ḥ. oder des R. O. fragt, das nicht aus unserer Mischna erklären könnte, so werde ich mich vom Schiffsmast hinabstürzen, so daß ich versinke“; 25a איפשר דתברי ציבורא ליבייהו ואתי מיטרא „Es ist möglich, daß, wenn die Gemeinde sich demütigt, Regen kommt“; bMQ 16a ומנלן דאי מתפקר בשליחא דבי דינא ואתי ואמר לא מיתחזי כלישנא בישא „Woher, daß, wenn der Gerichtsdiener, falls sich jemand gegen ihn auflehnt, das sagt, das nicht als Verleumdung erscheint?“; bGit 58b כיון דאיכא בי דוואר ולא אזיל קביל אימר אחולי אחיל „Da er, obwohl ein Ortsgericht vorhanden ist, nicht kommt und Klage vorbringt, ist anzunehmen, daß er es verziehen hat“; bBQ 86b הא דמיכלמו ליה ומיכלם הא דמיכלמו ליה ולא מיכלם „Dieses gilt, falls er, wenn man ihn beschämt, sich beschämt fühlt, jenes, wenn er sich dann nicht beschämt fühlt“ u. ebd. ö.ä.; 92b מיתלא דאמרי אינשי שיתין תכלי מטייה לככא דקל חבריה שמע ולא אכל (M: שמע דאכל) „Das Sprichwort sagt: 60 Schmerzen treffen den Zahn dessen, der, wenn er jemanden essen hört, nicht mit ihm ißt“; bBM 27b ניחא ליה לבעל אבידה למיהב סימנין ולמשקליה „Es ist dem Besitzer einer verlorenen Sache recht, daß er sie, wenn er Kennzeichen angibt, wiederbekommt“; 75b דביש ליה בהא מתא ולא אזיל למתא אחריתי „(Nicht erhört wird) jemand, der, wenn es ihm an einem Ort schlecht geht, nicht an einen anderen geht“;

87a עד דאתא אלישע לא הוה דחליש ואתפח ,,Bevor Elisa kam, gab es niemanden, der, wenn er krank geworden war, wieder genas"; bBB 130b כי אתי פסקא דדינא דידי לקמייכו וחזיתו ביה פירכא לא תקרעוה עד דאתיתו לקמאי ,,Wenn ihr in einem von mir verfaßten gerichtlichen Dekret etwas zu Widerlegendes findet, so zerreißt es nicht, bevor ihr zu mir gekommen seid!"; 155b כיון דמסברי ליה וסבר מידע ידע ,,Da er etwas versteht, wenn man es ihm erklärt, ist er verständig"; bSanh 7a טוביה דשמע ואדיש ,,Glücklich, wer schweigt, wenn er (Schmähungen) hört"; 8a אילימא לעיוני ביה ומיפסקיה ,,Soll ich sagen, ihn erst nach der Untersuchung zu entscheiden?"; bŠebu 41a האי מאן דאפיק שטרא על חבריה ואמר ליה שטרא פריע הוא אמרינן ליה לאו כל כמינך זיל שלים ואם אמר לשתבע לי אמרינן ליה אשתבע ליה ,,Gesetzt den Fall, wenn jemand einen Schuldschein auf seinen Nächsten vorzeigt, erklärt dieser, er wäre bezahlt, so sagen wir zu ihm: ,Du hast nicht das Recht (dies zu behaupten), (geh) bezahle!' Wenn dieser aber sagt (jetzt kein konditionaler Relativsatz, da bekanntes Subjekt!): ,Er soll mir schwören!', dann sagen wir zu ihm: ,Schwöre ihm!'"; bAZ 55a לבי ולבך ידע דעבודה זרה לית בה משש והא קחזינן גברי דאזלי כי מתברי ואתו כי מצמדי ,,Ich weiß so gut wie du, daß am Götzen nichts dran ist, aber wir sehen doch, daß Menschen, die gebrechlich dorthin gegangen sind, geheilt zurückkamen"; bChul 60a ויתב בשוקא וסתר דוללי כי היכי דליחזו אינשי וליבעו רחמי עליה ,,Und er (der Aussätzige) sitzt auf der Straße und windet Gewebe auf, damit die Menschen, wenn sie ihn sehen, für ihn beten möchten"; 76a מי איכא מידי דאילו מדלי פסיק ליה וחיה מתתי פסיק ליה ומתה ,,Gibt es wohl so etwas, daß, wenn man ein Glied höher abschneidet, das Tier am Leben bleibt, wenn man es aber weiter unten abschneidet, das betreffende Tier stirbt?"; bBech 55a כיון דקרי ליה ואתי לא מצטרפי ,,Da er, wenn man ihn ruft, kommt, werden sie nicht zusammengezählt"; und in asyndetischer Protasis: bBQ 92b אמרי אינשי קרית חברך ולא ענך רמי גודא רבא שדי ביה ,,Das Sprichwort sagt: Wenn dir dein Freund auf dein Rufen nicht antwortet, so erhebe eine große Wand und wirf sie auf ihn!".

Im Syrischen ist diese Konstruktion seltener, da es viele kurze Konjunktionen besitzt, vielleicht auch unter griechischem Einfluß: Afraat 157,12 מא דקָאֶם פגרא דכֵאנֶא ומתחלף אתקרי לֶה שמַיָנָא ואינא דלא מתחלף אתקרי לֶה בכיָנֶה ארענא ,,Wenn der Leib der Gerechten bei der Auferstehung verwandelt wird, heißt er himmlisch, aber, der, der nicht verwandelt wird, heißt nach seiner Natur irdisch"; 498,5 ואן

נַדא אנש דחד הו אלהא ועָבר פוקדנוהי ולא עבד להון לא שריר לֶה דחד הו אלהא ,,Und wenn jemand, während er bekennt, daß nur Ein Gott ist, dessen Gebote übertritt und sie nicht tut, so ist es für ihn nicht wahr, daß nur Ein Gott ist“. 12; 301,17.

Mandäisch: RGinza 22,17 עו מאלפיתולון ולאיאלפיא בהאטאייא דנאפשאיון נישתאילון ,,Wenn sie, obwohl ihr sie belehrt, nicht lernen, werden sie wegen ihrer eigenen Sünden befragt“; 52,6 הין אליץ עלאואיכון ואזליתון לואתה̄ לאתאודובה̄ ,,Selbst wenn ihr, falls er euch drängt, zu ihm geht, bekennt ihn nicht!“; 180,13 יא גאברא דלהייא קאריא והייא ניניוך ,,O Mann, den das Leben, wenn er es anruft, erhört!“; 197,20 הין באיית מינה̄ ולאיאהיבלאך ניתכאמאר ,,Wenn er es dir auf dein Verlangen nicht gibt, soll er zurückgewiesen werden“; 218,16 דקאריא ולאביד דאמיא לפארדיספאנא דכלילא לנאפשה̄ לאגדאל ,,Wenn jemand, der predigt, nicht auch handelt, gleicht er einem Gärtner, der sich selbst keinen Kranz geflochten hat“; Johb 15a הימיאנא דהאזילה̄ רביא ומישתארהזיא ,,Ein Gürtel, bei dessen Anblick die Herren erzittern“; 16a דאתיא אריא ודאראלה̄ ,,Welche der Löwe, wenn er kommt, fortträgt“.

Im Griechischen ist diese Konstruktion nur üblich, wenn das zeitliche Moment das logische überwiegt. Ein Einzelfall ist OxyrhPap (IV) 744 = Witk ep pr^2 72,4 (1. Jahrh. v.) μὴ ἀγωνιάσ⟨ης⟩, ἐὰν ὅλως εἰσπορεύονται, ἐγὼ ἐν Ἀλεξανδρείᾳ μένω ,,Ängstige dich nicht, wenn ich beim allgemeinen Einmarsch in A. bleibe“. Sonst wird diese Parataxe nur aus rhetorischen Gründen gebraucht, dazu immerhin noch durch μέν — δέ gegliedert: Isokrates 8,46 εἰς τοῦτο μωρίας ἐληλύθαμεν, ὥστ᾽ αὐτοὶ μὲν ἐνδεεῖς τῶν καθ᾽ ἡμέραν ἐσμέν, ξενοτροφεῖν δ᾽ ἐπικεχειρήκαμεν (statt ἐνδεεῖς ὄντες); Demosth 18,160 αἰσχρόν ἐστιν, εἰ ἐγὼ μὲν τὰ ἔργα τῶν ὑπὲρ ὑμῶν πόνων ὑπέμεινα, ὑμεῖς δὲ μηδὲ τοὺς λόγους αὐτῶν ἀνέξεσθε (statt ἐμοῦ ὑπομένοντος); selten steht der Hauptgedanke voran: Xenoph Mem 1.2,9 λέγων, ὡς μωρὸν εἴη τοὺς μὲν τῆς πόλεως ἄρχοντας ἀπὸ κυάμου καθίστασθαι, κυβερνήτῃ δὲ μηδένα θέλειν χρῆσθαι κυαμευτῷ ,,Wie töricht es sei, daß die Archonten der Stadt durch das Bohnenlos gewählt würden, während niemand einen durch das Bohnenlos gewählten Steuermann haben wolle“.

Die neutestamentlichen Beispiele sind also um so semitischer, je mehr das logische Verhältnis der beiden Handlungen des Nebensatzes das zeitliche überwiegt, je weniger die bloße Beschreibung ihrer zeitlichen Abfolge ihr eigentliches logisches Verhältnis deutlich macht, in diesem Fall: je mehr sich die übergeordnete Konjunktion nur auf die zweite Handlung bezieht, während die erste dieser untergeordnet gedacht ist[1]. Im Deutschen bringt man das verschiedene Gewicht der beiden Handlungen am besten dadurch zum Ausdruck, daß man die Parataxe auflöst und mit Hilfe eines Konjunktional- oder Relativsatzes die eine Handlung der anderen unterordnet:

Mt 5,16 „So leuchte auch euer Licht vor den Menschen, damit sie, wenn sie eure guten Werke sehen, euren himmlischen Vater preisen". 23 „Falls du dich, wenn du dein Opfer (schon) zum Altar gebracht hast, erinnerst, daß dein Bruder etwas gegen dich hat, so laß dein Opfer dort vor dem Altar"; 6,26 „Obwohl sie weder säen noch ernten, ernährt sie euer himmlischer Vater auch"; 7,24 „Wenn jemand nach meinen Worten, die er gehört hat, auch handelt". 26 „Wenn aber jemand, der (obwohl er) meine Worte gehört hat, nicht danach handelt"; 12,11 „Wer von euch würde sein Schaf nicht heraufholen?"; 13,19 „Wenn jemand das Wort vom Reich, das er gehört hat, nicht versteht". 23 „Der das Wort, das er gehört hat, auch versteht"; 18,12 „Wenn sich von jemandem, der hundert Schafe hat, eins verirrt"; 19,9 „Wenn jemand nach Entlassung seiner Frau eine andere heiratet, begeht er Ehebruch" (Griechisch: Mk 10,12); 20,28 DΦ it (2mal) „Legt euch nicht auf die bevorzugten Plätze, damit nicht, wenn ein Vornehmerer als du kommt, der Gastgeber herzutrete und dir sage: ‚Verfüge dich weiter hinunter!', so daß du beschämt wirst. Wenn du dich aber auf einem geringeren Platz niedergelassen hast, und es kommt dann ein Geringerer als du, so wird der Gastgeber zu dir sagen: ‚Rücke heran weiter nach oben!', und das wird vorteilhaft für dich sein"; 24,48f. „Wenn jener (schlechte) Knecht aber in der Meinung, sein Herr bliebe noch lange aus, seine Mitknechte schlägt und Orgien feiert".

Mk 4,12 (2mal) „Damit sie, obwohl sie hinblicken, doch nichts sehen, und obwohl sie hören, doch nichts verstehen" (das hier überflüssige paronomastische Partizip geht zurück auf den hebräischen [und seltener auch aramäischen] verstärkenden Infinitivus absolutus, der unter anderem verständlicherweise auch gern konzessiv gemeinten Verbalformen diese hervorhebend zugesetzt wird [LXX übersetzt ihn meist durch Partizip, vgl. Bl-Debr 422], von Jes 6,9; Griechisch: Mt 13,13; Lk 8,10). 20 „Die das Wort, das sie gehört haben, auch an-

[1] Nach οὐαί..., ὅτι (Mt 23,4.15.23.24.25 = Lk 11,39.42.46.47) liegt dagegen eine reine Gegenüberstellung vor („während"). Diese Beispiele (καί oder δέ) gehören also nicht hierher.

nehmen"; 5,4 Bא „Denn so oft er an Händen und Füßen gefesselt worden war, waren die Handfesseln von ihm zerrissen und die Fußfesseln zerrieben worden" (der kausale präpositionale Infinitiv kann höchstens hebräisch sein, vgl. S. 35 Anm.; Dλ griechisch: Partizip bzw. Relativsatz). 26 „Und die, obwohl sie von vielen Ärzten auf mancherlei Weise behandelt worden war und dabei ihr ganzes Vermögen zugesetzt hatte, doch nicht gesund, sondern immer elender geworden war" (Griechisch: Lk 8,43); 9,39 „Keiner, der in meinem Namen ein Wunder tut, kann (dürfte) so bald übel von mir reden"; 10,11 „Wenn jemand nach Entlassung seiner Frau eine andere heiratet, begeht er mit dieser Ehebruch" (Griechisch: V. 12: Partizip); 10,29f. k* Peš (vgl. S. 120; Griechisch: Lk 18,29f.: Relativsatz); 11,23 „Falls jemand, wenn er zu dem Berge da spräche: ‚Erhebe dich und stürze dich in den See!', in seinem Herzen nicht zweifelte, sondern glaubte, daß sein Wort geschähe, so würde es ihm geschehen" (Griechisch: Mt 21,21: Konditionalsatz); 12,19 „Wenn jemandes Bruder, der kinderlos gestorben ist, eine Frau hinterläßt" (Griechisch: Mt 22,24; Lk 20,28: Partizip). In 10,4 wurde einfach ein parataktisches Stück aus Dt 24,1 übernommen und ἐπέτρεψεν untergeordnet, was sinngemäß zu übersetzen ist: „Mose hat erlaubt, durch (nach) Ausstellung eines Scheidebriefes zu entlassen (hat Scheidung durch Scheidebrief erlaubt)".

Lk 6,47.49a (= Mt 7,24.26); 8,21 „Die das Wort Gottes, das sie vernommen haben, auch tun". 25 „Daß auch Wind und Wasser ihm gehorchen, wenn er ihnen gebietet"; 9,62 „Wenn jemand, nachdem er die Hand schon an den Pflug gelegt hat, hinter sich blickt, so taugt er nicht zum Reiche Gottes" (vgl. S. 213); 10,8.10 „Wenn man euch in der Stadt, in die ihr gerade kommt, (nicht) aufnimmt"; 11,28 „Selig, die das Wort Gottes, das sie hören, auch bewahren"; 12,24 (= Mt 6,26). 38 „Mag er auch in der zweiten oder dritten Nachtwache kommen, wenn er sie so findet, sind sie selig" (Griechisch: V. 37: Partizip). 45 (= Mt 24,48f.). 47 „Wenn ein Knecht, obwohl er den Willen seines Herrn kennt, nicht danach tut"; 13,24 „Denn viele, die versuchen werden, hineinzukommen, werden es nicht vermögen"[1]. 25 (2mal) „Wenn ihr, nachdem der Hausherr die Tür ver-

[1] An Stelle des πολλοὶ... οὐκ ἰσχύουσιν (D οὐχ εὑρήσουσιν) steht in der Parallele Mt 7,14 ὀλίγοι εἰσὶν οἱ εὑρίσκοντες: Hier könnte aram. אשכח zugrunde liegen, das neben „finden" im Syr. und Mand. oft, im Jüd.-Pal. (an Stelle des üblichen יכיל) selten auch „können" bedeuten kann (wie es hier dann gemeint gewesen

schlossen hat, soweit ihr draußen steht, anklopft und sagt: ‚Herr, tue uns auf‘, so wird er euch antworten“; 14,8f. „Damit nicht, falls ein Vornehmerer als du eingeladen ist, der Gastgeber herzutrete und zu dir sage: ‚Mach diesem Platz‘, so daß du dann mit Schande den letzten Platz einnehmen mußt“ (Griechisch: V. 10: ὅταν). 12 „Damit du nicht, wenn (dadurch daß) sie dich ihrerseits wieder einladen, (bereits) deine Vergeltung hast“ (Griechisch: V. 14: ὅτι); 15,4 „Der von seinen hundert Schafen eins verliert“ (Griechisch: V. 4 it, V. 8 Bא). 8 D ἔχουσα δράχμας δέκα καὶ ἀπολέσασα μίαν (Griechisch: Bא). 24a.b = 32a.b „Denn mein Sohn, der tot war, ist wieder lebendig geworden, der verloren war, hat sich wiedergefunden“; 16,18a (= Mk 10,11; Griechisch: Mk 10,12); 17,4 „Und selbst, wenn er siebenmal an einem Tage gegen dich sündigt, sollst du ihm jedesmal vergeben, wenn er dich darum bittet“[1].

---

sein wird), vgl. 1QGen Apoc 21,13 „können“ (zit. S. 190 Anm.; Reichsaram. dafür immer יכל, כהל) gegen 2,23; 21,19; 22,7 „finden“; TrgJer II Gen 4,7; jBM 11b כן סלקת במחשבתכון דלא הוינא משכח מיגר פועלין מטיבריא אלא בגין דשמעית עליכון דאתון משכימין ומעריבין בגין כן סלקית הכא „Ihr dachtet (sicher), daß ich aus Tiberias keine Arbeiter mieten konnte, aber weil ich gehört habe, daß ihr früh und spät arbeitet, deshalb bin ich hier heraufgekommen“; jChag 77b (zit. S. 184); aber auch hebr. und neuhebr. מצא (vgl. GBu, Levy), aram. מטא (etwa jChag 78a: zit. S. 153) und reichs- u. ostaram. מצא (bab.-talmud. nur „können“) zeigen die Bedeutungsbreite „erreichen—gelingen—vermögen“. Vgl. dazu Wellh Einl 17, Black 96. 255.

[1] Nicht hierher gehört Lk 18,7 Bא ὁ δὲ θεὸς οὐ μὴ ποιήσῃ τὴν ἐκδίκησιν τῶν ἐκλεκτῶν αὐτοῦ τῶν βοώντων αὐτῷ ἡμέρας καὶ νυκτός, καὶ μακροθυμεῖ ἐπ᾽ αὐτοῖς; Die Schwierigkeit dieses Verses besteht darin, daß der Ind. Präs. καὶ μακροθυμεῖ nicht Fortsetzung des nach οὐ μή üblichen Konj. Aor. ποιήσῃ sein kann (dann müßte zumindest μακροθυμήσει dastehen), sondern offensichtlich als davon unabhängig verstanden werden soll. H. Sahlin, Zwei Lukasstellen, Symbolae Biblicae Upsalienses 4, Uppsala 1945, 9—20 (ihm folgt Jeremias Gleichnisse 135) möchte nun vom Sem. her καὶ μακροθυμεῖ als Fortsetzung des Partz. τῶν βοώντων verstehen (vgl. S. 199 Anm.) und diese Parataxe konditional auflösen: „Die er, wenn sie Tag und Nacht schreien, geduldig anhört“. Diese Konstruktion (Fortsetzung eines Partz. durch Verb. fin.) ist allerdings nur im Hebr. möglich. Dagegen kann im Jüd.-Pal. der Zeit Jesu an Stelle des adjektivischen Partz. βοώντων nur ein Relativsatz gestanden haben: οἳ βοῶσιν καὶ μακροθυμεῖ (so auch sy), da ein adjektivisches, determiniertes aktives Partz. mit einer präpos. und einer Zeit-Bestimmung in allen aram. Sprachen (außer dem Syr.) ganz unmöglich ist (vgl. S. 196 Anm. 5 u. S. 205 Anm. 2). Dieser Relativsatz könnte nun natürlich ebenso als kond. Parataxe verstanden werden. Dagegen spricht jedoch das Zeugnis des griech. Übersetzers. Dieser hat nämlich das aram. „welche schreien“ als Partz. zu ἐκλεκτῶν gezogen und damit scharf von

Joh 3,12a „Wenn ihr mir schon nicht glaubtet, als ich euch von den irdischen Dingen sagte“ (Griechisch: V. 12b: ἐάν); 5,24 „Wenn jemand, der mein Wort hört, dem glaubt, der mich gesandt hat“; 6,26 „Sondern weil ihr, als ihr von den Broten gegessen habt, satt geworden seid“. 30 „Auf daß wir, wenn wir es sehen, dir glauben“. 36 „Daß ihr, obwohl ihr mich gesehen habt, nicht glaubt“. 40 „Daß, wenn jemand, der den Sohn sieht, auch an ihn glaubt, er ewiges Leben habe“. 50 „Damit, wer davon ißt, nicht sterbe“. 57 „Wie ich, gesandt vom lebendigen Vater, auf Grund des Vaters das Leben habe“. 58a „Nicht wie bei den Vätern, die, obwohl sie (auch eine himmlische Speise) aßen, sterben mußten“; 9,30 „Daß er, obwohl ihr nicht wißt, woher er ist, mir die Augen aufgetan hat“; 12,47 „Wenn aber jemand, der meine Worte hört, sie nicht hält“; 15,10b „Wie ich, da ich die Gebote meines Vaters gehalten habe, in dessen Liebe bleibe“ (V. 10a ἐάν); 20,29b „Selig, die glaubten, obwohl sie nichts sahen“ (V. 29a ὅτι).

Act 7,53 „Die das Gesetz, das sie auf Anordnung von Engeln angenommen haben, nicht gehalten haben“.

Röm 2,3 „Der du, obwohl du die, die solches tun, richtest, es selbst tust“; 1Kor 7,12 BD καὶ αὕτη. 𝔎 καὶ αὐτή. 13 BD καὶ οὗτος. 𝔎 καὶ αὐτός. 36 „Wenn es aber deshalb, weil jemand meint, er handle unziemlich an seiner Jungfrau, geschehen muß“ (doch es sind schon zwei Konditionalkonjunktionen, εἰ und ἐάν, verwendet!). 37 „Wenn jemand, der in seiner Entscheidung noch frei ist, bei sich beschließt“; 10,27 „Wenn ihr zu einem Ungläubigen eingeladen seid“; 14,23a „Falls also, wenn bei einer Zusammenkunft der ganzen Gemeinde

---

μακροθυμεῖ getrennt, d. h. er hat beides sicher nicht als logisch zusammengehörig verstanden (sonst hätte er den aram. Relativsatz unbedingt beibehalten müssen!). Das Zeugnis des — höchstwahrscheinlich sogar mündlichen (vgl. M. Dibelius, Die Formgeschichte des Evangeliums, 2. Aufl., 30ff.) — Übersetzers ist aber das älteste und wichtigste, das wir für diesen Vers besitzen, und muß deshalb unbedingt beachtet werden. Dann kann aber καὶ μακροθυμεῖ ἐπ᾽ αὐτοῖς nur als Zustandssatz mit kausaler Nuance verstanden werden, wobei das im aram. Zustandssatz als Prädikat zu erwartende Partz. durch das griech. (durative) Präsens ausgezeichnet wiedergegeben und vom Konj. Aor. des übergeordneten Hauptsatzes (aram.: modales Impf.) deutlich unterschieden ist (in gutem Griech. hätte es ἅτε μακροθυμῶν ἐπ᾽ αὐτοῖς heißen müssen). Bei Annahme eines aram. Originals und unter voller Berücksichtigung des Zeugnisses des griech. Übersetzers kann also nur übersetzt werden: „Wieviel mehr wird Gott (rhetor. Frage!) seinen Auserwählten, die Tag und Nacht zu ihm schreien, zu ihrem Recht verhelfen, wo er doch so langmütig ist!“

gerade alle in Zungen reden, Uneingeweihte oder Ungläubige hereinkommen"; 2Kor 6,8c. 9a.b.c. 10c (rhetorische konzessive Parataxe); 9,4 „Damit wir nicht, wenn die Makedonier, die unter Umständen mit mir kommen, euch unvorbereitet finden, zuschanden werden".

Jak 1,25 „Wenn aber jemand, nachdem er in das vollkommene Gesetz der Freiheit hineingeblickt hat, auch dabei bleibt"; 2,2f. אA𝔎 „Wenn ihr, falls ein Reicher und ein Armer zugleich in eure Versammlung kommen, nur auf den Reichen seht und zu ihm sagt . . ., aber zu dem Armen sagt . . .". 15f. AK „Wenn jemand von euch, falls ein Bruder oder eine Schwester nichts anzuziehen oder zu essen hat, zu ihnen sagt: ‚Gott segne euch'"; 4,17 „Wenn nun jemand das Gute, obwohl er es kennt, nicht tut, so ist ihm das Sünde"; 5,19 „Wenn jemand unter euch, der von der Wahrheit abgeirrt ist, von einem anderen wieder auf den rechten Weg gebracht wird".

1Joh 3,12 „Nicht wie Qain, der, weil er aus dem Bösen war, seinen Bruder erschlug" (vgl. Joh 6,58). 17 (2mal) „Falls aber jemand, der irdisches Vermögen hat, wenn er seinen Bruder in Not sieht, sich vor ihm verschließt, so bleibt die Liebe Gottes nicht in ihm"; 2Joh 10 „Wenn wieder jemand mit einer anderen Lehre zu euch kommt".

Apc 3,1 „Daß du, obwohl du in dem Rufe stehst zu leben, tot bist". 7b.c „Der: wenn er öffnet, kann niemand schließen, und wenn er schließt, kann niemand öffnen". 8 „Denn obwohl du nur wenig Kraft hast, hast du mein Wort bewahrt". 20 „Wenn jemand, der meine Stimme hört, die Tür öffnet".

In Mk 8,36 und Lk 24,26 hat die Einhaltung der zeitlichen Reihenfolge beider Ereignisse den bedingenden Satz an die zweite Stelle treten lassen: „Was hülfe es einem, die ganze Welt zu gewinnen, wenn er hinterher sein Leben verliert?", „Mußte der Christus nicht also leiden, wenn er in seine Herrlichkeit eingehen wollte (oder: bevor er einging, oder: um einzugehen)?"; (außerdem wurde in Mt 19,7 einfach ein parataktisches Stück aus Dt 24,1 übernommen und ἐνετείλατο untergeordnet, was sinngemäß zu übersetzen ist: „Warum hat denn dann Mose überhaupt das Gesetz gegeben, bei [vor] einer Scheidung einen Scheidebrief zu übergeben [Scheidung durch Scheidebrief geboten]?"). Das findet sich im Semitischen etwa: jGit 47b מה הנייה לך דאת מסיבנא מיניה והוא מנסבא מינך „Was nützt es dir, daß du es ihm wegnimmst, wenn er es dir (wieder) wegnimmt?"; jDam 22a ועאלון בעיין מיסב שעריהון אמר לון אייתון גמליא וחמריא וסבון שעריכון

„Als sie kamen, um ihre Gerste (wieder) abzuholen, sagte er zu ihnen: Bringt Kamele und Esel, wenn ihr eure Gerste holen wollt (so sehr hat sie sich bei mir vermehrt)!“; KlglR zu 1,1 ומה אנא מה אכפת למגרע רישי = AD 19,15 מנזק דאנא גרע ראשי ואזבין עבדתי ומזבנה עבידתי „Was tut es, daß ich mein Haupt scheren muß, wenn ich (nur danach) meine Ware verkaufe“; ferner: jBQ 6b כמה את בעי למיתן ולא ייאבך אהן צערא „Wieviel bist du bereit zu geben, wenn (damit) dir dieser Schmerz nicht zugefügt werden soll?“; כמה את בעי מיסב וייאבך אהן צערא „Wieviel verlangst du, wenn (damit) dir dieser Schmerz zugefügt werden darf?“; GenR 40,7 = EsthR zu 2,16 חד אמר אנא יהיב מאה דינרין ואיעלל עמה וחד אמר אנא יהיב מאתן ואיעלל עמה „Einer sagte: Ich gäbe 100 Denare, wenn (damit) ich ihr beiwohnen könnte; ein anderer aber sagte: Ich gäbe 200 Denare, wenn (damit) ich ihr beiwohnen könnte“; bSuk 23a כדטעים בר בי רב ועייל לכלה „Soviel wie ein Schüler genießt, wenn er danach (bevor er) zum Kalla-Vortrag geht“; vgl. auch jKet 30d הני לי מיקום ערטיליי ומכסיא איתתי „Ich stehe gern nackt da, wenn nur meine Frau schön angezogen ist“.

Eine Gräzisierung liegt schon vor, wenn an Stelle des καί ein δέ tritt: Mt 16,26 (= Mk 8,36); Mk 5,4 W; Lk 9,25 (= Mk 8,36); 11,48b „Weil ihr denen, die sie getötet haben, (Denkmäler) baut“; 12,48a „Wer aber, ohne es zu wissen, Strafwürdiges tut“; Röm 6,17 „Dank sei Gott, daß ihr, nachdem ihr Knechte der Sünde wart, gehorsam wurdet (von Knechten der Sünde zu Gehorsamen wurdet)“; 1Kor 14,23b. 24 „Wenn aber, während gerade alle weissagen, ein Uneingeweihter oder ein Ungläubiger hereinkommt“; 2Kor 6,10a.b; Jak 2,2.2f. B. 15f. Bא; oder sogar μέν — δέ: 1Petr 4,6 „Damit sie, mögen sie auch bei den Menschen im Fleische gerichtet sein, bei Gott im Geiste leben“.

2. Konditionale(-temporale) Parataxe im Hauptsatz

GKa 111e. 112kk.ll. 159g.gg, GBe 9k, Kö 369s—u, Driver 147—49. 153, Kuhr 38. 41. 43—45, Brockelmann 135b, Michel 139—43, Segal 493, Odeberg 540, Schles 119; K-G 516.9, Schwyzer 634 Anm. 1, Bl-Debr 442.2 A, 471.2.3 A, Bauer s. v. καί 2g, Wellh Joh 134, A. Fridrichsen Conject. Neotest. 2 (1936), 44f.

Auch außerhalb eines Nebensatzes wird im Semitischen oft darauf verzichtet, eine logische Beziehung auch sprachlich auszudrücken. Man begnügt sich vielmehr damit, beide Handlungen einfach in ihrer zeitlichen Abfolge syndetisch aneinanderzureihen.

Hebräisch[1]: Gen 32,31 (konzessiv); 33,13 וּדְפָקוּם יוֹם אֶחָד וָמֵתוּ כָּל־הַצֹּאן, LXX ἐὰν οὖν καταδιώξω αὐτοὺς ἡμέραν μίαν, ἀποθανοῦνται πάντα τὰ κτήνη. 42,38; 44,4.22 לֹא־יוּכַל הַנַּעַר לַעֲזֹב אֶת־אָבִיו וְעָזַב אֶת־אָבִיו וָמֵת, LXX οὐ δυνήσεται τὸ παιδίον καταλιπεῖν τὸν πατέρα· ἐὰν δὲ καταλίπῃ τὸν πατέρα, ἀποθανεῖται. 29 (2mal) וּלְקַחְתֶּם גַּם־אֶת־זֶה מֵעִם פָּנַי וְקָרָהוּ אָסוֹן וְהוֹרַדְתֶּם אֶת־שֵׂיבָתִי בְּרָעָה שְׁאֹלָה, LXX ἐὰν οὖν λάβητε καὶ τοῦτον ἐκ προσώπου μου καὶ συμβῇ αὐτῷ μαλακία ἐν τῇ ὁδῷ, καὶ κατάξετέ μου τὸ γῆρας μετὰ λύπης εἰς ᾅδου. 47,25.30; 50,25; Ex 4,14b וְרָאֲךָ וְשָׂמַח בְּלִבּוֹ, LXX καὶ ἰδών σε χαρήσεται ἐν ἑαυτῷ. 9,19b וְיָרַד עֲלֵהֶם הַבָּרָד וָמֵתוּ, LXX πέσῃ δὲ ἐπ' αὐτὰ ἡ χάλαζα, τελευτήσει. 12,13.23; 13,19; 16,21 וְחַם הַשֶּׁמֶשׁ וְנָמָס, LXX ἡνίκα δὲ διεθέρμαινεν ὁ ἥλιος, ἐτήκετο. 33,5 (potential). 10; Lev 10,19a (konzessiv); 13,3.5.6; 17,15; 22,7; Num 5,27; 10,3.5.6.17; 14,15; 15,39; Dt 4,29; Jos 7,9; Ri 7,18; 1Sam 2,16; 14,52; 16,2 וְשָׁמַע שָׁאוּל וַהֲרָגָנִי, LXX καὶ ἀκούσεται Σαουλ καὶ ἀποκτενεῖ με. 17,34f. (2mal) וּבָא הָאֲרִי וְ⟨⟩הַדּוֹב וְנָשָׂא שֶׂה מֵהָעֵדֶר וְיָצָאתִי אַחֲרָיו וְהִכִּתִיו וְהִצַּלְתִּי מִפִּיו וַיָּקָם עָלַי וְהֶחֱזַקְתִּי בִּזְקָנוֹ וְהִכִּתִיו וַהֲמִיתִּיו, LXX καὶ ὅταν ἤρχετο ὁ λέων καὶ ἡ ἄρκος καὶ ἐλάμβανεν πρόβατον ἐκ τῆς ἀγέλης, καὶ ἐξεπορευόμην ὀπίσω αὐτοῦ καὶ ἐπάταξα αὐτὸν καὶ ἐξέσπασα ἐκ τοῦ στόματος αὐτοῦ, καὶ εἰ ἐπανίστατο ἐπ' ἐμέ, καὶ ἐκράτησα τοῦ φάρυγγος αὐτοῦ καὶ ἐπάταξα καὶ ἐθανάτωσα αὐτόν. 19,3; 25,29,31b; 27,10; 2Sam 3,8 (konzessiv); 12,16; 13,5; 15,4b; 1Kön 1,1 (konzessiv); 8,30; 18,10.12 (2mal); Jes 6,9 (konzessive Protasis durch Infinitivus absolutus verstärkt) שִׁמְעוּ שָׁמוֹעַ וְאַל־תָּבִינוּ וּרְאוּ רָאוֹ וְאַל־תֵּדָעוּ, LXX ἀκοῇ ἀκούσετε καὶ οὐ μὴ συνῆτε καὶ βλέποντες βλέψετε καὶ οὐ μὴ ἴδητε. 13; 21,7; 22,22; Jer 18,4.8.10; 20,9a.b (konzessiv); 29,12.13; Ez 3,17; 17,15b; 18,10ff.; 33,7; Hos 4,10 (2mal); Nah 3,17b; Sach 7,13; Ps 22,3; 33,9; 34,3b; 37,10b; 40,4; 52,8; 69, 11f.; 91,15; 104,32b; 107,42; 119,74; 147,18a; Spr 1,28 (2mal) אָז יִקְרָאֻנְנִי וְלֹא אֶעֱנֶה יְשַׁחֲרֻנְנִי וְלֹא יִמְצָאֻנְנִי, LXX ἔσται γὰρ ὅταν ἐπικαλέσησθέ

[1] Kuhr schreibt dem Perfekt cons. und Impf. in diesen Konstruktionen echt unterordnende Kraft zu im Gegensatz zum Impf. cons. und Perfekt, welche nicht zum Ausdruck echter Hypotaxe dienen könnten. Dieser angebliche Unterschied ist jedoch nur in der Tatsache begründet, daß Tempora, die in der Regel nur eine einmalige Handlung in der Vergangenheit bezeichnen (Impf. cons. und Perfekt), einfach deshalb nicht in einem futurisch-kond. bzw. präterital-iterativen Zusammenhang auftauchen können, während das Perfekt cons. und das Impf. hier natürlich ebenso gebraucht würden, wenn gar keine logische Unterordnung vorläge.

με, ἐγὼ δὲ οὐκ εἰσακούσομαι ὑμῶν· ζητήσουσίν με κακοὶ καὶ οὐχ εὑρήσουσιν. 11,2; 25,4; 30,24—28 (konzessiv); Hi 5,24; 7,8b.21b; 19,16; 22,27; 23,13b; 27,19b; 29,11a.b; Hhld 6,9b; Rt 2,9; Dan 8,12; Sir 4,6; 13, 22a.b.c; 15,4a.b. LXX übersetzt meist ganz wörtlich, oft ordnet sie aber auch sinngemäß unter, so durch εἰ: 1Sam 17,35; ἐάν: Gen 33,13; 44,22.29; 1Sam 17,34; ἡνίκα: Ex 16,21; durch Relativsatz: Gen 50, 25; Spr 11,2; Hi 23,13b; Rt 2,9; Partizip: Ex 4,14; Jos 7,9; 1Sam 14, 52; Ez 17,15b; 18,10; Spr 30,28; Hi 7,21; 22,27; 29,11b; Sir 4,6; 13,22a.

Neuhebräisch: BQ 10,10 הכובס נוטל שלשה חוטין והן שלו ,,Wenn der Walker drei Fäden nimmt, so gehören sie ihm“; Sanh 2,1 מת לו מת אינו יוצא לאחר המיטה אלא הן נכסין והוא נגלה הן נגלין והוא נכסה ,,Ist ihm einer gestorben, so geht er nicht (unmittelbar) hinter der Bahre, sondern, wenn sie unsichtbar werden, kommt er zum Vorschein und umgekehrt“; jBer 5c (= PredR zu 5,11) וזה לא יגע אלא שתי שעות ונתן לו שכרו עמנו משלם ,,Obwohl er nur zwei Stunden gearbeitet hatte, hat er ihm den vollen Lohn gegeben“; jMŠ 55c תלמיד חכם שותה וטוב לו עם הארץ שותה ורע לו ,,Wenn ein Gelehrter (im Traum Wein) trinkt, bedeutet das für ihn Gutes; wenn aber ein Ungebildeter trinkt, bedeutet es für den Schlechtes“; jSuk 55b נשמעות אתם לליגיונותי ואין אני הורג אתכם ,,Wenn ihr (fem.) meinen Feldherrn gehorsam seid, werde ich euch nicht töten!“; jSot 17a מברכתא היתה עוברת והיו מניחין צרכיהן של ישראל והיו הולכין עוסקין בפרקמטיא ,,Jedes Mal, wenn eine Karawane vorbeizog, ließen sie die Angelegenheiten Israels liegen und beschäftigten sich mit Handel“; GenR 23,5 נשמע לך ונהיה פרות ורבות למארה ,,Wenn wir dir gehorchen, werden wir viele Kinder für den Fluch gebären“; 34,5 אצא ואהיה פרה ורבה למארה ,,Wenn ich herausgehe, werde ich viele Kinder für den Fluch erzeugen“; 42,12 אברם זה קניון הוא ועכשיו אני אומר לו נשבה בן אחיך והוא יוצא למלחמה ונהרג ואני נוטל את שרי אשתו ,,Dieser Abraham ist ein Zelote; wenn ich deshalb nun zu ihm sage: Dein Neffe ist gefangen worden!, so wird er in den Krieg ziehen und getötet werden, so daß ich Sara, seine Frau, nehmen kann“; 86,6 רבו אמר לו מזוג רותחין והיו רותחין פושרין והיו פושרין ,,Wenn sein Herr zu ihm sagte: ‚Bereite heiße Getränke‘, so waren sie heiß, ‚Laue Getränke‘, so waren sie lau“; HhldR zu 5,11 מכניס בזו ומוציא בזו ,,Wenn man (den durchlöcherten Korb) an der einen Seite füllt, verliert er es an der anderen wieder“; zu 6,11 את נוטל אחד מהכרי וכולן מידרדרין ,,Wenn du eine (Nuß) vom Haufen nimmst, rollen alle herab“; KlglR zu 1,16 אבקש אחד מהן ולא אמצא ,,Ich will keinen von ihnen, wenn ich ihn suche, mehr finden"; MidrSam 5,6 בשר ודם צר צורה והוא נותן פפוסיא לתוך סמניו „Wenn ein Mensch ein Gemälde malt, tut er P. in seine Farben"; Pesikt Sachor 24b הסוס הזה את ממתגו והוא בולם מכשכשו והוא בולם מאכילו שעורים והוא בולם ⟨⟩קריב לגביה והוא בולם „Das Pferd: wenn du es aufzäumst, schlägt es aus; wenn du es streichelst, schlägt es aus; wenn du es mit Gerste fütterst, schlägt es aus; wenn du dich ihm näherst, schlägt es aus".

Altaramäisch: Sfire I A 22—24 (ed. M. A. Dupont-Sommer, 17) ושבע ססיה יהינקן על ואל יש[בע ושבע] שורה יהינקן עגל ואל ישבע ושבע שאן יהינקן אמר ו[אל יש]בע ושבע בכתה יהכן בשט לחם ואל יהרגן „Und sieben Stuten sollen ein Fohlen säugen und es soll nicht satt werden! Und sieben Kühe sollen ein Kalb säugen und es soll nicht satt werden! Und sieben Schafe sollen ein Lamm säugen und es soll nicht satt werden! Und sieben Hühner sollen auf Nahrungssuche gehen und sollen nicht (freßbares Kleingetier) töten!" = (mit Wortspiel) „Selbst wenn sieben Stuten ein Fohlen säugen, soll es nicht satt werden usw.!"

Reichsaramäisch: Cowley 8,22 ואהך בדין ולא אצדק וספרא זנה בידכ· „Wenn ich vor Gericht gehe, werde ich nicht recht bekommen, solange diese Urkunde in deiner Hand ist"; 10,19; Kraeling 10,15.

Jüdisch-Palästinisch: jBer 5a אתת ענתא דצלותא ושרון „Wenn die Zeit zum Beten kam, legten sie (die Tefillin) ab"; jBer 5b = jMQ 82d (3mal) חמא אביליא בשובתא ושאל בון „Als er Leidtragende am Sabbat sah, fragte er sie nach ihrem Befinden"; רברבייא קומוי והוא שאיל לזעירייא „Obwohl große Männer vor ihm sind, fragt er die kleinen"; jBer 14b = jSot 20c פרוש קיזאי (קיזיי) עביד חדא חובה וחדא מצוה ומקזז חדא עם חדא „Der abrechnende Pharisäer verrechnet, wenn er eine Sünde und ein Gebot getan hat, das eine mit dem anderen"; jPea 15c (zitiert S. 261); 20b בית מוקדשא חריב ואת קאים בקשיותך „Obwohl der Tempel schon zerstört ist, beharrst du noch auf deinem Starrsinn"; jKil 32a רבי שמואל בר יצחק מייתי מאנא מבי קצרא ומייתב עלוי עשרה חייטין מפשפשין ליה „So oft R. Š. ein Kleid aus der Walkerwerkstätte brachte, setzte er 10 Schneider darüber, damit sie es untersuchten"; jŠebi 38d = PredR zu 10,8 = EsthR zu 1,9 (vgl. GenR 79,6 שמע (כד הוה שמע ברת קלא אמרה דימוס ואתפשת שמע זמן תנינות ברת קלא אמרה ספיקלא ואשתזבת „Jedesmal wenn er die Himmelsstimme ‚Freigesprochen!' rufen hörte, wurde der Vogel gefangen; wenn er ein andres Mal die Himmelsstimme „Todesstrafe!" rufen hörte, wurde er gerettet" (Verwechslung!); jBik 65c רבי מאיר חמי אפילו סב עם הארץ ומקים ליה מן קומוי ואמר „Jedesmal, wenn R. M. einen Greis sah, und sei es auch nur einen ungelehrten, stand er vor ihm auf und sagte“; jŠab 8c היא נפלה ליה ומחזרה ליה „Wenn er (der künstliche Zahn) ausfällt, wird sie ihn gleich selbst wieder einsetzen“ (שן ist neuhebr. fem., aram. mask.!); jTaan 66c לא רבי יהושע בן לוי מחית מיטרא לדרומאיי ולא רבי חנינה עצר מיטרא מן ציפוראיי אלא דרומאיי ליבהון רכיך ושמעין מילה דאורייתא ומתכנעין וציפוראיי ליבהון קשי ושמעין מילה דאורייתא ולא מתכנעין „Weder brachte R. J. (durch sein Gebet) den Daromäern Regen noch hielt ihn R. Ḥ. von den Ṣipporäern fern, sondern die Daromäer, deren Herz weich ist, demütigen sich, wenn sie ein Wort des Gesetzes hören; die Ṣipporäer aber, die hart sind, demütigen sich nicht, wenn sie ein Wort des Gesetzes hören“; jGit 45b אית בני נש מקשין על גרבא מלבר ואינון ידעין מה אית ביה מלגיו „Manche Menschen wissen, wenn sie von außen auf ein Faß klopfen, was drin ist“; jQid 64c אמר ליה רבי זכי עימי אמר ליה למחר את קאים בציבורא ואנא עביד לך פסיקא „Rabbi, gib mir ein Almosen!“ „Morgen wirst du in der Gemeindeversammlung anwesend sein, und ich werde eine Almosensammlung für dich veranstalten!“ (Oder auch imperativisches Partizip [vgl. Odeberg 440]: „Sei morgen in der G. anwesend, so werde ich eine Almosensammlung für dich veranstalten!“); GenR 10,8 = LevR 22,2 = PredR zu 5,8 והוה מרדף ליה מן הדין סיטרא והוה חזר מן דין סיטרא ועוד הוה רדיף ליה מן הדין סיטרא והוה חזר מן הדין סיטרא „Und jedesmal, wenn er die Schlange an dieser Seite verfolgte, lief sie dort herum, und wenn er sie an jener Seite verfolgte, lief sie hier herum“; GenR 26,14 לית דין ולית דיין אבל אית דין ואית דיין „Wenn es kein Gesetz gibt, gibt es auch keinen Richter; gibt es aber ein Gesetz, gibt es auch einen Richter“; GenR 17,6 = 44,19 דמיך ליה ולא לעי באוריתא ולא עביד עבידתא „(Der Schlaf ist ein Übel, denn) wenn jemand schläft, beschäftigt er sich nicht mit dem Gesetz und tut keine Arbeit“; KlglR Einl 10 קאים טרון כל יומא ולא לעי ואמר ליה חבריה אתי וצלי והוא אמר לית אנא יכיל „Da steht ein Geschäftetreibender den ganzen Tag, ohne müde zu werden; wenn aber sein Freund zu ihm sagt: ‚Komm zum Gebet!‘, so antwortet er: ‚Ich kann nicht‘“; zu 1,1 מרדעא אית ליה ובה עשרים וארבע מרקעין חייט ליה מן הכא ומתבזע מן הכא „Er hat ein Kleid, das 24 Fetzen hat: Näht man es an der einen Seite zu, so reißt es an der anderen Seite auf“; zu 1,3 את מחי ליה בהדא והוא מחי ליה בההיא ומת „Wenn du ihn damit schlägst, schlägt er ihn mit jenem, so daß er stirbt“; PredR zu 1,18 דין אכל מילין קלילין ואתנזק ודין אכל מילין בורין ולא אתנזק „Der eine leidet Schaden, wenn er Leichtverdauliches ißt, während der andere gesund bleibt, (selbst) wenn er Unverdauliches ißt"; LevR 32,6 מדכרין ומניחין מדכרין ומשחקין „Gedenkt man (der Frommen), wünscht man ihnen Ruhe; gedenkt man (der Frevler), wünscht man ihnen Zermalmung"; AD 16,5 אלא אנא אימא ליה והוא יהיב לך „Aber wenn ich es ihm sage, wird er dir (etwas) geben"; 20,11 וכדון שמע מלכא ומשלח ומקטל לי „Wenn das jetzt der Kaiser hört, wird er mich töten lassen"; 23,1 (konzessiv) מרך בעקא ואת גחיך „Dein Herr ist in Bedrängnis und du machst Scherze!"; 29,4 = 9 = 17 יצלי ומטרא נחת „Er kann beten, und es kommt Regen = Wenn er betet, . . .".

Babylonisch-Talmudisch: bBer 36b הוה עובדא ושקליה לניצא דפרחא וחיי בוטיתא „Es ereignete sich, daß, obwohl man die Blüte der Blume abgenommen hatte, der Blumenkelch unversehrt geblieben war"; bTaan 9b מלא צנא דדובשא בזוזא ובבלאי לא עסקי באורייתא „Obwohl ein Korb voll Honig nur einen Sus kostet, beschäftigen sich die Babylonier nicht mit der Tora" u. ebd. ö.ä.; 24b בעון רחמי ואתי מיטרא „Wenn sie bitten, kommt Regen"; bBM 30a והא הכא דלצורכו ולצורכה הוא וקתני פסולה „Obwohl es hier doch zu seinem und ihrem Vorteil ist, tradiert er: Unbrauchbar"; bSanh 29a שב שני הוה כפנא ואבבא דאומנא לא חליף „Mag die Hungersnot auch sieben Jahre dauern, die Tür des Handwerkers erreicht sie nicht" u. ebd. ö.ä.; bChul 67b מינם ניים ועיילי ליה באוסייה „Wenn er schläft, kriechen sie ihm in die Nase".

Dabei wird ein Fragewort, das eigentlich erst zum zweiten Verbum gehört, bereits vor das erste gestellt:

Hebräisch: 1Sam 26,9 מִי שָׁלַח יָדוֹ בִּמְשִׁיחַ יהוה וְנִקָּה „Wer bliebe ungestraft, wenn er Hand an den Gesalbten J.s legt?", LXX τίς ἐποίσει χεῖρα αὐτοῦ ἐπὶ χριστὸν κυρίου καὶ ἀθῳωθήσεται; Jes 5,4b מַדּוּעַ קִוֵּיתִי לַעֲשׂוֹת עֲנָבִים וַיַּעַשׂ בְּאֻשִׁים „Warum brachte er Herlinge, obwohl ich hoffte, daß er Trauben brächte?", LXX διότι ἔμεινα τοῦ ποιῆσαι σταφυλήν, ἐποίησεν δὲ ἀκάνθας. Jer 8,4 הֲיִפְּלוּ וְלֹא יָקוּמוּ אִם־יָשׁוּב וְלֹא יָשׁוּב „Wenn einer hinfällt, steht der nicht wieder auf? Oder wenn sich einer abwendet, wendet der sich nicht wieder her?", LXX μὴ ὁ πίπτων οὐκ ἀνίσταται; ἢ ὁ ἀποστρέφων οὐκ ἐπιστρέφει;

Neuhebräisch: LevR 26,2 (= PredR zu 10,11) למה אתה נושך באבר אחד ואירסך מהלך בכל האברים „Warum dringt dein Gift, wenn du in Ein Glied beißt, in alle Glieder?".

Jüdisch-Palästinisch: jŠebi 39a מה אריוותא קמך ואת שאיל לתעלייא „Warum sind Löwen vor dir und du befragst Füchse?" = „Warum befragst du Füchse, wo doch Löwen vor dir sind?" jŠeq 45d הן נקרא ולא נבהת „Wenn wir dies lesen, sollen wir uns nicht schämen?";

jBer 5c מה סליקית מזכי ואנא איחטי „Warum bin ich (nach Palästina) heraufgekommen, um Gutes zu tun, und muß Böses tun?“; jTaan 64b (vgl. AD 29,26f.) למה כד הויתה בטורא אמרינן לך אישר ולא אגיבתינן „Warum haben wir zu dir, als du auf dem Felde warst, Glück zu! gesagt, und du hast uns nicht geantwortet?“ = „Warum hast du uns nicht geantwortet, als wir zu dir auf dem Felde Glück zu! sagten?“; LevR 25,5 ואת בר מאה שנין וקאם וחצב חצובין למנצב נציבין „Obwohl du hundert Jahre alt bist, stellst du dich hin und ziehst Furchen, um Pflanzen einzusetzen?“; KlglR zu 3,59 ואית יהודאי עבר קדם אדריאנוס ושאיל (ולא שאיל) בשלמיה „Grüßt denn ein Jude, wenn er an Hadrian vorbeigeht, diesen (nicht)?“; AD 20,20—22 מן בגין מה הוינא לביש אלין תרין מסאניא כל אלין יומיא וכדון לבישית חד מנהון ובעינא למלבש אחרינא ולא יכילנא למעלה לרגלי „Warum habe ich meine beiden Schuhe bis jetzt alle Tage angezogen und jetzt einen von ihnen angezogen und will den anderen anziehen und bringe meinen Fuß nicht hinein?“.

Babylonisch-Talmudisch: bSanh 10b מי בעיתו מנאי מילתא ולא אמרי לכו „Habe ich euch jemals auf eine Frage, die ihr an mich gerichtet habt, keine Auskunft gegeben?“.

Ebenso kann auch eine Negation schon vor das erste Verbum treten:

Hebräisch: Ex 33,20 כִּי לֹא־יִרְאַנִי הָאָדָם וָחָי „Denn nicht bleibt ein Mensch am Leben, wenn er mich sieht“, LXX οὐ γὰρ μὴ ἴδῃ ἄνθρωπος τὸ πρόσωπόν μου καὶ ζήσεται. Dt 22,1 לֹא־תִרְאֶה אֶת־שׁוֹר אָחִיךָ אוֹ אֶת־שֵׂיוֹ נִדָּחִים וְהִתְעַלַּמְתָּ מֵהֶם „Wenn du siehst, daß das Rind oder das Schaf deines Bruders sich verläuft, so entziehe dich ihnen nicht!“, LXX μὴ ἰδὼν τὸν μόσχον τοῦ ἀδελφοῦ σου ἢ τὸ πρόβατον αὐτοῦ πλανώμενα ἐν τῇ ὁδῷ ὑπερίδῃς αὐτά. 22,4.

Neuhebräisch: bJeb 107a אין אדם טורח בסעודה ומפסידה „Wenn jemand sich abgemüht hat, ein Mahl zu bereiten, wird er es nicht danach verderben“.

Jüdisch-Palästinisch: jBer 2d לא הוה ⟨שחרא⟩ אתי ומשכח לדוד דמיך „Niemals fand der Morgen, wenn er kam, den David schlafend“; GenR 70,17 מאי רמיתא בת רמאה לאו בלילא הוה קרינא רחל ואת ענית לי אמרה ליה אית ספר דלית ליה תלמידים לא כך הוה צוח לך אבוך עשו ואת ענית ליה „(Jakob zu Lea:) Wie, Betrügerin, Tochter des Betrügers; hast du mir denn nicht, so oft ich in der Nacht ‚Raḥel!‘ rief, geantwortet? Sie sagt zu ihm: Gibt es einen Lehrer, der keine Schüler hat? Hast du denn nicht auch deinem Vater geantwortet, so oft er dich ‚Esau‘

nannte?"; LevR 9,3 מיומי לא שמעית מילא בישא וחזרתי למרה ולא חמית תרין דמתכתשין דין עם דין ולא יהבית שלמא ביניהון „Nie habe ich, wenn ich ein böses Wort hörte, es seinem Urheber zurückgegeben, oder, wenn ich zwei sich miteinander zanken sah, nicht zwischen ihnen Frieden gestiftet".

Griechisch ist diese Ausdrucksweise eigentlich nicht. Auch LXX subordiniert, wenn ihr der eigentliche Sinn bewußt wird. Nur in der Rhetorik läßt sich solche Parataxe belegen, allerdings meist noch durch μέν — δέ gegliedert, vgl. Lysias 12,80 μὴ ἀποῦσι μὲν τοῖς τριάκοντα ἐπιβουλεύετε, παρόντας δ' ἀφῆτε (statt ἐπιβουλεύσαντες) „Sprecht die Dreißig nicht frei, wenn ihr sie habt, während ihr sie verfolgt, wenn ihr sie nicht habt"; ebenso Röm 8,10; Epiktet II 17,18 θέλω τι καὶ οὐ γίνεται. καὶ τί ἐστιν ἀθλιώτερον ἐμοῦ; οὐ θέλω τι καὶ γίνεται. καὶ τί ἐστιν ἀθλιώτερον ἐμοῦ;

Die hierher gehörigen neutestamentlichen Beispiele (zumindest die konditionalen, weniger eindeutig die konzessiven) stehen also unter semitischem Einfluß:

Mt 7,22f. „Vielen, die an jenem Tage sagen: Herr, Herr, wir haben doch in deinem Namen geweissagt ..., werde ich offen sagen". 25 „Wenn nun der Regen kam und die Ströme flossen und die Winde wehten und auf das Haus trafen, fiel es nicht ein". 27 „Als aber der Regen kam ..., da stürzte es vollkommen in sich zusammen"; 8,9 (3mal) „Denn das ist ja bei mir gegenüber den Soldaten, die ich unter mir habe, genauso — obwohl ich doch (im Gegensatz zu dir) nur unter fremdem Befehl stehe[1] —: wenn ich nämlich zu einem sage: ‚Geh!', so geht er, und zu einem anderen: ‚Komm!', so kommt er, und zu meinem Burschen: ‚Tu das!', so tut er es"; 11,17 (2mal) „Als wir für euch flöteten, habt ihr nicht getanzt; als wir klagten, habt ihr euch nicht auf die Brust geschlagen". 18 „Denn von Johannes, der streng fastet, sagen sie: er ist besessen". 19 „Vom Menschensohn aber, der nicht fastet[2], sagen sie, er ist ein Fresser und Säufer"; 13,14 in Anlehnung an Jes 6,9 (Imperativ) „Wenn ihr auch hört, ihr werdet nicht verstehen, wenn ihr auch hinseht, ihr werdet nichts erkennen" (das paronomastische Partizip gibt, wie auch meist in LXX, den hebräischen verstärkenden Inf. abs. wieder, hier wie öfters

[1] Die sem. Parataxe wurde falsch periodisiert. Richtig wäre gewesen ὤν — ἔχω (Wellh).

[2] Vgl. Lk 5,33 mit Mk 2,18 = Mt 9,14.

ein konzessiv gemeintes Verbum hervorhebend); 17,20 „Wenn ihr nur soviel Glauben hättet wie ein Senfkorn, so würde dieser Berg, wenn ihr zu ihm sagtet: ‚Rücke von hier dorthin!‘, fortrücken“ (Griechisch: Mt 21,21 κἄν); 20,12 „Obwohl die letzten nur eine Stunde gearbeitet haben, machst du sie uns gleich“. 28 DΦ it sy^{c} Anfang ließe sich vom Semitischen her nur zu einem Sinn verhelfen, wenn man annimmt, daß im Jüd.-Pal. an Stelle der beiden Infinitive ד + Imperfekt (oder auch Inf. + Impf., vgl. S. 37f. Anm.) gestanden hat (so sy^{c}, doch ist nach בעא [ל +] Inf. genauso gut möglich): אתון בעיין דתרבון (למרבי) מן קליל ותקלון מן רב, wobei das zweite Impf. gar nicht mehr von ד „daß“ abhängig (bzw. dem Inf. parallel) sein, sondern selbständig dem ζητεῖτε gegenüberstehen sollte: „Ihr sucht (so nach it: „quaeritis“) groß aufzutreten, wenn ihr klein seid, doch ihr solltet bescheiden sein (modales Impf.), selbst wenn ihr groß seid“[1]; 21,32 „Denn ihr habt dem Johannes, der euch doch den rechten Wandel brachte, nicht geglaubt“; 24,50f. „So wird ihn sein Herr, falls er ihn unvermutet überrascht, in Stücke hauen[2]“; 25,35 (3mal) „Denn wenn (als) ich hungerte, habt ihr mich gespeist, wenn ich Durst hatte, habt ihr mich getränkt, wenn ich fremd war, habt ihr mich beherbergt“. 36 (3mal) „Wenn ich nichts anzuziehen hatte, habt ihr mich bekleidet, wenn ich krank war, habt ihr nach mir gesehen, wenn ich im Gefängnis war, habt ihr mich besucht“. 42 (2mal) „Denn als ich hungerte, habt ihr mich nicht gespeist“. 43a.b.c; 26,55b „Obwohl ich täglich lehrend im Tempel saß, habt ihr mich da nicht ergriffen“ (Griechisch: Lk 22,53).

Mk 1,27b „Sogar die unreinen Geister gehorchen ihm, wenn er ihnen Befehl gibt“; 5,31 „Obwohl du siehst, wie die Menge sich drängt, sagst du: Wer hat mich berührt?“; 8,18 W (Griechisch: Bא); 14,49 (= Mt 26,55b; Griechisch: Lk 22,53). 56 „Denn obwohl viele falsche Anklagen gegen ihn vorbrachten, waren nicht zwei Zeugnisse gleich“ (Griechisch: Mt 26,60); 16,18b „Wenn sie Kranken die Hände auflegen, werden die gesund werden“ (Griechisch: V. 18a).

Lk 4,25f. „Obwohl es zur Zeit des Elia in Israel viele Witwen gab, wurde Elia zu keiner von ihnen gesandt, sondern nach Sarepta“. 27 „Und obwohl es viele Aussätzige gab in Israel zur Zeit des Propheten Elisa, wurde keiner von ihnen gereinigt, sondern Naiman der Syrer“;

---

[1] Falsche Unterordnung eines eigentlich selbständigen Satzes wurde auch bei Mt 5,13b und 12,33 festgestellt. Vgl. zu unserer Stelle auch Black 129ff.

[2] Vielleicht: „ihm (Schläge) zuteilen“, vgl. Jeremias Gleichnisse 49 Anm. 2.

6,48 (= Mt 7,25). 49b (= Mt 7,27); 7,8 (= Mt 8,9). 32 (= Mt 11,17; davor ist mit Bκλ ἃ λέγει zu lesen, da dies genau dem jüd.-pal. דאמר „wie man sagt", „wie es heißt" [Wensinck nach Black 239] entspricht). 33 (= Mt 11,18). 34 (= Mt 11,19). 44 D καὶ ὕδωρ „Als (obwohl) ich dein Haus betrat, hast du mir kein Wasser auf die Füße gegeben" (Griechisch: V. 45); 8,29 (= Mk 5,4) „Aber so oft man ihn zur Sicherheit an Händen und Füßen fesselte, zerriß er die Bande"; 12,46 (= Mt 24,50f.); 13,7 „Obwohl ich schon seit drei Jahren an dem Feigenbaum Frucht suche, finde ich keine". 26f. (= Mt 7,22f.); 15,29 „Obwohl ich dir schon so viele Jahre diene, ohne dir auch nur einmal ungehorsam gewesen zu sein, hast du mir noch nie auch nur einen Ziegenbock gegeben, auf daß ich mit meinen Freunden ein kleines Fest feierte"; 17,6 „Wenn ihr nur soviel Glauben hättet, wie ein Senfkorn, so würde euch dieser Maulbeerfeigenbaum gehorchen, wenn ihr zu ihm sagtet: Entwurzle dich und pflanze dich ins Meer!"; 24,18 Bא „Du bist also der einzige Jerusalemer, der nicht weiß, was dort in diesen Tagen geschehen ist!".

Joh 1,10 „Und doch hat ihn die Welt nicht erkannt". 11 „Und doch haben ihn die Seinen nicht aufgenommen"; 7,21 „Obwohl ich nur Ein Werk getan habe, seid ihr alle befremdet". 22 „Auf Grund des von Mose gegebenen Beschneidungsgebotes beschneidet ihr einen Menschen auch am Sabbat". 26 „Obwohl er ganz öffentlich redet, protestieren sie nicht". 34 = 36 „Wenn ihr mich dann sucht, werdet ihr mich nicht finden"; 8,52 „Obwohl sogar Abraham und die Propheten gestorben sind, wagst du zu sagen". 57 „Obwohl du noch keine 50 Jahre alt bist, willst du Abraham gesehen haben?"; 9,34 „Obwohl du ganz und gar in Sünden geboren bist, willst du uns belehren?"; 10,12 „Wenn ein Mietling einen Wolf kommen sieht, läßt er die Herde im Stich und flieht"; 11,8 „Obwohl dich die Juden eben erst zu steinigen suchten, willst du schon wieder dorthin gehen?"; 14,9a „Obwohl ich schon so lange Zeit bei euch bin, hast du mich noch nicht erkannt?"; 16,22 „Wenn ich euch aber wiedersehe, werdet ihr euch freuen".

Act 28,26 = Jes 6,9 M. LXX; 2Kor 12,14 „Obwohl ich mich schon zum dritten Besuch bei euch anschicke, werde ich euch nicht zur Last fallen".

Jak 3,5 „So vermißt sich auch die Zunge, obwohl nur ein kleines Glied, großer Dinge"; 5,17 (2mal) „Als z.B. Elia, der doch ein Mensch war wie unsereiner, betete, es solle nicht regnen, da regnete es auf der Erde $3^1/_2$ Jahre nicht". 18 „Und als er wiederum betete, gab der Himmel wieder Regen".

Das Fragewort ist der Parataxe vorangestellt (z.T. mit Subjektswechsel innerhalb der Parataxe): Mt 18,21 „Wie oft muß ich meinem Bruder vergeben, wenn er gegen mich sündigt?"; Lk 11,5—7 (2mal) „Wer von euch würde von seinem Freunde, wenn er des Nachts zu ihm kommt und ihn um Brot bittet, als Antwort erhalten?". 11 B „Wer von euch würde seinem Sohn, wenn der ihn um einen Fisch bittet, statt dessen eine Schlange reichen?"; 14,5 „Wer von euch würde, wenn ihm sein Sohn oder auch nur sein Ochse am Sabbat in einen Brunnen fällt, diesen nicht sofort herausziehen?" (Griechisch: Mt 12,11 ἐάν)[1]; 1Kor 9,7 „Wer ißt nicht von der Frucht des Weinstockes, den er selbst gepflanzt hat? Wer nährt sich nicht von der Milch der Herde, die er weidet?".

Gräzisierend steht δέ statt καί: Mt 7,3 = Lk 6,41 „Warum bemerkst du, obwohl du den Splitter im Auge deines Bruders siehst, den Balken in deinem eigenen nicht?"; Mt 9,14 = Mk 2,18 „Warum fasten eigentlich deine Jünger nicht, wo doch die Jünger des Johannes und die Jünger der Pharisäer fasten?" (Griechischer: Lk 5,33).

Die Negation ist an den Anfang gestellt: Joh 7,4 „Denn niemand, der nur im Verborgenen wirkt, kann Anspruch auf öffentliche Geltung erheben" (nur so vom Semitischen her möglich, da semitisch die Handlungen nach ihrer zeitlichen Reihenfolge stehen! Andernfalls wäre es nur eine falsche Imitation semitischer Parataxe).

3. *Generelle Spezialisiertheit*

(Spezialisierte Form bei genereller Bedeutung)

Es kann im Semitischen auch vorkommen, daß es dem Erzähler überhaupt nicht bewußt wird, daß logisch ein konditionales Verhältnis vorliegt. Es handelt sich dabei nicht um ein grammatisches, auch nicht einmal um ein stilistisches, sondern um ein psychologisches Phänomen: Der Erzähler erzählt nämlich eine Geschichte mit all ihren Zufälligkeiten so, als ob er ein einmaliges Geschehen berichtete, obwohl er sie als allgemeingültige Wahrheit verstanden wissen möchte. Die Folge ist, daß die z. T. zufälligen Einzelereignisse einfach in der Reihenfolge, in der sie in das Blickfeld treten, aneinandergereiht

[1] Vgl. aber zu Lk 11,5—7.11 B; 14,5 S. 287 Anm. 2.

werden, wobei vergessen wird, daß die Ereignisse, die sich innerhalb dieser Kette nicht notwendig, sondern nur unter bestimmten Umständen aus dem Vorhergehenden ergeben, bei verallgemeinerndem Sinn als solche gekennzeichnet werden müssen, da sonst auch jede zufällige als allein mögliche Abfolge verstanden wird. Dieses Phänomen findet sich in jüdisch-palästinischen Erzählungen öfters:

AD 24,11—16 (LevR 5,8) אמר רבי אחא אית אתתא דידעא למשאל ואית אתתא דלא ידעה למשאל. דידעא למשאל אזלא לגבי מגירתא תרעא פתיח מדפקא לה אמרה לה שלמא עלך מגירתי מה את עבדא מה בעליך עביד ומה בניכי עבדין אמרה לה טב תעול מתיבא לא ניעול אית ליך מקימה פלני תתנין לי אמרה לה אין· דלא ידעה למשאל אזלה לגבי מגירתא תרעא משקף פתחה לה אמרה לה אית ליך מקימה פלני תתנין לי אמרה לה לאו. Das lautet ganz wörtlich übersetzt: „Rabbi Aḥa sagte: Die eine Frau versteht zu entleihen, und die andere versteht nicht zu entleihen; diejenige, die zu entleihen versteht, geht (falls sie etwas benötigt) zur Nachbarin, die Tür ist offen, sie klopft an, sie sagt zu ihr: ‚Friede sei auf dir, meine Nachbarin! Wie geht es dir? Wie geht es deinem Mann? Und wie geht es deinen Söhnen?‘ Sie sagt zu ihr: ‚Gut! Tritt doch ein!‘ Sie antwortet: ‚Ich möchte nicht eintreten. Hast du nicht den und den Gegenstand, den du mir leihen könntest?‘ Sie sagt zu ihr ‚Ja‘. Diejenige, die nicht zu entleihen versteht, geht zur Nachbarin, die Tür ist geschlossen, sie öffnet sie, sie sagt zu ihr: ‚Hast du nicht den und den Gegenstand, den du mir leihen könntest?‘ Sie sagt zu ihr: ‚Nein‘“. Bedenken wir jedoch, daß hier gar nicht ein Einzelfall, sondern ein typisches Verhalten beschrieben werden soll, so müssen wir entweder der ganzen Geschichte voransetzen: „Bei einer Frau, die zu entleihen versteht, wird sich etwa folgende Szene abspielen“, oder wir müssen übersetzen: „Selbst wenn die Tür offen ist, klopft sie an“ und „Wenn die Tür geschlossen ist, öffnet sie sie ohne weiteres“, da ja die Tür nicht immer gerade offensteht, wenn eine Verständige kommt, und geschlossen ist, wenn eine Törin kommt. Und weiter: „Wenn die Nachbarin darauf zu ihr sagt: ‚Gut, tritt doch ein!‘, so antwortet sie: ‚Ich möchte nicht eintreten (ich habe nur eine Bitte)!‘“.

AD 24,16—25,8 אמר רבי הניא אית אריס דידע למשאל ואית אריס דלא ידע למשאל· דידע למשאל חמי בגרמיה דשקע באריסותיה עביד לב טב סריק שעריה מחור מאנוי אפוי טבין יהיב חטרא בידיה ועזקתא באצבעיה אזל לגבי מרי עבידתיה משאיל ליה והוא אמר ליה אתי בשלם אריסי טב מה את עביד והוא אמר ליה טב ואמר מה ארעא עבדא אמר ליה תזכה ותשבע מפיריה מה תוריא עבדין אמר ליה תזכה ותשבע מן שמניהון מה עזיא עבדין אמר ליה תזכה ותשבע מן גדייהון מה את

בעי אמר ליה אית לך עשרה דינרין תתן לי אמר ליה את בעי עשרין סב לך. דלא ידע למשאל שעריה מקצץ מאנוהי צאין אפוהי בישין אזל לגבי מרי עבידתא משאיל ליה ואמר מה ארעא עבדא אמר ליה הלוי מעלה מה דאפקינן בגוה מה תוריא עבדין אמר ליה תשישין מה עזיא עבדין אמר ליה תשישין אמר ליה מה את בעי אמר ליה אית לך עשרה דינרין תתן לי אמר ליה איזיל וקיים לי מה דאית לי גבך. Das lautet ganz wörtlich übersetzt: „Rabbi Hunja sagte: Der eine Pächter versteht zu entleihen, und der andere Pächter versteht nicht zu entleihen. Derjenige, der zu entleihen versteht, sieht, daß er mit seiner Pacht im Rückstand ist, er versetzt sich in gute Stimmung, kämmt sein Haar, zieht weiße Kleider an, sein Gesicht ist fröhlich, er nimmt seinen Stock in die Hand, steckt seinen Ring an den Finger, geht zu seinem Dienstherrn, will von ihm entleihen; und der sagt zu ihm: ‚Komm in Frieden, mein guter Pächter! Wie geht es dir?‘, und der sagt zu ihm: ‚Gut‘, und er sagt: ‚Was macht der Boden?‘, er sagt zu ihm: ‚Du wirst guten Gewinn (davon) haben und dich von seinen Früchten sättigen können!‘, ‚Was machen die Rinder?‘, er sagt zu ihm: ‚Du wirst Gewinn (von ihnen) haben und dich von ihrem Fett sättigen können!‘, ‚Was machen die Ziegen?‘, er sagt zu ihm: ‚Du wirst Gewinn (von ihnen) haben und dich von ihren Zickchen sättigen können!‘, ‚Was möchtest du?‘, er sagt zu ihm: ‚Hast du zehn Denare, die du mir leihen könntest?‘, er sagt zu ihm: ‚Wenn du zwanzig möchtest, sollst du sie (auch) haben!‘. Derjenige, der nicht zu entleihen versteht, sein Haar ist geschoren, seine Kleider sind schmutzig, sein Gesicht ist verstört, er geht (so) zum Dienstherrn, will von ihm entleihen; und er sagt: ‚Was macht der Boden?‘, er sagt zu ihm: ‘O daß er doch (nur) das einbrächte, was wir in ihn hineingesteckt haben!‘, ‚Was machen die Rinder?‘, er sagt zu ihm: ‚Die sind elend!‘, ‚Was machen die Ziegen?‘, er sagt zu ihm: ‚Die sind (auch) elend!‘, er sagt zu ihm: ‚Was möchtest du?‘, er sagt zu ihm: ‚Hast du 10 Denare, die du mir leihen könntest?‘, er sagt zu ihm: ‚Geh und zahle mir pünktlich, was du mir schuldig bist!‘“. Auch hier muß für unser Gefühl an verschiedenen Punkten vermerkt werden, daß sich die Geschichte nur unter bestimmten Bedingungen jeweils in der angegebenen Weise fortsetzt: „Wenn er sieht, daß er mit seiner Pacht in Rückstand ist“, „Wenn der ihn daraufhin fragt“, oder als Einleitung vorangesetzt werden: „Dem verständigen Pächter könnte etwa folgendes passieren:“.

jBer 13d הוה בר נש אתי למקרבה תור או אימר או גדי לעבודה זרה ואמר ליה פייסיה עלי והוא אמר ליה מה זו מועילה לך לא רואה ולא שומעת לא אוכלת ולא

שותה לא מטיבה ולא מריעה ולא מדברת אמר ליה חייך ומה נעביד ואמר ליה אזיל עביד ואייתי לי חד פינך דסולת ואתקין עלוי עשר ביעין ואתקין קומוי והוא אכל מכל מה דאתי ואנא מפייס ליה עלך מכיון דאזיל ליה הוה אכיל לון זימנא חדא אתא חד בר פחין אמר ליה כן אמר ליה אם אין מועילה כלום את מה את עביד הכא אמר ליה בגין חיי. Das lautet ganz wörtlich übersetzt: „Ein Mensch kam, um einen Stier oder ein Lamm oder ein Böckchen dem heidnischen Götzen zu opfern, und sagte zu ihm (einem Juden, der sich als Priester dieses Götzen ausgab): ‚Besänftige ihn mir gegenüber!' Und der sagte zu ihm: ‚Was kann er dir nützen? Er kann nicht sehen und nicht hören, nicht essen und nicht trinken, nicht Gutes und nicht Böses tun und nicht sprechen!' Er sagte zu ihm: ‚Bei deinem Leben! Aber was soll ich denn bloß tun?' Und er sagte zu ihm: ‚Geh (ruhig), bereite vor und bringe mir eine Schüssel Weizengries und schlage zehn Eier darüber und bereite es vor ihm zu, denn er ißt von allem, was (vor ihn) kommt, so werde ich ihn dir gegenüber besänftigen!' Nachdem er weggegangen war, aß er es selbst. Einmal kam ein geringer Mensch und sagte zu ihm: ‚Wenn es nichts nützt, was tust du dann hier?' Er sagte zu ihm: ‚Wegen meines Lebensunterhaltes!'". Auch hier wird eine, wie der Anfang („oder") und der Schlußsatz zeigen, typische Begebenheit als einmalige erzählt. Im Deutschen muß man entweder vorher sagen: „Jedesmal, wenn jemand mit irgend einem Opfer zu dem falschen Priester kam, spielte sich etwa folgendes ab": oder hinterher: „Und so machte er es jedesmal" oder die verallgemeinernde Redeweise von Anfang und Schluß auf das Ganze ausdehnen: „W e n n jemand kam, um einen Stier oder ein Lamm oder ein Böckchen zu opfern, sagte er: ‚Was nützt das?' W e n n der dann sagte: ‚Was soll ich aber bloß tun?', sagte er zu ihm: ‚Bring ruhig ein schönes Opfer!' W e n n der es dann gebracht hatte, aß er es selbst."

KlglR zu 2,2 = 4,18 (= jTaan 69a) חמשים ושתים שנה עשתה ביתר אחר חורבן הבית ולמה נחרבה על שהדליקו נרות לחרבן בית המקדש· ולמה הדליקו אמרו· הבוליוטין שבירושלם היו יושבין באמצע המדינה וכד הוה סליק חד מנהון לצלאה אמר ליה בעית לאיעבדא בוליוטוס אמר ליה לא בעית לאיעבדא ארכונטוס אמר ליה לא אמר ליה מן בגין דשמענא דאית לך חדא אוסיא את בעי מזבנא יתה לי אמר ליה לית בדעתי והוה כותב ומשלח אוניתיה לבר ביתיה אין אתי גבר פלוני לא תשבקיניה מיעל לאוסיא דהוא מזבנא לי והוה אמר ההוא גברא הלואי איתברת ריגליה דההוא גברא ולא סליק להדא זויתא. Das lautet ganz wörtlich übersetzt: „Noch 52 Jahre existierte Bittir nach der Zerstörung des Tempels (von Jerusalem). Und warum wurde es zerstört? Weil sie aus Anlaß der Zerstörung des Tempels eine Beleuchtung veranstaltet hatten. Und warum hatten sie eine Beleuchtung veranstaltet? Sie sagten (folgendes über die Zustände in Jerusalem vor der Zerstörung des Tempels): Die Ratsherren von Jerusalem hatten ihren Sitz in der Mitte der Stadt. Und wenn einer von ihnen (den Juden) hinaufging, um zu beten, sagte jemand zu ihm: ‚Möchtest du Ratsherr werden?' Er sagte zu ihm: ‚Nein!' ‚Möchtest du Archont werden?' Er sagte zu ihm: ‚Nein!'. Er sagte zu ihm: ‚Da ich gehört habe, daß du ein Grundstück hast, möchtest du es mir doch verkaufen?!' Er sagte zu ihm: ‚Ich denke gar nicht daran!' Und er schrieb den Kaufvertrag und schickte ihn an den Verwalter seines Hauses (mit der Botschaft): ‚Wenn der und der kommt, lasse ihn sein Grundstück nicht betreten, denn er hat es mir verkauft!' Und jener (betrogene) Mann dachte: ‚Hätte ich doch besser den Fuß gebrochen, als daß ich zu diesem Winkel heraufgestiegen bin!'" Auch diese Geschichte, die das typische Verhalten der Jerusalemer berichtet, ist als Einzelfall erzählt. Diese Inkonsequenz muß entweder durch eine Einleitung: „Es geschah etwa folgendes", oder durch Weiterführung der verallgemeinernden Erzählweise des Anfangs (כד) beseitigt werden: „Wenn er darauf ‚Nein!' sagte, sagte der zu ihm"; „Selbst wenn er sagte ‚Ich denke gar nicht daran!', schrieb er den Kaufvertrag". Hebräische Beispiele sind 1Sam 2,15f. (text. emend.) und 2Sam 15,2ff. „Wenn der daraufhin sagte" (LXX ganz wörtlich).

Griechische Belege für diese Erscheinung kenne ich nicht, doch ist sie in primitivem Erzählungsstil vielleicht möglich.

Auch im NT gibt es eine Geschichte, die nur verständlich ist, wenn man erkennt, daß hier das beschriebene Phänomen vorliegt: Mt 12,43—45 = Lk 11,24—26 das Gleichnis vom zurückkehrenden unreinen Geist[1]. Diese Geschichte macht den Eindruck, als ob regelmäßig auf die Austreibung eines unreinen Geistes zwangsläufig die weiteren beschriebenen Ereignisse bis zu seiner schließlichen Rück-

[1] Auf Mt 12,43f. ist zuerst $sy^{c.s}$, später Wellh, auf V. 44f. zuerst it (**b.ff^1.h**), sa, bo, später Nyberg. Zum grammatischen Verständnis von Mt 12,44f., Conject. Neotest. 2 (1936), 22ff. aufmerksam geworden. Allerdings möchte Nyberg in AD 24,11ff. und hier die asynd. Gegenüberstellung von Protasis und Apodosis (B 1) finden. Doch das ist ganz unmöglich, wie aus der Beschreibung dieser Konstruktion auf S. 233ff. eindeutig hervorgeht. Die Asyndese in AD ist eben die in der aram. Erzählung übliche Satzanreihung (die hebr. Beispiele sind synd.!) und hat mit kond. Asyndese nichts zu tun.

kehr mit sieben anderen folgten, der Rückfall also unvermeidlich sei. Doch wird ihr eigentlicher Sinn sofort klar, wenn wir mit ihr genau so verfahren wie bei den aramäischen Geschichten, indem wir entweder voransetzen: „Wenn ein unreiner Geist aus einem Menschen ausgetrieben wird, kann sich mit ihm durchaus folgendes zutragen:" bzw. (noch deutlicher) die Geschichte einfach im Präteritum erzählen (wie es auch in dem den beiden zuerst zitierten Stellen direkt vorangehenden Stück AD 24,8—10 der Fall ist: „Die Samaritaner verstehen zu betteln: Einer von ihnen ging einmal zu einer Frau und sagte zu ihr: ‚Hast du eine Zwiebel, die du mir geben könntest?' Nachdem sie ihm eine gegeben hatte, sagte er: ‚Kann man denn eine Zwiebel ohne Brot essen?' Nachdem sie ihm auch das gegeben hatte, sagte er: ‚Kann man denn etwas essen ohne zu trinken?'"): „Als einmal ein Geist . . ." und am Schluß zusetzen: „Und das kann sich durchaus wiederholen", oder an den Punkten, wo das jeweils folgende Ereignis nur unter bestimmten Bedingungen eintritt, Konditionalkonstruktionen gebrauchen (dann kann die verallgemeinernde Redeweise beibehalten werden!): „Wenn ein unreiner Geist aus einem Menschen ausgetrieben wird, pflegt er dürre Stätten zu durchwandern, um sich eine Ruhestatt zu suchen. Wenn er aber keine findet, denkt er: ‚Ich will in mein Haus zurückkehren, von wo ich ausgetrieben wurde.' Wenn er dann bei seiner Rückkehr das Haus leer, gefegt und geschmückt findet, geht er hin und holt sich noch sieben andere Geister, schlimmer als er, und sie kommen und lassen sich dort nieder, so daß es um jenen Menschen am Ende schlimmer steht, als am Anfang." Daß τότε „danach", „daraufhin" (statt καί) in Mt 12,44.45 = Lk 11,26 gerade am Anfang der scheinbaren Apodosen steht, ist Zufall.

ANHANG

Wortfrage an Stelle konditionaler Protasis

Wellh Einl 16, Joüon Notes 18, S. 349 = Black 253, Jeremias Gleichnisse 87f. 137f., H. Greeven, Jahrbuch Bethel 1952, 86—101, Bl-Debr 366.1 A, 442.3, 469 A.

In allen Sprachen kann ein Fragesatz einen bedingenden Satz ersetzen. Hier ist davon jedoch nur ein besonderer Fall zu behandeln, der nur im Semitischen möglich ist. Bei Mt und Lk finden sich nämlich einige Beispiele, in denen ganz ungriechisch ein durch τίς (ἐξ ὑμῶν) eingeleiteter Fragesatz eine konditionale Protasis ersetzt: Mt 6,27; 7,9f.; 12,11; 24,45f.; Lk 11,5—7. 11f.; 12,25.42f.; 14,5.28.31; 15,4.8; 17,7—9 (vgl. die Zusammenstellung auf S. 288f.)[1]. Ihnen liegt offensichtlich folgendes dreiteilige Schema zugrunde: 1. Ein Fragenominalsatz, dessen Subjekt das Fragepronomen τίς ist: τίς ἐστιν (ἐξ ὑμῶν) ἄνθρωπος (δοῦλος, πατήρ, βασιλεύς, γυνή); und daran angeschlossen: 2. Ein Relativsatz, der die eigentliche Voraussetzung enthält (beide zusammen bilden die Protasis). 3. Ein Behauptungssatz oder eine rhetorische Frage als Apodosis. Dieses dreiteilige Schema ist noch an drei Stellen genau erhalten: Mt 7,9f. א; 24,45f. = Lk 12,42f. An allen übrigen ist es mehr oder weniger geglättet worden, und zwar auf vier verschiedenen Wegen: 1. Der Mittelsatz wurde mit dem Schlußsatz verbunden: Mt 7,9f. M; 12,11 Bא. 2. Der Anfangssatz wurde mit dem Mittelsatz zusammengenommen: Lk 11,11f. א𝔎D; (Mt 18,12). 3. Der Anfangssatz wurde mit dem Schlußsatz zusammengenommen: Mt 6, 27; 7,9f. B; Lk 12,25; 14,28.31; 15,4.8; 17,7—9. Außerdem Mt 12,11 CX.L, falls καὶ ἐάν als „auch wenn" zu verstehen ist; andernfalls muß der gekürzte Anfangssatz doch noch als selbständiger Satz aufgefaßt werden. 4. Der Anfangssatz wurde mit dem Mittelsatz zusammengenommen und daran der Schlußsatz syndetisch angeschlossen, so daß ein parataktischer Fragesatz[2] entstand: Lk 11,5—7.11 B; 14,5. Außerdem kann der Mittelsatz (der die Voraussetzung ent-

---

[1] Das haben Mt 7,9 Adam; 18,12 (zu Lk 15,4); Lk 11,11 Epiph. 12 D. AX (alle ἐάν) richtig erkannt.

[2] Dieser parataktische Fragesatz ist auch typisch sem. (vgl. S. 281), doch wird er hier, wie das τίς ἐξ ὑμῶν und die Sachparallelen zeigen, nicht ursprünglich, sondern bereits das Ergebnis mangelhafter Gräzisierung unserer noch viel ungriechischeren Konstruktion sein.

Mt 7,9f. ℵ	τίς ἐστιν ἐξ ὑμῶν ἄνθρωπος,	ὃν αἰτήσει (ὃν ἐὰν -ση ℜ) ὁ υἱὸς αὐτοῦ ἄρτον; ἢ καὶ ἰχθὺν αἰτήσει;	μὴ λίθον ἐπιδώσει αὐτῷ; μὴ ὄφιν ἐπιδώσει αὐτῷ;
Mt 24,45f.	τίς ἄρα ἐστὶν ὁ πιστὸς δοῦλος καὶ φρόνιμος,	ὃν κατέστησεν ὁ κύριος ἐπὶ τῆς οἰκετείας αὐτοῦ τοῦ δοῦναι αὐτοῖς τὴν τροφὴν ἐν καιρῷ;	μακάριος ὁ δοῦλος ἐκεῖνος ὃν ἐλθὼν ὁ κύριος αὐτοῦ εὑρήσει οὕτως ποιοῦντα.
Lk 12,42f.	τίς ἄρα ἐστὶν ὁ πιστὸς οἰκόνομος ὁ φρόνιμος, (ἔσται AK, + ὁ ἀγαθός D)	ὃν καταστήσει ὁ κύριος ἐπὶ τῆς θεραπείας αὐτοῦ τοῦ διδόναι ἐν καιρῷ σιτομέτριον;	μακάριος ὁ δοῦλος ἐκεῖνος ὃν ἐλθὼν ὁ κύριος αὐτοῦ εὑρήσει ποιοῦντα οὕτως.
Mt 12,11 Bℵ	τίς ἔσται ἐξ ὑμῶν ἄνθρωπος, (ἐστιν DΘ)	ὃς ἕξει πρόβατον ἕν, καὶ ἐὰν ἐμπέσῃ τοῦτο τοῖς σάββασιν εἰς βόθυνον, (ἔχει D) (καὶ ἐμπέσῃ τοῖς D)	οὐχὶ κρατήσει αὐτὸ καὶ ἐγερεῖ; (κρατεῖ D) (ἐγείρει CD φ)
Mt 7,9f. M	τίς ἐστιν ἐξ ὑμῶν ἄνθρωπος,	ὃς ἐὰν αἰτήσῃ ὁ υἱὸς αὐτοῦ ἄρτον ἢ καὶ ἐὰν ἰχθὺν αἰτήσῃ	μὴ λίθον ἐπιδώσει αὐτῷ; μὴ ὄφιν ἐπιδώσει αὐτῷ;
Lk 11,11f. ℜ	τίνα δὲ ἐξ ὑμῶν τὸν πατέρα	αἰτήσει ὁ υἱὸς ἰχθύν; ἢ καὶ αἰτήσει ᾠόν;	μὴ ἀντὶ ἰχθύος ὄφιν αὐτῷ ἐπιδώσει; μὴ (om. P[45] B) ἐπιδώσει αὐτῷ σκορπίον;
Lk 11,11f. ℵ	τίς δὲ ἐξ ὑμῶν τὸν πατέρα	(+ ὁ υἱός D) αἰτήσει ἰχθύν; ἢ καὶ αἰτήσει ᾠόν; (ἐὰν δὲ καί D, ἢ καὶ ἐάν AXΓΔ)	μὴ ἀντὶ ἰχθύος ὄφιν αὐτῷ ἐπιδώσει; μὴ ἐπιδώσει αὐτῷ σκορπίον;
Mt 12,11 CX	τίς ἐξ ὑμῶν ἄνθρωπος,	ὃς ἕξει πρόβατον ἕν, καὶ ἐὰν ἐμπέσῃ τοῦτο τοῖς σάββασιν εἰς βόθυνον,	οὐχὶ κρατήσει αὐτὸ καὶ ἐγερεῖ;
Mt 12,11 L	τίς ἐξ ὑμῶν,	ὃς ἕξει πρόβατον ἕν, καὶ ἐὰν ἐμπέσῃ τοῦτο τοῖς σάββασιν εἰς τὸν βόθυνον,	οὐχὶ κρατήσει αὐτὸ καὶ ἐγερεῖ;
Mt 7,9f. B	τίς ἐξ ὑμῶν ἄνθρωπος,	ὃν αἰτήσει ὁ υἱὸς αὐτοῦ ἄρτον, ἢ καὶ ἰχθὺν αἰτήσει,	μὴ λίθον ἐπιδώσει αὐτῷ; μὴ ὄφιν ἐπιδώσει αὐτῷ;
Lk 15,4 D	τίς ἄνθρωπος ἐξ ὑμῶν,	ὃς ἕξει ἑκατὸν πρόβατα καὶ ἀπολέσῃ ἐξ αὐτῶν ἕν,	οὐκ ἀφίησι τὰ ἐνενήκοντα ἐννέα ἐν τῇ ἐρήμῳ καὶ ἀπελθὼν τὸ ἀπολωλὸς ζητεῖ;

Lk 17,7—9	τίς δὲ		ἐξ ὑμῶν	δοῦλον ἔχων ἀροτριῶντα ἢ ποιμαίνοντα, ὃς εἰσελθόντι ἐκ τοῦ ἀγροῦ (+ μή D) ἐρεῖ αὐτῷ· εὐθέως παρελθὼν ἀνάπεσε, ἀλλ' οὐχὶ (om. D) ἐρεῖ αὐτῷ· ἑτοίμασον τί δειπνήσω… καὶ μετὰ ταῦτα φάγεσαι σύ,	μὴ ἔχει χάριν τῷ δούλῳ ὅτι ἐποίησεν τὰ διαταχθέντα;
Lk 15,4 ℵ𝔎	τίς	ἄνθρωπος	ἐξ ὑμῶν	ἔχων ἑκατὸν πρόβατα καὶ ἀπολέσας ἐξ αὐτῶν ἓν	οὐ καταλείπει τὰ ἐνενήκοντα ἐννέα ἐν τῇ ἐρήμῳ καὶ πορεύεται ἐπὶ τὸ ἀπολωλός;
Lk 15,8 D	τίς	γυνὴ		ἔχουσα δραχμὰς δέκα καὶ ἀπολέσασα μίαν	οὐχὶ ἅπτει λύχνον καὶ σαροῖ τὴν οἰκίαν καὶ ζητεῖ ἐπιμελῶς;
Lk 15,8 Bℵ	τίς	γυνὴ		δραχμὰς ἔχουσα δέκα, ἐὰν ἀπολέσῃ δραχμὴν μίαν,	οὐχὶ ἅπτει λύχνον καὶ σαροῖ τὴν οἰκίαν καὶ ζητεῖ ἐπιμελῶς;
Lk 14,31	τίς	βασιλεὺς		πορευόμενος ἑτέρῳ βασιλεῖ συμβαλεῖν εἰς πόλεμον	οὐχὶ καθίσας πρῶτον βουλεύσεται (βουλεύεται DRX) εἰ δυνατός ἐστιν;
Lk 14,28	τίς γὰρ		ἐξ ὑμῶν	θέλων πύργον οἰκοδομῆσει	οὐχὶ πρῶτον καθίσας ψηφίζει τὴν δαπάνην;
Mt 6,27	τίς δὲ		ἐξ (om. Δ) ὑμῶν	μεριμνῶν (om. **59. 1293**)	δύναται προσθεῖναι ἐπὶ τὴν ἡλικίαν αὐτοῦ πῆχυν ἕνα;
Lk 12,25	τίς δὲ		ἐξ ὑμῶν	μεριμνῶν (om. D)	δύναται ἐπὶ τὴν ἡλικίαν αὐτοῦ προσθεῖναι πῆχυν;
Lk 11,5—7	τίς		ἐξ ὑμῶν	ἕξει φίλον καὶ πορεύσεται πρὸς αὐτὸν μεσονυκτίου καὶ εἴπῃ (ἐρεῖ ADK) αὐτῷ· φίλε, χρῆσόν μοι τρεῖς ἄρτους…	κἀκεῖνος (ἐκεῖνος δὲ D) ἔσωθεν ἀποκριθεὶς εἴπῃ (ἐρεῖ D)· μή μοι κόπους πάρεχε;
Lk11,11P^{45}B	τίνα δὲ		ἐξ ὑμῶν	αἰτήσει τὸν πατέρα ὁ υἱὸς ἰχθὺν	καὶ ἀντὶ ἰχθύος ὄφιν αὐτῷ ἐπιδώσει;
Lk 14,5	τίνος		(+ ἐξ D) ὑμῶν	υἱὸς ἢ βοῦς εἰς φρέαρ πεσεῖται	καὶ οὐκ εὐθέως ἀνασπάσει αὐτὸν ἐν ἡμέρᾳ τοῦ σαββάτου;

haltende Relativsatz) folgendermaßen gräzisiert sein: 1. Seine konditionale Funktion ist durch eine Konditionalkonjunktion sichtbar gemacht: Mt 7,9f. M; 12,11 Bא; Lk 15,8 Bא (die beiden letzten enthielten im Semitischen sicher eine syndetische Parataxe[1]). 2. Der im Aramäischen (und bei ἔχων auch im Hebräischen) allein mögliche[2] Relativsatz ist in ein Partizip verwandelt: Mt 6,27; Lk 12,25; 14,28. 31; 15,4 א𝔎. 8 D.Bא; 17,7—9.

Nach diesem dreiteiligen Schema gebaute konditionale Fragesätze kommen nun im Semitischen gar nicht so selten vor: Dt 20,5 מִי־הָאִישׁ אֲשֶׁר בָּנָה בַיִת־חָדָשׁ וְלֹא חֲנָכוֹ יֵלֵךְ וְיָשֹׁב לְבֵיתוֹ פֶּן־יָמוּת בַּמִּלְחָמָה וְאִישׁ אַחֵר יַחְנְכֶנּוּ ,,Wer ist ein Mann, der ein neues Haus gebaut und (noch) nicht eingeweiht hat? Er gehe weg und kehre heim, damit er nicht im Kampfe umkomme und ein anderer es einweihe“, Sinn: ,,Wenn jemand (von euch) ein neues Haus gebaut, es aber noch nicht eingeweiht hat, so trete er ab und kehre heim, damit nicht, falls er im Kampfe umkommt, es ein anderer einweihe“, TrgJér I מאן גברא די בנא ביתא חדתא ולא קבע ביה מזוזתא לשכללותיה יהך ויתוב לביתיה דלמא יגרום ליה חובא ויתקטל בקרבא וגבר חורן ישכלליניה, LXX τίς ὁ ἄνθρωπος ὁ οἰκοδομήσας οἰκίαν καινὴν καὶ οὐκ ἐνεκαίνισεν αὐτήν; πορευέσθω καὶ ἀποστραφήτω εἰς τὴν οἰκίαν αὐτοῦ, μὴ ἀποθάνῃ ἐν τῷ πολέμῳ καὶ ἄνθρωπος ἕτερος ἐγκαινιεῖ αὐτήν. 6 וּמִי־הָאִישׁ אֲשֶׁר־נָטַע כֶּרֶם וְלֹא חִלְּלוֹ יֵלֵךְ וְיָשֹׁב לְבֵיתוֹ פֶּן־יָמוּת בַּמִּלְחָמָה וְאִישׁ אַחֵר יְחַלְּלֶנּוּ ,,Und wenn jemand (unter euch) einen Weinberg gepflanzt, aber noch nicht zu nutzen angefangen hat, so trete er ab und kehre heim, damit nicht, falls er im Kampfe umkommt, ein anderer ihn zu nutzen anfange“, LXX καὶ τίς ὁ ἄνθρωπος, ὅστις ἐφύτευσεν ἀμπελῶνα καὶ οὐκ εὐφράνθη ἐξ αὐτοῦ; πορευέσθω καὶ ἀποστραφήτω εἰς τὴν οἰκίαν αὐτοῦ, μὴ ἀποθάνῃ ἐν τῷ πολέμῳ καὶ ἄνθρωπος ἕτερος εὐφρανθήσεται ἐξ αὐτοῦ. 7 וּמִי־הָאִישׁ אֲשֶׁר־אֵרַשׂ אִשָּׁה וְלֹא לְקָחָהּ יֵלֵךְ וְיָשֹׁב לְבֵיתוֹ ,,Wenn sich jemand (von euch) mit einem Weib verlobt hat, es aber noch nicht heimgeführt hat, so trete er ab und kehre heim“, LXX καὶ τίς ὁ ἄνθρωπος, ὅστις μεμνήστευται γυναῖκα καὶ οὐκ ἔλαβεν αὐτήν; πορευέσθω καὶ ἀποστραφήτω εἰς τὴν οἰκίαν αὐτοῦ. 8 מִי־הָאִישׁ הַיָּרֵא וְרַךְ הַלֵּבָב יֵלֵךְ וְיָשֹׁב לְבֵיתוֹ וְלֹא יִמַּס אֶת־לְבַב אֶחָיו כִּלְבָבוֹ ,,Wenn jemand (unter euch) furchtsam und mutlos ist, so trete er ab und kehre heim, damit er nicht seine Volksgenossen auch so mutlos mache wie er ist“, LXX τίς ὁ ἄνθρωπος ὁ φοβούμενος καὶ δειλὸς τῇ καρδίᾳ; πορευέσθω

---

[1] Vgl. dazu S. 259ff.

[2] Vgl. S. 205 Anm. 2 und S. 208f. Ebenso LXX in Dt 20,5.

καὶ ἀποστραφήτω εἰς τὴν οἰκίαν αὐτοῦ, ἵνα μὴ δειλιάνῃ τὴν καρδίαν τοῦ ἀδελφοῦ αὐτοῦ ὥσπερ ἡ αὐτοῦ. Ri 10,18 מִי הָאִישׁ אֲשֶׁר יָחֵל לְהִלָּחֵם בִּבְנֵי עַמּוֹן יִהְיֶה לְרֹאשׁ לְכֹל יֹשְׁבֵי גִלְעָד „Wenn jemand den Kampf mit den Ammonitern aufnimmt, soll er das Haupt über alle Einwohner Gileads werden", LXX τίς ἀνήρ, ὃς ἄρξεται πολεμῆσαι ἐν τοῖς υἱοῖς Αμμων; καὶ ἔσται εἰς κεφαλὴν πᾶσιν τοῖς κατοικοῦσιν Γαλααδ. Jer 9,11 מִי־הָאִישׁ הֶחָכָם וְיָבֵן אֶת־זֹאת וַאֲשֶׁר דִּבֶּר פִּי־יהוה אֵלָיו וְיַגִּדָהּ „Wenn jemand weise ist, möge er dies erklären, wenn zu jemand der Mund J.s gesprochen hat, möge er es verkünden" (oder konsekutives ו?), LXX τίς ὁ ἄνθρωπος ὁ συνετὸς καὶ συνέτω τοῦτο, καὶ ᾧ λόγος στόματος κυρίου πρὸς αὐτόν, ἀναγγειλάτω ὑμῖν. Ps 25,12 מִי־זֶה הָאִישׁ יְרֵא יהוה יוֹרֶנּוּ בְּדֶרֶךְ יִבְחָר „Wenn jemand J. fürchtet, so zeigt der ihm den Weg, den er wählen soll", LXX τίς ἐστιν ἄνθρωπος ὁ φοβούμενος τὸν κύριον; νομοθετήσει αὐτῷ ἐν ὁδῷ, ᾗ ᾑρετίσατο. 34,13f. מִי־הָאִישׁ הֶחָפֵץ חַיִּים אֹהֵב יָמִים לִרְאוֹת טוֹב נְצֹר לְשׁוֹנְךָ מֵרָע וּשְׂפָתֶיךָ מִדַּבֵּר מִרְמָה „Wenn jemand Lust am Leben hat, begehrend gute Tage zu sehen (= wenn du . . .), so bewahre deine Zunge vor dem Bösen und deine Lippen vor trügerischer Rede", LXX τίς ἐστιν ἄνθρωπος ὁ θέλων ζωὴν ἀγαπῶν ἡμέρας ἰδεῖν ἀγαθάς; παῦσον τὴν γλῶσσάν σου ἀπὸ κακοῦ καὶ χείλη σου τοῦ μὴ λαλῆσαι δόλον, 1Petr 3,10 ὁ γὰρ θέλων ζωὴν ἀγαπᾶν καὶ ἰδεῖν ἡμέρας ἀγαθὰς παυσάτω τὴν γλῶσσαν ἀπὸ κακοῦ[1].

Nach diesen Beispielen ist auch der Sinn der ntl. Belege klar[2]. Gegenüber den atl. Beispielen fällt jedoch auf, daß überall, außer wo

[1] Aus dieser Konstruktion hat sich der durch ein Interrogativpron. eingeleitete kond. Relativsatz (S. 151f.) entwickelt, vgl. etwa Dt 20,8 mit Ri 7,3. VglGr 337, Brockelmann 155a. Aram. Belege sind — wohl nur zufällig — nicht überliefert; vgl. aber KlglR zu 1,5 מי אית לך בר נש דסנאית ליה או דחב לך יעברוניה קמך ובשרך שחי „Hast du jemanden, den du haßt oder der sich gegen dich verschuldet hat? Man soll ihn an dir vorbeigehen lassen, so wird dein Fuß mager werden" (dafür in der Parallele AD 20,24 אין אית לך שנאה או מרי חוב עבריה קדמך „Wenn du einen Hasser hast . . ."); bTaan 24b מי איכא דחזי חילמא לימא „Ist jemand da, der einen Traum gesehen hat? Er sage ihn!" (מי kennzeichnet im jüngeren Aram. Satzfragen: „etwa"); jBQ 5c מהו דיימרון דקיקייא לרברבייא ניפלוג עימכון יכלין מימר לון מציאה מצאנו „Dürfen die Jüngeren zu den Älteren sagen: ‚Wir wollen mit euch teilen!'? Dann können sie zu ihnen sagen: ‚Wir haben den Fund gemacht!'" u. ebd. ä. (מהו ד kennzeichnet Satzfragen, vgl. S. 124 Anm.).

[2] Natürlich könnte auch schon Jesus diese Konstruktion in einer der abgewandelten Formen benutzt haben (vgl. S. 287 Anm. 2), doch halte ich es für das Wahrscheinlichste, daß unsere Beispiele erst bei der Übersetzung ins Griech. geglättet wurden, ursprünglich also überall ἄνθρωπος o.ä. als Prädikat

es aus sachlichen Gründen unpassend ist, ἐξ ὑμῶν zugesetzt ist, und daß die Apodosis meist als rhetorische Frage gefaßt ist. Beides sind Kennzeichen der lebhaften mündlichen Rede, oder besser: Anrede, und das wird auch der Grund sein, warum Jesus an Stelle eines konditionalen Relativsatzes diese Konstruktion benutzt hat[1]. Das Tempus schwankt (auch in den Handschriften) zwischen Aorist, Präsens und Futurum: Im Aramäischen hat sicher überall Partizip[2] gestanden: Mt 7,9f. (= Lk 11,11f.) „Wenn jemand von euch von seinem Sohn um ein Brot gebeten wird, wird er ihm doch[3] nicht einen Stein reichen, oder, um einen Fisch gebeten, eine Schlange!"; 12,11 „Wenn einem von euch sein Schaf am Sabbat in eine Grube fiele, so würde er es doch greifen und heraufholen!"; Lk 11,5—7 „Wenn jemand von euch, der einen Freund hat, um Mitternacht zu diesem kommt und zu ihm sagt: ‚Freund, borge mir drei Brote', so wird der doch nicht von innen antworten: ‚Laß mich in Ruhe!'" oder (Greeven): „Wenn zu einem von euch sein Freund kommt, so wird er doch nicht sagen!"; 14,5 „Wenn einem von euch sein Sohn oder auch nur sein Ochse in einen Brunnen fällt, würde er ihn doch auch am Sabbat sofort heraufziehen!". 28 „Wenn jemand von euch ein Wirtschaftsgebäude bauen will, überschlägt er doch auch zunächst die Kosten!". 31 „Wenn ein König gegen einen anderen König zum Kampf auszieht, beratschlagt er doch auch zuerst, ob er dazu überhaupt in der Lage ist!"; 15,4 „Wenn jemand von euch, der hundert Schafe hat, eins von denen verliert, so läßt er doch die 99 auf der Trift und geht dem verlorenen nach!". 8 „Wenn eine Frau von ihren 10 Drachmen eine verliert, so zündet sie doch ein Licht an und fegt das Haus und sucht mit Eifer!"; 17,7—9 ist schwierig, weil der Mittelsatz bereits aus zwei rhetorischen Fragen besteht. Im Deutschen muß man diese wie D in entsprechende emphatische Behauptungssätze verwandeln, wenn der Satzaufbau deutlich werden soll: „Wenn jemand von euch zu seinem Knecht, der vom Pflügen oder Viehhüten heimkommt, nicht

---

eines Nominalsatzes gestanden hat (in der Zusammenstellung auf S. 288f. stehen diese Beispiele je weiter unten, desto weiter sie sich von der ursprünglichen Konstruktion entfernt haben).

[1] Die Wiedergabe eines hierhergehörigen atl. Beispiels durch ein kond. Partz. in 1Petr 3,10 läßt vermuten, daß auch Jesusworte in dieser Weise gräzisierend übersetzt wurden, unsere Konstruktion also ursprünglich noch häufiger war.

[2] Ausdruck des Präsens und des Futurums, seltener präterital, vgl. S. 197 Anm.

[3] Unbetontes „doch" als Ausdruck emphatischer Ablehnung, die die rhetorische Frage im Sem. gern ausdrückt.

etwa sagt: ‚Schnell, setz dich zu Tisch!‘, sondern sogar: ‚Richte mir das Abendbrot ..., danach magst du selbst essen und trinken‘, wird er sich dann etwa (hinterher) bei seinem Knecht bedanken, weil er seine Befehle ausgeführt hat?“; Mt 24,45ff. = Lk 12,42ff. wurde die syntaktische Bedeutung der Frage nicht mehr verstanden und diese durch Glossierung zu einem selbständigen Ruf zur Treue ausgestaltet. Wenn man πιστός und φρόνιμος in Mt 24,45 = Lk 12,42 und ebenso κακός in Mt 24,48 (in Lk 12,45 war es gar nicht zugesetzt worden) als Glossen, die bereits die Apodosis vorwegnehmen (D hat sie noch weiter vermehrt), streicht, wird alles klar: „Wenn ein Knecht von seinem Herrn über das Gesinde gesetzt wurde, um ihnen zur rechten Zeit die Speise auszuteilen, so ist er selig, wenn ihn der Herr bei seiner Ankunft so tun findet. Wenn jener Knecht aber in der Meinung, sein Herr bliebe noch lange aus, seine Mitknechte schlägt und Orgien feiert, so wird ihn sein Herr, falls er ihn unvermutet überrascht, in Stücke hauen.“

STATISTIK ÜBER DIE KONDITIONALSÄTZE IM NEUEN TESTAMENT

Die folgende Tabelle faßt das über den Konditionalsatz im NT Gesagte statistisch zusammen. Allerdings wurde nur gezählt (nach dem von Nestle gebotenen Text) und nicht gewogen. Die einzelnen Spalten geben die absolute Häufigkeit der verschiedenen besprochenen Konstruktionen in den einzelnen ntl. Schriften an. Nach jeder Zahl ist dabei die relative Häufigkeit pro Seite von Westcott-Hort vermerkt. Zum Schluß ist die Summe aller mehr semitischen Konditionalkonstruktionen zur Summe aller Konditionalsätze mit εἰ und ἐάν in Beziehung gesetzt (εἰ, ἐάν = 100). Dabei ergibt sich der größte semitische Einfluß bei Lk (280,0%), es folgen die Johannesbriefe (247,8%), die Apokalypse (235,7%), Mt (223,1%), während der Durchschnitt des NT bei 120,9%, der Durchschnitt der Briefe ohne Jak und 1—3Joh bei 47,8% und der Durchschnitt der Pastoralbriefe sogar nur bei 4,5% liegt! In den Synoptikern (235,1%) sind also die im Semitischen üblichen Konstruktionen gegenüber den griechischen fünfmal so häufig wie in den Briefen ohne Jak und 1—3Joh und mehr als fünfzigmal so häufig wie in den Pastoralbriefen. Das ist ein wichtiges Ergebnis!

	Seiten	$\epsilon\grave{\iota}$ ($\grave{\epsilon}\grave{\alpha}\nu$)$\mu\acute{\eta}$ ($\grave{\alpha}\lambda\lambda\acute{\alpha}$, $\pi\lambda\acute{\eta}\nu$) „außer sondern“	pro Seite	kond. Relativsätze + Partizipien	pro Seite	Imperativ + $\kappa\alpha\acute{\iota}$ + Futurum	pro Seite	Parataxe im Nebensatz	pro Seite	Parataxe im Hauptsatz	pro Seite
Mt	68	14	0,21	96	1,41	19	0,28	11	0,16	30	0,44
Mk	42	16	0,38	34	0,81	9	0,21	10	0,24	5	0,12
Lk	72	13	0,18	70	0,97	16	0,22	25	0,35	20	0,28
Joh	54	9	0,17	74	1,37	11	0,20	13	0,24	15	0,28
Act	70	2	0,03	7	0,10	4	0,05	1	0,01	1	0,01
Röm	26	5	0,19	30	1,15	1	0,04	1	0,04		
1Kor	24	10	0,42	27	1,13			6	0,25	2	0,08
2Kor	17	3	0,18	8	0,47	2	0,12	6	0,35	1	0,06
Gal	9	4	0,44	6	0,67	1	0,11				
Eph	9	1	0,11	4	0,44	1	0,11				
Phil	6	1	0,17	1	0,17	1	0,17				
Kol	6			3	0,50						
1Thess	6			1	0,17						
2Thess	3										
1Tim	7										
2Tim	5			1	0,20						
Tit	3										
Phlm	1										
Hebr	21	1	0,05	5	0,24						
Jak	7			10	1,43	5	0,71	3	0,43	4	0,57
1Petr	7			3	0,43	1	0,14				
2Petr	5			2	0,40						
1Joh	8	2	0,25	45	5,63	1	0,13	3	0,38		
2Joh	1			3	3,00			1	1,00		
3Joh	1			2	2,00						
Judas	2										
Briefe ohne Jak, 1–3 Joh	157	25	0,16	91	0,58	7	0,04	13	0,08	3	0,02
Apc	36	6	0,17	20	0,56	2	0,06	5	0,14		
Summe	516	87	0,17	452	0,88	74	0,14	85	0,16	78	0,15

Frage statt Konditionalsatz	pro Seite	Summe aller semitischen Konditionalkonstr.	pro Seite	Asyndetische Parataxe	pro Seite	εἰ und ἐάν als Einleitung eines Konditionalsatzes	pro Seite	davon: εἴ τις ἐάν τις etc.	pro Seite	Semitismen zu Gräzismen in %
4	0,06	174	2,56	1	0,01	78	1,15	9	0,13	223,1
		74	1,76			38	0,90	11	0,26	194,7
10	0,14	154	2,14			55	0,76	10	0,14	280,0
		122	2,26			103	1,91	28	0,52	118,4
		15	0,21			23	0,33	5	0,07	65,2
		37	1,42	1	0,04	61	2,35	3	0,12	60,7
		45	1,88	5	0,21	97	4,04	26	1,08	46,4
		20	1,18			31	1,82	6	0,35	64,5
		11	1,22			20	2,22	2	0,22	55,0
		6	0,67			3	1,33	2	0,22	200,0
		3	0,50			6	1,00	3	0,50	50,0
		3	0,50			6	1,00	1	0,17	50,0
		1	0,17			2	1,33			50,0
						3	1,00	2	0,67	
						14	2,00	8	1,14	
		1	0,20			7	1,40	2	0,40	4,5
						1	0,33	1	0,33	
						2	2,00	1	1,00	
		6	0,29			20	0,95	1	0,05	30,0
		22	3,14	3	0,43	17	2,43	8	1,14	129,4
		4	0,57			16	2,29	3	0,43	25,0
		2	0,40			2	0,40			100,0
		51	6,38			21	2,63	5	0,63	
		4	4,00			1	1,00	1	1,00	247,8
		2	2,00			1	1,00			
		139	0,89	6	0,04	291	1,85	61	0,39	47,8
		33	0,92			14	0,39	12	0,33	235,7
14	0,03	776	1,50	10	0,02	642	1,24	150	0,29	120,9

Register

VORBEMERKUNG ZUM NEUTESTAMENTLICHEN STELLENREGISTER

Das folgende Register zum Neuen Testament faßt zugleich die Ergebnisse dieser Arbeit zusammen, indem jeweils nach den Seiten- bzw. Anmerkungszahlen in Klammern angegeben wird, wie dort die betreffende ntl. Stelle beurteilt wurde. Dazu werden folgende Sigel verwandt:

S	Semitismus
Sh	Hebraismus
Sa	Aramaismus
G	Gräzismus

und zwar in folgenden Abstufungen:

S1	Im Semitischen viel häufiger als im Griechischen
S2	Im Semitischen sehr viel häufiger als im Griechischen
S3	Im Griechischen nur sehr selten
S4	Im Griechischen ganz außergewöhnlich
S5	Im Griechischen nicht zu belegen, sicherer Semitismus
s	semitisiert
G1	Im Griechischen viel häufiger als im Semitischen
G2	Im Semitischen nur sehr selten
G3	Im Semitischen nicht zu belegen, sicherer Gräzismus
g	gräzisiert

und dazu:

LXX	Die betreffende Stelle stammt aus LXX
LXX1	wahrscheinlich Septuagintismus
LXX2	sehr wahrscheinlich Septuagintismus
LXX3	so weder semitisch noch griechisch, sicherer LXXismus

Sachlich zusammengehörige Seiten- bzw. Anmerkungszahlen sind durch Punkt, solche, die sich auf verschiedene Konstruktionen beziehen, durch Komma getrennt. Die in Klammern gegebene sprachliche Beurteilung bezieht sich auf alle vorangehenden durch Punkt getrennten Seiten- bzw. Anmerkungszahlen. Ein Ausrufungszeichen (!) hinter einer Seiten- bzw. Anmerkungszahl besagt, daß die betreffende

Stelle dort ausführlicher behandelt wurde. Durch zwei Ausrufungszeichen (!!) sind die ganz neu gedeuteten ntl. Stellen gekennzeichnet. A heißt Anmerkung. Anmerkungen, die von der vorhergehenden Seite weitergeführt sind, werden ohne Anmerkungsziffer zitiert.

Diese reich abgestufte Bewertung der Semitismen, Septuagintismen und Gräzismen gibt zugleich die Möglichkeit, den sprachlichen Charakter der einzelnen ntl. Schriften, wie er sich auf Grund der bisher bearbeiteten Konstruktionen zeigt, gegenüber den vorangehenden Statistiken (vgl. S. 10 Anm. 1), in denen nur gezählt wurde, noch genauer zu bestimmen: In der folgenden Tabelle sind die Indices der von Nestle gebotenen Lesarten des Registers nach Semitismen, LXXismen und Gräzismen zusammengezählt und deren Häufigkeit pro Seite von Westcott-Hort berechnet. Darauf sind in der letzten Spalte die Semitismen in Beziehung zu den Gräzismen gesetzt (in %, bezogen auf Gräzismen = 100). Den größten semitischen Einfluß zeigen nach der ersten Spalte 1—3Joh (7,50), was seinen Grund hauptsächlich in der großen Zahl der konditionalen Partizipien hat, es folgen: Lk (5,86), Mt (4,84), Jak (4,14), Joh (3,20), Mk (2,69), Apc (1,97), während der Durchschnitt der Briefe ohne Jak und 1—3Joh 0,69 beträgt, wobei jedoch 1Kor (1,83) und Gal (1,56) wesentlich höher liegen. Bei den Gräzismen (3. Spalte) fallen besonders die hohen Zahlen bei 1—3Joh (6,00), Joh (2,89) und Jak (2,43) auf, die zeigen, daß bei diesen Schriften als ganzen von direkter Übersetzung eines semitischen Originals nicht die Rede sein kann. Unter den Synoptikern hat Lk erwartungsgemäß die meisten Gräzismen. Septuaginta-Einfluß (2. Spalte) läßt sich nur in wenigen ntl. Schriften sicher nachweisen. Er ist weitaus am stärksten bei Lk und in den Acta. Allerdings dürften auch noch einige Semitismen eigentlich LXXismen sein, so daß deren Zahl, zumal bei Lk und in den Acta, auf Kosten der Semitismen noch wesentlich höher zu veranschlagen sein wird, besonders was das satzeinleitende καὶ ἐγένετο anbetrifft, das als eindeutig hebräische Konstruktion immer mit Sh5 bewertet werden mußte, wenn es nicht in unhebräischer Weise verwandt wurde. Die letzte Spalte der folgenden Tabelle gibt abschließend das Verhältnis von Semitismen zu Gräzismen auf Grund aller in dieser Arbeit behandelten ntl. Stellen. Sieht man von den Acta ab, deren hoher Semitismengehalt (238,7%) nur auf das häufige dem hebräischen Sprachgebrauch entsprechende satzeinleitende καὶ ἐγένετο zurückgeht, ergibt sich folgende Reihenfolge für das Überwiegen semitischer

	Seiten	Semitismen	pro Seite	LXX-ismen	pro Seite	Gräzismen	pro Seite	Semitismen: Gräzismen in %
Mt	68	329	4,84	8	0,12	100	1,47	329,0
Mk	42	113	2,69	3	0,07	61	1,45	185,2
Lk	72	422	5,86	23	0,32	137	1,90	308,0
Joh	54	173	3,20			156	2,89	110,9
Act	70	74	1,06	27	0,39	31	0,44	238,7
Röm	26	22	0,85			54	2,08	40,7
1Kor	24	44	1,83			90	3,75	48,9
2Kor	17	9	0,53			26	1,53	34,6
Gal	9	14	1,56			11	1,22	127,3
Eph	9	8	0,89			4	0,45	200,0
Phil	6	1	0,17			10	1,67	10,0
Kol	6	2	0,33			3	0,50	66,7
1Thess	6	1	0,17			1	0,17	100,0
2Thess	3					2	0,67	
1Tim	7					32	4,57	
2Tim	5					2	0,40	
Tit	3					3	1,00	
Phlm	1					1	1,00	
Hebr	21	4	0,19			12	0,57	33,3
Jak	7	29	4,14			17	2,43	170,6
1Petr	7	3	0,43			11	1,57	27,8
2Petr	5	1	0,20					
1Joh	8	64	8,00			53	6,63	
2Joh	1	8	8,00			7	7,00	125,0
3Joh	1	3	3,00					
Judas	2							
Briefe ohne Jak, 1–3 Joh	157	109	0,69			262	1,67	41,6
Apc	36	71	1,97	2	0,06	43	1,19	165,1
Summe	516	1395	2,70	63	0,12	867	1,68	160,9

gegenüber griechischer Syntax im NT: Mt (329,0%), Lk (308,0%), Mk (185,2%), Jak (170,6%), Apc (165,1%), 1—3Joh (125,0%), Joh (110,9%), während in den Briefen ohne Jak und 1—3Joh die Semitismen nur 41,6% der Gräzismen ausmachen, wobei besonders die Pastoralbriefe ganz und gar griechisch aussehen, wogegen bei den echten Paulinen noch semitischer Einfluß vorhanden zu sein scheint. Der semitische Einfluß bei den Synoptikern (289,9%) ist also fast siebenmal so stark wie der bei den Briefen ohne Jak und 1—3Joh!

STELLENREGISTER ZUM NEUEN TESTAMENT

1.KORINTHER

2.KORINTHER

STELLENREGISTER ZUM ALTEN TESTAMENT

(Auswahl)

WORTREGISTER

SACHREGISTER

STUDIEN ZUR UMWELT DES NEUEN TESTAMENTS

Herausgegeben von Karl Georg Kuhn

Band 1

KLAUS BEYER

Semitische Syntax im Neuen Testament

Band 1: Satzsyntax und Satzlehre, Teil I

323 Seiten, brosch. 34,80 DM

Jesus und seine Jünger haben aramäisch gesprochen. Von dieser Sprache ist aber so gut wie nichts überliefert, der Gegenstand der Erforschung sind rein griechische Texte, die nicht einmal als Ganzes übersetzt sind, sondern zum Teil irgendwo während ihrer mündlichen Weitergabe die semitisch-griechische Sprachgrenze überschritten, wobei alle Möglichkeiten zwischen wörtlicher Übersetzung (bei Worten Jesu) und völliger Neuschöpfung denkbar sind. Die vorliegende Arbeit behandelt im Gegensatz zur bisherigen Forschung, die mehr einzelne Wörter und Begriffe untersuchte, nur die Syntax, zunächst sogar nur die Satzsyntax, da der Satzbau dem Redenden weniger bewußt ist als die Wortwahl und auch widerstandsfähiger gegen Sprachmischungen und Stilverbesserungen und deshalb beweiskräftiger ist.

Ende 1962 erscheint:

Band 2

GERT JEREMIAS

Der Lehrer der Gerechtigkeit

Etwa 384 Seiten, brosch. etwa 36,— DM

Ein klares Bild des „Lehrers der Gerechtigkeit", des Gründers der essenischen Bewegung, ist grundlegend für das Verständnis der Qumrantexte; das gilt um so mehr, als über ihn die gewagtesten Theorien im Umlauf sind. Unter strenger Beschränkung auf gesicherte Aussagen der Quellen klärt der erste Teil zunächst den historischen Rahmen seines Auftretens. Die Identifizierung des „Frevelpriesters" mit dem Hohenpriester Jonathan (153—143 v. Chr.) und die Erkenntnis, daß der „Lügenmann" das Haupt einer abtrünnigen Gruppe innerhalb der Qumrangemeinde ist, geben den Hintergrund, auf dem die Aussagen über Person und Wirken des Lehrers konkrete Gestalt gewinnen.

Der zweite Teil stellt den Lehrer als geistliche Persönlichkeit dar. Es werden innerhalb der Dankpsalmen die auf ihn selbst zurückgehenden Hymnen ausgesondert. Ihre Auslegung läßt das Bild eines religiösen Führers entstehen, der tiefste Demut vor Gott mit einem ganz ungewöhnlichen Sendungsbewußtsein verband. Als eschatologische Heilsgestalt hat er sich jedoch nicht gewußt und auch der Gemeinde nicht gegolten. Die Untersuchung gipfelt in einem Vergleich des Lehrers mit Jesus, bei dem zunächst die erstaunlichen Übereinstimmungen, dann aber um so deutlicher die grundlegenden Unterschiede klar heraustreten.

VANDENHOECK & RUPRECHT IN GÖTTINGEN UND ZÜRICH